U0204123

水利水电科技
主题词表

WATER RESOURCES AND HYDROELECTRIC POWER THESAURUS

水利部信息研究所 编

黄河水利出版社

协作编制单位

中国长江三峡工程开发总公司

云南省水利水电厅

珠江水利委员会科研所

词表编辑部

主　编　董兆林

副主编　孔慕兰　陈献　周晓花

编　辑　储志高(软件设计)

方旭洁(软件负责人)

王丽艳　耿延芳　吴珊　王　萍

姜钧英　周惟道　陈尚文

辅助编辑　何春华　张玉　周菁　梁宁

特约审稿人

吕宏基　史振寰　李林　林祚顶　匡　键

卢惠章　陈霁巍　李启双　张　伟　宫传林

王　越

责任编辑

荆东亮

总　目　录

前　言

　　自 80 年代以来，主题词在我国各个领域获得了日益广泛的应用，人们对其思想性、科学性和实用性的认识逐步加深。水利水电科技主题词，在"开发信息资源，服务水利建设"，以及"科教兴水"的伟大实践中亦崭露头角。伴随着水利科技体制改革的深化，水利科技与水利产业愈益相互依存、相互促进，水利信息业作为其间的纽带和桥梁正发挥着与日俱增的作用，以主题词为标识的主题检索已成为广大科研和工程技术人员实现科技进步的有效途径之一，确实取得了显著的成效。

　　近 10 年来，水利水电系统广大科技工作者使用 1987 年首次出版的《水利水电科学技术主题词典》开展了颇具规模的数据库建设和文献检索服务，对主题词的认识上升到一个崭新的阶段，对原主题词典中落后于新形势的许多内容不断地提出意见。水利部信息研究所通过长期参与各类水利信息服务，充分注意到水利事业蓬勃发展的方方面面，确认和吸纳了各方的许多建议，经水利部科技司批准，词典再版编撰被列入 1996 年水利科技基金项目。

　　本词表编辑部遵循水利科学和主题科学的基本原理和要求，在最大限度地继承原主题词典合理内核的基础上，着眼于水利科技发展的需要，作了大量的增补和删改，在坚持突出一个"新"字的前提下，拓宽了收词的范围，使词表适用于水利水电科研、设计、施工、运行、教学及管理领域的人员。编辑部还根据近 10年运用水利水电科技主题词取得的经验，并应用了主题新技术，对词表的组织编排形式作了部分调整；在整个编制期间，自行设计了辅助编辑排版程序，运用微机高效、优质地完成了技术编辑任务。

I

本词表编制工作历时一年半，此间得到了中国长江三峡工程开发总公司、云南省水利水电厅、珠江水利委员会科研所、黄河水利委员会河南黄河河务局和设计院、长江水利委员会信息中心、中南勘测设计院、天津勘测设计院等单位和部门的一些专家、工程技术人员和信息工作者，以及黄河水利出版社总编和责任编辑的帮助与指导，在此谨表示衷心的谢忱。

　　鉴于主题词表是一部专用工具书，其编制工作浩繁，综合性和前瞻性要求高，而我们的知识广度和深度有限，因此，本词表还会存在不少疏漏甚至谬误，恳望各界读者指正。

编　者

1997 年 10 月

编 制 说 明

本词表的编制目的是，为水利水电系统计算机检索提供规范化的检索语言，为建立各类计算机数据库提供统一的主题词。其体系结构、组织编排和收词原则，既力求实现思想性、科学性和实用性的辩证统一，又注意充分发挥计算机的优越功能。

本词表是根据近 10 年水利水电数据库建设实践的大量积累，主题科学的新进展，对《水利水电科学技术主题词典》(1987 年)作了大幅度的增、删、改后编制而成的，全面提高了收词的思想性、科学性和实用性，并力求满足水利水电科技单位内各分支机构对主题词的不同需要。

一、体 系 结 构

本词表由主表(字顺表)、附表、范畴索引和词族索引四部分组成。两部索引均为主表的辅助索引，以便读者和用户从不同途径查词。本词表共收录主题词 8265 条，其中主表 6547 条，附表1718 条，共计含非正式主题词(又称非用词)809 条。

（一）主表(字顺表)

主表是本词表的主要组成部分，也是文献标引、文献检索和组织主题索引的主要工具。主表按款目主题词的汉语拼音字母音序排列，俗称字顺表。正式主题词采用黑体字，以示醒目。

每一主题词均拥有多项款目，其基本成分是款目主题词及其汉语拼音、英文译名和范畴号。大多数的主题词，还包含 Y (用)、D (代)、F (分)、S (属)、Z (族)、C (参)六种语义参照项中的一项或多项，以表明款目主题词同其它主题词之间的相互关系(凡不含参照项的主题词称作无关联词)。

（1）Y 和 D 是具有等同关系的两个或多个主题词进行词义规范的一对指示符号，对文献检索查全率起保证作用。

含有 Y 项的主题词为非正式主题词，在标引和检索时不得采用，必须使用Y所指引的正式主题词。含有D项的主题词为正式主题词，D所指引的非正式主题词是其同义词或准同义词，标引和检索时不得采用。在本表(不是在同一主题词款目)中，Y和D是成对存在的，即一主题词下有Y项，则在Y所指引的主题词下必有D项，反之亦然，如例1所示。

例1：

Zheng chang gao shui wei	Zheng chang xu shui wei
正常高水位　　　　　[01D]	正常蓄水位　　　　　[01D]
Normal high water level	Normal high water level
Y　正常蓄水位	D　正常高水位

(2) S和F是具有属分关系的主题词之间的一对指示符号，反映出它们在语义上的等级性。

含有F项的主题词，是F所指引的主题词(一个或多个)的上位词(又称广义词)。含有S项的主题词，是S所指引的主题词的下位词(又称狭义词)。本表收录的主题词款目中，有的只含F项，有的只有S项，有的同时含F和S项，如例2所示。

例2：

Jin shu	Hei se jin shu
金属*　　　　　　　[18I]	黑色金属　　　　　　[18I]
Metal	Ferrous metal
F　黑色金属	S　金属*
有色金属	
You se jin shu	Hua dong mo ban
有色金属　　　　　　[18I]	滑动模板　　　　　　[14G]
Non-ferrous metal	Sliding form
S　金属*	Slip form
	F　液压滑动模板
	S　活动模板
	Z　模板*

例2表明，F和S(或者上位词和下位词)是对应存在的，有

一个 F 项即有一个 S 项。S 所指引的主题词也可能同时是族首词（右侧带∗号）。

（3）Z 是指引本表多级词族中最上位词，即族首词的符号。Z 所指引的主题词，其右侧一律带∗号，如例 2 所示。

（4）C 是指引与款目主题词具有密切关系的其它主题词（又称相关词）的符号，向读者和用户指明扩大检索的途径。

C 所指引的主题词可能是一个或几个，但都必须与款目主题词是相关词，如例 3 所示。

例 3：

Fang xun zu zhi
防汛组织   [12B]
Floodproofing organization
  C 抗洪抢险

Kang hong qiang xian
抗洪抢险   [12A]
Flood fighting
Fight of flood emergency
  C 堤防加固
     防洪调度
     防汛组织

（5）本表收录的某些主题词，其款目中含范围注释或含义注释项，以使款目主题词的概念更加明确。范围注释内容写在圆括号内，并紧随款目主题词之后，且作为主题词的组成部分，标引时不可省略，但含义注释则置于款目主题词下方，另占一行，标引时不要写出，如例 4 所示。

例 4：

Wai bu she bei(ji suan ji)
外部设备(计算机)   [18G]
External device
  S 设备∗

Gao ba
高坝   [09C]
（坝高＞70 米）
High dam
  S 坝∗

标引时应分别写成"外部设备(计算机)"或"高坝"。

（6）主题词款目可用下图简要说明：

汉语拼音————		Da ba shui ni	
款目主题词———	**大坝水泥**	[15B]————	范畴号
英文译名————	Dam cement		
代项符号————	D 低热水泥————		非正式主题词
	中热水泥————		非正式主题词
分项符号————	F 矿渣大坝水泥———		狭义词
属项符号————	S 硅酸盐水泥———		广义词
			族首词符号
族项符号————	Z 水泥*		族首词
参项符号————	C 大坝砼————		相关词
	大体积砼————		相关词
	低碱水泥————		相关词

（二）附表

附表是本词表的另一重要组成部分，它的收词量与主表收词量之和为词表总词量。附表是一种定向检索专用词汇表，对于揭示文献的位置因素、建立事实型数据库将起到重要作用。

附表的主题词款目与主表相似，仅不设范畴号项，且语义参照项从简。

1. 附表一　水系

入表的外国河流和水系，都为世界知名的或有重要水利水电工程的大河流和大水系。

收录的国内河流和水系，大多为流域面积大于 10000 平方公里的河流和水系，少数为流域面积小于 10000 平方公里，但地理位置重要的河流和水系。

2. 附表二　水利水电工程

收录水库、大坝、水电站、灌区、调水工程和排灌站等名称。其中，国外工程包括高 150 米以上的坝，装机容量 100 万千瓦以上的水电站，库容 500 亿立方米以上的水库；国内工程包括高 90 米以上的坝，库容 5 亿立方米以上的水库，装机容量 25 万千瓦以上的水电站，灌溉面积 100 万亩以上的灌区，以及重要的排灌站和调(引)水工程。

3. 附表三　行政区划

国内部分含各省、自治区及其省会或首府，直辖市，经济特区，以及香港和澳门两个特别行政区。

外国行政区划，除美国、印度、加拿大和澳大利亚等水利水电工程较多的国家分别收录到州、邦、省以外，收录的其余国家仅列出国名。

4. 附表四　自然地理区划

收录国内外著名的山脉、平原、流域、高原、盆地、岛屿和海湾等名称。

5. 附表五　组织机构

国内的组织机构包括水利部直属的科研、设计和企事业单位，以及流域机构和高等院校，非水利部所属的水利水电单位，省、自治区和直辖市一级的水利水电科研和设计单位，设有水利水电专业的某些理工科大学和有关的学术组织。

外国或国际性组织机构，主要包括从事水利水电及相关专业的管理、科研和工程机构，以及有关的国际性或区域性组织。

（三）范畴索引

范畴索引是按主表主题词所属的水利水电及其相关的学科和领域分编的，是读者、标引员和检索员从学科和领域方面查找和选取主题词的一种辅助工具。

范畴索引为二级编制，其中，一级范畴 21 个，二级范畴 152 个。范畴采用混合码制，即一级范畴号为两位阿拉伯数字，二级范畴号为单个汉语拼音大写字母。各级范畴中编列的主题词均按隐含的汉语拼音音序排列。鉴于学科交叉和范畴交叉，同一主题词可能在几个范畴里出现；为减少各专业范畴的重复收录，凡可以入两个以上(不含两个)专业范畴的主题词，均收入通用词范畴；凡已入通用词范畴的主题词，一律不再入专业范畴。

（四）词族索引

词族索引是主表中具有属种关系的正式主题词(含少量具有部分整体关系的正式词)，按各自本质属性展开全显示的一种词族系统。

本索引包含 470 个词族，入族主题词 4467 条。每个词族的族首词为一级主题词，右侧冠以"*"号指示；其下用中圆点"·"表示级位，前有"·"者为二级主题词，前有"··"者为三级主题词，依此类推；同级主题词依其隐含的汉语拼音顺序排列。具有部分整体关系的入族词，只限于学科及其分支名称。通用词选作族首词，以方便查词或选词。

二、收 词 原 则 和 范 围

（一）收词原则

本词表编制严格遵照叙词法原则，收录的主题词在词类上以二元词为主，单元词和多元词为辅；在实效上主要是：

（1）力求词义明确，即单独存在时具有明确的概念；

（2）力求对水利水电信息检索具有实际意义；

（3）力求便利计算机信息检索，既有助于提高检索的效果，又有助于降低检索的费用。

（二）收词范围

1. 名词或名词性词组，动名词或动名词词组。主要包括：

（1）表示具体事物的名词术语，例如坝、闸门、水轮机、渠道、喷灌机等；

（2）表示事物性质、现象或状态的名词术语，例如稳定性、抗压强度、空蚀、渗漏、容重等；

（3）表示研究、生产或工作的方法与手段的名词术语，例如有限元法、线性规划、焊接、水文实验等；

（4）表示学科、理论、定律、学说、方程的名词术语，例如水力学、水文学、土力学、能量方程、渗流理论等；

（5）表示原料、材料、加工产品的名词术语，例如水泥、骨料、砼、胶凝材料、灌浆材料等；

（6）表示文献类型的名词术语，例如资料、年鉴、手册、专利文献、图集、论文、科技报告、考察报告、产品样本等；

(7) 各类专有名词术语，例如长江、葛洲坝水利枢纽、伊泰普水电站、美国、柴达木盆地、恒河三角洲、国际大坝委员会、国际灌溉排水委员会等；

(8) 通用的名词术语，例如设计、影响、管理、运用、应用、处理等。

2. 水利水电核心专业范畴术语

这部分术语收录详细，重要的基本术语力求不遗漏；各范畴之间收词粗细度大体相当；重要术语的同义词或近义词尽量选收；具有较高检索频度的专指性主题词占有一定的数量；近年出现的新技术、新方法、新材料、新设备的名称尽量收录。

3. 水利水电相关专业范畴术语

这部分术语粗而少，只收基本术语，专指性词组极少，但直接有利于水利水电事业发展的术语，尽多收录；不要求学科或专业的完整性。

三、编 排 说 明

1．混凝土与砼

根据中国文字改革委员会办公室 1985 年 6 月 7 日的批复，同意"砼"与"混凝土"同义并用，并考虑到 1986 年 7 月 1 日起实行的国家标准《建筑结构设计通用符号、计量单位和基本术语》(GBJ83 — 85)中已明确了"砼"与"混凝土"同义并用的法定地位，因此，

(1) 为简化标引工作和检索工作，选用"砼"为正式主题词，"混凝土"为非正式主题词，相关关系表示为"混凝土"Y"砼"，"砼"D"混凝土"；

(2) 为控制词表篇幅，凡含有"混凝土"概念的复合主题词中，均只采用"砼"表示，不再另设相应的非正式主题词，即只收录诸如"浸渍砼"、"砼坝"等词，而不收录"浸渍混凝土"、"混凝土坝"等词；

(3) 附表组织机构中，仍沿用原翻译名称，如"美国混凝土

学会"等。

2．汉语拼音及排序

本词表汉语拼音及排序遵循下列原则：

(1) 汉语拼音以商务印书馆《新华字典》为准，但不标四声；

(2) 主题词以字为单位标注汉语拼音分隔排列；

(3) 含字母的主题词(专业术语、缩略语等)按一一对应的汉语拼音字母音序排列，例如，用"U xing du cao"作为"U形渡槽"的汉语拼音，用"pH zhi"作为"pH值"的汉语拼音；

(4) 同音同形的字或词集中排序，以便按前方一致法查词。

3．计算机辅助编表

主题词表编制是一项浩繁、精细的工作，本词表的编制自始至终在编辑部自行研制的计算机辅助编表程序下进行，包括：本词表的建库工作；主题词款目中用、代，分、属、族、参等语义参照关系间的自动查错功能；主表、范畴索引、词族索引、附表中乃至各"分"项中主题词同音同形字、词集中的排序功能；主表、范畴索引、词族索引、附表等全部主题词表的自动编辑排版功能；历年来已建数据库主题词、自由词的使用频率统计功能，等等。由于上述计算机辅助编表程序的应用，特别是全部主题词表自动编辑排版功能的实现，极大地提高了词表编制的工效和质量，并为今后主题词表的动态管理提供了现代化管理的基础。

使 用 说 明

本词表是一部规范性的水利水电科技主题词表。它是自然语言与检索语言相互转换的媒介，是人与计算机对话的接口之一，是建立数据库、组织主题索引和开展计算机检索的工具。针对具体的水利水电文献或检索课题，从本词表中选用主题词的工作，称为水利水电主题标引工作。

正确选择主题词，即用好主题词表的关键在于掌握主题标引工作的规律性，其前提条件是熟悉主题词表，了解标引工作步骤，严格按标引规则和组配原则操作。

一、标引工作步骤

标引工作通常包括主题分析、选择决定主题词和主题标引三个基本环节。

1．主题分析　是对选用的文献或用户的检索课题的主题进行分析的过程。

主题分析的目的在于，弄清文献或检索课题的主题概念，即主题的类型、构成该主题的各个主题因素及其相互关系。

主题的类型分单主题和多主题（又称并列主题）两种，它们又有单元主题和复合主题两种形式。例如，"小坝设计"这个主题概念，它只包含"小坝"这样一个对象和问题，因此是单主题，然而又必须使用"小坝"和"坝设计"两个主题词才能完整地表达，所以，同时又是复合主题形式。又如，主题概念"水库和渠道防渗"，它研究和论述了两个对象，即"水库"和"渠道"，因此是多主题；而其中的"水库防渗"这一主题，又须用"水库"和"防渗"来表达，故又是复合主题形式。

构成一个主题的主题因素最多有五个，即主体因素、通用因素、位置因素、时间因素和文献类型因素。

主体因素，是文献或检索课题所论述的主题中的关键性概念。

主表中的大部分收词是表征主体因素的主题词，上述的"小坝"、"水库"和"渠道"都是主体因素主题词。

通用因素，是所论述主题的一些通用概念。本词表中，范畴号为"20"的主题词均为通用主题词，上述的"设计"即是通用词。通用主题词又分复合通用词和一般通用词。

位置因素，是表征主体因素位置属性的因素，是对其在地理位置上的一种限定和修饰。本词表中附表的收词均为位置主题词。

时间因素，是表征主体因素时间属性的因素，是对其时间的一种限定和修饰，其量无限大且无确定性，因此，本词表没有收录时间主题词，标引时可根据需要自由标引。

文献类型因素，则是表现主体因素的文献形式，诸如公文、函、年鉴、手册、论文、科技报告等，在本词表 19M 中作了集中收录。

一篇文献或一个检索课题的主题，都包含主体因素，其余四种因素在多数情况下不全存在。

2．选定主题词　是根据主题分析的结果，在主题词表中找出最能确切表达主题概念的相应主题词的过程。

上述的"小坝设计"主题，不能选择"小坝"和"设计"，而是选定"小坝"和"坝设计"即是依据"最能确切表达"的原则进行的。因为"坝设计"比"设计"更贴近"小坝设计"概念。可见，使用同一部主题词表表达同一个主题时，有几种可能的组合方案，但必须选择一种最能确切表达主题概念的主题词组合，以实现最佳方案。

3．主题标引　是在主题词选定之后，根据相互关系将若干个主题词联系在一起，以全面表达主题概念的过程。

表达一个主题概念的若干个主题词，需依照主体因素、通用因素、位置因素、文献类型因素先后排序。

主体因素中表达主题中心的主题词称之为入口词(别称主标题词)，是编制部分轮排主题索引的主题词，其排序居先。多主题情况亦然。各主题词之间，或用逗号隔开，或用空一格分开。

二、标引规则

主题标引规则，是保证文献和检索课题标引获得准确性、一致性和提高检索效率的一些基本规定。

(1) 标引必须以文献和检索课题的主题概念为基础，使用能表达其学科、专业、工程或课题特征的主题词，不得主观臆断地随意标引。

(2) 标引的主题词数量(标引深度)，应根据主题内容的实际需要而定；既不要过度标引，也不要过粗标引，以免主题词数量不恰当地增多或减少。为避免不同标引人员在标引深度上产生过大差别，建议标引词数量一般控制在 5 条～ 8 条左右。

(3) 标引词必须是本词表中的正式主题词，书写形式应与词表中的词形完全一致；不得选用非正式主题词标引。

例如，"水轮机气蚀机理探讨"主题概念，应以"水轮机空蚀机理"表达，不得使用"水轮机气蚀"表达。

(4) 标引词必须能准确地表达主题内容。

例如，"点源污染"主题，查主题词表有邻近的主题词"点污染"和"点污染源"，又经主题分析得知论述的是污染形式，而非污染源，故标引词应为"点污染"。

(5) 标引时，应优先选用最能确切表达主题内容的单个的、最专指的主题词作标引词直接标引。例如，"泥沙沉降"主题，查主题词表有"泥沙"、"沉降"和"泥沙沉降"可供选用。此时，应选用"泥沙沉降"作为标引词，而不得采用"泥沙 沉降"来表达。

这种专指性标引规则，是提高建库质量和检索效果的有效措施。本词表收录了一些表述核心专业和工程的多元先组词，如"水利工程环境影响"等，请注意采用。

(6) 当词表中不存在表达某主题概念的单个的、最专指的主题词时，应选用词表中与主题概念最直接相关的、最邻近的主题词组配标引。

例如，"通航建筑物管理"主题，查词表不存在单个的"通航建筑物管理"主题词，直接相关主题词有"通航建筑物"、"管理"和"水工建筑物管理"。由于使用其中的任何一条主题词均不能准确地表达该主题内容，因此必须组配标引。三者与该主题的相关性和邻近性的顺序依次为：通航建筑物；水工建筑物管理；管理。所以，该主题词的组配标引形式为"通航建筑物　水工建筑物管理"，而不得使用"通航建筑物　管理"。

组配标引是标引工作最常用的形式，内容丰富，其原则和基本操作方法，详见下文"组配原则"。

(7) 当词表中没有专指的主题词，同时也没有恰当的主题词可以组配标引时，可考虑选用一个最直接的上位主题词或近义的主题词进行上位标引或靠词标引。

例如，"电动铲运机"主题，查词表没有该主题词。表达该主题概念的组配形式应为"铲运机　电动机械"，而"电动机械"在本词表中也无收录，故该主题词的标引即为"铲运机"（上位标引），不得标引为"铲运机　电动"。

靠词标引是一种非规定标引形式，只有当不靠词便缺少主题中心表述时才采用。

(8) 当上述(5)、(6)、(7)三种标引形式均不适宜时，可增补新的专指主题词进行标引，称为增词标引。

增补新词时须注意如下几点：

① 新增主题词必须符合本词表的收词原则和范围，且不破坏词表的体系结构；一般应具有实际检索意义和一定的组配功能，以及较高的使用频度。

② 新增主题词，应侧重于水利水电专业和相关专业中出现的新概念、新术语。

③ 对新增主题词，应同时建立与原有主题词之间的各种语义参照关系，并作增词记录，报告词表管理机构——水利部信息研究所，以实现词表动态性变化统一管理。

(9) 自由标引。通常是指直接使用自然语言或关键词作为标引词的标引形式，又称非受控标引。本说明规定的自由标引，除适用于时间因素和未收入附表的位置因素外，还包括增词标引。

例如，"1975年河南特大洪水调研报告"主题，经主题分析其标引形式为"特大洪水　洪水调查　河南　1975年　调研报告"。其中的"1975年"即为自由词。

又如，"太原西山的岩溶水资源"主题，其标引形式为"岩溶水　水资源调查　太原西山　山西"。其中的"太原西山"即为自由词。

（10）并列主题标引。对于并列主题，应拆成几个单主题逐一标引。

例如，"干旱和半干旱地区农田灌溉"主题，标引形式为"农田灌溉　干旱地区　半干旱地区"

三、组配原则

在实际工作中，只用一个主题词进行标引和检索的情况是不多的。利用主题词表中若干个主题词加以合理的组合来准确地表示文献和检索课题主题内容的过程，称为组配。

主题词组配，是标引工作和检索工作的基本环节，也是提高标引专指性和检索查准率的重要措施之一。但是，组配往往可能带来许多错误的组配，造成误差和分歧。因此，有必要对组配标引工作作出如下几条规定：

（一）组配必须是概念组配

概念组配，就是在概念上具有某种逻辑关系或语法关系的几个主题词的组配。概念组配有以下三种类型：

1. 概念交叉组配

参与组配的几个主题词之间，具有概念交叉关系，即相互间在概念上内涵不同，而外延确有部分重合。概念交叉组配一般表现为同族非直系主题词之间，或事物与事物之间的并列交叉组配，得到的概念是一个新的专指概念。

例如，"高压平面闸门"用"高压闸门　平面闸门"。

"湖泊油污染"用"湖泊污染　油污染"。

上述各例中参与组配的主题词之间均存在概念交叉关系。

2. 概念限定组配

参与组配的几个主题词之间具有概念限定关系，即它们在概念上是一个或几个主题词对另一个主题词，从时间、位置等方面的属性进行限定、修饰和说明的一种概念关系。概念限定组配同样得到一个更专指的新概念。限定词置于被限定词之后。

例如，"瑞典水电考察报告"用"水力发电　瑞典　出国考察报告"。

"水科院 1985 年科研成果汇编"用"科技成果　中国水利水电科学研究院　科技报告"；

"YS-3001 型泥沙采样器试验浅析"用"泥沙采样器试验研究"。

概念限定组配的范围相当广泛，在组配标引工作中使用也最多，组配的结果在形式上很像字面组合，但它的确是一种合理的组配，同不合理的字面组配在概念上有质的差别，应注意严格区分，不能采用如下不合理的字面组配。

例如，"全断面掘进机"不能用"全断面　掘进机"或"掘进机　全断面"。

"蛙式打夯机"不能用"打夯机　蛙式"或"蛙式　打夯机"

这两例均为单纯字面组配，是错误组配实例。原因在于参与组配的各方之间在概念上没有任何的内在联系。

（二）组配必需选用词表中与主题内容关系最密切、最邻近的主题词

例如，"水库水质监测"，查主题词表，没有收录主题词"水库水质监测"，因此，优先考虑组配标引。

分析该主题的组成成分，可以有"水库"、"水质"、"监测"、"水库水质"、"水库监测"、"水质监测"六个。依据同主题内容关系最密切、最邻近的原则顺序排列最多可能有以下七种主题标引组配形式：

(1)"水质监测　水库监测"；

(2)"水库监测　水库水质"；

(3)"水库水质　水质监测";

(4)"水库水质　监测";

(5)"水库监测　水质";

(6)"水库　水质监测";

(7)"水库　水质　监测"。

再查主题词表，"水库监测"一词没有收录，这样，可排除(1)、(2)两种组配形式。因此，使用词表表达该主题的最佳方案为(3)。其标引结果为"水库水质　水质监测"。

这种概念最密切、最邻近组配标引原则，可以有效地防止多标识组配造成标引和检索的误差和分歧，取得准确性和一致性的效果。

(三)组配不得越级组配

所谓"越级组配"，是指在可以进行专指词组配的情况下，以上位或下位概念取代的组配现象。越级组配将直接影响检索的查准率。

例如，"过鱼建筑物施工"，查主题词表，没有收录"过鱼建筑物施工"，需作组配标引。之后，再查主题词表，"过鱼建筑物"和"施工"均有收录，但无"水工建筑物施工"，因此，只能考虑限定组配。正确的标引形式为："过鱼建筑物　施工"。

如使用"水工建筑物　施工"形式即为越级组配标引。

如果词表中没有收录主题词"过鱼建筑物"，则上述组配标引称为上位组配标引，不是越级组配标引，是允许的。

(四)组配不得二义性组配

所谓"二义性组配"是指组配的结果可能同时表达几个不同意义的主题的组配现象。

例如，"模板标准"，查主题词表，无主题词"模板标准"，需考虑组配标引。

采用词表中的"模板"和"标准"组配，同时可以表达"模板标准"和"标准模板"两个不同的主题内容。因此，这种组配称为二义性组配。

在这种情况下，一般是：

（1）采用上位词或总括词标引，即"标准"或"模板"；

（2）采用增词标引，即用"模板标准"；

（3）采用分析组配标引，即"模板 国家标准"或"模板 行业标准"。

该主题的最佳标引形式应为第三种形式。

（五）并列主题的组配

并列主题的组配，需先分解成几个单主题，组配原则如上所述。

四、标引审校工作

标引是一项专业性较强的工作，也是一种创造性劳动。影响标引质量的因素是多方面的。为了取得较好的建库质量和检索效果，除了不断提高标引员的素质外，必须建立标引成果的校对和审核制度。

标引校对员和审核员由富有标引实践经验的人员担任。他们应该熟悉水利水电专业，也应该十分熟悉主题词表的体系结构和收词原则。校审工作，主要是校审标引结果是否确切地表达了主题内容，是否符合选词原则、标引规则和组配原则的要求。

近10年的主题标引实践表明，标引入门并不难，欲精通尚需经过相当长时间的研究和实践。

主 表

A

A tai pu jie xian
阿太堡界限* [05C]
Atterberg limit
D 稠度界限
界限含水量
F 塑限
塑性指数
液限
液性指数

An
氨 [18C]
Ammonia

An bian shi yi hong dao
岸边式溢洪道 [09F]
Bank spillway
Y 河岸式溢洪道

An po
岸坡 [04C]
Bank slope
S 边坡*

An ding xing
安定性 [15K]
Soundness

An quan
安全* [20B]
Safety
Security
F 坝安全
爆破安全
施工安全

An quan chao gao
安全超高 [09A]
Safety freeboard
C 防浪墙

An quan cuo shi
安全措施 [20A]
Safety measure
S 措施*

An quan fa
安全阀 [19H]
Relief valve
Safety valve
S 阀门*

An quan fen xi
安全分析 [20A]
Safety analysis
S 分析*

An quan guan li
安全管理 [20A]
Safety management
S 管理*

An quan ji shu
安全技术 [19D]
Safety technique
S 技术*

An quan jian ce
安全监测 [16B]
Safety monitoring
S 监测*
C 安全检查

An quan jian cha
安全检查 [20A]
Safety inspection
Safety supervision
S 检查*
C 安全监测
裂缝检查

An quan ping jia
安全评价   [20A]
Safety evaluation
   S   评价*

An quan xi shu
安全系数   [20A]
Factor of safety
   F   强度安全系数
        稳定安全系数
   S   系数*

An quan yi biao
安全仪表   [19I]
Safety instrument
   S   仪表*

An quan yun xing
安全运行   [19A]
Safe operation
   S   运行*

An zhuang
安装*   [19C]
Erection
Installation
   D   吊装
   F   金属结构安装
        设备安装
        水泵安装
        水轮发电机组安装

An zhuang cheng xu
安装程序   [14J]
Installation procedure
   D   安装顺序
   S   程序*

An zhuang gao cheng

安装高程   [10F]
Installation elevation
   Y   吸出高度

An zhuang gong yi
安装工艺   [14J]
Installation technique
   S   工艺*

An zhuang jing du
安装精度   [14J]
Installation accuracy
   D   安装误差

An zhuang shun xu
安装顺序   [14J]
Installation procedure
   Y   **安装程序**

An zhuang wu cha
安装误差   [14J]
Installation error
   Y   **安装精度**

An guan pai shui
暗管排水   [19C]
Tile drainage
Pipe drainage
   S   排水*

An qu
暗渠   [11E]
Covered canal
   S   渠道*

Ao xian
拗陷   [04B]
Depression

B

BOD
BOD   [17B]
Bio-chemical oxygen dem-
   and
   Y   生物耗氧量

Ba
坝*   [09C]
Dam
   D   挡水坝
       拦河坝
       水坝
   F   病险坝
       大坝
       低坝
       地下坝
       丁坝
       高坝
       拱坝
       活动坝
       拦沙坝
       碾压坝
       砌石坝
       潜坝
       软材料坝
       顺坝
       锁坝
       台阶坝
       砼坝
       土石坝
       小坝
       溢流坝
       硬壳坝
       闸坝
       支墩坝
       重力坝
   C   挡水建筑物
       水库*

Ba an quan

坝安全   [16A]
Dam safety
   S   安全*
   C   坝肩稳定
       坝坡稳定

Ba bian xing
坝变形   [16A]
Deformation of dam
   S   变形*
   C   坝挠度

Ba di
坝地   [19B]
Land from dam construct-
   ion
   C   淤地坝

Ba ding
坝顶   [09C]
Dam crest
   C   坝顶溢流

Ba ding kuan du
坝顶宽度   [09C]
Dam crest width
   S   宽度*

Ba ding yi liu
坝顶溢流   [16A]
Crest overflow
   S   溢流*
   C   坝顶
       溢流坝

Ba duan
坝段*   [09C]
Monolith
   F   厂房坝段
       泄流坝段

Ba gao
坝高 [09C]
Height of dam
　S 高度*

Ba gong ji shu
坝工技术 [14H]
Dam construction techni-
que
　Y 筑坝技术

Ba guan li
坝管理 [16A]
Management of dam
　S 管理*
　C 水利工程管理

Ba hou bei guan
坝后背管 [10D]
Exposed penstock on dam
back
　S 压力水管*

Ba hou shi chang fang
坝后式厂房 [10C]
Power house at dam toe
　S 水电站厂房
　Z 厂房*

Ba hu po
坝护坡 [09C]
Dam slope protection
　F 土石坝护坡
　S 护坡*

Ba ji
坝基 [09C, 05M]
Dam foundation
　S 地基*
　C 坝体

Ba ji chu li
坝基处理 [05P]

Treatment of dam founda-
tion
　D 坝基加固
　S 处理*
　C 坝加固
　　地基加固

Ba ji fang shen
坝基防渗 [05Q]
Seepage control of dam
foundation
　S 地基防渗
　Z 防渗*

Ba ji jia gu
坝基加固 [05P]
Stabilization of dam fo-
undation
　Y 坝基处理

Ba ji shen lou
坝基渗漏 [05M]
Leakage of dam foundati-
on
　S 渗漏*
　C 地基渗漏
　　水库渗漏

Ba jia gao
坝加高 [09C, 14H]
Heightening of dam
　C 扩建工程

Ba jia gu
坝加固 [14H, 16A]
Strengthening of dam
　D 坝锚固
　S 加固*
　C 坝基处理
　　病险坝
　　病险水库

Ba jian

坝肩   [09C]
Abutment
　C　坝肩推力
　　　坝肩稳定

Ba jian tui li
坝肩推力   [09C]
Abutment thrust
　S　力*
　C　坝肩

Ba jian wen ding
坝肩稳定   [09C]
Stability of abutment
　C　坝安全
　　　坝肩

Ba kang zhen ji shu
坝抗震技术   [09C]
Earthquake resistance of
dam
　S　技术*
　C　坝抗震设计

Ba kang zhen she ji
坝抗震设计   [09C]
Seismic design of dam
　S　抗震设计
　Z　设计*
　C　坝抗震技术

Ba lao hua
坝老化   [16A]
Aging of dam
　S　老化*
　C　工程老化
　　　建筑物老化

Ba lian jie
坝联接   [14H]
Connection of dam

Ba lie feng

坝裂缝   [16A]
Cracks of dam
　S　裂缝
　Z　缝*

Ba mao gu
坝锚固   [14H]
Anchorage of dam
　Y　坝加固

Ba nao du
坝挠度   [09C]
Deflection of dam
　C　坝变形

Ba nei mai guan
坝内埋管   [10D]
Penstock buried in dam
　S　压力水管*

Ba nei shi chang fang
坝内式厂房   [10C]
Power house inside the
dam
　S　水电站厂房
　Z　厂房*

Ba nei yi qi mai she
坝内仪器埋设   [14H]
Internal instrument ins-
tallation in dam

Ba po
坝坡   [09C]
Dam slope
　C　坝坡稳定

Ba po wen ding
坝坡稳定   [09C]
Stability of dam slope
　C　坝安全
　　　坝坡
　　　边坡稳定性

Ba qian ni sha
坝前泥沙   [07A]
Silt before dam
  S　泥沙*

Ba que xian
坝缺陷   [16A]
Dam defect
  C　坝修补

Ba shang you
坝上游   [09C]
Upstream of dam
  C　坝下游

Ba she ji
坝设计   [09C]
Dam design
  S　设计*
  C　抗滑稳定
    筑坝*

Ba shi gong
坝施工   [14H]
Dam construction
  Y　筑坝*

Ba ti
坝体   [09C]
Dam body
  C　坝基

Ba ti fen feng fen kuai
坝体分缝分块   [09C]
Blocking of concrete dam
  D　砼浇筑分缝分块

Ba ti fen qu
坝体分区   [14H]
Zoning of dam

Ba xi bu jie gou
坝细部结构   [09C]
Detail of dam

Ba xia you
坝下游   [09C]
Downstream of dam
  C　坝上游

Ba xing
坝型   [09C]
Dam type
  C　坝型选择

Ba xing xuan ze
坝型选择   [09C]
Selection of dam type
  S　选择*
  C　坝型

Ba xiu bu
坝修补   [16A]
Dam repair
  S　维修*
  C　坝缺陷

Ba zhen hai
坝震害   [16A]
Earthquake damage of dam
  S　地震灾害
  Z　灾害*
  C　坝振动

Ba zhen dong
坝振动   [16A]
Dam vibration
  S　振动*
  C　坝震害

Ba zhi
坝址   [04C]
Dam site
  C　坝址选择
    选址(工程地质)

Ba zhi ta kan
坝址踏勘   [03F]
Dam site reconnaissance
  S 勘察*
  C 选址(工程地质)

Ba zhi xuan ze
坝址选择   [04C]
Selection of dam site
  S 选址(工程地质)
  Z 选择*
  C 坝址

Ba zhi
坝趾   [09C]
Dam toe

Ba zhong
坝踵   [09C]
Dam heel

Ba zhong ying li
坝踵应力   [08B]
Stress at heel of dam
  S 应力*

Ba zhou xian
坝轴线   [09C]
Axis of dam

Ba zhuang
拔桩   [05N]
Pull-out of pile
  S 打桩工程
  Z 工程*

Bai dong shui yue
摆动水跃   [06C]
Oscillating jump
  S 水跃*

Ban
板*   [08D]

Plate
Slab
  F 薄板
      带肋板
      单向板
      腹板
      环形板
      简支板
      双向板
      无梁平板
      屋面板
      悬臂板
  C 结构构件*

Ban zhuang
板桩   [05N]
Sheet pile
  S 桩*
  C 板桩围堰

Ban zhuang fang shen
qiang
板桩防渗墙   [05Q]
Sheet-pile cut-off wall
  Y 板桩截水墙

Ban zhuang jie shui
qiang
板桩截水墙   [05Q]
Sheet-pile cut-off wall
  D 板桩防渗墙
  S 截水墙*

Ban zhuang ma tou
板桩码头   [13C]
Sheet piled wharf
  S 桩基码头
  Z 码头*

Ban zhuang wei yan
板桩围堰   [14D]
Sheet-pile cofferdam
  S 围堰*

C 板桩

Ban di xia shi chang
  fang
半地下式厂房 [10C]
Semi-underground power
  house
  D 半露天式厂房
  S 厂房*

Ban gan han di qu
半干旱地区 [18D]
Semiarid region
  S 地区*

Ban lu tian shi chang
  fang
半露天式厂房 [10C]
Semi-outdoor power house
  Y 半地下式厂房

Ban zi dong hua
半自动化 [19E]
Semi-automation

Ban fa
办法 [19M]
Measure
Way

Ban he shi jian
拌和时间 [15F]
Mixing time
  C 砼拌和物

Ban jiang ji
拌浆机 [14I]
Grout mixer

Bao bao
雹暴 [02C]
Hailstorm
  S 降水*

Bao gao
报告* [19M]
Report
  F 地质报告
    调研报告
    工程报告
    规划报告
    阶段报告
    勘测报告
    考察报告
    科技报告
    年度报告
    设计报告
    施工报告
    试验报告
    运行报告
    总结报告

Bao jing xi tong
报警系统 [19E]
Warning system
  F 洪水报警系统
  S 系统*
  C 控制系统

Bao he du
饱和度 [05D]
Degree of saturation
Saturation degree
  C 饱和土
    稠度(土力学)

Bao he tu
饱和土 [05B]
Saturated soil
  S 土*
  C 饱和度
    非饱和土

Bao hu
保护* [20B]
Protection
  F 防飞逸保护

过电流保护
过电压保护
继电保护
漏电保护

Bao hu zhuang zhi
保护装置   [19H]
Protection device
　S　装置*

Bao mi gong zuo
保密工作   [19M]
Classified work

Bao wen cai liao
保温材料   [15A]
Thermal insulating mate-
rial
　D　隔热材料
　S　材料*

Bao wen ceng
保温层   [08D]
Thermo insulating layer
　C　温度控制

Bao wen mo ban
保温模板   [14G]
Insulated form
　S　模板*

Bao xian
保险*   [19J]
Insurance
　F　洪水保险
　　社会保险

Bao zheng chu li
保证出力   [10A]
Firm output
Firm power
　S　出力*

Bao kuo zhuang
爆扩桩   [05N]
Bulb pile
　S　灌注桩
　Z　桩*

Bao po
爆破*   [14K]
Blasting
Explosion
　F　表面爆破
　　大爆破
　　地下爆破
　　定向爆破
　　洞室爆破
　　冻土爆破
　　近人爆破
　　控制爆破
　　抛掷爆破
　　水下爆破
　　松动爆破
　　岩塞爆破
　　岩石爆破
　　周边爆破
　C　爆破技术
　　爆破力学
　　爆破试验

Bao po an quan
爆破安全   [14K]
Blasting safety
Shotfiring safety
　S　安全*

Bao po chai chu
爆破拆除   [14K]
Demolition by blasting
Dismantling by blasting
　S　拆除*

Bao po fang chen
爆破防尘   [14K]
Blasting dust proof

S   防尘*

Bao po guan ce
爆破观测   [14K]
Explosive observation
Observation of blasting
S   观测*
C   爆破试验
    爆破振动

Bao po he zai
爆破荷载   [14K]
Blasting load
Explosive load
S   动荷载
Z   荷载*

Bao po ji shu
爆破技术   [14K]
Technique of explosion
Blasting technique
S   技术*
C   爆破*

Bao po jia gu
爆破加固   [14K, 05P]
Blasting consolidation
Blasting compaction
S   挤密加固
Z   加固*

Bao po kai wa
爆破开挖   [14K]
Explosive excavation
S   开挖*
C   岩石开挖

Bao po li xue
爆破力学   [14K, 18B]
Explosion mechanics
S   力学*
C   爆破*

Bao po shi gu
爆破事故   [14K]
Explosive accident
Blasting accident
S   事故*

Bao po shi yan
爆破试验   [14K]
Blast testing
S   试验*
C   爆破*
    爆破观测

Bao po xiao guo
爆破效果   [14K]
Explosive effect
Blasting effect
Y   爆破效应

Bao po xiao ying
爆破效应   [14K]
Explosive effect
Blasting effect
D   爆破效果

Bao po zhen dong
爆破振动   [14K]
Blasting vibration
Explosive vibration
S   振动*
C   爆破观测

Bao qi dai shui
包气带水   [04D]
Unsaturated zone water
Vadose water
Suspended water
S   土壤水
Z   水*
C   潜水(水文地质)

Bao yu
暴雨   [02C]

Storm
  F 典型暴雨
     连续暴雨
     设计暴雨
     特大暴雨
  S 降雨
  Z 降水*
  C 暴雨量
     暴雨强度

Bao yu diao cha
暴雨调查   [02D]
Rain storm investigation
  S 水文调查
  Z 调查*

Bao yu fang da
暴雨放大   [02I]
Rain storm magnification
  C 设计暴雨

Bao yu hong shui
暴雨洪水   [02C]
Storm flood
  D 山洪
  S 洪水*
  C 山地灾害

Bao yu ji da hua
暴雨极大化   [02I]
Storm maximization

Bao yu jing liu
暴雨径流   [02C]
Storm runoff
  S 降雨径流
  Z 径流*

Bao yu lei xing
暴雨类型   [02I]
Rain storm pattern

Bao yu liang

暴雨量   [02C]
Storm rainfall
  C 暴雨

Bao yu mo shi
暴雨模式   [02I]
Storm model
  Y 暴雨模型

Bao yu mo xing
暴雨模型   [02I]
Rain storm model
  D 暴雨模式
  S 降水模型
  Z 模型*

Bao yu qiang du
暴雨强度   [02C]
Storm intensity
  C 暴雨

Bao yu shi mian shen fen
  xi
暴雨时面深分析   [02I]
Depth-duration-area ana-
  lysis
DDA analysis
Time-area-depth analysis

Bao yu yi zhi
暴雨移置   [02I]
Rain storm transposition
  C 设计暴雨

Bao yu zu he
暴雨组合   [02I]
Composition of storm
  C 设计暴雨

Bei dong tu ya li
被动土压力   [05J]
Passive earth pressure
  S 土压力

Z   压力*

Bei shui mian
背水面   [09C]
Downstream face
   D   背水坡
   C   迎水面

Bei shui po
背水坡   [09C]
Downstream slope
   Y   背水面

Ben gou fang cheng
本构方程   [05E]
Constitutive equation
   S   方程*

Beng
泵*   [19H]
Pump
   F   大型泵
       多级泵
       高压泵
       贯流泵
       水泵
       叶片泵
       油泵
       杂质泵

Beng che
泵车   [11E]
Portable pump carriage
   D   缆车式泵站
   S   水泵站*

Beng chuan
泵船   [11E]
Pump boat
Floating pumping station
   D   浮船式泵站
   S   水泵站*

Beng fang
泵房   [11E]
Pumping house

Beng song tong
泵送砼   [15F]
Pumpcrete
   S   砼*
   C   砼泵

Beng xing
泵型   [19H]
Pump type

Beng zhan
泵站   [11E]
Pump station
   Y   水泵站*

Beng zhan guan li
泵站管理   [11E]
Management of pumping s-
   tation
   S   管理*

Beng zhan ji shu gai zao
泵站技术改造   [11E]
Technique improvement of
   pumping station
   S   技术改造*

Beng zhan ji shu jing ji
   zhi biao
泵站技术经济指标   [11E]
Technical economic index
   of pumping station
   S   技术经济指标
   Z   指标*

Beng zhan she ji
泵站设计   [11E]
Pump station design
   S   设计*

Beng gang
崩岗   [04C]
Collapsed hillock

Beng jie xing
崩解性   [05C]
Disintegration

Bi biao mian ji
比表面积   [15K]
Specific surface
  C 细度

Bi jiao
比较*   [20B]
Comparison
Compare
  D 对比
  F 经济比较

Bi li
比例   [18A]
Proportion

Bi li wu cha
比例误差   [03B]
Scale error
  Y 尺度误差

Bi re
比热   [18B]
Specific heat
  D 热容量

Bi zhi
比值   [18A]
Ratio
  S 数值*

Bi zhong
比重   [18B]
Specific weight
Specific gravity

  C 比重试验

Bi zhong shi yan
比重试验   [18B]
Specific weight test
Specific gravity test
  S 试验*
  C 比重

Bi zhuan su
比转速   [10F]
Specific speed
  C 水轮机*

Bi kan
鼻坎   [09I]
Bucket lip
  Y 挑流鼻坎

Bi shui lou
避水楼   [12B]
Flood avoiding building

Bi shui she shi
避水设施   [12B]
Flood avoiding faciliti-
es

Bi shui tai
避水台   [12B]
Flood avoiding platform
  D 庄台

Bi tuo guan
毕托管   [06J]
Pitot tube
  C 流速仪

Bian cha xi shu
变差系数   [02H]
Variation coefficient
  D 离差系数
  S 系数*

C 水文计算

Bian dong hui shui qu
变动回水区 [09B]
Variable backwater region
C 回水影响

Bian fen fa
变分法 [18A]
Variational method
S 计算方法(数学)
Z 方法*

Bian hua
变化* [20B]
Change
Variation
F 冲淤变化
季节变化
径流变化
年变化
水量变化
水沙变化
水位变化
水盐变化
温度变化
性能变化
压力变化
沿程变化
月变化
周期变化
状态变化

Bian huan
变换* [18A]
Transformation
F 傅立叶变换
拉普拉斯变换
坐标变换

Bian jie mian gou jian
变截面构件 [08D]

Non-prismatic member
S 结构构件*

Bian liang
变量* [18A]
Variant
Variate
F 随机变量

Bian tai mo xing
变态模型 [06J]
Distorted model
S 水工模型
Z 模型*

Bian xing
变形* [08B, 18B]
Deformation
F 坝变形
残余变形
地基变形
固结变形
剪切变形
扭转变形
渗透变形
湿陷变形
塑性变形
弹性变形
弯曲
压缩变形
岩体变形
永久变形
C 变形计算

Bian xing guan ce
变形观测 [16B]
Deformation observation
F 沉降观测
固结观测
S 观测*

Bian xing ji suan
变形计算 [08B]

Calculation of deformat-
ion
  S 结构计算
  Z 计算*
  C 变形*
     应变*
     应力－应变图

Bian xing mo liang
变形模量   [05E]
Deformation modulus
  S 模量*

Bian ya qi
变压器*   [10J, 19H]
Transformer
  F 主变压器

Bian zhi yan
变质岩   [05L]
Metamorphic rock
  F 动力变质岩
     混合岩
     交代岩
     区域变质岩
     热力变质岩
     蚀变岩石
  S 岩石*

Bian jiao gong ba
边铰拱坝   [09C]
Arch dams with peripher-
al hinge
  S 拱坝
  Z 坝*

Bian jie ceng(shui li
xue)
边界层(水力学)   [06A]
Boundary layer(hydrauli-
cs)

Bian jie tiao jian

边界条件   [20A]
Boundary condition
  S 条件*

Bian jie yuan fa
边界元法   [18A]
Boundary element method
  S 计算方法(数学)
  Z 方法*

Bian po
边坡*   [04C]
Side slope
  F 岸坡
     高边坡

Bian po kai wa
边坡开挖   [14C]
Slope excavation
  S 开挖*

Bian po wen ding xing
边坡稳定性   [04C]
Slope stability
  D 斜坡稳定性
  S 稳定性*
  C 坝坡稳定
     滑坡*
     围岩稳定性
     稳定安全系数

Bian yuan ying li
边缘应力   [08B]
Boundary stress
  S 应力*

Bian zhi wen ti
边值问题   [18A]
Boundary-value problem

Bian mu
编目   [19M]
Cataloging

Bian yi cheng xu
编译程序   [19F]
Compiling program
Compiler
   S   系统软件
   Z   计算机软件*

Bian zhuang he
辫状河   [18D]
Braided stream
Braided river
   S   河流*

Biao
表*   [19M]
Table
   F   分类表
       水文测验成果表

Biao ceng qu shui
表层取水   [09G]
Top layer diversion
   S   取水*

Biao kong
表孔   [09F]
Upper hole
Top hole
   S   泄水孔*

Biao mian bao po
表面爆破   [14K]
Surface blasting
   D   露天爆破
   S   爆破*

Biao zhang
表彰   [19K]
Commendation

Biao yin
标引*   [19M]
Indexing

   F   手工标引
       自动标引

Biao zhun
标准*   [19D]
Criterion
Standard
   F   产品标准
       防洪标准
       国际标准
       国家标准
       行业标准
       技术标准
       排放标准
       排涝标准
       企业标准
       设计标准
       水泥标准
       水质标准
       质量标准
   C   规程*
       规范*

Biao zhun duan mian
标准断面   [08B]
Standard section
   S   断面*

Biao zhun mo ban
标准模板   [14G]
Standard form
   D   定型模板
   S   模板*

Biao zhun she ji
标准设计   [19D]
Standard design
   S   设计*

Biao zhun wen xian
标准文献   [19M]
Standard document
   S   文献*

Biao zhun yi biao
标准仪表   [19I]
Standard instrument
  S 仪表*

Bing
冰*   [01A]
Ice
  F 浮冰
     流冰

Bing ba
冰坝   [02A]
Ice gorge
Ice dam
  D 冰塞

Bing chuan
冰川   [18D]
Glacier

Bing chuan hu
冰川湖   [18D]
Glacier lake
  S 湖泊*

Bing chuan shui wen diao
  cha
冰川水文调查   [02D]
Hydrologic survey of gl-
  acier
  S 水文调查
  Z 调查*

Bing chuan zi yuan
冰川资源   [01A]
Glacier resources
  Y 融雪水资源

Bing dian
冰点   [18B]
Icepoint
  S 温度*

Bing dong fan jiang
冰冻翻浆   [04C]
Cryoturbation
  C 地基稳定性
     冻土
     融冻泥流

Bing gai
冰盖   [02A]
Ice cap

Bing gai yun dong
冰盖运动   [02A]
Ice cap movement

Bing hai
冰害   [02B]
Ice damage
  S 气象灾害
  Z 灾害*

Bing he zai
冰荷载   [08A]
Ice load
  S 荷载*

Bing hou
冰厚   [02A]
Ice thickness
  S 厚度*

Bing mian zheng fa
冰面蒸发   [02C]
Ice surface evaporation
  S 蒸发*

Bing qi
冰期   [02A]
Ice period

Bing qing
冰情   [02A]
Ice regime

Ice condition
  D 河流冰情
  C 河流封冻
    河流解冻

Bing qing yu bao
冰情预报 [02J]
Ice condition forecasting
  S 水文预报
  Z 预报*

Bing sai
冰塞 [02A]
Ice jam
  Y 冰坝

Bing xue shui zi yuan
冰雪水资源 [01A]
Thawed water resources
  Y 融雪水资源

Bing ya li
冰压力 [08A]
Ice pressure
  S 压力*

Bing lian guan dao
并联管道 [19H]
Parallel pipes
  S 管道*

Bing lian shui ku
并联水库 [09B]
Parallel reservoirs
Reservoirs in parallel
  S 水库*

Bing xing ji suan ji shu
并行计算技术 [19F]
Parallel caculating technique
  S 技术*

Bing ning
丙凝 [14F]
Acrylamide
  Y 丙烯酰胺

Bing xi xian an
丙烯酰胺 [14F]
Acrylamide
  D 丙凝
  S 化学灌浆材料
  Z 材料*

Bing xian ba
病险坝 [09C]
Dangerous dam
  S 坝*
  C 坝加固
    病险水库

Bing xian shui ku
病险水库 [09B]
Dangerous reservoir
  S 水库*
  C 坝加固
    病险坝

Bo
波* [18B]
Wave
  F 不规则波
    超声波
    潮汐波
    冲击波
    船行波
    地震波
    风成波
    规则波
    横波
    洪水波
    击岸波
    溃坝波
    立波
    浅水波

深水波
声波
推进波
重力波
自由波
纵波
C 波浪*

Bo chang
波长   [06I]
Wave length
　　S 波浪要素*

Bo chuan bo
波传播   [18B]
Wave propagation

Bo feng
波峰   [06I]
Wave summit

Bo gao
波高   [06I]
Wave height
　　S 波浪要素*
　　　高度*

Bo gao yi
波高仪   [06J]
Wave height gauge
　　S 观测仪器
　　Z 仪器*

Bo gu
波谷   [06I]
Wave bottom
Wave hollow

Bo lang
波浪*   [06I]
Wave
　　F 港内波浪
　　　海浪

涌浪
C 波*

Bo lang fan she
波浪反射   [06I]
Reflexion of wave
Wave reflection

Bo lang he zai
波浪荷载   [08A]
Wave load
　　S 动荷载
　　Z 荷载*
　　C 风荷载

Bo lang neng liang
波浪能量   [06I]
Wave energy
　　S 能量*

Bo lang pa gao
波浪爬高   [06I]
Wave raising height on
　　slope

Bo lang rao she
波浪绕射   [06I]
Wave iffraction

Bo lang ya qiang
波浪压强   [06I]
Wave pressure

Bo lang yao su
波浪要素*   [06I]
Element of wave
　　F 波长
　　　波高
　　　波速

Bo lang zhe she
波浪折射   [06I]
Wave refraction

Bo li fa dian
波力发电 [10A]
Wave power
  C 波力发电站

Bo li fa dian zhan
波力发电站 [10B]
Wave power station
Wave electric power plant
  S 水电站*
  C 波力发电

Bo pu fen xi
波谱分析 [18B]
Spectrum analysis
  S 分析*

Bo su
波速 [06I]
Wave velocity
  S 波浪要素*

Bo te lan shui ni
波特兰水泥 [15B]
Portland cement
  Y 硅酸盐水泥

Bo wen guan
波纹管 [15I]
Corrugated tube
  S 管*

Bo ya biao
波压表 [06J]
Wave pressure meter

Bo yong guan gai
波涌灌溉 [11B]
Surge flow irrigation
  Y 间歇灌溉

Bo zhuang shui yue

波状水跃 [06C]
Undular jump
  S 水跃*

Bo ban
薄板 [08D]
Thin plate
  S 板*

Bo bi gang guan
薄壁钢管 [15I]
Thin steel tube
  S 薄壁管
    钢管
  Z 管*

Bo bi guan
薄壁管 [15A]
Thin wall pipe
  F 薄壁钢管
    薄壁铝管
  S 管*

Bo bi jie gou
薄壁结构 [08C]
Thin-wall structure
  S 工程结构
  Z 结构*

Bo bi lü guan
薄壁铝管 [15I]
Thin aluminum tube
  S 薄壁管
    铝管
  Z 管*

Bo bi yan
薄壁堰 [06D]
Thin-plate weir
  S 堰*
  C 锐缘堰

Bo ceng jiao zhu

薄层浇筑　　　　　　　　[14H]
Thin concrete lift
　S　砼浇筑*

Bo gong ba
薄拱坝　　　　　　　　　[09C]
Thin arch dam
　S　拱坝
　Z　坝*

Bo mo fang shen
薄膜防渗　　　　　　　　[09L]
Membrane seepage preven-
　tion
　S　防渗*

Bo mo guan gai
薄膜灌溉　　　　　　　　[11B]
Membrane irrigation
　D　膜上灌
　S　灌溉*
　C　节水灌溉

Bo mo jie gou
薄膜结构　　　　　　　　[08C]
Membrane structure
　S　工程结构
　Z　结构*

Bo mo li lun
薄膜理论　　　　　　　　[08B]
Membrane theory
　S　理论*

Bo mo shui
薄膜水　　　　　　　[04D, 05D]
Adhesive water
Pellicular water
　S　土壤水
　Z　水*

Bo mo yang hu
薄膜养护　　　　　　　　[14G]

Membrane curing
　S　养护*
　C　养护剂

Bo qiao
薄壳　　　　　　　　　　[08C]
Shell
　Y　薄壳结构

Bo qiao jie gou
薄壳结构　　　　　　　　[08C]
Thin-shell structure
　D　薄壳
　S　工程结构
　Z　结构*

Bo qiao zha men
薄壳闸门　　　　　　　　[09D]
Shell gate
　S　闸门*
　C　钢丝网水泥闸门

Bo kuan
拨款　　　　　　　　　　[19J]
Appropriation
Allocating funds

Bo li
玻璃　　　　　　　　　　[15H]
Glass

Bo li xian wei
玻璃纤维　　　　　　　　[15H]
Glass fiber

Bo li xian wei zeng
　qiang su liao
玻璃纤维增强塑料　　　　[15J]
Glass fiber reinforced
　plastics
　S　塑料*

Bo nu li fang cheng

伯努利方程   [06A, 18A]
Bernoulli equation
   S   方程*
   C   能量方程

Bo song bi
泊松比   [08B]
Poisson's ratio

Bo song fang cheng
泊松方程   [18A]
Poisson equation
   S   方程*

Bo song fen bu
泊松分布   [18A]
Poisson distribution
   S   概率分布
   Z   分布*

Bu ban biao zhun
部颁标准   [19D]
Ministerial standard
   Y   行业标准

Bu fen
部分   [20B]
Portion
Part

Bu fen duan mian
部分断面   [08B]
Partial section
   S   断面*

Bu chang tiao jie
补偿调节   [01D, 19E]
Compensative regulation
   S   调节*

Bu ji
补给*   [20B]
Recharge

   F   人工补给
      渗透补给
      水补给
      天然补给

Bu qiang guan jiang
补强灌浆   [14F]
Strengthening grouting
   S   灌浆*

Bu chen qi sui dong
不衬砌隧洞   [09E]
Unlined tunnel
   Y   无衬砌隧洞

Bu chong liu su
不冲流速   [07A]
Non-scouring velocity
   S   流速*

Bu gui ze bo
不规则波   [06I]
Irregular wave
   S   波*

Bu heng ding liu
不恒定流   [06C]
Unsteady flow
   Y   非恒定流

Bu jun yun chen jiang
不均匀沉降   [05I]
Non-uniform settlement
Differential settlement
   D   差异沉降
   S   沉降*

Bu jun yun liu
不均匀流   [06C]
Non-uniform flow
   Y   非均匀流

Bu jun yun xi shu

不均匀系数 [05B]
Uniformity coefficient
  S 系数*
  C 颗粒级配
     曲率系数

Bu ke ya suo liu ti
不可压缩流体 [18B]
Incompressible fluid
  S 流体*

Bu lian xu yan ti
不连续岩体 [05L]
Discontinuous rock mass
  F 层状岩体
     节理岩体
     裂隙岩体
  S 岩体*
  C 连续岩体

Bu pai shui jian
不排水剪 [05K]
Undrained shear test
  D 不排水剪试验
     快剪
     快剪试验
  S 剪切试验(土力学)
  Z 试验*
  C 排水剪

Bu pai shui jian shi yan
不排水剪试验 [05K]
Undrained shear test
  Y 不排水剪

Bu ping zheng du
不平整度 [14H]
Unevenness
  Y 平整度

Bu qu xin zuan jin
不取芯钻进 [03G]
Non-core drilling

  S 钻进*
  C 取芯钻进

Bu que ding xing
不确定性 [20A]
Uncertainty

Bu tou shui ceng
不透水层 [04D]
Impervious layer
  D 隔水层

Bu tou shui di ji
不透水地基 [05M]
Impervious foundation
  S 地基*
  C 透水地基

Bu tou shui duan ceng
不透水断层 [04B]
Impervious fault
  D 隔水断层
  S 断层(地质)*
  C 透水断层

Bu wen ding liu
不稳定流 [06C]
Unsteady flow
Non-steady current
  Y 非恒定流

Bu wen ding shen liu
不稳定渗流 [06G]
Unsteay seepage
  Y 非恒定渗流

Bu xiu gang
不锈钢 [15I]
Stainless steel
  S 钢*

Bu yu liu su
不淤流速 [07A]

Non-silting velocity

  S   流速*

Bu zheng he

不整合   [04A]

Unconformity

Unconformability

Bu er dai shu

布尔代数   [18A]

Boolean algebra

Bu zhi

布置*   [20B]

Assignment

Layout

  F   电气布置

      工程布置

      观测仪器布置

      管网布置

      井点布置

      施工场地布置

      枢纽布置

      水电站布置

C

COD
COD   [17B]
Chemical oxygen demand
  Y **化学耗氧量**

Cai liao
材料*   [15A]
Material
  F 保温材料
     当地材料
     防水材料
     非金属材料
     复合材料
     工程材料
     灌浆材料
     混合材料
     建筑材料
     胶凝材料
     结构材料
     金属材料
     颗粒材料
     密封材料
     模型材料
     耐磨材料
     排水材料
     柔性材料
     填缝材料
     粘接材料
     止水材料
     筑坝材料

Cai liao guan li
材料管理   [14B]
Material management
  Y **物资管理**

Cai liao lao hua
材料老化   [15K]
Material aging
  S 老化*

Cai liao li xue
材料力学   [15A]
Mechanics of material
  F 复合材料力学
  S 力学*

Cai liao li xue xing zhi
材料力学性质   [15A]
Mechanical property of
    material
  S 力学性质*
  C 强度特性

Cai liao shi yan
材料试验   [08F]
Material test
  S 试验*

Cai liao xing neng
材料性能   [15K]
Material property
  F 建筑材料性能
  S 性能*

Cai liao yun shu
材料运输   [14A]
Material transport
  F 运土
  S 运输*

Cai nuan xi tong
采暖系统   [19C]
Heating system
  S 系统*
  C 热力系统

Cai shi chang
采石场   [14C]
Stone pit
Quarry

Cai yang
采样 [20A]
Sampling

Cai wan qu zhi
裁弯取直 [12C]
Cut-off of river
　　S　治河措施*

Cai wu fen xi
财务分析 [19J]
Financial analysis
　　S　分析*
　　C　财务评价
　　　　可行性研究

Cai wu guan li
财务管理 [19J]
Financial management
　　S　管理*

Cai wu ping jia
财务评价 [19J]
Financial evaluation
　　S　评价*
　　C　财务分析

Cai zheng jin rong ye
财政金融业 [19J]
Public finance industry

Can shu
参数* [18A]
Parameter
　　F　汇流参数
　　　　流动参数
　　　　水轮机参数
　　　　统计参数
　　　　无量纲参数
　　　　相似参数

Can yu bian xing
残余变形 [08B]

Residual deformation
　　S　变形*

Can yu qiang du
残余强度 [05E]
Residual strength
　　S　强度(力学)*

Cao
草 [19B]
Grass

Cao chang
草场* [11D]
Grassland
　　F　人工草场
　　　　天然草场
　　C　牧场*

Cao di
草地 [11D, 18D]
Grassland

Cao ku lun
草库伦 [11D]
Grassland
Meadow
　　Y　人工草场

Cao pi hu po
草皮护坡 [09A]
Grass protection
　　S　护坡*

Cao tu wei yan
草土围堰 [14D]
Turf cofferdam
　　S　围堰*

Cao yuan
草原 [11D, 18D]
Grassland
　　C　牧区

Cao lü
糙率* [06C]
Roughness
D 水力糙率
F 河槽糙率
渠道糙率

Cao tan
槽探 [03G]
Trenching exploration
S 勘探工程
Z 工程*

Cao xu fang cheng
槽蓄方程 [02I]
Channel storage equation
S 方程*

Cao xu qu xian fa
槽蓄曲线法 [02I]
Channel storage curve method
S 方法*

Cao zuo
操作* [20B]
Manipulation
Operation
F 手工操作

Cao zuo ji shu
操作技术 [19D]
Operation technique
S 技术*

Cao zuo xi tong
操作系统 [19F]
Operating system
S 系统软件
Z 计算机软件*

Ce bo yi
测波仪 [06J]

Wave guage
S 观测仪器
Z 仪器*

Ce che
测车 [02G]
Measuring car

Ce chuan
测船 [02G]
Measuring boat

Ce feng ji
测缝计 [16B]
Joint gauge
Joint meter
S 观测仪器
Z 仪器*

Ce gao
测高 [03A]
Height measurement
D 高程测量
S 测量*

Ce gao yi
测高仪 [03D]
Height finder
S 测绘仪器
Z 仪器*

Ce hui
测绘 [03A]
Surveying and mapping
C 绘图*

Ce hui gui fan
测绘规范 [03A]
Specification of surveying and mapping
S 规范*

Ce hui lei da

测绘雷达 [03D]
Mapping radar
  S 测绘仪器
  Z 仪器*

Ce hui yi qi
测绘仪器 [03D]
Measuring instrument
  F 测高仪
    测绘雷达
    测距仪
    激光测量仪器
    经纬仪
    平板仪
    水准仪
  S 仪器*

Ce jing
测井 [03H]
Logging
  Y 地球物理测井*

Ce jing yi
测井仪 [03H]
Log tool
  S 仪器*
  C 地球物理测井*

Ce ju
测距 [03A]
Range finding
Distance measurement
Ranging
  D 距离测量
  F 光电测距
    红外测距
    雷达测距
    微波测距
  S 测量*

Ce ju yi
测距仪 [03D]
Rangefinder

Distancemeter
Distance measuring inst-
  rument
  S 测绘仪器
  Z 仪器*

Ce li ji
测力计 [08F]
Dynamometer
  F 钢筋测力计
    剪切仪
    拉力测定仪
    应变计
    应力计
  S 仪器*

Ce liang
测量* [03A]
Measurement
  F 测高
    测距
    测深
    测向
    大比尺测量
    大地测量
    导线测量
    地形测量
    工程测量
    航空测量
    航天测量
    河道测量
    激光测量
    基线测量
    精密测量
    控制测量
    立体测量
    平面测量
    三角测量
    摄影测量
    水上测量
    水准测量
    遥测

Ce liang fang fa
测量方法   [03A]
Surveying methods
  F 交会测量法
  S 方法*

Ce liang ji shu
测量技术   [03A]
Surveying technique
  S 技术*

Ce liang jing du
测量精度   [03B]
Serveying precision
  C 测量误差

Ce liang kong zhi dian
测量控制点*   [03A]
Surveying control point
  D 控制点
  F 三角点
     水准点
     图根点

Ce liang kong zhi wang
测量控制网*   [03A]
Surveying control network
Surveying control net
  D 控制网
  F 三角网
     水准网

Ce liang ping cha
测量平差*   [03B]
Survey adjustment
  F 控制网平差
     最小二乘法平差

Ce liang wu cha
测量误差   [03B]
Measuring error
  F 尺度误差

  S 误差*
  C 测量精度

Ce liu zhuang zhi
测流装置   [06J]
Flow measuring device
  S 装置*
  C 水工模型试验

Ce qiao
测桥   [02G]
Measuring bridge

Ce sha yi
测沙仪   [02G]
Silt meter
Sand meter
  S 仪器*
  C 含沙量计

Ce shen
测深   [03A]
Depth measurement
  S 测量*

Ce shen chui
测深锤   [02G]
Sounding weight

Ce shen she bei
测深设备   [02G]
Sounding equipment
  S 设备*

Ce shen yi
测深仪   [02G]
Depth sounder
  S 仪器*

Ce shen yi
测渗仪   [16B]
Lysimeter
Seepage meter

D 渗压计
S 仪器*

Ce shi ji shu
测试技术   [19I]
Testing technique
Measuring technique
　　S 技术*

Ce shi yi qi
测试仪器   [19I]
Measuring apparatus
　　Y 观测仪器

Ce tu
测图*   [03C]
Mapping
　　F 数字化测图
　　　　综合法测图

Ce xiang
测向   [03A]
Orientation
　　D 方向测量
　　S 测量*

Ce xiang liu su yi
测向流速仪   [02G]
Flow velocity and direc-
　　tion meter
　　S 流速仪
　　Z 仪器*

Ce xie yi
测斜仪   [03A, 16B]
Inclinometer
Clinometer
　　S 仪器*

Ce xue qi
测雪器   [02G]
Snow gauge

Ce ya guan
测压管   [06J, 16B]
Piezometer
Piezometric tube

Ce yan he duan
测验河段   [02E]
Measured river segment
　　S 河段*

Ce zhan
测站   [03A]
Survey station

Ce cao shi yi hong dao
侧槽式溢洪道   [09F]
Side-channel spillway
　　S 河岸式溢洪道
　　Z 溢洪道*

Ce xiang tu ya li
侧向土压力   [05J]
Lateral soil pressure
　　S 土压力
　　Z 压力*

Ce ya li
侧压力   [08A]
Side pressure
　　F 模板侧压力
　　S 压力*
　　C 横向荷载
　　　　水平力

Ce yan
侧堰   [06D]
Side weir
　　S 堰*

Ce lue(shu xue)
策略(数学)   [18A]
Strategy(mathematics)

Ceng ci fen xi fa
层次分析法   [18A]
Stratified analytic
  method

Ceng jian jie he
层间结合   [08E]
Interface bond
  Y   层面结合

Ceng jian shui
层间水   [04D]
Interbeded water
  D   夹层水
  S   地下水
  Z   水*

Ceng liu
层流   [06A]
Laminar flow
  S   水流*

Ceng mian jie he
层面结合   [08E]
Interface bond
  D   层间结合
  S   连接*
  C   结合面

Ceng xi cheng xiang
层析成象   [03H]
Computerized
  transmission tomography

Ceng zhuang di ji
层状地基   [05M]
Laminar foundation
  Y   多层地基

Ceng zhuang tu
层状土   [05B]
Laminated soil
  S   土*

Ceng zhuang yan ti
层状岩体   [05L]
Laminar rock mass
  S   不连续岩体
  Z   岩体*

Cha dong shi tiao ya shi
差动式调压室   [10E]
Differential surge
  chamber
  S   调压室*

Cha fen fa
差分法   [18A]
Difference method
  S   计算方法(数学)
  Z   方法*

Cha re fen xi
差热分析   [15L]
Differential thermal
  analysis
  S   分析*

Cha yi chenjiang
差异沉降   [05I]
Relative settlement
Uneven settlement
  Y   不均匀沉降

Cha guan
岔管   [10D]
Manifold
Furcation pipe
Branch pipe
  F   球形岔管
      月牙肋岔管
  S   压力水管*

Cha guan jie gou
岔管结构   [10D]
Furcation pipe structure

Cha ru shi zhen dao qi
插入式振捣器   [14I]
Immersion vibrator
　S　砼振捣器
　Z　机械*

Cha zhi fa
插值法   [18A]
Interpolation method
　D　内插法
　S　计算方法(数学)
　Z　方法*

Chai chu
拆除*   [19C]
Demolition
　F　爆破拆除
　　　围堰拆除

Chan liang
产量   [19A]
Output
Yield

Chan liu
产流   [02C]
Runoff producing
Runoff yield
　D　产水量
　C　径流*

Chan liu ji suan
产流计算   [02I]
Runoff yield computation
　S　径流计算
　Z　计算*

Chan liu mo xing
产流模型   [02I]
Runoff yield model
　S　水文模型
　Z　模型*

Chan pin
产品   [19A]
Product

Chan pin biao zhun
产品标准   [19D]
Product standard
　S　标准*

Chan pin yang ben
产品样本   [19M]
Product sample

Chan shui liang
产水量   [02C]
Runoff yield
　Y　产流

Chan ye
产业*   [19A]
Industry
　F　第三产业
　　　基础产业
　　　水利产业
　　　信息产业

Chan zhuang(di zhi)
产状(地质)   [04A]
Attitude(geology)

Chan qi
掺气   [06E]
Aeration

Chan qi chu sheng dian
掺气初生点   [06E]
Critical point of air en-
trainment

Chan qi jian shi
掺气减蚀   [06E]
Aerating cavitation pre-
vention

C 空蚀控制

Chan qi neng li
掺气能力 [06E]
Air entrap capacity

Chan qi nong du
掺气浓度 [06E]
Concentration of entrained air
S 浓度*

Chan qi she shi
掺气设施 [06E]
Aerating facilities

Chan qi shui liu
掺气水流 [06E]
Entrained-air flow
S 高速水流
Z 水流*

Chan qi shui shen
掺气水深 [06E]
Entrained-air depth
S 水深*

Chan yun ji
铲运机 [14I]
Scraper
S 机械*

Chang ba lian jie
厂坝连接 [08E]
Dam-powerhouse connection
S 连接*

Chang fang
厂房* [19C]
Workshop
Factory building
D 工业厂房

F 半地下式厂房
地下厂房
露天厂房
水电站厂房
C 厂房振动

Chang fang ba duan
厂房坝段 [09C]
Power house dam section
S 坝段*

Chang fang dao liu
厂房导流 [14D]
Power house diversion
S 导流*
C 厂房振动

Chang fang zhen dong
厂房振动 [19C]
Workshop vibration
S 振动*
C 厂房*
厂房导流

Chang yong dian
厂用电 [10J]
Plant service

Chang liu he
常流河 [18D]
Perennial stream
S 河流*

Chang shu
常数 [18A]
Constant

Chang qi chen jiang
长期沉降 [05M]
Long-time settlement
S 沉降*

Chang qi gui hua

长期规划 [19A]
Long-term planning
　Y　远景规划

Chang qi qiang du
长期强度 [05E]
Longtime strength
Long-term strength
　S　强度(力学)*

Chang qi yu bao
长期预报 [20A]
Long-term forecast
　S　预报*

Chang zhou jing beng
长轴井泵 [11F]
Long axis well pump
　S　井用泵
　Z　泵*

Chao biao hong shui
超标洪水 [02C]
Above normal flood
Super standard flood
　S　洪水*

Chao biao lü
超标率 [17A]
Ratio of over standard
　value

Chao chang qi shui wen
　yu bao
超长期水文预报 [02J]
Super long period hydro-
logic forecast
　S　水文预报
　Z　预报*

Chao gu jie
超固结 [05E]
Superconsolidation

Overconsolidation
　S　固结*
　C　超固结土

Chao gu jie tu
超固结土 [05B]
Overconsolidated soil
　D　超压密土
　C　超固结

Chao ji xing yan
超基性岩 [05L]
Ultrabasic rock
　S　火成岩
　Z　岩石*

Chao ji wei xing ji
超级微型机 [19F]
Super-microcomputer
　S　微型计算机
　Z　计算机*

Chao jing ding jie gou
超静定结构 [08C]
Statically indeterminate
structure
　S　工程结构
　Z　结构*

Chao jing shui ya li
超静水压力 [05E]
Excess pore water press-
ure
　S　水压力
　Z　压力*
　C　孔隙水压力

Chao lin jie liu
超临界流 [06C]
Supercritical flow
　S　水流*
　C　临界流

Chao sheng bo
超声波   [18B]
Ultrasonic wave
  S　波*

Chao sheng bo liu liang
ji
超声波流量计   [02G]
Ultrasonic flowmeter
  S　流量计
  Z　仪器*

Chao sheng bo tan shang
超声波探伤   [19I]
Ultrasonic detection
Ultrasonic inspection
  S　无损探伤
  Z　探伤*
  C　超声试验

Chao sheng shi yan
超声试验   [15L]
Ultrasonic test
  S　无损试验
  Z　试验*
  C　超声波探伤

Chao su hua ji
超塑化剂   [15C]
Superplasticizer
  Y　高效减水剂

Chao xi shui ni
超细水泥   [15B]
Ultra fine cement
  S　水泥*

Chao ya mi tu
超压密土   [05B]
Overconsolidated soil
  Y　超固结土

Chao liu

潮流   [02L]
Tidal current
  Y　潮汐水流

Chao liu shu sha
潮流输沙   [07A]
Sediment tide transport
  S　输沙*

Chao shui wei
潮水位   [02L]
Tidal level
  S　水位*

Chao xi
潮汐*   [02L]
Tide
  F　风暴潮

Chao xi beng zhan
潮汐泵站   [11E]
Tidal pump station
  S　水泵站*

Chao xi bo
潮汐波   [06I]
Tidal wave
  S　波*
  C　潮汐水流

Chao xi fa dian
潮汐发电   [10A]
Tidal power
  C　潮汐发电站

Chao xi fa dian zhan
潮汐发电站   [10B]
Tidal power station
Tidal electric power pl-
  ant
  S　水电站*
  C　潮汐发电

Chao xi guan ce
潮汐观测 [02L]
Tidal observation
　S　水文测验
　Z　观测*
　C　水位观测

Chao xi he kou
潮汐河口 [02L]
Tidal estuary
　S　河口*

Chao xi he liu
潮汐河流 [02L]
Tidal river
　Y　感潮河段

Chao xi kong zhi
潮汐控制 [02L]
Tidal control
　S　控制*

Chao xi mo xing
潮汐模型 [02L]
Tidal model
　S　模型*

Chao xi neg zi yuan
潮汐能资源 [01A]
Tidal energy resources
　S　水能资源
　Z　水资源*

Chao xi shui li xue
潮汐水力学 [06A]
Tidal hydraulics
　S　水力学
　Z　力学*

Chao xi shui liu
潮汐水流 [06A]
Tidal flow
　D　潮流

　S　水流*
　C　潮汐波

Chao xi wan dao
潮汐弯道 [02L]
Tidal inlet

Che zuan
车钻 [14I]
Wagon drill
Wheel-mounted drill
Track-mounted drill
　S　钻机*

Chen ji yan
沉积岩 [05L]
Sedimentary rock
　F　化学岩
　　　粘土岩
　　　碎屑岩
　　　蒸发岩
　S　岩石*

Chen jiang
沉降* [05I]
Settlement
　D　沉陷
　F　不均匀沉降
　　　长期沉降
　　　初始沉降
　　　次固结沉降
　　　地基沉降
　　　地面沉降
　　　动水沉降
　　　固结沉降
　　　基础沉降
　　　静水沉降
　　　均匀沉降
　　　泥沙沉降
　　　湿陷沉降
　C　固结*

Chen jiang feng

沉降缝   [08E]
Settllling joint
  S   结构缝
  Z   缝*

Chen jiang guan ce
沉降观测   [16B]
Vertical movement obser-
    vation
Settlement observation
  D   沉陷观测
  S   变形观测
  Z   观测*
  C   垂直位移观测

Chen jiang liang
沉降量*   [05I]
Settlement
  F   瞬时沉降量
      最终沉降量

Chen jiang su du
沉降速度   [07A]
Fall velocity
Settling velocity

Chen jiang su lü
沉降速率   [05I]
Rate of settlement

Chen jiang yi
沉降仪   [16B]
Settlement gauge
Settlement meter
  D   沉陷仪
  S   土工测试仪器
  Z   仪器*

Chen jing
沉井   [14L, 05N]
Open caisson
  D   井筒基础
  S   基础*

Chen pai
沉排   [12C]
Mattress

Chen sha chi
沉沙池   [09G, 07C]
Silting basin
Sediment basin

Chen xian
沉陷   [05I]
Settlement
  Y   沉降*

Chen xian guan ce
沉陷观测   [16B]
Settlement observation
Vertical movement obser-
    vation
  Y   沉降观测

Chen xian yi
沉陷仪   [16B]
Settlement meter
  Y   沉降仪

Chen xiang
沉箱   [14L]
Caisson
  C   水下施工

Chen zhuang
沉桩   [14L, 05N]
Pile sinking
  F   射水沉桩
      振动沉桩
  S   打桩工程
  Z   工程*

Chen qi
衬砌*   [14E]
Lining
  F   分断面衬砌

钢衬砌
渠道衬砌
全断面衬砌
隧洞衬砌
砼衬砌
装配式衬砌

Cheng bao
承包* [19A]
Contract
　F　施工承包

Cheng chuan xiang
承船厢 [09K]
Ship reception chamber

Cheng ya han shui ceng
承压含水层 [04D]
Artesian aquifer
　S　含水层*
　C　承压水

Cheng ya li
承压力 [05I]
Bearing capacity
　Y　承载力*

Cheng ya shui
承压水 [04D]
Confined water
　S　地下水
　Z　水*
　C　承压含水层
　　　自流井

Cheng zai li
承载力* [05I]
Bearing capacity
　D　承压力
　F　地基承载力
　　　极限承载力
　　　容许承载力
　　　桩承载力

Cheng zhong qiang
承重墙 [08D]
Long-bearing wall
Bearing wall
　S　墙*

Cheng ben
成本* [19J]
Cost
　F　供水成本

Cheng ben he suan
成本核算 [19J]
Cost accounting

Cheng fen
成分 [20B]
Component
　C　组成

Cheng guo
成果* [20B]
Achievement
　F　观测成果
　　　科技成果

Cheng shu du
成熟度 [15F]
Maturity
　C　养护*

Cheng tao she bei
成套设备 [19H]
Whole set of equipment
　S　设备*

Cheng yin fen xi
成因分析 [20A]
Cause analysis
Genetic analysis
　S　分析*

Cheng shi

城市* [19C]
City
  F 开放城市
    沿海城市

Cheng shi fang hong
城市防洪 [12B]
Urban flood control
  S 城镇防洪
  Z 防洪*

Cheng shi gong shui
城市供水 [19C]
City water supply
  S 供水*

Cheng shi gong shui xi
  tong
城市供水系统 [19C]
City water supply system
  D 自来水系统
  S 供水系统
  Z 系统*
  C 饮用水

Cheng shi gui hua
城市规划 [19C]
City planning
  S 规划*

Cheng shi huan jing
城市环境 [17A]
Urban environment
  S 环境*

Cheng shi huan jing shui
  li
城市环境水利 [17A]
Urban environmental hyd-
  raulic engineering
  S 城市水利
    环境水利
  Z 水利*

Cheng shi jian she
城市建设 [19C]
City construction
Urban construction

Cheng shi jie shui
城市节水 [19C]
Urban water saving
  S 节水*

Cheng shi pai shui
城市排水 [19C]
City drainage
  S 排水*

Cheng shi pai shui xi
  tong
城市排水系统 [19C]
City drainage system
  D 下水道系统
  S 排水系统
  Z 系统*

Cheng shi shui li
城市水利 [19C]
City water conservancy
Urban water conservancy
  F 城市环境水利
  S 水利*

Cheng shi shui wen
城市水文 [02A]
Urban hydrology
  Y 都市水文

Cheng shi shui zi yuan
城市水资源 [01A]
Urban water resources
  S 水资源*

Cheng shi wu ran
城市污染 [17B]
Municipal pollution

Urban pollution
S 环境污染
Z 污染*

Cheng shi wu shui
城市污水 [17B]
Urban sewage
Municipal sewage
S 污水
Z 水*
C 生活污水

Cheng shi xu shui liang
城市需水量 [19C]
City water requirement
S 需水量
Z 水量*

Cheng shi yong shui
城市用水 [19C]
Municipal water use
S 用水*

Cheng xiang jian she
城乡建设 [19C]
Urban and rural constru-
ction

Cheng zhen fang hong
城镇防洪 [12B]
Urban flood defence
F 城市防洪
S 防洪*

Cheng xu
程序* [20B]
Program
Procedure
F 安装程序
设计程序
施工程序

Cheng xu kong zhi

程序控制 [19E]
Program control
S 控制*

Cheng xu ku cheng xu
程序库程序 [19F]
Library routine
Y 库存程序

Cheng xu she ji
程序设计 [19F]
Program design
Programming
S 设计*

Cheng xu she ji yu yan
程序设计语言 [19F]
Programming language
Y 程序语言*

Cheng xu xi tong
程序系统 [19F]
Software
Y 计算机软件*

Cheng xu yu yan
程序语言* [19F]
Program language
D 程序设计语言
F 高级语言
汇编语言
机器语言

Chi chao
赤潮 [17B]
Red tide
C 异常营养化
藻类繁殖

Chi du wu cha
尺度误差 [03B]
Scale error
D 比例误差

S　测量误差
Z　误差*

Chi lun
齿轮　　　　　　　　　　[19H]
Gear

Chi lun chuan dong
齿轮传动　　　　　　　　[19H]
Gear drive
　　S　传动*

Chi qiang
齿墙　　　　　　　　　　[09C]
Cut off

Chi shi yu dao
池式鱼道　　　　　　　　[09J]
Basin fish pass
　　D　池式鱼梯
　　S　鱼道*

Chi shi yu ti
池式鱼梯　　　　　　　　[09J]
Basin fish ladder
　　Y　池式鱼道

Chong fu he zai
重复荷载　　　　　　　　[08A]
Repeat load
　　Y　周期荷载

Chong fu li yong
重复利用　　　　　　　　[20A]
Reuse
　　F　水重复利用
　　S　利用*

Chong fu li yong ku rong
重复利用库容　　　　　　[01D]
Repeat storage capacity
　　S　库容*

Chong xian qi
重现期　　　　　　　　　[02H]
Return period
Recurrence interval

Chong gou qin shi
冲沟侵蚀　　　　　　　　[11G]
Channel erosion
　　S　侵蚀*

Chong ji bo
冲击波　　　　　　　　　[06I]
Cross wave
Shock wave
　　S　波*
　　C　溃坝波

Chong ji he zai
冲击荷载　　　　　　　　[08A]
Shock load
　　S　动荷载
　　Z　荷载*

Chong ji shi shui lun ji
冲击式水轮机　　　　　　[10F]
Impulse water turbine
　　D　培尔顿水轮机
　　　　水斗式水轮机
　　S　水轮机*

Chong ji shi yan
冲击试验　　　　　　　　[08F]
Shock test
Impact test
　　S　强度试验
　　Z　试验*

Chong ji zuan
冲击钻　　　　　　　　　[14I]
Percussion drill
　　S　钻机*

Chong ji zuan jin

冲击钻进 [03G]
Percussion drilling
Impact drilling
S 钻进*

Chong ji he chuang
冲积河床 [07B]
Alluvial river bed
Y 河床

Chong ji he liu
冲积河流 [07B]
Alluvial river
S 河流*

Chong ji ping yuan
冲积平原 [18D]
Alluvial plain
S 平原*
C 冲积扇

Chong ji shan
冲积扇 [18D]
Alluvial fan
C 冲积平原

Chong ji zuo yong
冲积作用 [04A]
Alluviation
C 河床

Chong sha
冲沙 [07C]
Sluicing sand
Y 排沙

Chong sha she shi
冲沙设施 [07C]
Sand flush installation

Chong sha zha
冲沙闸 [09D]
Scouring sluice

Sand sluice
D 排沙闸
S 水闸*

Chong shua
冲刷* [06H]
Scour
Erosion
F 河岸冲刷
河床冲刷
河道冲刷
接触冲刷
揭底冲刷
局部冲刷
渗流冲刷
水力冲刷
溯源冲刷
挑流冲刷
闸下冲刷
C 折冲水流

Chong shua ji suan
冲刷计算 [06H]
Erosion calculation
S 水力计算
Z 计算*

Chong shua keng
冲刷坑 [06H]
Scour hole
C 冲刷深度
局部冲刷

Chong shua shen du
冲刷深度 [06H]
Depth of scour
C 冲刷坑
局部冲刷

Chong shua shi yan
冲刷试验 [06J]
Scouring test
S 模型试验*

Chong xi
冲洗 [14C]
Washing
 Y 清洗

Chong xie zhi
冲泻质 [07A]
Wash load
 S 泥沙*
 C 悬移质

Chong ya jian qie po
 huai
冲压剪切破坏 [05I]
Punch-shear failure
 S 剪切破坏
 Z 破坏*

Chong yu
冲淤 [07C]
Desilting
 S 清淤*

Chong yu bian hua
冲淤变化 [07C]
Silting and erosion var-
 iation
 S 变化*
 C 河道演变规律

Chong yu ping heng
冲淤平衡 [07C]
Eroding-silting equilib-
 rium
 S 平衡*

Chong yu te xing
冲淤特性 [07C]
Erosion-sedimentation c-
 haracteristic
 S 特性*

Chong shui su liao ba

充水塑料坝 [09C]
Water filled plastic dam
 Y 尼龙坝

Chou du(shui ni)
稠度(水泥) [15K]
Consistency(cement)

Chou du(tu li xue)
稠度(土力学) [05C]
Consistency
 C 饱和度
  含水量

Chou du jie xian
稠度界限 [05C]
Consistency limit
 Y 阿太堡界限*

Chou du shi yan
稠度试验 [05K]
Consistency test
 S 试验*
 C 界限含水量试验

Chou shui
抽水 [19C]
Pumping
 S 取水*
 C 抽水灌溉
  提水

Chou shui gong kuang
抽水工况 [10K]
Pumping operating condi-
 tions
 D 水泵工况
 S 工况*

Chou shui guan gai
抽水灌溉 [11B]
Pumping irrigation
 D 提水灌溉

扬水灌溉
S 灌溉*
C 抽水
电力灌溉
机械灌溉
井灌

Chou shui ji
抽水机   [11F]
Water Pump
Y 水泵

Chou shui shi yan
抽水试验   [04D]
Pumping test
S 水文地质试验
Z 试验*
C 渗透系数
水文地质调查

Chou shui xu neng
抽水蓄能   [10A]
Pumped storage
C 抽水蓄能电站

Chou shui xu neng beng
zhan
抽水蓄能泵站   [11E]
Pumped storage pump sta-
tion
Y 蓄能泵站

Chou shui xu neng dian
zhan
抽水蓄能电站   [10B]
Pumped storage power st-
ation
Pumped storage electric
power plant
S 水电站*
C 抽水蓄能
上池
下池

Chou shui zhan
抽水站   [11E]
Pumping station
Y 水泵站*

Chu bian xing
触变性   [05C]
Thixotropy

Chu tan
触探*   [05K]
Sounding
D 触探试验
贯入试验
F 动力触探
静力触探
C 触探仪

Chu tan shi yan
触探试验   [05K]
Sounding test
Y 触探*

Chu tan yi
触探仪   [05K]
Penetrometer(engineerin-
g)
Sounding apparatus
D 贯入仪
S 土工测试仪器
Z 仪器*
C 触探*

Chu bu she ji
初步设计   [19D]
Preliminary design
S 设计*

Chu ci xu shui
初次蓄水   [16A]
Initial impoundment
S 蓄水*

Chu ji dian qi hua
初级电气化   [10L]
Primary electrification

Chu qi gu jie
初期固结   [05E]
Primary consolidation
　Y　主固结

Chu sheng kong xue shu
初生空穴数   [06E]
Incipient cavitation nu-
mber

Chu shi chen jiang
初始沉降   [05I]
Immediate settlement
　D　瞬时沉降
　S　沉降*

Chu shi ying li ce ding
初始应力测定   [08F]
Initial stress measurem-
ent
　C　应力试验

Chu shi ying li liang ce
初始应力量测   [05L]
Measurement of initial
　stress

Chu ying li
初应力   [08B]
Initial stress
　S　应力*

Chu guo kao cha bao gao
出国考察报告   [19M]
Report of outbound study
　tour
　S　考察报告
　Z　报告*

Chu guo kao cha zi liao
出国考察资料   [19M]
Abroad investigation ma-
terial
　S　考察资料
　Z　资料*

Chu li
出力*   [10A]
Output
　F　保证出力
　　季节性出力

Chu shui kou
出水口   [09G]
Outlet

Chu shui liang
出水量   [04D]
Water yeild
　D　涌水量
　S　水量*

Chu yi po jiang
出逸坡降   [06G, 05D]
Threshold gradient
　S　水力坡度*

Chu lao
除涝   [11A]
Water log control
Water logging control
　Y　排涝

Chu lao biao zhun
除涝标准   [11B]
Water log control crite-
ria
　Y　排涝标准

Chu lao gui hua
除涝规划   [01C]
Planning of water loggi-

ng control
    Y   治涝规划

Chu xian jia gu
除险加固   [16A]
Stabilization for dange-
  rous release
    S   加固*

Chu li
处理*   [20B]
Disposal
Handling
Treatment
    F   坝基处理
         化学处理
         裂缝处理
         热处理
         事故处理
         数据处理
         水处理
         塌方处理
         图像处理
         文字处理
         信息处理

Chu shui gou zao
储水构造   [04B]
Water storing tectonics
    S   地质构造*

Chuan
船*   [19C]
Ship
    D   船舶
    F   挖泥船

Chuan bo
船舶   [19C]
Ship
    Y   船*

Chuan wu

船坞   [13C]
Dock

Chuan xing bo
船行波   [06I]
Ship wave
    S   波*
    C   推进波

Chuan zha
船闸*   [09K]
Navigation lock
Lock
    F   单级船闸
         单线船闸
         多级船闸
         双线船闸

Chuan zha gong cheng ce
  liang
船闸工程测量   [03E]
Lock engineering survey
    S   水利工程测量
    Z   测量*

Chuan zha shu shui xi
  tong
船闸输水系统   [09K]
Lock filling and emptyi-
  ng system
    S   输水系统
    Z   系统*

Chuan zha zha men
船闸闸门   [09D]
Lock gate
    S   闸门*

Chuan dong
传动*   [19H]
Drive
Transmission
    F   齿轮传动

电力传动
皮带传动
气力传动
液压传动

Chuan dong ji gou
传动机构　　　　　　　　[19H]
Driving mechanism

Chuan gan qi
传感器　　　　　　　　　[19I]
Sensor
Transducer
　C　一次仪表

Chuan re xi shu
传热系数　　　　　　　　[18B]
Heat-transfer coefficie-
　nt
　D　导温系数
　　　换热系数
　S　系数*

Chuan lian guan dao
串联管道　　　　　　　　[19H]
Pipes in series
　S　管道*

Chuan lian shui ku
串联水库　　　　　　　　[09B]
Cascade reservoirs
　Y　梯级水库

Chuang sha
床沙　　　　　　　　　　[07A]
Bed material
　Y　河床质

Chuang sha zhi
床沙质　　　　　　　　　[07A]
Bed-material
　S　泥沙*
　C　河床质

Chui ji chen zhuang
锤击沉桩　　　　　　　　[05N]
Driven pile
　S　打桩
　Z　工程*

Chui tian ji shu
吹填技术　　　　　　　　[12C]
Dredge fill technique
　S　技术*
　C　放淤固堤

Chui zhi fang shen
垂直防渗　　　　　[09L, 05Q]
Vertical seepage proof
　S　防渗*

Chui zhi fen bu
垂直分布　　　　　　　　[20A]
Vertical distribution
　S　分布*

Chui zhi feng
垂直缝　　　　　　　　　[08E]
Vertical joint
　S　施工缝
　Z　缝*

Chui zhi pai shui
垂直排水　　　　　　　　[09L]
Vertical drain
　S　排水*

Chui zhi sheng chuan ji
垂直升船机　　　　　　　[09K]
Vertical shiplift
　F　浮筒垂直升船机
　　　平衡重式垂直升船机
　　　水压式垂直升船机
　S　升船机*

Chui zhi wei yi guan ce
垂直位移观测　　　　　　[16B]

Vertical movement obser-
  vation
  S   位移观测
  Z   观测*
  C   沉降观测

Chun
醇   [18C]
Alcohol

Chun gong fa
纯拱法   [08B]
Independent arch method
Pure arch analysis
  S   结构计算方法*

Chun wan qu
纯弯曲   [08B]
Pure bending
  S   弯曲
  Z   变形*

Chun guan
春灌   [11B]
Spring irrigation
  S   灌溉*

Chun xiao mai
春小麦   [19B]
Spring wheat

Chun xun
春汛   [02B]
Spring flood
Spring freshet
  D   桃花汛

Chun xun yu bao
春汛预报   [02J]
Forecast of spring flood
Forecast of spring fres-
  het
  D   融雪径流预报

  S   水文预报
  Z   预报*

Ci fa kan tan
磁法勘探   [03H]
Magnetic survey
Magnetic prospecting
  S   地球物理勘探
  Z   地质勘探*

Ci hua shui
磁化水   [11B]
Magnetized water
  S   水*
  C   灌溉水

Ci gu jie
次固结   [05E]
Secondary consolidation
  D   次时效应
  S   固结*
  C   次固结沉降
      土骨架
      有效应力

Ci gu jie chen jiang
次固结沉降   [05I]
Secondary consolidation
  settlement
  S   沉降*
  C   次固结

Ci jiang yu jing liu
  guan xi
次降雨径流关系   [02I]
Secondary rainfall-runo-
  ff relation

Ci liang
次梁   [08D]
Junior beam
  S   梁*

Ci sheng huan jing
次生环境   [17A]
Secondary environment
　Y　第二环境

Ci sheng yan jian hua
次生盐碱化   [11G]
Secondary salinization

Ci shi xiao ying
次时效应   [05E]
Secondary time effect
　Y　次固结

Cu gu liao
粗骨料   [15D]
Coarse aggregate
　S　骨料*
　C　卵石
　　　碎石

Cu sha
粗砂   [15D]
Coarse sand
　S　砂*

Cu ning ji
促凝剂   [15C]
Set accelerator
　Y　速凝剂

Cui xing duan lie
脆性断裂   [08B]
Brittle fracture
　S　断裂*

Cuo shi
措施*   [20B]
Measure
　F　安全措施
　　　防洪措施
　　　防护措施
　　　防浪措施
　　　防裂措施
　　　防渗措施
　　　改良措施
　　　耕作措施
　　　减蚀措施
　　　减压措施
　　　减淤措施
　　　节料措施
　　　节能措施
　　　节水措施
　　　抗冻措施
　　　人防措施
　　　水土保持措施
　　　消浪措施
　　　植物措施
　　　综合治理措施

D

Da ba
大坝   [09C]
Large dam
　S　坝*

Da ba guan ce
大坝观测   [16B]
Observation of dams
　F　砼坝观测
　　　土石坝观测
　S　观测*
　C　原型观测

Da ba shi shi
大坝失事   [16A]
Dam failure
　C　溃坝
　　　溃坝观测
　　　失事分析

Da ba shui ni
大坝水泥   [15B]
Dam cement
　D　低热水泥
　　　中热水泥
　F　矿渣大坝水泥
　S　硅酸盐水泥
　Z　水泥*
　C　低碱水泥

Da ba tong
大坝砼   [15F]
Dam concrete
　S　砼*
　C　大体积砼
　　　贫砼
　　　水工砼
　　　砼温度控制

Da ban jie gou

大板结构   [08C]
Large-plate structure
　S　工程结构
　Z　结构*

Da bao po
大爆破   [14K]
Major blasting
　S　爆破*

Da bi chi ce liang
大比尺测量   [03A]
Large scale survey
　S　测量*

Da di ce liang
大地测量   [03A]
Geodetic survey
　S　测量*

Da dou
大豆   [19B]
Soybean

Da kong jing zuan jin
大孔径钻进   [03G]
Large diameter boring
　S　钻进*

Da kong kou xie liu
大孔口泄流   [09F]
Large opening flow
　S　泄水*

Da kong tu
大孔土   [05B]
Porous soil
Loess
　Y　黄土

Da kou jing guan
大口径管   [15A]
Large diameter tube
Large diameter pipe
  S 管*

Da kou jing jing
大口径井   [04D]
Large diameter well
  S 井*

Da kua du jie gou
大跨度结构   [08C]
Long-span structure
  S 工程结构
  Z 结构*

Da li yan
大理岩   [05L]
Marble
  S 热力变质岩
  Z 岩石*

Da liang
大梁   [08D]
Main beam
  Y 主梁

Da liu yu
大流域   [02K]
Large watershed
  S 流域*

Da qi ceng
大气层   [02B]
Atmosphere

Da qi huan liu
大气环流   [02B]
Atmospheric circulation

Da qi shi du
大气湿度   [02B]

Atmospheric humidity
  S 湿度*

Da qi shui fen ping heng
大气水分平衡   [02B]
Atmospheric water balan-
  ce
  S 水量平衡
  Z 平衡*

Da qi ya li
大气压力   [02B]
Atmospheric pressure
  S 压力*

Da ti ji tong
大体积砼   [15F]
Mass concrete
  S 砼*
  C 大坝砼
      水工砼
      水化热
      砼温度控制

Da ti ji tong shi gong
大体积砼施工   [14G]
Mass concrete construct-
  ion
  S 砼施工
  Z 施工*

Da tou ba
大头坝   [09C]
Massive head buttress d-
  am
  S 支墩坝
  Z 坝*
  C 宽缝重力坝
      梯形坝

Da xing beng
大型泵   [19H]
Large-type pump

S 泵*

Da xing beng zhan
大型泵站   [11E]
（装机容量≥7300千瓦，受益
　面积≥2万公顷）
Large pumping station
　S 水泵站*

Da xing dong shi
大型洞室   [14E]
Large chamber
　S 洞室*

Da xing ji suan ji
大型计算机   [19F]
Large-capacity computer
Large-size computer
　S 计算机*

Da xing ji xie
大型机械   [19H]
Large-type machinery
　S 机械*

Da xing mo ban
大型模板   [14G]
Large scale form
Large formwork
　S 模板*

Da xing pen guan ji
大型喷灌机   [11F]
（动力机功率＞30千瓦）
Large sprinkler
　S 喷灌机*

Da xing shui dian zhan
大型水电站   [10B]
（装机容量≥25万千瓦）
Large water power stati-
　on
Large hydroelectric pow-

er plant
　S 水电站*

Da xing shui ku
大型水库   [09B]
（库容≥1亿立方米）
Large reservoir
　S 水库*
　C 大型水利工程

Da xing shui li gong
　cheng
大型水利工程   [09A]
Large water conservancy
　project
　S 水利工程*
　C 大型水库

Da xing shui lun ji
大型水轮机   [10F]
Large hydraulic turbine
　S 水轮机*

Da hang ji
打夯机   [14I]
Tamper
Ramming machine
　D 夯实机

Da jing
打井   [04D]
Well boring
　Y 钻井

Da zhuang
打桩   [05N]
Pile sinking
Pile driving
　F 锤击沉桩
　S 打桩工程
　Z 工程*

Da zhuang chui

打桩锤   [14I]
Piling hammer
   S 桩工机械
   Z 机械*

Da zhuang gong cheng
打桩工程   [05N]
Pile works
   F 拔桩
       沉桩
       打桩
       接桩
   S 工程*

Da zhuang ji
打桩机   [14I]
Pile driver
   S 桩工机械
   Z 机械*

Da jie
搭接   [08E]
Lap joint
   S 连接*

Da xi ding lü
达西定律   [06G]
Darcy law
   C 渗透性

Dai biao xing liu yu
代表性流域   [02K]
Representative basin
Representative watershed
   D 示范流域
   S 流域*

Dai kuan
贷款*   [19J]
Loan
   F 农业贷款

Dai lei ban

带肋板   [08D]
Ribbed slab
   D 肋板
   S 板*

Dai shi shu song ji
带式输送机   [14I]
Belt conveyor
   S 输送机*
   C 皮带传动

Dai yu
待遇   [19K]
Treatment

Dan
氮   [18C]
Nitrogen

Dan hua wu
氮化物   [18C]
Nitrogen compound
   S 化合物*

Dan ban ji suan ji
单板计算机   [19F]
Single board computer
   S 计算机*

Dan ceng kuang jia
单层框架   [08C]
Single-story frame
   S 框架结构
   Z 结构*

Dan du ji chu
单独基础   [05N]
Isolated footing
   D 独立基础
   F 墩式基础
       柱基础
   S 基础*

Dan ji rong liang
单机容量 [10B]
Unit capacity

Dan ji chuan zha
单级船闸 [09K]
Single-lift lock
　　S　船闸*

Dan jian shi yan
单剪试验 [05K]
Simple shear test
　　S　剪切试验（土力学）
　　Z　试验*

Dan kuan liu liang
单宽流量 [06C]
Discharge per unit width
　　S　流量*

Dan li jie gou
单粒结构 [05B]
Grain structure
　　S　土结构
　　Z　结构*

Dan pian chu li ji
单片处理机 [19F]
Single chip processor
　　D　单片计算机
　　S　计算机*

Dan pian ji suan ji
单片计算机 [19F]
Single chip computer
　　Y　单片处理机

Dan qu gong ba
单曲拱坝 [09C]
Single arch dam
　　S　拱坝
　　Z　坝*

Dan wei dian neng zao
　　jia
单位电能造价 [10A]
Cost per kilowatthour
　　C　单位千瓦造价

Dan wei guo cheng xian
单位过程线 [02I]
Unit hydrograph
　　Y　单位线

Dan wei he zai fa
单位荷载法 [08B]
Unit-load method
　　D　单位力法
　　S　能量法
　　Z　结构计算方法*

Dan wei li fa
单位力法 [08B]
Unit-force method
　　Y　单位荷载法

Dan wei qian wa zao jia
单位千瓦造价 [10A]
Cost per kilowatt
　　C　单位电能造价

Dan wei wei yi fa
单位位移法 [08B]
Unit-displacement method
　　S　能量法
　　Z　结构计算方法*

Dan wei xian
单位线 [02I]
Unit hydrograph
　　D　单位过程线
　　S　水文曲线
　　Z　曲线*
　　C　水文计算

Dan wei zhong

单位重   [15K]
Unit weight
　Y　容重*

Dan xian chuan zha
单线船闸   [09K]
Single line lock
Single lock
　S　船闸*

Dan xiang liu
单相流   [06A]
One-phase flow
　S　水流*

Dan xiang ban
单向板   [08D]
One-way slab
　S　板*

Dan xiang gu jie
单向固结   [05E]
One-dimensional consoli-
　　dation
　D　一维固结
　S　固结*
　C　主固结

Dan xie yan ceng
单斜岩层   [04A]
Monoclinal strata
　Y　倾斜岩层

Dan yuan gong cheng
单元工程   [19C]
Unit project
　S　工程*

Dan yuan zu he yi biao
单元组合仪表   [19I]
Unit combined gauge
　S　仪表*

Dan zhong tu zhi ba
单种土质坝   [09C]
Homogeneous earth dam
　Y　均质土坝

Dan ni er shi yu dao
丹尼尔式鱼道   [09J]
Dannier fishway
　Y　加糙槽式鱼道

Dan shui
淡水   [01A]
Fresh water
　S　水*

Dan shui hu
淡水湖   [18D]
Fresh lake
　S　湖泊*

Dan shui xian hua
淡水咸化   [17B]
Water salinization
　C　感潮河段
　　　海水入侵

Dang an
档案   [19M]
Archives

Dang an gong zuo
档案工作   [19M]
Archives work

Dang chao di
挡潮堤   [13B]
Tidal levee
　S　海堤*

Dang chao zha
挡潮闸   [09D]
Tide lock
　D　防潮闸

S 水闸*

Dang shui ba
挡水坝 [09C]
Water-retaining dam
Retaining dam
　Y 坝*

Dang shui jian zhu wu
挡水建筑物 [09C]
Water-retaining works
Retaining works
　S 水工建筑物*
　C 坝*

Dang shui qiang
挡水墙 [12B]
Water retaining wall
　Y 防水墙

Dang tu qiang
挡土墙 [08D]
Retaining wall
　S 墙*

Dang de jian she
党的建设 [19L]
Party's construction
　Y 党建

Dang ji
党纪 [19L]
Party discipline

Dang jian
党建 [19L]
Party's construction
　D 党的建设

Dang zu zhi
党组织 [19L]
Party organization

Dang di cai liao
当地材料 [15A]
Local material
　S 材料*

Dang di cai liao ba
当地材料坝 [09C]
Local material dam
　Y 土石坝

Dao di
岛堤 [13B]
Island breakwater
Island mole
　S 海堤*

Dao shi ma tou
岛式码头 [13C]
Island wharf
　Y 离岸码头

Dao yu
岛屿 [18D]
Island

Dao gong
倒拱 [08C]
Inverted arch
　S 拱*

Dao gong ji chu
倒拱基础 [05N]
Inverted arch foundation
　Y 反拱基础

Dao hong xi
倒虹吸 [09H, 11E]
Inverted siphon
　Y 倒虹吸管

Dao hong xi guan
倒虹吸管 [09H, 11E]
Inverted siphon

D 倒虹吸
C 虹吸管

Dao guan jiao zhu tong
导管浇筑砼   [14G]
Tremie concrete placing
S 砼施工
Z 施工*

Dao hang di
导航堤   [13B]
Guiding jetty
Guiding dike
S 海堤*

Dao liu
导流*   [14D]
Diversion
D 施工导流
F 厂房导流
底孔导流
分期导流
涵洞导流
明渠导流
梳齿导流
隧洞导流

Dao liu di kong
导流底孔   [14D, 09F]
Diversion bottom outlet
S 底孔*

Dao liu qiang
导流墙   [09G]
Guide wall
D 导水墙
S 墙*

Dao liu qu
导流渠   [14D]
Diversion channel
S 渠道*

Dao liu sui dong
导流隧洞   [09E]
Diversion tunnel
S 水工隧洞
Z 隧洞*

Dao re xi shu
导热系数   [18B]
Thermal conductivity
Heat conductivity
D 导热性
热导率
S 系数*

Dao re xing
导热性   [18B]
Heat conductivity
Thermal conductivity
Y 导热系数

Dao shui qiang
导水墙   [09G]
Guide wall
Y 导流墙

Dao wen xi shu
导温系数   [18B]
Thermal diffusivity
Temperature diffusivity
Y 传热系数

Dao xian ce liang
导线测量   [03A]
Traverse survey
S 测量*

Dao ye
导叶   [10F]
Guide vane

Dao zhou cheng
导轴承   [19H]
Guide bearing

S 轴承*

Dao lu gong cheng
道路工程   [19C]
Road engineering
　S 工程*

Dao tian
稻田   [19B]
Paddy field
Paddy
　S 农田*
　C 水田

Deng gao xian
等高线   [03C]
Contour

Deng gao xian fa
等高线法   [03C]
Contouring method
　S 方法*

Deng ji
等级   [20B]
Grade
Gradation

Deng liu shi xian fa
等流时线法   [02I]
Isochronal method
　S 方法*

Deng shi xian
等势线   [06G]
Equipotential line

Deng xiao he zai
等效荷载   [08A]
Equivalent load
　S 荷载*

Deng ya xian

等压线   [05H]
Equipressure line
Isobar

Deng yu liang xian
等雨量线   [02I]
Isohyet

Deng zhi xian
等值线   [03C]
Isoline
Contour line

Deng zhi xian fa
等值线法   [03C]
Isoline method
　S 方法*

Deng zhi xian tu
等值线图   [02I]
Isohyetal line chart
　S 图*

Deng pao shi shui lun fa
　dian ji
灯泡式水轮发电机   [10H]
Bulb hydraulic generator
　S 水轮发电机*

Deng pao shi shui lun ji
灯泡式水轮机   [10F]
Bulb water turbine
　S 反击式水轮机
　Z 水轮机*

Di ba
低坝   [09C]
（坝高<30米）
Low dam
　S 坝*

Di chan zuo wu
低产作物   [19B]

59   Di

Low-yield crop
  S 作物*

Di he jin gang
低合金钢   [15I]
Low alloy steel
  S 合金钢
  Z 钢*

Di jian shui ni
低碱水泥   [15B]
Low alkali cement
  S 硅酸盐水泥
  Z 水泥*
  C 大坝水泥
     含碱量
     碱骨料反应

Di pin fa kan tan
低频法勘探   [03H]
Low frequency explorati-
on
  S 电法勘探
  Z 地质勘探*

Di re shui ni
低热水泥   [15B]
Low heat cement
  Y 大坝水泥

Di shui tou
低水头   [06A]
Low head
  S 水头*

Di shui tou shui dian
  zhan
低水头水电站   [10B]
（水头<30米）
Low head water power st-
ation
Low head hydroelectric
  power plant

S 水电站*

Di shui tou shui lun ji
低水头水轮机   [10F]
（水头<30米）
Low head water turbine
  S 水轮机*

Di shui wei yun xing
低水位运行   [10K]
Low water level operati-
on
  S 水电站运行
  Z 运行*

Di wa di qu
低洼地区   [18D]
Low region
  S 地区*

Di wa qu fang hong
低洼区防洪   [12B]
Low land region flood c-
ontrol
  S 防洪*

Di wen
低温   [18B]
Low temperature
  S 温度*

Di ya pen guan ji
低压喷灌机   [11F]
（工作压力69千帕～196千
帕）
Low pressure sprinkler
  S 喷灌机*

Di ya pen tou
低压喷头   [11F]
（工作压力98千帕～294千
帕）
Low-pressure sprinkle h-

ead
S 喷头*

Di yan
低堰   [06D]
Low weir
S 堰*

Di ba shi shui dian zhan
堤坝式水电站   [10B]
Dam type water power st-
ation
Dam type hydroelectric
power plant
S 水电站*

Di fang
堤防   [12C]
Levee
D 圩垸
C 防浪林

Di fang guan li
堤防管理   [16A]
Management of levee
S 管理*
C 堤防维修
动物危害*
水利工程管理

Di fang jia gu
堤防加固   [12C]
Dyke reinforcement
Strengthening of dyke
F 放淤固堤
S 加固*
治河措施*
C 抗洪抢险

Di fang wei xiu
堤防维修   [16A]
Dyke maintenance
S 维修*

C 堤防管理

Di fang wei xiu fei
堤防维修费   [00C]
Levee maintenance costs
S 收费*

Di biao jing liu
地表径流   [02C]
Surface runoff
D 地表漫流
地面径流
S 径流*

Di biao man liu
地表漫流   [02C]
Overland flow
Y 地表径流

Di biao shui
地表水   [01A]
Surface water
D 地面水
F 河水
湖水
S 水*
C 地表水—地下水关系

Di biao shui zi yuan
地表水资源   [01A]
Surface water resources
D 地面水资源
F 河流水资源
湖泊水资源
融雪水资源
S 水资源*

Di biao shui di xia shui guan xi
地表水—地下水关系   [04D]
Surface-groundwater rel-
ationship
C 地表水

地下水

地方志   [19K]
Local annals

Di cao
地槽   [04B]
Geosyncline
    D   地槽区

Di ji
地基*   [05M]
Foundation
    F   坝基
        不透水地基
        多层地基
        非均质地基
        非岩石地基
        复杂地基
        刚性地基
        均质地基
        人工地基
        软弱地基
        软弱夹层地基
        砂卵石地基
        深层地基
        弹性地基
        天然地基
        透水地基
        土地基
        岩石地基
        闸基
    C   基础*

Di cao dai
地槽带   [04B]
Geosynclinal zone
Geosynclinal belt
    Y   褶皱带

Di cao qu
地槽区   [04B]
Geosyncline area
Geosyncline province
    Y   地槽

Di ceng
地层   [04B]
Stratum

Di ceng dui bi
地层对比   [04B]
Stratigraphic correlati-
on

Di ji bian xing
地基变形   [05M]
Foundation deformation
    S   变形*

Di fang ban dian
地方办电   [10A]
Electric industry by lo-
cal funds

Di ji chen jiang
地基沉降   [05M]
Foundation settlement
    S   沉降*
    C   地面沉降
        基础沉降

Di fang dian li
地方电力   [19C]
Local power

Di fang dian wang
地方电网   [19C]
Local electric network
    S   电网*

Di ji cheng zai li
地基承载力   [05M]
Foundation bearing capa-
    city

Di fang zhi

S 承载力*
C 动力触探锤击数

Di ji chu li
地基处理 [05P]
Ground treatment
Foundation treatment
  Y 地基加固

Di ji fang shen
地基防渗 [05Q]
Seepage control of foundation
  F 坝基防渗
    闸基防渗
  S 防渗*

Di ji jia gu
地基加固 [05P]
Foundation stabilization
  D 地基处理
    基础处理
  S 加固*
  C 坝基处理

Di ji kai wa
地基开挖 [14C]
Foundation excavation
  Y 基坑开挖

Di ji pai shui
地基排水 [14C]
Foundation dewatering
Foundation drainage
  D 地基疏干
  F 电渗排水
    井点排水
    砂井排水
    竖井排水
  S 排水*
  C 基坑排水

Di ji shen lou

地基渗漏 [05M]
Foundation leakage
  S 渗漏*
  C 坝基渗漏
    水库渗漏

Di ji shu gan
地基疏干 [14C]
Foundation drainage
  Y 地基排水

Di ji wen ding xing
地基稳定性 [05M]
Foundation stability
  S 稳定性*
  C 冰冻翻浆

Di ji ying li
地基应力 [05M]
Foundation stress
  S 应力*

Di ji yu ba lian jie
地基与坝连接 [05M]
Connection of foundation
  and dam
  C 地基与建筑物连接

Di ji yu jian zhu wu
  lian jie
地基与建筑物连接 [05M]
Connection of foundation
  and structure
  C 地基与坝连接

Di li xin xi xi tong
地理信息系统 [19F]
Geographic information
  system
  D GIS
  S 信息系统
  Z 系统*

Di mao
地貌*   [18D]
Landform
Geomorphy
    F   河流地貌
         岩溶地貌
    C   地形

Di mian chen jiang
地面沉降   [04C, 05I]
Land settlement
Land subsidence
    D   地面下沉
    S   沉降*
    C   地基沉降

Di mian guan gai
地面灌溉   [11B]
Surface irrigation
    F   沟灌
         漫灌
         畦灌
         淹灌
         自流灌溉
    S   灌溉*

Di mian jing liu
地面径流   [02C]
Surface runoff
    Y   地表径流

Di mian pai shui
地面排水   [19C]
Surface drainage
    S   排水*

Di mian shui
地面水   [01A]
Surface water
    Y   地表水

Di mian shui zi yuan
地面水资源   [01A]

Surface water resources
    Y   地表水资源

Di mian xia chen
地面下沉   [05I]
Subsidence of ground
Land subsidence
    Y   地面沉降

Di qiao
地壳   [04B]
Earth crust

Di qiao xing bian
地壳形变   [04B]
Crustal deformation
Ground deformation
    C   地震预报

Di qiao yun dong
地壳运动   [04B]
Crustal movement

Di qiu hua xue
地球化学   [04A]
Geochemistry
    S   地质学*
         化学*

Di qiu hua xue kan tan
地球化学勘探   [03H]
Geochemical prospecting
Geochemical exploration
    D   化探
    F   地球化学水系测量
    S   地质勘探*

Di qiu hua xue shui xi
    ce liang
地球化学水系测量   [03H]
Geochemical water system
    survey
    S   地球化学勘探

Z 地质勘探*

Di qiu hua xue yi chang
地球化学异常 [03H]
Geochemical anomaly

Di qiu wei xing kan ce
地球卫星勘测 [03F]
Earth satellite survey
S 勘测*
C 航天测量
航天遥感

Di qiu wu li ce jing
地球物理测井* [03H]
Geophysical well logging
D 测井
F 电视测井
水文测井
C 测井仪

Di qiu wu li kan tan
地球物理勘探 [03H]
Geophysical survey
Geophysical prospecting
Geophysical exploration
D 物探
F 磁法勘探
地震勘探
电磁法勘探
电法勘探
航空物探
声波勘探
遥感物探
重力勘探
综合物探
S 地质勘探*

Di qiu wu li xue
地球物理学 [04A]
Geophysics
S 物理学*

Di qiu zi yuan wei xing
地球资源卫星 [19G]
Earth resources satellite
S 卫星*

Di qu
地区* [18D]
Region
District
Area
F 半干旱地区
低洼地区
分洪区
干旱地区
高原地区
灌区
寒冷地区
河网地区
洪泛区
湖区
黄土地区
经济特区
库区
涝区
林区
牧区
平原地区
丘陵区
缺水地区
山区
水土流失区
滩区
土壤改良区
行洪区
行政特区
沿海地区
岩溶地区
移民区
沼泽地区
滞洪区
自然保护区

Di re
地热   [04B]
Terrestrial heat

Di re shui ku
地热水库   [09B]
Geothermal reservoir
　S　水库*

Di shang xuan he
地上悬河   [18D]
Hanging river upper gro-
　und
　S　河流*
　C　河道淤积

Di tai
地台   [04B]
Platform
　D　台地

Di tu
地图   [03C]
Map
　S　图*
　C　地形图
　　　地质图

Di tu bian hui
地图编绘   [03C]
Map compilation

Di xia ba
地下坝   [09C]
Underground dam
　S　坝*
　C　地下水库

Di xia bao po
地下爆破   [14K]
Underground blasting
　S　爆破*

Di xia cang ku
地下仓库   [19C]
Underground store house
　Y　地下洞室

Di xia chang fang
地下厂房   [10C]
Underground powerhouse
　S　厂房*

Di xia dong shi
地下洞室   [14E]
Underground chamber
　D　地下仓库
　S　洞室*
　C　岩爆

Di xia fang shen qiang
地下防渗墙   [05Q]
Underground cut-off wall
　Y　截水墙*

Di xia fei shui
地下肥水   [04D]
Subterranean fat water
　S　地下水
　Z　水*

Di xia gong cheng
地下工程   [14E]
Underground engineering
　S　工程*
　C　地下建筑物

Di xia gong cheng ce
　liang
地下工程测量   [03E]
Underground engineering
　survey
　S　工程测量
　Z　测量*
　C　隧洞测量

Di xia guan dao
地下管道 [19C]
Underground pipeline
   S 管道*

Di xia guan gai
地下灌溉 [11B]
Subsurface irrigation
   Y 渗灌

Di xia he
地下河 [04D]
Underground stream
Subterranean river
   Y 伏流

Di xia jian zhu wu
地下建筑物 [19C]
Underground structure
   S 建筑物*
   C 地下工程

Di xia jie gou
地下结构 [08C]
Underground structure
   S 结构*

Di xia jing liu
地下径流 [04D]
Groundwater runoff
Subsurface runoff
   D 地下水径流
   S 径流*
   C 地下水排泄
      地下水运动

Di xia lian xu qiang
地下连续墙 [05Q]
Slurry trenched wall
Diaphragm wall(foundati-
  on)
   S 截水墙*

Di xia mai guan
地下埋管 [10D]
Underground penstock
   Y 埋藏式压力水管

Di xia pai shui
地下排水 [19C]
Subsurface drainage
   S 排水*

Di xia qu dao
地下渠道 [11E]
Underground canal
   S 渠道*
   C 坎儿井

Di xia shui
地下水 [04D]
Ground water
   F 层间水
      承压水
      地下肥水
      地下盐水
      孔隙水
      库区地下水
      矿水
      裂隙水
      浅层地下水
      潜水(水文地质)
      深层地下水
      岩溶水
      自流水
   S 水*
   C 地表水－地下水关系

Di xia shui chu liang
地下水储量 [01D]
Ground water storage
   Y 地下水资源

Di xia shui dong li xue
地下水动力学 [04D]
Underground water dynam-

ics
Ground water dynamics
   S   水动力学
   Z   力学*

Di xia shui dong tai
地下水动态   [04D]
Ground water trend

Di xia shui fa
地下水法   [00B]
Ground water law
   S   水法
   Z   法律*

Di xia shui guan ce zhan
地下水观测站   [02E]
Ground water observation
  station
   S   水文站*

Di xia shui guo liang
  kai cai
地下水过量开采   [04D, 01B]
Overdraft of ground wat-
  er
   C   地下水开采
       地下水咸化
       地下水资源

Di xia shui hui guan
地下水回灌   [04D]
Ground water recharge
   C   水补给

Di xia shui jing liu
地下水径流   [04D]
Groundwater runoff
   Y   **地下径流**

Di xia shui jun heng
地下水均衡   [04D]
Ground water balance

Di xia shui kai cai
地下水开采   [04D]
Groundwater mining
   C   地下水过量开采
       钻井

Di xia shui ku
地下水库   [09B]
Underground reservoir
Ground water reservoir
   S   水库*
   C   地下坝
       地下水资源

Di xia shui liu liang
地下水流量   [04D]
Groundwater discharge
   S   流量*

Di xia shui pai xie
地下水排泄   [04D]
Ground water discharge
   C   地下径流
       泉

Di xia shui qian neng
地下水潜能   [04D]
Ground water potential

Di xia shui shui wen xue
地下水水文学   [04D]
Groundwater hydrology
   Y   水文地质学

Di xia shui wei
地下水位   [04D]
Underground water level
   S   水位*
   C   水位变化

Di xia shui wen
地下水温   [04D]
Ground water temperature

S 水温
Z 温度*

Di xia shui xian hua
地下水咸化   [04D]
Salinisation of ground
  water
　C 地下水过量开采
　　 海水入侵

Di xia shui yi chang
地下水异常   [04D]
Ground water anomaly

Di xia shui yuan
地下水源   [04D, 01A]
Ground water sources
　S 水源*
　C 地下水资源
　　 泉

Di xia shui yun dong
地下水运动   [04D]
Ground water movement
　C 地下径流

Di xia shui zi yuan
地下水资源   [04D, 01A]
Ground water resources
　D 地下水储量
　S 水资源*
　C 地下水过量开采
　　 地下水库
　　 地下水源

Di xia xian shui
地下咸水   [04D]
Saline groundwater
　Y 地下盐水

Di xia yan shui
地下盐水   [04D]
Saline groundwater

D 地下咸水
S 地下水
Z 水*

Di xing
地形   [18D]
Topography
Landform
　C 地貌*

Di xing can shu
地形参数   [03A]
Topographic parameter
　Y 地形模数

Di xing ce liang
地形测量   [03A]
Topographic survey
　S 测量*

Di xing mo shu
地形模数   [03A]
Topographic modulus
　D 地形参数
　S 模数*

Di xing tu
地形图   [03C]
Topographic map
　S 图*
　C 地图

Di xing xing jiang shui
地形性降水   [02C]
Orographic precipitation
　D 地形雨
　　 地形雨量
　S 降水*

Di xing yu
地形雨   [02C]
Orographic rain
　Y 地形性降水

Di xing yu liang
地形雨量   [02C]
Orographic rainfall
　Y　地形性降水

Di ying li
地应力   [05L]
Ground stress
Crustal stress
　D　原岩应力
　S　应力*

Di zhen
地震*   [04B]
Earthquake
　F　模拟地震
　　浅震
　　强烈地震
　　深源地震
　　水库地震
　　诱发地震
　C　地震工程地质
　　活动断层

Di zhen bo
地震波   [18B]
Earthquake wave
Seismic wave
　S　波*

Di zhen dai
地震带   [04B]
Seismic zone
Seismic belt
　C　地震区划

Di zhen fan ying
地震反应   [05G]
Earthquake response
　C　反应谱

Di zhen fan ying pu
地震反应谱   [05G]

Seismic response spectr-
　um
Response spectrum of ea-
　rthquake
　Y　反应谱

Di zhen gong cheng di
　zhi
地震工程地质   [04C]
Seismic engineering geo-
　logy
　S　工程地质*
　C　地震*
　　动力工程地质学

Di zhen gong cheng xue
地震工程学   [04A]
Earthquake engineering

Di zhen guan ce
地震观测   [16B]
Seismographic observati-
　on
　S　观测*

Di zhen he zai
地震荷载   [08A]
Seismic load
　S　荷载*
　C　地震应力
　　抗震计算
　　振动荷载

Di zhen kan tan
地震勘探   [03H]
Seismic survey
Seismic prospecting
Seismic exploration
　S　地球物理勘探
　Z　地质勘探*

Di zhen lie du
地震烈度   [04C]

Earthquake intensity
Seismic intensity
 C 砂土液化

Di zhen qu hua
地震区划 [04C]
Seismic zoning
Seismic regionalization
 C 地震带

Di zhen shi
地震史 [04C]
Seismic history
 S 历史*

Di zhen tu ya li
地震土压力 [05G]
Earthquake earth pressure
 S 土压力
 Z 压力*

Di zhen yi
地震仪 [16B]
Seismometer
Seismograph
 S 仪器*

Di zhen ying li
地震应力 [05G]
Seismic stress
Earthquake stress
 S 土应力
 Z 应力*
 C 地震荷载

Di zhen yu bao
地震预报 [04C]
Earthquake prediction
Earthquake forecasting
 S 预报*
 C 地壳形变

Di zhen zai hai
地震灾害 [04C]
Earthquake calamity
 F 坝震害
 S 灾害*

Di zhi bao gao
地质报告 [04A]
Geological report
 S 报告*

Di zhi diao cha
地质调查 [03F]
Geological survey
 Y 地质勘察

Di zhi fen qu
地质分区 [04A]
Geologic regionalization
 S 分区*

Di zhi gou zao
地质构造* [04B]
Geological structure
 F 储水构造
 C 构造地质

Di zhi kan cha
地质勘察 [03F]
Geological reconnaissance
Geological investigation
 D 地质调查
 F 工程地质勘察
   库区地质调查
 S 勘察*

Di zhi kan tan
地质勘探* [03F]
Geological exploration
 F 地球化学勘探
   地球物理勘探
   红外线勘探

水文地质勘探

Di zhi li xue
地质力学   [04A]
Geomechanics
　S　地质学*
　　　力学*
　C　构造地质

Di zhi li xue mo xing
　　shi yan
地质力学模型试验   [05L]
Geomechanical models te-
st
　S　模型试验*

Di zhi ping jia
地质评价   [04A]
Geologic evaluation
　F　工程地质评价
　　　水文地质评价
　S　评价*

Di zhi pou mian
地质剖面   [04A]
Geological section
Geological profile
　S　断面*

Di zhi shu ju
地质数据   [04A]
Geological data
　S　数据*

Di zhi te zheng
地质特征   [04A]
Geologic characteristic
　S　特征*

Di zhi tiao jian
地质条件   [04A]
Geologic condition
　S　条件*

Di zhi tu
地质图   [04A]
Geological map
　F　工程地质图
　　　构造地质图
　　　水文地质图
　S　图*
　C　地图

Di zhi xue
地质学*   [04A]
Geology
　F　地球化学
　　　地质力学
　　　工程地质学
　　　水文地质学

Di zhi zi liao
地质资料   [04A]
Geological data
　S　资料*

Di er huan jing
第二环境   [17A]
Second environment
　D　次生环境
　S　环境*
　C　环境污染

Di san chan ye
第三产业   [19A]
The third industry
　S　产业*

Di yi huan jing
第一环境   [17A]
First environment
　D　原生环境
　S　环境*

Di guan
滴灌   [11B]
Trickle irrigation

Drip irrigation
  S 灌溉*

Di guan ji shu
滴灌技术   [11B]
Drip irrigation technique
  S 灌溉技术
  Z 技术*

Di guan she bei
滴灌设备   [11F]
Drip irrigation equipme-
nt
  S 灌溉设备
  Z 设备*

Di guan shi yan
滴灌试验   [11B]
Drip irrigation test
  S 灌溉试验
  Z 试验*

Di guan xi tong
滴灌系统   [11F]
Drip irrigation system
  S 灌溉系统
  Z 系统*

Di tou
滴头   [11F]
Emitter
Dripper

Di kong
底孔*   [09F]
Bottom sluice
Bottom outlet
Deep outlet
  F 导流底孔
     排沙底孔
     泄洪底孔
  C 泄水孔*

Di kong dao liu
底孔导流   [14D]
Bottom outlet diversion
  S 导流*

Di lan zha ba yin shui
底栏栅坝引水   [09G]
Bottom stockade dam div-
ersion

Di liu ceng
底流层   [06A]
Bottom flow layer

Di liu xiao neng
底流消能   [06H]
Energy dissipation by h-
ydraulic jump
  S 消能*

Di sha
底沙   [07A]
bed load
Bed sedimentation
  Y 推移质

Di zuo
底座   [08E]
Bassment

Dian ceng
垫层   [08D]
Bedding layer
  C 反滤层
     过渡层

Dian chan
电铲   [14I]
Excavator
Power shovel
  Y 挖掘机

Dian ci chang

电磁场   [18B]
Electromagnetic field

Dian ci fa kan tan
电磁法勘探   [03H]
Electromagnetic prospec-
    ting
    S 地球物理勘探
    Z 地质勘探*

Dian ci liu liang ji
电磁流量计   [02G]
Electromagnetic flow me-
    ter
    S 流量计
    Z 仪器*

Dian ci xiao ying
电磁效应   [18B]
Electromagnetic effect

Dian dong ji
电动机   [19H]
Motor

Dian dong yi biao
电动仪表   [19I]
Electric gauge
    S 仪表*

Dian fa kan tan
电法勘探   [03H]
Electrical survey
Electrical prospecting
Electrical method
    F 低频法勘探
       电阻率法勘探
       激发极化法
       交流电法勘探
       位势勘探
       直流电法勘探
       阻抗法勘探
    S 地球物理勘探

    Z 地质勘探*

Dian gong yi qi
电工仪器   [19I]
Electric instrument
    S 仪器*

Dian hua jiao xue
电化教学   [19K]
Electrical audio-visual
    instruction
Audio-visual education

Dian jia
电价   [10A]
Electric energy price
    S 价格*

Dian jie ye
电解液   [18C]
Electrolytic liquid
    S 液体*

Dian kang qi
电抗器   [10J]
Reactor

Dian lan
电缆*   [19H]
Electric cable
    F 电力电缆

Dian lan fu she
电缆敷设   [19H]
Cable laying

Dian li
电力   [10A]
Electric power

Dian li chuan dong
电力传动   [19H]
Electric drive

S 传动*

Dian li dian lan
电力电缆 [10J]
Electric cable
S 电缆*

Dian li dian liang ping heng
电力电量平衡 [10A]
Load-generation balance
S 平衡*

Dian li diao du
电力调度 [10A]
Electricity regulation
Electricity dispatching
S 调度*

Dian li fa gui
电力法规 [10A]
Laws and regulations of
electric power
S 法规*

Dian li gong ye
电力工业 [19C]
Electric industry
S 工业*
C 能源工业

Dian li guan gai
电力灌溉 [11B]
Irrigation by electric
power
S 灌溉*
C 抽水灌溉
电力排灌

Dian li jian she
电力建设 [00A]
Electric power construc-
tion

Dian li pai guan
电力排灌 [11B]
Drainage and irrigation
by electric power
S 机电排灌*
C 电力灌溉
电力排水

Dian li pai shui
电力排水 [19C]
Drainage by electric po-
wer
S 排水*
C 电力排灌

Dian li xi tong
电力系统 [10A]
Electric power system
F 输配电系统
S 系统*

Dian liu qiang du
电流强度 [18B]
Electric current intens-
ity
Intensity of current

Dian mo ni shi yan
电模拟试验 [06J]
Electric analog test
S 模型试验*

Dian nao
电脑 [19F]
Electronic brain
Electronic computer
Y 计算机*

Dian neng ji suan
电能计算 [10A]
Electric energy calcula-
tion
S 计算*

Dian qi bu zhi
电气布置   [10J]
Electricity allocation
  S 布置*

Dian qi gong cheng
电气工程   [19C]
Electric engineering
  S 工程*
  C 供电系统

Dian qi she bei
电气设备   [10J, 19H]
Electric equipment
  F 二次设备
     一次设备
  S 设备*

Dian qi she ji
电气设计   [19H]
Electric design
  S 设计*

Dian qi shi yan
电气试验   [19H]
Electric test
  S 试验*

Dian qi zhu jie xian
电气主结线   [19H]
Electrical main connect-
ion

Dian shen pai shui
电渗排水   [14C]
Electro-osmotic drainage
  S 地基排水
  Z 排水*

Dian shi ce jing
电视测井   [03H]
Television logging
  S 地球物理测井*

Dian suan
电算   [19F]
Computer computing
  Y 计算机计算

Dian wang
电网*   [10A]
Electric network
  F 地方电网

Dian wang yun xing
电网运行   [10A]
Grid operation
  S 运行*

Dian ya
电压   [18B]
Voltage

Dian ye tiao su qi
电液调速器   [10G]
Electrohydraulic govern-
or
  S 调速器*

Dian yuan
电源   [19H]
Power
Power source

Dian zi gong ye
电子工业   [19C]
Electronic industry
  S 工业*

Dian zi ji suan ji
电子计算机   [19F]
Electronic computer
  Y 计算机*

Dian zi yi qi
电子仪器   [19I]
Electronic instrument

S 仪器*

Dian zu
电阻 [18B]
Resistance

Dian zu lu fa kan tan
电阻率法勘探 [03H]
Resistivity exploration
　　S 电法勘探
　　Z 地质勘探*

Dian zu wen du ji
电阻温度计 [16B]
Resistance thermometer

Dian mian guan xi qu
　　xian
点面关系曲线 [02I]
Point-area relationship
　　curve
　　S 时面深曲线
　　Z 曲线*

Dian wu ran
点污染 [17B]
Point pollution
　　S 污染*
　　C 点污染源

Dian wu ran yuan
点污染源 [17B]
Point pollution source
　　S 污染源*
　　C 点污染

Dian yu liang
点雨量 [02I]
Point rainfall

Dian xing bao yu
典型暴雨 [02C]
Typical rain storm

S 暴雨
Z 降水*

Dian xing duan mian
典型断面 [08B]
Typical section
　　S 断面*

Dian xing shi li
典型实例 [20A]
Typical example
　　S 实例*

Diao cha
调查* [20B]
Survey
Investigation
　　F 冻害调查
　　　海岸调查
　　　旱情调查
　　　河道调查
　　　河系调查
　　　洪灾调查
　　　库区调查
　　　事故调查
　　　水库调查
　　　水利调查
　　　水土保持调查
　　　水文地质调查
　　　水文调查
　　　水源调查
　　　水质调查
　　　水资源调查
　　　天然建筑材料调查
　　　土壤调查
　　　现场调查
　　　综合调查

Diao du
调度* [16A]
Regulation
　　F 电力调度
　　　防洪调度

分期调度
经济调度
枯水期调度
联合调度
施工调度
实时调度
水库调度
水沙调度
兴利调度
汛期调度
优化调度
预报调度
预蓄预泄调度

Diao du fang shi
调度方式   [16A]
Regulation method

Diao du tu
调度图   [16A]
Regulation chart
 S 图*

Diao shui
调水   [01B]
Water transfer
 Y 引水*

Diao shui gong cheng
调水工程   [09A]
Interbasin diversion pr-
 oject
Long distance diversion
 project
 S 工程*
 C 跨流域调水
  水利工程*
  引水工程

Diao yan bao gao
调研报告   [19M]
Investigation and study
 report

 S 报告*

Diao che
吊车   [14I]
Crane
Hoist
 Y 起重机*

Diao che liang
吊车梁   [08D]
Crane beam
 S 梁*

Diao zhuang
吊装   [14J]
Hoisting
 Y 安装*

Die dai fa
迭代法   [18A]
Iterative method
 S 计算方法(数学)
 Z 方法*

Die jia fa
叠加法   [08B]
Superposition method
 S 结构计算方法*

Die liang zha men
叠梁闸门   [09D]
Stop log gate
 S 闸门*
 C 钢筋砼闸门

Die shui
跌水   [11E]
Hydraulic drop
 C 渠系建筑物
  泄水建筑物

Ding ba
丁坝   [09C, 12C]

Groin dike
Spur dike
Spur
    D 挑水坝
    S 坝*

Ding bian
定编   [19A]
Deciding the staff

Ding chuang mo xing
定床模型   [06J]
Fixed bed model
    S 水工模型
    Z 模型*

Ding chuang mo xing shi
    yan
定床模型试验   [06J]
Fixed bed model test
    S 模型试验*

Ding e guan li
定额管理   [19A]
Rating management
Quota management
    S 管理*

Ding jiang shi shui lun
    ji
定桨式水轮机   [10F]
Fixed blade propeller w-
    ater turbine
Propeller water turbine
    S 反击式水轮机
    Z 水轮机*

Ding liang fen xi
定量分析   [18C]
Quantitative analysis
    F 微量分析
    S 分析(化学)*
    C 水污染

水质分析

Ding lun zha men
定轮闸门   [09D]
Fixed axle gate
    S 闸门*

Ding xiang bao po
定向爆破   [14K]
Directional blasting
    S 爆破*

Ding xiang bao po ba
定向爆破坝   [09C]
Directional blasting dam
    S 堆石坝
    Z 坝*

Ding xiang bao po jie
    liu
定向爆破截流   [14D]
Directional blasting cl-
    osure
    S 截流*

Ding xiang ji shu
定向技术   [03A]
Directional technique
    S 技术*

Ding xiang zuan jin
定向钻进   [03G]
Directional drilling
    S 钻进*

Ding xing mo ban
定型模板   [14G]
Typified form
    Y 标准模板

Ding xing she ji
定型设计   [19D]
Finalized design

S 设计*

Ding xing fen xi
定性分析   [18C]
Qualitative analysis
    S 分析(化学)*
    C 水污染
        水质分析

Ding yi
定义   [19D]
Definition

Ding zi
定子   [10H]
Stator

Ding guan fa shi gong
顶管法施工   [14B]
Tunnelling by pipe jack-
ing
    Y 顶进法施工

Ding jin fa shi gong
顶进法施工   [14B]
Construction by pipe ja-
cking method
    D 顶管法施工
    S 施工*

Ding sheng mo ban
顶升模板   [14G]
Jacking form
Raising form
Lift jacking form
    S 活动模板
    Z 模板*

Ding huo
订货*   [19J]
Order goods
    F 设备订货

Dong chuang mo xing
动床模型   [06J]
Mobile bed model
    S 水工模型
    Z 模型*
    C 泥沙模型

Dong chuang mo xing shi
    yan
动床模型试验   [06J]
Mobile bed model test
    S 模型试验*

Dong he zai
动荷载   [08A]
Movable load
Dynamic load
    F 爆破荷载
        波浪荷载
        冲击荷载
        风荷载
        振动荷载
        周期荷载
    S 荷载*

Dong jian qie mo liang
动剪切模量   [05G]
Dynamic shear modulus
    S 剪切模量
    Z 模量*

Dong ku rong
动库容   [01D]
Dynamic reservoir capac-
ity
    S 库容*

Dong li bian zhi yan
动力变质岩   [05L]
Dynamo-metamorphic rock
    D 构造岩
    S 变质岩
    Z 岩石*

Dong li chu tan
动力触探   [05K]
Dynamic sounding
　S　触探*
　C　静力触探

Dong li chu tan chui ji
　shu
动力触探锤击数   [05K]
Number of blows of dyna-
　mic sounding
　D　贯入试验锤击数
　C　地基承载力

Dong li fan ying
动力反应   [05L]
Dynamic response

Dong li gong cheng di
　zhi xue
动力工程地质学   [04C]
Dynamic engineering geo-
　logy
　S　工程地质学
　Z　地质学*
　C　地震工程地质

Dong li gu jie
动力固结   [05E]
Dynamic consolidation
　S　固结*

Dong li ji suan
动力计算   [08B]
Dynamic calculation
　S　结构计算
　Z　计算*
　C　结构动力分析

Dong li san zhou yi
动力三轴仪   [05K]
Dynamic triaxial appara-
　tus

　S　三轴仪
　Z　仪器*

Dong li shi yan
动力试验   [08F]
Dynamic test
　S　试验*

Dong li te xing
动力特性   [08B]
Dynamic property
　S　特性*
　C　动力稳定性
　　　抗震性能

Dong li wen ding xing
动力稳定性   [08B]
Dynamic stability
　F　土动力稳定性
　S　稳定性*
　C　动力特性

Dong liang fang cheng
动量方程   [18B]
Momentum equation
　S　方程*

Dong neng jing ji
动能经济   [00C]
Economics in energy
　D　水电经济

Dong shui chen jiang
动水沉降   [07A]
Settling in flowing wat-
　er
　S　沉降*

Dong shui guan bi
动水关闭   [10K]
Dynamic hydraulic closi-
　ng
　C　水轮发电机组运行

Dong shui ya li
动水压力　　　　　　[06A]
Dynamic water pressure
　S　水压力
　Z　压力*
　C　渗透压力

Dong tai gui hua
动态规划　　　　　　[18A]
Dynamic programming
　S　规划论*

Dong tai tou zi
动态投资　　　　　　[19A]
Dynamic investment
　S　投资*

Dong tan xing mo liang
动弹性模量　　　　　[05G]
Dynamic modulus of elas-
　ticity
　S　弹性模量
　Z　模量*

Dong wu wei hai
动物危害*　　　　　[16A]
Animal burrow
　F　鼠害
　　蚁害
　C　堤防管理

Dong guan
冬灌　　　　　　　　[11B]
Winter irrigation
　S　灌溉*

Dong ji shi gong
冬季施工　　　　　　[14B]
Winter construction
　Y　严寒气候施工

Dong xiao mai
冬小麦　　　　　　　[19B]
Winter wheat

Dong xiu(shui li)
冬修(水利)　　　　　[00A]
Winter construction(wat-
　er conservancy)
　C　农田水利

Dong hai
冻害　　　　　　　　[02B]
Freezing damage
　S　气象灾害
　Z　灾害*

Dong hai diao cha
冻害调查　　　　　　[02D]
Freezing damage survey
　S　调查*

Dong jie fa shi gong
冻结法施工　　　　　[14B]
Freezing process
　S　施工*

Dong jie jia gu
冻结加固　　　　　　[05P]
Stabilization by freezi-
　ng
　S　加固*

Dong rong hua po
冻融滑坡　　　　　　[04C]
Freezing-thawing slide
　S　滑坡*

Dong rong shi yan
冻融试验　　　　　　[15L]
Freezing and thawing te-
　st
　S　试验*

Dong rong xun huan
冻融循环　　　　　　[18B]

Freezing and thawing cycle
    S　循环*

Dong rong zuo yong
冻融作用　　　　　　　[18B]
Freezing and thawing action

Dong tu
冻土　　　　　　　　　[05B]
Frozen earth
Frozen soil
    F　多年冻土
       季节冻土
       人造冻土
    S　特种土
    Z　土*
    C　冰冻翻浆
       冻胀
       融冻泥流

Dong tu ba
冻土坝　　　　　　　　[09C]
Frozen earth dam
    S　土坝
    Z　坝*

Dong tu bao po
冻土爆破　　　　　　　[14K]
Frozen ground blasting
    S　爆破*

Dong tu dai
冻土带　　　　　　　　[04C]
Permafrost zone

Dong tu kai wa
冻土开挖　　　　　　　[14C]
Frozen ground excavation
    S　开挖*
    C　严寒气候施工

Dong zhang
冻胀　　　　　　　[05C, 18B]
Frost heaving
    C　冻土
       冻胀力
       冻胀量
       冻胀破坏

Dong zhang li
冻胀力　　　　　　　　[05C]
Frost heaving force
    S　力*
    C　冻胀

Dong zhang liang
冻胀量　　　　　　　　[05C]
Frost heaving capacity
    C　冻胀

Dong zhang po huai
冻胀破坏　　　　　　　[05E]
Frost heaving failure
    S　破坏*
    C　冻胀
       冻胀试验
       融化压缩

Dong zhang shi yan
冻胀试验　　　　　　　[05K]
Frost heaving test
    S　试验*
    C　冻胀破坏

Dong zhang yi
冻胀仪　　　　　　　　[05K]
Frost heaving apparatus
    S　土工测试仪器
    Z　仪器*

Dong shi
洞室*　　　　　　　　[14E]
Chamber
    F　大型洞室

地下洞室

Dong shi bao po
洞室爆破   [14K]
Chamber blasting
　S　爆破*

Dong shi wei yan
洞室围岩   [14E]
Surrounding rock of cha-
　mber
　S　围岩*

Dong shi zhi hu
洞室支护   [14E]
Chamber support
　S　支护*

Dong tan
洞探   [03G]
Exploratory tunnel exca-
　vating
　S　勘探工程
　Z　工程*

Dou cao shi yi hong dao
陡槽式溢洪道   [09F]
Chute spillway
　D　斜槽式溢洪道
　　　泻槽式溢洪道
　S　溢洪道*

Dou po
陡坡   [04C]
Abrupt slope
Steep slope
　C　高边坡

Dou qu
斗渠   [11E]
Lateral
Major distributary
　S　渠道*

Du cao
渡槽*   [11E]
Flume
　D　渡管
　F　钢筋砼渡槽
　　　拱式渡槽
　　　梁式渡槽
　　　塑料渡槽
　U　形渡槽
　　　斜拉渡槽
　　　装配式渡槽
　C　渠系建筑物

Du cao she ji
渡槽设计   [11E]
Design of flume
　S　设计*

Du guan
渡管   [11E]
Pipe flume
　Y　渡槽*

Du kou
堵口   [14D]
Closure

Du lou
堵漏   [14F]
Sealing leakage
Leakage stopage

Du se cha dao
堵塞汊道   [12C]
Fork channel blockage
Fork channel closure
　Y　塞支强干

Du li ji chu
独立基础   [05N]
Individual footing
　Y　单独基础

Du shi shui wen
都市水文   [02A]
Municiple hydrology
　D　城市水文
　S　水文*

Du shi shui wen xue
都市水文学   [02A]
Urban hydrology
　S　水文学*

Du wu wu ran
毒物污染   [17B]
Poison pollution
　S　污染*

Du xin gang guan
镀锌钢管   [15I]
Galvanized steel tube
　S　钢管
　Z　管*

Duan ceng(di zhi)
断层(地质)*   [04B]
Fault(geology)
　D　断裂(地质)
　F　不透水断层
　　　活动断层
　　　逆断层
　　　平移断层
　　　透水断层
　　　正断层
　C　断裂带

Duan ceng dai
断层带   [04B]
Fault zone
Faulted zone
　Y　**断裂带**

Duan lie(di zhi)
断裂(地质)   [04B]
Fracture(geology)

　Y　**断层(地质)***

Duan lie
断裂*   [08B]
Fracture
　F　脆性断裂
　　　金属断裂
　　　韧性断裂

Duan lie dai
断裂带   [04B]
Fault zone
　D　断层带
　　　断裂系
　S　构造带*
　C　断层(地质)*

Duan lie li xue
断裂力学   [08B]
Fracture mechanics
　S　力学*

Duan lie neng
断裂能   [08B]
Fracture energy
　S　能量*

Duan lie ren du
断裂韧度   [08B]
Fracture toughness
　C　抗裂性
　　　应力强度因子

Duan lie shi yan
断裂试验   [08F]
Fracture test
　S　强度试验
　Z　试验*

Duan lie xi
断裂系   [04B]
Fault system
　Y　**断裂带**

Duan lu qi
断路器   [10J]
Circuit breaker

Duan mian
断面*   [08B]
Section
  D 剖面
  F 标准断面
     部分断面
     地质剖面
     典型断面
     过水断面
     横断面
     环形断面
     经济断面
     矩形断面
     临界断面
     全断面
     隧洞断面
     梯形断面
     U 形断面
     纵断面
     最佳断面
  C 平面

Duan mian mo xing
断面模型   [06J]
Sectional model
  S 模型*

Duan zuan
断钻   [03G]
Breaking of rod
  S 孔内事故
  Z 事故*

Duan cheng zhuang
端承桩   [05N]
End-bearing pile
  S 桩*

Duan tuo shi pen guan ji

端拖式喷灌机   [11F]
End-drawn sprinkler
  S 移动式喷灌机
  Z 喷灌机*

Duan qi yu bao
短期预报   [20A]
Short-term forecast
  S 预报*

Duan que zi liao di qu
短缺资料地区   [02K]
Data gap area

Dui bi
对比   [20B]
Comparison
  Y 比较*

Dui ce lun
对策论   [18A]
Game theory

Dui chen jie gou
对称结构   [08C]
Symmetric structure
  S 工程结构
  Z 结构*
  C 非对称结构

Dui jie
对接   [08E]
Butt joint
  S 连接*

Dui liu
对流   [18B]
Convection

Dui shu fen bu
对数分布   [18A]
Logarithmic distribution
  S 分布*

Dui wai mao yi
对外贸易   [19J]
Foreign trade

Dui shi
堆石   [14C]
Rock-fill
　S　填筑*
　C　堆石坝

Dui shi ba
堆石坝   [09C]
Rockfill dam
　F　定向爆破坝
　　　过水堆石坝
　　　砼面板堆石坝
　S　土石坝
　Z　坝*
　C　堆石

Dun gou fa
盾构法   [14E]
Shield method
　S　隧洞开挖方法
　Z　方法*

Dun shi ji chu
墩式基础   [05N]
Pier foundation
　S　单独基础
　Z　基础*

Duo ceng di ji
多层地基   [05M]
Multi-layer foundation
　D　层状地基
　S　地基*

Duo ceng jie gou
多层结构   [08C]
Multi-story structure
　S　工程结构
　Z　结构*

　C　房屋结构
　　　剪力墙

Duo dian bian wei ji
多点变位计   [16B]
Multipoint deformeter
　Y　岩体变位计

Duo ji beng
多级泵   [19H]
Multi-stage pump
　S　泵*

Duo ji beng zhan
多级泵站   [11E]
Multi stage pump station
　S　水泵站*

Duo ji chuan zha
多级船闸   [09K]
Flight of locks
　S　船闸*

Duo mei ti ji shu
多媒体技术   [19F]
Multimedia technique
　S　技术*

Duo mu biao kai fa
多目标开发   [20A]
Multipurpose development
　Y　综合开发

Duo mu biao mo xing
多目标模型   [18A]
Multipurpose model
　S　模型*

Duo nian dong tu
多年冻土   [05B]
Perennial frozen soil
Permafrost
　D　永久冻土

S　冻土
Z　土*
C　季节冻土

Duo nian ping jun jing
　liu
多年平均径流　　　　　[02I]
Average annual runoff
Mean annual runoff
　C　·年径流

Duo nian tiao jie
多年调节　　　　　　　[01D]
Pluriennal regulation
Long-term regulation
Overyear regulation
　S　调节*

Duo nian tiao jie shui
　ku
多年调节水库　　　　　[09B]
Long period storage res-
　ervoir
　S　调节水库
　Z　水库*

Duo sha he liu
多沙河流　　　　　　　[07B]
Heavy sediment-carrying
　river
Heavy sediment-laden ri-
　ver
　S　河流*

Duo shui nian
多水年　　　　　　　　[02B]
Rainy year
　Y　丰水年

Duo xiang liu
多相流　　　　　　　　[06A]
Multi-phase flow
　F　二相流
　S　水流*

Duo zhong tu zhi ba
多种土质坝　　　　　　[09C]
Zoned earth dam
　Y　分区土坝

E

Er ci she bei
二次设备   [10J]
Secondary equipment
  S 电气设备
  Z 设备*

Er ci xi tong
二次系统   [10J]
Secondary system
  S 系统*

Er qi gong cheng
二期工程   [19C]
Second-stage engineering
  S 工程*

Er wei gu jie
二维固结   [05E]
Two-dimensional consoli-
   dation
  Y 二向固结

Er wei liu
二维流   [06A]
Two-dimensional flow
  S 水流*

Er xiang liu
二相流   [06A]
Two-phase flow
  S 多相流
  Z 水流*

Er xiang gu jie
二向固结   [05E]
Two-dimensional consoli-
   dation
  D 二维固结
  S 固结*

Er yang hua liu
二氧化硫   [18C]
Sulphur dioxide
Sulfur dioxide
  S 氧化物
  Z 化合物*

Er yang hua tan
二氧化碳   [18C]
Carbon dioxide
  S 氧化物
  Z 化合物*

F

Fa dao
筏道   [09J]
Logway
   C   过木建筑物

Fa xing ji chu
筏形基础   [05N]
Raft foundation
   S   基础*

Fa dian gong kuang
发电工况   [10K]
Electricity generating
  operating conditions
   S   工况*

Fa dian ji ji dun
发电机机墩   [10C]
Support of electric gen-
  erator·
Generator support

Fa dian liang
发电量*   [10A]
Electric power producti-
  on
   F   水力发电量

Fa dian sui dong
发电隧洞   [09E]
Hydropower tunnel
   S   水工隧洞
   Z   隧洞*
   C   尾水隧洞
       引水隧洞

Fa dian xiao yi
发电效益   [00C]
Electric power generati-
  on benefit

   S 效益*

Fa zhan gang yao
发展纲要   [19A]
Development programme

Fa zhan qu shi
发展趋势   [20A]
Development tendency

Fa zhan shi
发展史   [19K]
Development history
   S   历史*

Fa gui
法规*   [19L]
Laws and regulations
   F   电力法规
       经济法规
       水利法规

Fa lan xi si shi shui
  lun ji
法兰西斯式水轮机   [10F]
Francis turbine
   Y   混流式水轮机

Fa ling
法令   [19L]
Decree

Fa lü
法律*   [19L]
Law
   F   国际法
       海洋法
       水法
       水土保持法
       水污染防治法

专利法

Fa xiang li
法向力　　　　　　　　[08A]
Normal force
　S　力*

Fa xiang ying li
法向应力　　　　　　　[08B]
Normal stress
　Y　正应力

Fa men
阀门*　　　　　　　　[19H]
Valve
　F　安全阀
　　高压阀
　　蝴蝶阀
　　滑阀
　　减压阀
　　空放阀
　　空注阀
　　排气阀
　　球阀
　　三通阀
　　调节阀
　　增压阀
　　闸阀
　　真空阀
　　止回阀
　　锥形阀

Fan fen xi
反分析　　　　　　　　[18A]
Back analysis
　D　反馈分析
　　反演分析

Fan fu he zai
反复荷载　　　　　　　[08A]
Repeated load
　Y　周期荷载

Fan gong ji chu
反拱基础　　　　　　　[05N]
Inverted arch foundation
　D　倒拱基础
　S　基础*

Fan hu duan
反弧段　　　　　　　　[09F]
Deflector bucket

Fan ji shi shui lun ji
反击式水轮机　　　　　[10F]
Reaction water turbine
　F　灯泡式水轮机
　　定桨式水轮机
　　贯流式水轮机
　　混流式水轮机
　　斜流式水轮机
　　轴流式水轮机
　　轴伸式水轮机
　　转桨式水轮机
　S　水轮机*

Fan kui fen xi
反馈分析　　　　　　　[18A]
Feedback analysis
Back analysis
　Y　反分析

Fan lü ceng
反滤层　　　　　　　　[09C]
Filter
　C　垫层
　　反滤料
　　过渡层

Fan lü liao
反滤料　　　　　　　　[15A]
Filter material
　C　反滤层

Fan tiao jie
反调节　　　　　　　　[01D]

Counter regulation
   S　调节*

Fan tiao jie shui ku
反调节水库　　　　　　　　[09B]
Counter reservoir
   S　调节水库
   Z　水库*

Fan xun huan zuan jin
反循环钻进　　　　　　　　[03G]
Reverse circulation dri-
  lling
   S　钻进*

Fan yan fen xi
反演分析　　　　　　　　　[18A]
Inversion analysis
Back analysis
   Y　**反分析**

Fan ying pu
反应谱　　　　　　　　　　[05G]
Response spectrum
   D　地震反应谱
   C　地震反应

Fan tu shui ni
矾土水泥　　　　　　　　　[15B]
High alumina cement
Aluminous cement
   S　水泥*

Fan zhuan zha men
翻转闸门　　　　　　　　　[09D]
Flap gate
   S　闸门*

Fang an
方案*　　　　　　　　　　[20B]
Scheme
Plan
Program

   F　设计方案
      施工方案
      最优方案

Fang an xuan ze
方案选择　　　　　　　　　[20A]
Alternative select
   S　选择*

Fang cha fen xi
方差分析　　　　　　　　　[18A]
Variance analysis
   S　统计分析
   Z　分析(数学)*

Fang cheng
方程*　　　　　　　　　　[18A]
Equation
   F　本构方程
      伯努利方程
      泊松方程
      槽蓄方程
      动量方程
      扩散方程
      能量方程
      侵蚀方程
      运动方程

Fang fa
方法*　　　　　　　　　　[20B]
Method
   F　槽蓄曲线法
      测量方法
      等高线法
      等流时线法
      等值线法
      分析方法
      观测方法
      灌溉方法
      关键线路法
      计算方法
      计算方法(数学)
      控制方法

流网法
马斯京根法
评价方法
平面投影法
施工方法
试验方法
示踪法
水量平衡法
隧洞开挖方法
随机法
统筹法
同位素法
相关法
新方法
研究方法
优选法
预加应力方法
最优化方法

Fang xiang ce liang
方向测量   [03A]
Orientation survey
　　Y　测向

Fang bo di
防波堤*   [13B]
Breakwater
Wave breaker
　　F　浮式防波堤
　　　　混合式防波堤
　　　　潜式防波堤
　　　　斜坡式防波堤
　　　　直立式防波堤
　　　　桩式防波堤
　　C　防浪措施

Fang chao zha
防潮闸   [09D]
Tidal gate
　　Y　挡潮闸

Fang chen
防尘*   [19C]

Dust prevention
Dust control
　　F　爆破防尘
　　　　施工防尘

Fang chong
防冲*   [06H]
Erosion control
Erosion protection
　　F　围堰防冲

Fang dong ji
防冻剂   [15C]
Antifreezing agent
　　S　外加剂*

Fang dong ji shu
防冻技术   [14B]
Freezing proof technique
　　S　技术*

Fang fei yi bao hu
防飞逸保护   [10K]
Runaway protection
　　S　保护*

Fang feng lin
防风林   [19B]
Wind-break forest
　　S　防护林*

Fang fu shi
防腐蚀   [15K, 19H]
Corrosion control
　　S　防护*
　　C　防锈
　　　　腐蚀

Fang hong
防洪*   [12B]
Flood prevention
Flood control
Floodproofing

F 城镇防洪
   低洼区防洪
   非工程防洪
   河川防洪
   湖库防洪
   流域防洪
   平原区防洪
   区域防洪
   山丘区防洪
C 防汛*

Fang hong bao xian
防洪保险   [12B]
Flood insurance
   Y 洪水保险

Fang hong biao zhun
防洪标准   [12B]
Flood control standard
   F 水库防洪标准
   S 标准*
   C 防洪能力

Fang hong cuo shi
防洪措施   [12B]
Flood control measures
   F 非工程防洪措施
      工程防洪措施
   S 措施*

Fang hong diao du
防洪调度   [16A]
Flood regulation
   S 调度*
   C 抗洪抢险
      汛期调度

Fang hong fa gui
防洪法规   [00B]
Floodproofing law
Flood control regulation
   S 水利法规
   Z 法规*

Fang hong gong cheng
防洪工程   [12B]
Flood control works
   F 分洪工程
      蓄洪工程
      滞洪工程
   S 工程*
   C 工程防洪措施
      河道工程

Fang hong guan li
防洪管理   [12B]
Flood control management
   S 管理*

Fang hong gui hua
防洪规划   [01C]
Floodproofing plan
Flood control planning
   S 水利规划
   Z 规划*
   C 治河规划

Fang hong ji jin
防洪基金   [00C]
Flood control funds
   S 基金*

Fang hong ji suan
防洪计算   [01D]
Flood control calculati-
on
   F 调洪演算
   S 水利计算
   Z 计算*
   C 洪水计算

Fang hong jing ji
防洪经济   [00C]
Flood control economy
   S 经济*

Fang hong jing ji fen xi

防洪经济分析   [00C]
Floodproofing-economic
  analysis
Economic analysis of fl-
  ood control
  S 经济分析
  Z 分析*

Fang hong jing yan
防洪经验   [12B]
Flood control experience

Fang hong ku rong
防洪库容   [01D]
Flood control storage
Flood storage
  S 库容*
  C 防洪限制水位

Fang hong neng li
防洪能力   [12B]
Flood control capacity
  C 防洪标准

Fang hong qiang
防洪墙   [12B]
Flood control wall
  Y 防水墙

Fang hong shui ku
防洪水库   [09B]
Flood control reservoir
  S 水库*
  C 滞洪水库

Fang hong ti xi
防洪体系   [12B]
Flood control system

Fang hong xian zhi shui
  wei
防洪限制水位   [01D]
Flood control water lev-

el
  S 水位*
  C 防洪库容

Fang hong xiao yi
防洪效益   [00C]
Flood control benefit
  S 效益*

Fang hong yu bao
防洪预报   [02J]
Flood forecasting
  Y 洪水预报

Fang hong zheng ce
防洪政策   [00B]
Flood control policy
  S 水利政策
  Z 政策*

Fang hu
防护*   [20B]
Shelter
Protection
  F 防腐蚀
     防锈
     海岸防护
     施工防护

Fang hu ceng
防护层   [08D]
Protective layer

Fang hu cuo shi
防护措施   [20A]
Preventive measure
  S 措施*

Fang hu lin
防护林*   [19B]
Shelter-forest
Protection forest
  F 防风林

防浪林
固沙林
护岸林
农田防护林
水库防护林
水土保持林
水源涵养林
  C 森林

Fang huo
防火*   [20A]
Fire protection
  F 施工防火

Fang lang cuo shi
防浪措施   [13B]
Wave protection measure
  S 措施*
  C 防波堤*
      消浪措施

Fang lang lin
防浪林   [19B, 12B]
Wave break forest
  S 防护林*
  C 堤防
      护坡*

Fang lang mo xing
防浪模型   [06J]
Wave protection model
  S 水工模型
  Z 模型*

Fang lang qiang
防浪墙   [09C]
Parapet
  S 墙*
  C 安全超高

Fang lao
防涝   [11A]
Water log control

Water logging control
  Y 排涝

Fang lei
防雷   [10J]
Lightning protection

Fang lie cuo shi
防裂措施   [14G]
Crack control measure
  S 措施*

Fang ling
防凌   [12A]
Ice-jam prevention
  S 防汛*

Fang sha gong cheng
防沙工程   [07C]
Sediment control structure
Desilting works
  S 工程*
  C 泥沙防治

Fang shen
防渗*   [09L]
Seepage prevention
  F 薄膜防渗
      垂直防渗
      地基防渗
      沥青砼防渗
      渠道防渗
      水平防渗
      隧洞防渗
      围堰防渗
  C 渗漏*

Fang shen cuo shi
防渗措施   [05Q, 09L]
Impervious measure
  S 措施*

Fang shen mian ban
防渗面板   [09L]
Seepage proof facing pl-
ate
　S　面板*
　C　砼面板

Fang shen pu gai
防渗铺盖   [05Q]
Impervious blanket
　Y　铺盖*

Fang shen she ji
防渗设计   [09L]
Seepage proof design
　S　设计*

Fang shen she shi
防渗设施   [09L]
Impervious device

Fang shen tong
防渗砼   [15F]
Watertight concrete
Impermeable concrete
　S　砼*

Fang shen wei mu
防渗帷幕   [05Q]
Water-tight screen
Seepage proof curtain
　Y　**帷幕***

Fang shui cai liao
防水材料   [15A]
Water proofing material
　S　材料*
　C　沥青*
　　　塑料薄膜
　　　橡胶
　　　油毡

Fang shui ceng

防水层   [19C]
Waterproof layer

Fang shui ji
防水剂   [15C]
Waterproof agent
　S　外加剂*

Fang shui qiang
防水墙   [12B]
Water proof wall
　D　挡水墙
　　　防洪墙

Fang xiu
防锈   [19H]
Rust-proof
Anti-rust
　S　防护*
　C　防腐蚀
　　　腐蚀

Fang xun
防汛*   [12A]
Flood control
　F　防凌
　　　施工期防汛
　C　防洪*

Fang xun xin xi xi tong
防汛信息系统   [12B]
Flood control informati-
on system
　S　信息系统
　Z　系统*

Fang xun zu zhi
防汛组织   [12B]
Floodproofing organizat-
ion
　C　抗洪抢险

Fang yu

防淤   [07C]
Silting prevention
   C   清淤*

Fang zai
防灾   [19A]
Calamity prevention
   D   灾害防治

Fang zhi
防治*   [20B]
Preventive treatment
Prevention and control
   F   风沙防治
      横河防治
      滑坡防治
      泥沙防治
      沙化防治
      污染防治

Fang she xing tong wei
  su
放射性同位素   [18C]
Radioisotope

Fang she xing wu ran
放射性污染   [17B]
Radioactive pollution
   S   污染*

Fang yu
放淤   [07C]
Desilting
   Y   排沙

Fang yu gu di
放淤固堤   [12C]
Levee consolidation by
  back siltation
   D   淤背加固
      淤临加固
   S   堤防加固
   Z   加固*

   C   吹填技术

Fang ting
芳烃   [18C]
Aromatics

Fang wu jie gou
房屋结构   [08C]
Building structure
   S   结构*
   C   多层结构
      高层结构

Fang zhen fen xi
仿真分析   [19E]
Imitative analysis

Fang zhi gong ye
纺织工业   [19C]
Textile industry
   S   工业*

Fei bao he tu
非饱和土   [05B]
Unsaturated soil
   S   土*
   C   饱和土

Fei chang liu he
非常流河   [18D]
Non-perennial stream
   Y   季节性河流

Fei chang yi hong
非常溢洪   [09F]
Emergency spilling
   C   非常溢洪道

Fei chang yi hong dao
非常溢洪道   [09F]
Emergency spillway
   F   自溃式溢洪道
   S   溢洪道*

C 非常溢洪

Fei dui chen jie gou
非对称结构 [08C]
Unsymmetrical structure
S 工程结构
Z 结构*
C 对称结构

Fei gan jian jie gou
非杆件结构 [08C]
Non-member structure
S 工程结构
Z 结构*
C 杆件结构

Fei gong cheng fang hong
非工程防洪 [12B]
Non-structural floodpro-
ofing
S 防洪*
C 非工程防洪措施

Fei gong cheng fang hong
cuo shi
非工程防洪措施 [12B]
Non-structural measures
of floodproofing
S 防洪措施
Z 措施*
C 非工程防洪
工程防洪措施

Fei heng ding liu
非恒定流 [06C]
Unsteady flow
D 不恒定流
不稳定流
S 水流*
C 瞬变流

Fei heng ding shen liu
非恒定渗流 [06G]

Unsteady seepage
D 不稳定渗流
非稳定渗流
S 渗流*

Fei huo xing gu liao
非活性骨料 [15D]
Non-active aggregate
S 骨料*
C 活性骨料

Fei jin shu cai liao
非金属材料 [15A]
Non-metallic material
S 材料*

Fei jun yun liu
非均匀流 [06C]
Non-uniform flow
D 不均匀流
S 水流*

Fei jun yun sha
非均匀沙 [07A]
Non-uniform silt
S 泥沙*

Fei jun zhi di ji
非均质地基 [05M]
Heterogeneous foundation
S 地基*
C 均质地基

Fei jun zhi tu
非均质土 [05B]
Non-uniform soil
S 土*
C 均质土

Fei niu dun liu ti
非牛顿流体 [18B]
Non-Newtonian fluid
S 流体*

Fei po huai shi yan
非破坏试验   [08F]
Non-destructive test
　Y　无损试验

Fei wen ding shen liu
非稳定渗流   [06G]
Unstationary seepage fl-
　ow
　Y　非恒定渗流

Fei xian xing gui hua
非线性规划   [18A]
Non-linear programming
　S　数学规划
　Z　规划论*

Fei xian xing jie gou
　fen xi
非线性结构分析   [08B]
Non-linear structural a-
　nalysis
　S　结构分析
　Z　分析(力学)*

Fei yan shi di ji
非岩石地基   [05M]
Non-rock foundation
　S　地基*
　C　岩石地基

Fei dian
沸点   [18B]
Boiling point
　S　温度*

Fei liao wu ran
肥料污染   [17B]
Fertilizer pollution
　S　污染*

Fei qi wu
废弃物   [17B]

Waste
　Y　废物

Fei shui
废水   [17B]
Wastewater
　F　工业废水
　S　水*
　C　污染物

Fei shui li yong
废水利用   [01B]
Waster water renovation
Waste water utilization
　S　水资源利用
　Z　利用*

Fei wu
废物   [17B]
Waste
　D　废弃物
　　　废渣

Fei zha
废渣   [17B]
Solid waste
　Y　废物

Fei yong
费用*   [19J]
Cost
　F　工程费用
　　　间接费用
　　　排污费
　　　运行费
　　　直接费用

Fei yong fen tan
费用分摊   [19J]
Cost sharing
Cost allocation
　S　分摊*

Fei yong xiao yi fen xi
费用效益分析 [19A]
Cost-benefit analysis
   S 分析(数学)*

Fen bu
分布* [20B]
Distribution
   F 垂直分布
      对数分布
      概率分布
      荷载分布
      极值分布
      降水分布
      空间分布
      流速分布
      泥沙分布
      时间分布
      水资源分布
      应力分布
      指数分布

Fen bu gui lü
分布规律 [20A]
Distribution pattern

Fen bu he zai
分布荷载 [08A]
Distributed load
   D 均布荷载
   S 荷载*

Fen bu qu xian
分布曲线 [02H]
Distribution curve
   D 分配曲线
   S 频率曲线
   Z 曲线*

Fen bu shi wang luo
分布式网络 [19F]
Distribution network
   S 网络*

Fen ceng qu shui
分层取水 [09G]
Multi-layered intaking
Layered intaking
     S 取水*

Fen ceng yang yu
分层养鱼 [19B]
Fish culture by layer
   S 养鱼*

Fen cha xing he duan
分叉型河段 [07B]
Braided reach
   S 河段*

Fen duan mian chen qi
分断面衬砌 [14E]
Partial section lining
   S 衬砌*

Fen duan mian jue jin ji
分断面掘进机 [14I]
Partial section tunnell-
er
   S 掘进机
   Z 机械*

Fen hong
分洪 [12A]
Flood diversion

Fen hong dao
分洪道 [12B]
Flood-way channel
Flood by-pass

Fen hong gong cheng
分洪工程 [12B]
Flood diversion works
   S 防洪工程
   Z 工程*

Fen hong qu
分洪区   [12A]
Flood diversion area
  S 地区*
  C 洪泛区
      行洪区
      蓄洪区

Fen hong qu guan li
分洪区管理   [12B]
Flood diversion area ma-
  nagement
  S 管理*

Fen hong qu yun yong
分洪区运用   [12B]
Flood diversion area op-
  eration

Fen hong zha
分洪闸   [09D]
Flood diversion sluice
  D 分水闸
      泄洪闸
  S 水闸*
  C 泄水建筑物

Fen ji
分级   [14C]
Gradation
Classification
  Y 筛分*

Fen jie fan ying
分解反应   [18C]
Decomposition reaction
  S 化学反应*

Fen lei
分类*   [20B]
Classification
  F 河流分类
      土壤分类

      岩石分类

Fen lei biao
分类表   [19M]
Classification table
  S 表*

Fen pei
分配*   [19A]
Distribution
Allocation
  F 水量分配

Fen pei qu xian
分配曲线   [02H]
Distribution curve
  Y 分布曲线

Fen pei zhi du
分配制度   [19A]
Distribution system

Fen qi dao liu
分期导流   [14D]
Multi-phase diversion
  D 分期围堰法
  S 导流*

Fen qi diao du
分期调度   [16A]
Stage regulation
  S 调度*

Fen qi shi gong
分期施工   [14B]
Stage construction
  S 施工*

Fen qi wei yan fa
分期围堰法   [14D]
Stage-diversion method
  Y 分期导流

Fen qu
分区* [20A]
Subzone
　F　地质分区

Fen qu tu ba
分区土坝 [09C]
Zoned earth dam
　D　多种土质坝
　S　土坝
　Z　坝*
　C　均质土坝

Fen shui ling
分水岭 [02K, 18D]
Watershed
Water divide
　D　分水线

Fen shui xian
分水线 [02K]
Water divide
Watershed
　Y　分水岭

Fen shui zha
分水闸 [09D]
Diversion sluice
　Y　分洪闸

Fen tan
分摊* [20B]
Sharing
Allocation
　F　费用分摊
　　　投资分摊
　　　效益分摊

Fen tan xi shu
分摊系数 [19J]
Sharing coefficient
　S　系数*

Fen tan xi shu fa
分摊系数法 [19J]
Sharing coefficient measure

Fen xi
分析* [20B]
Analysis
　F　安全分析
　　　波谱分析
　　　财务分析
　　　差热分析
　　　成因分析
　　　风险分析
　　　光谱分析
　　　技术经济分析
　　　价值分析
　　　金相分析
　　　经济分析
　　　颗粒分析
　　　频谱分析
　　　气象分析
　　　侵蚀分析
　　　色谱分析
　　　失事分析
　　　水文分析
　　　岩相分析

Fen xi(hua xue)
分析(化学)* [18C]
Analysis(chemistry)
　F　定量分析
　　　定性分析
　　　水质分析

Fen xi(li xue)
分析(力学)* [18B]
Analysis(mechanics)
　F　结构分析
　　　脉动分析
　　　破坏分析
　　　渗流分析
　　　稳定分析

应变分析

Fen xi(shu xue)
分析(数学)*   [18A]
Analysis(mathematics)
  F 费用效益分析
     矩阵法分析
     量纲分析
     频率分析
     统计分析
     误差分析
     系统分析
     向量分析
     张量分析

Fen xi fang fa
分析方法   [20A]
Analytical procedure
Analytical method
  F 振动分析方法
  S 方法*

Fen xi yi qi
分析仪器   [19I]
Analytic instrument
  F 水质分析仪器
  S 仪器*

Fen mei hui
粉煤灰   [15B]
Fly ash
  C 粉煤灰水泥
     混合材料

Fen mei hui gui suan yan
   shui ni
粉煤灰硅酸盐水泥   [15B]
Fly ash portland cement
  Y 粉煤灰水泥

Fen mei hui shui ni
粉煤灰水泥   [15B]
Fly ash cement

  D 粉煤灰硅酸盐水泥
  S 硅酸盐水泥
  Z 水泥*
  C 粉煤灰

Fen mei hui tong
粉煤灰砼   [15F]
Fly ash concrete
  S 砼*

Fen pen fa
粉喷法   [05P]
Powder jetting method
  C 粉喷桩

Fen pen zhuang
粉喷桩   [05N]
Powder jetting pile
  S 桩*
  C 粉喷法

Fen sha
粉砂   [15D]
Silty sand
  S 砂*

Feng
缝*   [08E]
Joint
  F 接缝
     裂缝

Feng bao chao
风暴潮   [02L]
Storm tide
  S 潮汐*

Feng cheng bo
风成波   [06I]
Wind wave
  D 风浪
  S 波*
  C 推进波

Feng dong
风洞 [06J]
Wind tunnel

Feng dong shi yan
风洞试验 [08F]
Air tunnel test
   S 试验*

Feng he zai
风荷载 [08A]
Wind load
   S 动荷载
   Z 荷载*
   C 波浪荷载

Feng hua dai
风化带 [04B]
Weathered belt
   C 风化作用
      破碎带

Feng hua liao
风化料 [15A]
Weathered material
   C 土石料

Feng hua qiao
风化壳 [04A]
Crust of weathering
   C 风化岩
      风化作用

Feng hua yan
风化岩 [05L]
Rock of weathering
   S 岩石*
   C 风化壳

Feng hua zuo yong
风化作用 [04A]
Weathering
   C 风化带

风化壳

Feng lang
风浪 [06I]
Wind wave
   Y 风成波

Feng leng que
风冷却 [19C]
Wind cooling
   S 冷却*

Feng li fa dian
风力发电 [19C]
Wind power generation

Feng li ji
风力机 [19H]
Wind-powered machine
Wind-driven machine
   Y 风力机械

Feng li ji xie
风力机械 [19H]
Wind-powered machinery
Wind-driven machinery
   D 风力机
   S 机械*

Feng li qin shi
风力侵蚀 [11G]
Wind erosion
   S 侵蚀*

Feng li shu sha
风力输沙 [07A]
Sediment transport by wind
   S 输沙*

Feng li shui beng
风力水泵 [11F]
Windmill water pump

Wind-powered water pump
  S 水泵
  Z 泵*

Feng li ti shui
风力提水   [11B]
Wind-powered lifting water
Wind-powered pumping water
  S 提水
  Z 取水*

Feng li yun shu
风力运输   [14B]
Pneumatic transportation
  Y 管道气力运输

Feng li zi yuan
风力资源   [19A]
Wind energy resouces
  D 风资源
  S 资源*

Feng neng
风能   [19C]
Wind energy
  S 能源*
  C 风能利用

Feng neng li yong
风能利用   [19C]
Wind energy utilization
  S 利用*
  C 风能

Feng sha fang zhi
风沙防治   [11G]
Windy sand prevention
  S 防治*
  C 固沙措施
      沙化防治

Feng sha qiang
风沙枪   [14I]
Sand blaster

Feng su
风速   [02B]
Wind velocity

Feng xian fen xi
风险分析   [19A]
Risk analysis
  S 分析*
  C 可行性研究

Feng xian lü
风险率   [19J]
Risk ratio

Feng zi yuan
风资源   [19A]
Wind energy resources
  Y 风力资源

Feng du
封堵   [14D]
Plugging

Feng gong
封拱   [14E]
Crown filling

Feng he
封河   [02A]
River closure
  Y 河流封冻

Feng kong(zuan tan gong
  cheng)
封孔(钻探工程)   [03G]
Hole sealing
  C 孔内止水

Feng shui nian

丰水年   [02B]
Rainy year
Wet year
　D　多水年

Feng shui qi
丰水期   [02C]
High flow period

Feng wo jie gou(tu li
　　xue)
蜂窝结构(土力学)   [05B]
Honeycomb structure
　S　土结构
　Z　结构*
　C　絮状结构(土力学)

Feng zhi qiang du
峰值强度   [05E]
Peak strength
　S　强度(力学)*

Fu ban
腹板   [08D]
Web plate
　S　板*

Fu biao
浮标   [02G]
Buoy

Fu bing
浮冰   [02A]
Floating ice
　S　冰*

Fu chuan shi beng zhan
浮船式泵站   [11E]
Floating pontoon pumping
　station
　Y　泵船

Fu ma tou

浮码头   [13C]
Docking barge
Floating wharf
Floating pier
　S　码头*

Fu ni
浮泥   [07A]
Float mud
　S　泥沙*

Fu shi fang bo di
浮式防波堤   [13B]
Floating breakwater
　S　防波堤*

Fu shi zha men
浮式闸门   [09D]
Float gate
　D　浮体闸门
　S　闸门*

Fu ti zha men
浮体闸门   [09D]
Float gate
　Y　浮式闸门

Fu tong chui zhi sheng
　chuan ji
浮筒垂直升船机   [09K]
Buoyant vertical shipli-
　ft
　S　垂直升船机
　Z　升船机*

Fu gai ceng
覆盖层*   [05B]
Overburden
　D　土层
　F　深覆盖层

Fu he cai liao
复合材料   [15A]

Composite material
S 材料*
C 有机建筑材料

Fu he cai liao li xue
复合材料力学   [15A]
Mechanics of composite
  material
S 材料力学
Z 力学*

Fu he mo xing
复合模型   [06J]
Composite model
F 复合箱式模型
S 模型*

Fu he tu gong mo
复合土工膜   [15J]
Composite geo-membrane
C 土工薄膜

Fu he wai jia ji
复合外加剂   [15C]
Compound agent
Composite admixture
S 外加剂*

Fu he xiang shi mo xing
复合箱式模型   [06J]
Combined box model
S 复合模型
Z 模型*

Fu jian gong cheng
复建工程   [19C]
Rebuild project
S 工程*

Fu ken
复垦   [19B]
Restoration reclamation
C 土地利用

Fu shi he cao
复式河槽   [07B]
Composite channel

Fu yang
复氧   [17C]
Composite oxygen
C 水处理
  水净化

Fu za di ceng zuan jin
复杂地层钻进   [03G]
Complicated formation d-
  rilling
S 钻进*

Fu za di ji
复杂地基   [05M]
Complicated foundation
S 地基*

Fu jia ying li
附加应力   [05H]
Additional stress
S 应力*

Fu shu she bei
附属设备   [19H]
Auxiliary equipment
S 设备*

Fu li
福利   [19K]
Welfare

Fu li ye bian huan
傅立叶变换   [18A]
Fourier transform
S 变换*

Fu li ye ji shu
傅立叶级数   [18A]
Fourier series

Fu li zi
负离子 [18C]
Negative ion
  Y 阴离子

Fu lian
妇联 [19L]
The Women's Federation

Fu liu
伏流 [04D]
Swallet stream
Underground stream
Subterranean stream
  D 地下河
  S 河流*

Fu pin
扶贫 [19A]
Helping poor people

Fu she jing
辐射井 [04D]
Radial wells
Collector wells
  S 井*

Fu shi

腐蚀 [15K]
Corrosion
  C 防腐蚀
    防锈
    侵蚀*

Fu tong
富砼 [15F]
Rich concrete
  S 砼*

Fu ying yang hua
富营养化 [17B]
Eutrophication

辅助设备 [19H]
Auxiliary apparatus
Auxiliary equipment
  S 设备*

Fu zhu xiao neng gong
辅助消能工 [09I]
Auxiliary energy dissip-
  ator
Subsidiary dissipator
  S 消能工*

G

GIS
GIS   [19F]
Geographic information
  system
   Y 地理信息系统

GPS
GPS   [03A]
Global positioning syst-
  em
   Y 全球定位系统

Gai ge
改革*   [19A]
Innovation
Reformation
   F 体制改革

Gai jian gong cheng
改建工程   [19C]
Reconstruction engineer-
  ing
Rehabilitated engineeri-
  ng
   S 工程*

Gai liang cuo shi
改良措施   [20A]
Improvement measure
   S 措施*

Gai lun
概论   [19M]
General review

Gai lü
概率   [18A]
Probability
   D 或然率
       机率
       几率

Gai lü fen bu
概率分布   [18A]
Probability distribution
   F 泊松分布
       皮尔逊分布
       正态分布
   S 分布*

Gai lü lun
概率论   [18A]
Probability theory

Gai lü mo xing
概率模型   [02H]
Probability model
   S 数学模型
   Z 模型*

Gai lü qu xian
概率曲线   [02H]
Probability curve
   Y 频率曲线

Gai suan
概算   [19J]
Budgetary estimate
Rough estimation
   F 工程概算
       施工概算
   S 计算*

Gai zhong ceng
盖重层   [09C]
Weighting cover

Gan bu
干部   [19K]
Cadre

Gan han
干旱 [02B]
Draught
　C　旱情

Gan han di qu
干旱地区 [18D]
Arid area
Arid region
　S　地区*

Gan liu
干流 [02K]
Main river
　S　河流*

Gan qi kuai shi
干砌块石 [14C]
Dry masonry
　S　砌石*

Gan qu
干渠 [11E]
Main canal
　S　渠道*

Gan rong zhong
干容重 [05C]
Dry weight
Dry density
　D　干么重
　F　最大干容重
　S　容重*

Gan suo
干缩 [15K]
Dry shrinkage

Gan yao zhong
干么重 [05C]
Dry unit weight
Dry unit density
　Y　干容重

Gan ying xing tong
干硬性砼 [15F]
Stiff consistency concr-
ete
Dry concrete
　D　无坍落度砼
　S　砼*

Gan chao he duan
感潮河段 [02L]
Tidal reach
　D　潮汐河流
　S　河段*
　C　淡水咸化

Gan chao he wang
感潮河网 [02L]
Tidal river network

Gan jian jie gou
杆件结构 [08C]
Member structure
　D　杆系结构
　S　工程结构
　Z　结构*
　C　非杆件结构

Gan xi jie gou
杆系结构 [08C]
Member-system structure
　Y　杆件结构

Gan zhe
甘蔗 [19B]
Sugar cane

Gang
钢* [15I]
Steel
　F　不锈钢
　　高强度钢
　　合金钢
　　结构钢

耐蚀钢
碳素钢
　C　结构材料

Gang ban
钢板   [15I]
Steel plate

Gang ban zhuang
钢板桩   [05N]
Steel sheet pile
　S　桩*

Gang chen gang jin tong
　guan
钢衬钢筋砼管   [10D]
Steel lined reinforced
　concrete pipe
　S　压力水管*

Gang chen qi
钢衬砌   [14E]
Steel lining
　S　衬砌*

Gang guan
钢管   [15I]
Steel tube
　F　薄壁钢管
　　镀锌钢管
　　无缝钢管
　　压力钢管
　S　管*

Gang guan jie gou
钢管结构   [08C]
Steel tube structure
　Y　钢结构

Gang guan zhuang
钢管桩   [05N]
Steel pipe pile
　S　桩*

Gang jie gou
钢结构   [08C]
Steel structure
　D　钢管结构
　S　金属结构
　Z　结构*

Gang jin
钢筋*   [15I]
Reinforcing steel
　F　高强钢筋
　　螺纹钢筋

Gang jin ce li ji
钢筋测力计   [08F]
Reinforcement meter
　S　测力计
　Z　仪器*

Gang jin jia gong chang
钢筋加工厂   [14A]
Processing plant of rei-
　nforcing steel
　S　工厂*
　C　钢筋加工设备

Gang jin jia gong she
　bei
钢筋加工设备   [14I]
Processing equipment of
　reinforcing steel
　S　设备*
　C　钢筋加工厂

Gang jin jia li
钢筋架立   [14G]
Reinforcement erection

Gang jin tong
钢筋砼   [15F]
Steel reinforced concre-
　te
　S　加筋砼

Z 砼*

C 叠梁闸门

Gang jin tong ba
钢筋砼坝   [09C]
Reinforced concrete dam
  S 砼坝
  Z 坝*

Gang jin tong du cao
钢筋砼渡槽   [11E]
Reinforced concrete flu-
me
  S 渡槽*

Gang jin tong gou jian
钢筋砼构件   [08D]
Reinforced concrete mem-
ber
  S 结构构件*

Gang jin tong guan
钢筋砼管   [15G]
Reinforced concrete pipe
  S 水泥管
  Z 管*

Gang jin tong jie gou
钢筋砼结构   [08C]
Reinforced concrete str-
ucture
  S 砼结构
  Z 结构*

Gang jin tong wo qiao
钢筋砼蜗壳   [10F]
Reinforced concrete spi-
ral case
  Y 砼蜗壳

Gang jin tong zha men
钢筋砼闸门   [09D]
Reinforced concrete gate
  S 闸门*

Gang jin tong zhuang
钢筋砼桩   [05N]
Reinforced concrete pile
  S 桩*

Gang jin wei zhi ce ding
钢筋位置测定   [15L]
Determination of reinfo-
  rcement location

Gang jin xiu shi
钢筋锈蚀   [15K]
Reinforcing steel rust

Gang lun nian
钢轮碾   [14I]
Steel wheel roller
  D 平碾
  S 碾压机械
  Z 机械*

Gang mo ban
钢模板   [14G]
Steel form
  S 模板*

Gang mo tai che
钢模台车   [14I]
Steel form jumbo

Gang si
钢丝*   [15I]
Steel wire
  F 高强钢丝

Gang si sheng
钢丝绳   [15I]
Wire rope
Steel wire rope

Gang si suo

钢丝索   [15I]
Stranded steel wire

Gang si wang
钢丝网   [15I]
Wire mesh
Steel wire mesh

Gang si wang shui ni gou
    jian
钢丝网水泥构件   [08D]
Ferro-cement member
    S 结构构件*

Gang si wang shui ni jie
    gou
钢丝网水泥结构   [08C]
Ferro-cement structure
    S 砼结构
    Z 结构*
    C 钢丝网水泥闸门

Gang si wang shui ni zha
    men
钢丝网水泥闸门   [09D]
Ferro-cement gate
    S 闸门*
    C 薄壳闸门
        钢丝网水泥结构

Gang si wang shui ni zhi
    pin
钢丝网水泥制品   [15G]
Ferro-cement product
    S 水泥制品*

Gang wei yan
钢围堰   [14D]
Steel cofferdam
    S 围堰*

Gang wo qiao
钢蜗壳   [10F]

Steel scroll case
Steel spiral case
    S 蜗壳*

Gang xian wei
钢纤维   [15I]
Steel fiber
    C 纤维砼

Gang xian wei shui ni
    zhi pin
钢纤维水泥制品   [15G]
Steel fiber cement prod-
    uct
    S 水泥制品*

Gang xian wei tong
钢纤维砼   [15F]
Steel fiber concrete
    Y 纤维砼

Gang zha men
钢闸门   [09D]
Steel gate
    F 弧形钢闸门
    S 闸门*

Gang chi
港池*   [13B]
Harbor basin
    F 推出式港池
        挖入式港池

Gang gong mo xing
港工模型   [06J]
Harbor model
    S 模型*

Gang gong mo xing shi
    yan
港工模型试验   [06J]
Harbour model test
    S 水工模型试验

Z 模型试验*

Gang kou
港口*   [13B]
Harbor
Port
　F　海港
　　　河港
　　　深水港
　　　水库港
　　　渔港

Gang kou/gong cheng
港口工程   [13B]
Port works
　F　海港工程
　S　工程*

Gang kou gong cheng ce
　　liang
港口工程测量   [03E]
Port engineering survey
　S　水利工程测量
　Z　测量*

Gang kou qing yu
港口清淤   [07C]
Harbor desilting
　S　清淤*
　C　港口淤积
　　　航道整治

Gang kou yu ji
港口淤积   [07C]
Harbor silting
Harbor siltation
　S　淤积*
　C　港口清淤

Gang nei bo lang
港内波浪   [06I]
Harbour wave
　S　波浪*

Gang zhi xuan ze
港址选择   [13B]
Harbor siting
　S　选址(工程地质)
　Z　选择*

Gang du
刚度   [08B]
Rigidity
Stiffness
　C　挠度

Gang du fa
刚度法   [08B]
Stiffness method
　Y　位移法

Gang du ju zhen
刚度矩阵   [08B]
Stiffness matrix

Gang jia
刚架   [08C]
Rigid frame
　C　刚性结构

Gang jie
刚接   [08E]
Rigid joint
　S　连接*

Gang xing di ji
刚性地基   [05M]
Rigid foundation
　S　地基*
　C　刚性基础

Gang xing ji chu
刚性基础   [05N]
Rigid foundation
　S　基础*
　C　刚性地基

Gang xing jie gou
刚性结构   [08C]
Rigid structure
  S 工程结构
  Z 结构*
  C 刚架
     柔性结构

Gao ba
高坝   [09C]
（坝高＞70米）
High dam
  S 坝*

Gao bian po
高边坡   [04C]
High side slope
  S 边坡*
  C 陡坡

Gao ceng jian zhu wu
高层建筑物   [19C]
High-rise building
  S 建筑物*

Gao ceng jie gou
高层结构   [08C]
High-rise structure
  S 工程结构
  Z 结构*
  C 房屋结构

Gao chan zuo wu
高产作物   [19B]
High-field crop
Highly productive crop
  S 作物*

Gao cheng
高程   [03A]
Height
Elevation
  D 海拔高

Gao cheng ce liang
高程测量   [03A]
Height measurement
  Y 测高

Gao du
高度*   [19D]
Height
  F 坝高
     波高
     吸出高度

Gao han sha shui liu
高含沙水流   [07A]
Hyper-concentration flow
  S 含沙水流
  Z 水流*

Gao ji yu yan
高级语言   [19F]
High-level language
  S 程序语言*

Gao kong zuo ye
高空作业   [14B]
High-rise operation
High-lift construction
High-lift operation
  S 施工*

Gao kuai jiao zhu
高块浇筑   [14H]
High lift concreting
High lift placing
  S 砼浇筑*

Gao liang
高粱   [19B]
Sorghum

Gao ling tu
高岭土   [05B]
Kaolinite

S 粘土
Z 土*

Gao qiang du gang
高强度钢   [15I]
High strength steel
S 钢*

Gao qiang du tong
高强度砼   [15F]
High strength concrete
S 砼*

Gao qiang gang jin
高强钢筋   [15I]
High strength reinforci-
ng steel
S 钢筋*

Gao qiang gang si
高强钢丝   [15I]
High strength steel wire
S 钢丝*

Gao qiang sha jiang
高强砂浆   [15E]
High-strength mortar
S 砂浆*

Gao qiang shui ni
高强水泥   [15B]
High strength cement
S 硅酸盐水泥
Z 水泥*

Gao shui tou
高水头   [06A]
High head
S 水头*

Gao shui tou shui dian
zhan
高水头水电站   [10B]

(水头＞200米)
High head hydroelectric
  power station
High head hydroelectric
  power plant
S 水电站*

Gao shui tou shui lun ji
高水头水轮机   [10F]
High head hydraulic tur-
  bine
S 水轮机*

Gao shui tou zha men
高水头闸门   [09D]
High pressure gate
Y 高压闸门

Gao su she ying
高速摄影   [03A]
High-speed photography
S 摄影*

Gao su shui liu
高速水流   [06E]
High-velocity flow
F 掺气水流
  空化水流
  脉动水流
  雾化水流
S 水流*
C 射流(水力学)

Gao wen
高温   [18B]
High temperature
S 温度*

Gao xiao jian shui ji
高效减水剂   [15C]
Superplasticizer
High efficiency water r-
educing agent

D 超塑化剂
S 减水剂
Z 外加剂*

Gao ya beng
高压泵   [19H]
High-pressure pump
S 泵*

Gao ya bian dian suo
高压变电所   [10J, 19C]
High voltage substation

Gao ya fa
高压阀   [19H]
High pressure valve
S 阀门*

Gao ya pen guan ji
高压喷灌机   [11F]
（工作压力490千帕~980千
帕）
High pressure sprinkler
S 喷灌机*

Gao ya pen tou
高压喷头   [11F]
（工作压力>490千帕）
High-pressure sprinkle
head
S 喷头*

Gao ya san zhou yi
高压三轴仪   [05K]
High pressure triaxial
apparatus
S 三轴仪
Z 仪器*

Gao ya zha men
高压闸门   [09D]
High pressure gate
D 高水头闸门

深水闸门
S 闸门*

Gao yuan
高原   [18D]
Plateau

Gao yuan di qu
高原地区   [18D]
Plateau region
S 地区*

Gao zhuang ma tou
高桩码头   [13C]
High piled wharf
S 桩基码头
Z 码头*

Ge
铬   [18C]
Chromium

Ge mu su
铬木素   [14F]
Chrome lignin
S 化学灌浆材料
Z 材料*

Ge
镉   [18C]
Cadmium

Ge ban shi yu dao
隔板式鱼道   [09J]
Diaphragm plate fish pa-
ss
S 梯级鱼道
Z 鱼道*

Ge re cai liao
隔热材料   [15A]
Thermal insulating mate-
-rial

Y 保温材料

拱* [08C]
Arch
  F 倒拱
    两铰拱
    抛物线拱
    三铰拱
    双曲拱
    无铰拱

Ge shui ceng
隔水层 [04D]
Impervious blanket
  Y 不透水层

Ge shui duan ceng
隔水断层 [04B]
Impervious fault
  Y 不透水断层

Gong ba
拱坝 [09C]
Arch dam
  F 边铰拱坝
    薄拱坝
    单曲拱坝
    空腹拱坝
    连拱坝
    砌石拱坝
    双铰拱坝
    双曲拱坝
    重力拱坝
  S 坝*

Ge ren ji suan ji
个人计算机 [19F]
Personal computer
  S 计算机*

Ge xiang tong xing
各向同性 [08B]
Isotropy
  C 各向异性

Gong liang fa
拱梁法 [08B]
Arch-cantilever method
  F 试载法
  S 结构计算方法*

Ge xiang yi xing
各向异性 [08B]
Anisotropy
  C 各向同性

Geng zuo cuo shi
耕作措施 [11G]
Tillage measures
  S 措施*
  C 水土保持措施

Gong shi du cao
拱式渡槽 [11E]
Arched flume
  F 桁架拱式渡槽
    肋拱渡槽
    三铰拱渡槽
    石拱渡槽
    双曲拱渡槽
  S 渡槽*

Geng zuo tu rang
耕作土壤 [11G]
Arable soil
  Y 农业土壤

Gong
汞 [18C]
Mercury

Gong xing jie gou
拱形结构 [08C]
Arch structure
  S 工程结构

Gong

Z　结构*	**工程***　　　　　　　[19C]
	Works
Gong xing zhong li ba	Engnieering
拱形重力坝　　　[09C]	Project
Arched gravity dam	F　打桩工程
S　重力坝	单元工程
Z　坝*	道路工程
C　重力拱坝	地下工程
	电气工程
Gong zuo	调水工程
拱座　　　　　[08E]	二期工程
Arch abutment	防洪工程
	防沙工程
Gong chan dang	复建工程
共产党　　　　[19L]	改建工程
The Communist Party	港口工程
	供水工程
Gong e shui shen	骨干工程
共轭水深　　　[06C]	灌溉工程
Conjugate depth	海岸工程
S　水深*	河道工程
C　水跃*	河口工程
	护岸工程
Gong qing tuan	环境工程
共青团　　　　[19L]	建筑工程
The Communist Youth Lea-	勘探工程
gue	扩建工程
	临时工程
Gong zhen	拟建工程
共振　　　　　[18B]	排水工程
Resonance	配套工程
S　振动*	迁安工程
	渠化工程
Gong chang	渠系工程
工厂*　　　　　[19C]	石方工程
Plant	水道工程
Factory	水毁工程
Works	水力发电工程
F　钢筋加工厂	隧洞工程
骨料加工厂	田间工程
自来水厂	砼工程
	土方工程
Gong cheng	蓄水工程

岩土工程
已建工程
一期工程
引水工程
在建工程
准备工程
综合利用工程
钻井工程

Gong cheng bao gao
工程报告 [19C]
Engineering report
 S 报告*

Gong cheng bu zhi
工程布置 [19C]
Project arrangement
 S 布置*
 C 枢纽布置

Gong cheng cai liao
工程材料 [15A]
Engineering material
 F 河工材料
 S 材料*

Gong cheng ce liang
工程测量 [03E]
Engineering survey
 F 地下工程测量
  海岸测量
  建筑测量
  竣工测量
  施工测量
  水利工程测量
  水下测量
  隧洞测量
  线路测量
 S 测量*

Gong cheng deng ji
工程等级 [19C]
Project grade

Gong cheng di zhi
工程地质* [04C]
Engineering geology
 F 地震工程地质
  区域工程地质
 C 工程地质学

Gong cheng di zhi kan cha
工程地质勘察 [04C]
Engineering geology investigation
 S 地质勘察
 Z 勘察*
 C 区域工程地质

Gong cheng di zhi ping jia
工程地质评价 [04C]
Engineering geologic evaluation
 S 地质评价
 Z 评价*

Gong cheng di zhi tu
工程地质图 [04C]
Engineering geology map
 S 地质图
 Z 图*

Gong cheng di zhi xue
工程地质学 [04C]
Engineering geology
 F 动力工程地质学
 S 地质学*
 C 工程地质*

Gong cheng fang hong cuo shi
工程防洪措施 [12B]
Engineering flood control measures
 S 防洪措施

Z 措施*
C 防洪工程
　　非工程防洪措施

Gong cheng fei yong
工程费用   [19C]
Engineering cost
Project cost
S 费用*
C 工程概算
　　工程预算
　　工程造价

Gong cheng gai suan
工程概算   [19C]
Project estimate
S 概算
Z 计算*
C 工程费用

Gong cheng guan li
工程管理   [19C]
Engineering management
F 水利工程管理
S 管理*
C 工程维修
　　施工管理

Gong cheng gui hua
工程规划   [19C]
Project planning
S 规划*

Gong cheng gui hua she
ji
工程规划设计   [19C]
Project planning design
S 工程设计
Z 设计*

Gong cheng ji zi
工程集资   [19C]
Project financing

D 工程资金筹措
S 集资*

Gong cheng jian li
工程监理   [19C]
Project supervision
C 施工监理

Gong cheng jie gou
工程结构   [08C]
Engineering structure
F 薄壁结构
　　薄膜结构
　　薄壳结构
　　超静定结构
　　大板结构
　　大跨度结构
　　对称结构
　　多层结构
　　非对称结构
　　非杆件结构
　　杆件结构
　　刚性结构
　　高层结构
　　拱形结构
　　桁架结构
　　金属结构
　　静定结构
　　框架结构
　　木结构
　　柔性结构
　　砼结构
　　箱形结构
　　预应力结构
　　支撑
　　砖石结构
　　组合结构
S 结构*

Gong cheng lao hua
工程老化   [19C]
Project deterioration
S 老化*

C 坝老化
建筑物老化

Gong cheng li xue
工程力学 [08B]
Engineering mechanics
S 力学*

Gong cheng she ji
工程设计 [19C]
Project design
F 工程规划设计
水工设计
S 设计*

Gong cheng shi gong
工程施工 [14A]
Engineering construction
Y 施工*

Gong cheng shi gu
工程事故 [19C]
Accident
S 事故*
C 溃坝

Gong cheng shi li
工程实例 [19C]
Engineering example
S 实例*

Gong cheng shui li xue
工程水力学 [06A]
Engineering hydraulics
S 水力学
Z 力学*

Gong cheng shui wen xue
工程水文学 [02A]
Engineering hydrology
S 应用水文学
Z 水文学*

Gong cheng te xing
工程特性 [19C]
Engineering characteris-
tic
S 特性*

Gong cheng tou biao
工程投标 [19C]
Project bid
Project tender
S 投标*

Gong cheng tou zi
工程投资 [19C]
Project investment
S 投资*
C 投资分摊

Gong cheng wei xiu
工程维修 [19C]
Maintenance of project
S 维修*
C 工程管理

Gong cheng xiang tu
工程详图 [19C]
Engineering detail draw-
ing
S 图*
C 施工总布置图

Gong cheng xiao yi
工程效益 [19C]
Benefit
F 水利工程效益
S 效益*

Gong cheng yan shou
工程验收 [19C]
Engineering acceptance
S 验收*
C 质量鉴定

Gong cheng yu suan
工程预算   [19C]
Project budget
  S 预算
  Z 计算*
  C 工程费用

Gong cheng zao jia
工程造价   [19C]
Project cost
  S 造价*
  C 工程费用

Gong cheng zhao biao
工程招标   [19C]
Project invitation for
  bid
  S 招标*

Gong cheng zhi liang
工程质量   [19C]
Project quality
  S 质量*
  C 施工质量

Gong cheng zi jin chou
  cuo
工程资金筹措   [19C]
Project financing
  Y **工程集资**

Gong cheng zong jie
工程总结   [19C]
Engineering summary
Project summary
  S 总结*
  C 施工总结

Gong hui
工会   [19L]
Trade union
Labour union

Gong kuang
工况*   [19C]
Operating condition
  F 抽水工况
     发电工况

Gong ren
工人   [19K]
Worker

Gong ye
工业*   [19C]
Industry
  F 电力工业
     电子工业
     纺织工业
     核工业
     化学工业
     机械工业
     建材工业
     煤炭工业
     能源工业
     轻工业
     石油工业
     冶金工业
     造纸工业
     制革工业
     重工业

Gong ye chang fang
工业厂房   [19C]
Industrial building
Factory building
  Y **厂房***

Gong ye fei shui
工业废水   [17B]
Industrial wastewater
  S 废水
  Z 水*

Gong ye gong shui
工业供水   [19C]

Industrial water supply
S 供水*

Gong ye jian zhu wu
工业建筑物 [19C]
Industrial structure
S 建筑物*

Gong ye jie shui
工业节水 [19C]
Industrial water saving
S 节水*

Gong ye xu shui liang
工业需水量 [19C]
Industrial water demand
S 需水量
Z 水量*

Gong ye yi biao
工业仪表 [19I]
Industrial gauge
S 仪表*

Gong yi
工艺* [19C]
Technology
F 安装工艺
灌浆工艺
立模工艺

Gong zi xing gou jian
工字形构件 [08D]
I-shaped member
S 结构构件*

Gong zuo feng
工作缝 [14H]
Working joint
Y 施工缝

Gong zuo ku rong
工作库容 [01D]

Active reservoir capaci-
ty
Usable capacity
Live storage
Y 兴利库容

Gong zuo qiao
工作桥 [09D]
Service bridge
Operating bridge
D 启闭机桥

Gong zuo zha men
工作闸门 [09D]
Main gate
S 闸门*

Gong dian xi tong
供电系统 [19C]
Power supply system
S 系统*
C 电气工程

Gong huo
供货 [19J]
Supply goods

Gong shui
供水* [01B]
Water supply
D 水供应
F 城市供水
工业供水
牧场供水
牧区供水
乡镇供水

Gong shui bao zheng lü
供水保证率 [01C]
Assurance rate of water
supply

Gong shui cheng ben

供水成本 [00C]
Water supply cost
  S 成本*

Gong shui gong cheng
供水工程 [09A]
Water supply project
  S 工程*

Gong shui guan dao
供水管道 [19C]
Water supply pipeline
  S 管道*

Gong shui guan li
供水管理 [16A]
Water supply management
Water supply control
  S 管理*
  C 水费计收
    水库供水

Gong shui gui hua
供水规划 [01C]
Water supply planning
  S 水利规划
  Z 规划*

Gong shui liang
供水量 [01B]
Water supply
  S 水量*

Gong shui she ji
供水设计 [19C]
Water supply design
  D 给水设计
  S 设计*

Gong shui xi tong
供水系统 [19C]
Water distribution system

Water supply system
  D 给水系统
  F 城市供水系统
  S 系统*

Gong shui xiao yi
供水效益 [00C]
Water supply benefit
  S 效益*

Gong shui yu ce
供水预测 [01B]
Water supply forecast
  S 预测*
  C 来水预测
    用水预测

Gong hai
公害 [17B]
Public damage
  S 灾害*
  C 环境污染

Gong lu
公路 [19C]
Highway

Gong shi
公式* [18A]
Formula
  F 计算公式
    近似公式
    经验公式
    薛齐公式

Gong si biao zhun
公司标准 [19D]
Company standard
  Y 企业标准

Gong wen
公文 [19M]
Official document

Gong lü
功率 [18B]
Power

Gong lü tiao jie
功率调节 [19E]
Power regulation
　S　调节*

Gong neng
功能 [20B]
Performance
　C　性能*

Gou dao zhi li
沟道治理 [11G]
Channel harness
Channel regulation
　Y　治沟

Gou guan
沟灌 [11B]
Furrow irrigation
　S　地面灌溉
　Z　灌溉*

Gou jian
构件 [08D]
Frame member
　Y　结构构件*

Gou zao dai
构造带* [04B]
Tectonic zone
　F　断裂带
　　　挤压带
　　　剪切带
　　　深大断裂
　　　褶皱带

Gou zao di zhi
构造地质 [04B]
Structural geology

　C　地质构造*
　　　地质力学

Gou zao di zhi tu
构造地质图 [04B]
Structural geological m-
　ap
　S　地质图
　Z　图*

Gou zao ti xi
构造体系 [04B]
Structural system

Gou zao yan
构造岩 [05L]
Tectonite
　Y　**动力变质岩**

Gou zhu wu
构筑物 [19C]
Structure
　Y　建筑物*

Gu ding jiao zhi zuo
固定铰支座 [08E]
Fixed hinged support
　S　铰支座
　Z　支座*

Gu ding shi guan gai
固定式灌溉 [11B]
Stationary irrigation
　S　灌溉*

Gu ding shi pen guan ji
固定式喷灌机 [11F]
Fixed sprinkler
　S　喷灌机*

Gu ding shi pen tou
固定式喷头 [11F]
Fixed sprinkle head

Stationary sprinkle head
  S 喷头*

Gu ding zhi zuo
固定支座   [08E]
Fixed support
  S 支座*

Gu ding zi chan
固定资产   [19J]
Fixed assets
  S 资产*

Gu duan liang
固端梁   [08D]
Fixed beam
  S 梁*

Gu hua dian
固化点   [18B]
Solidifying point
  Y 凝固点

Gu jie
固结*   [05E]
Consolidation
  D 压密
  F 超固结
     次固结
     单向固结
     动力固结
     二向固结
     三向固结
     先期固结
     正常固结
     主固结
  C 沉降*
     固结理论

Gu jie bian xing
固结变形   [05E]
Consolidation deformati-
  on

  S 变形*
  C 固结沉降

Gu jie bu pai shui jian
固结不排水剪   [05K]
Consolidation-undrained
  shear test
  D 固结不排水剪试验
     固结快剪试验
  S 剪切试验（土力学）
  Z 试验*

Gu jie bu pai shui jian
  shi yan
固结不排水剪试验   [05K]
Consolidation-undrained
  shear test
  Y **固结不排水剪**

Gu jie chen jiang
固结沉降   [05I]
Consolidation settlement
  D 压密沉降
  S 沉降*
  C 固结变形

Gu jie du
固结度   [05E]
Degree of consolidation
  C 固结系数

Gu jie guan ce
固结观测   [16B]
Consolidation observati-
  on
  S 变形观测
  Z 观测*

Gu jie guan jiang
固结灌浆   [14F]
Consolidation grouting
  S 灌浆*

Gu jie ji suan
固结计算   [05E]
Consolidation computati-
on
  S 计算*

Gu jie kuai jian shi yan
固结快剪试验   [05K]
Consolidation quick she-
ar test
  Y 固结不排水剪

Gu jie li lun
固结理论   [05E]
Consolidation theory
  S 理论*
  C 固结*

Gu jie shi yan
固结试验   [05K]
Consolidation test
  D 压密试验
  F 快速固结试验
  S 试验*
  C 固结仪

Gu jie xi shu
固结系数   [05E]
Coefficient of consolid-
ation
  S 系数*
  C 固结度

Gu jie ya li
固结压力   [05E]
Consolidation pressure
  S 压力*

Gu jie yi
固结仪   [05K]
Consolidometer
Oedometer
  S 土工测试仪器

  Z 仪器*
  C 固结试验

Gu sha cuo shi
固沙措施   [11G]
Sand fixation measures
  S 水土保持措施
  Z 措施*
  C 风沙防治

Gu sha lin
固沙林   [19B]
Sand stabilization fore-
st
  S 防护林*

Gu ti
固体   [18B]
Solid

Gu ti jing liu
固体径流   [07A]
Solid flow
  S 径流*

Gu fang
谷坊   [11G]
Check dam

Gu fen zhi
股份制   [19A]
Stock system

Gu gan gong cheng
骨干工程   [19C]
Main works
Main project
  S 工程*

Gu hui bi
骨灰比   [15F]
Aggregate-cement ratio
  C 砼配合比

Gu jia ying li
骨架应力   [05H]
Effective stress
  Y 有效应力

Gu liao
骨料*   [15D]
Aggregate
  D 集料
  F 粗骨料
     非活性骨料
     硅酸盐骨料
     活性骨料
     轻骨料
     酸性骨料
     碳酸盐骨料
     细骨料
  C 骨料级配
     砼*

Gu liao chao xun jing
骨料超逊径   [15D]
Oversize and undersize
  of aggregate
  C 骨料级配
     骨料粒径

Gu liao ji pei
骨料级配   [15D]
Aggregate gradation
  C 骨料*
     骨料超逊径
     间断级配
     连续级配

Gu liao jia gong chang
骨料加工厂   [14A]
Aggregate processing pl-
ant
Aggregate plant
  D 碎石厂
  S 工厂*
  C 砂石料加工系统

Gu liao li jing
骨料粒径   [15D]
Aggregate size
  C 骨料超逊径

Gu liao shi yan
骨料试验   [15L]
Aggregate test
  S 试验*

Gu liao xing neng
骨料性能   [15K]
Aggregate property
  S 性能*

Gu liao zhi liang
骨料质量   [15D]
Aggregate quality
  S 质量*

Gu he dao
古河道   [18D]
Ancient river course
  S 河道*

Gu hong shui
古洪水   [02C]
Ancient flood
Palaeoflood
  S 洪水*

Gu li yun xing
孤立运行   [10K]
Isolated operation
  S 运行*

Gu suan
估算   [18A]
Estimation
  S 计算*

Gu xing zha men
鼓形闸门   [09D]

Drum gate
　S　闸门*

Gu zhang
故障　　　　　　　　[20B]
Obstruction
Fault

Gu zhang zhen duan
故障诊断　　　　　　[20A]
Fault diagnosis

Guan
管*　　　　　　　　[15A]
Tube
Pipe
　F　薄壁管
　　　波纹管
　　　大口径管
　　　钢管
　　　铝管
　　　滤水管
　　　毛管
　　　软管
　　　水泥管
　　　水泥土管
　　　塑料管
　　　砼管
　　　瓦管
　　　尾水管
　　　吸水管
　　　支管
　　　铸铁管

Guan dao
管道*　　　　　　　[19H]
Pipeline
　F　并联管道
　　　串联管道
　　　地下管道
　　　供水管道
　　　灌溉管道
　　　排水管道
　　　泄水管道
　　　引水管道

Guan dao guan gai
管道灌溉　　　　　　[11B]
Pipeline irrigation
　Y　管道输水灌溉

Guan dao qi li yun shu
管道气力运输　　　　[14B]
Compressed air conduit
　　conveyance
Pneumatic transportation
　　by pipeline
　D　风力运输
　S　管道运输
　Z　运输*
　C　气力传动

Guan dao shu sha
管道输沙　　　　　　[07A]
Sediment transport by p-
　ipeline
　S　输沙*

Guan dao shu shui
管道输水　　　　　　[19C]
Water transport by pipe-
　line
　S　输水*

Guan dao shu shui guan
　gai
管道输水灌溉　　　　[11B]
Water transport irrigat-
　ion by pipeline
　D　管道灌溉
　S　灌溉*

Guan dao shui li yun shu
管道水力运输　　　　[14B]
Pipeline hydraulic tran-
　sport

S　管道运输
Z　运输*
C　水力输送机械

Guan dao yun shu
管道运输　　　　　　[14B]
Conduit conveyance
Pipe transportion
Pipeline transport
　F　管道气力运输
　　　管道水力运输
　S　运输*

Guan dao zu li
管道阻力　　　　　　[19H]
Pipeline resistance
　S　阻力
　Z　力*

Guan jian
管件　　　　　　　　[19H]
Pipe fitting

Guan ju
管距　　　　　　　　[20A]
Pipe distance
　S　距离*

Guan li
管理*　　　　　　　[20B]
Administration
Management
　F　安全管理
　　　坝管理
　　　泵站管理
　　　财务管理
　　　堤防管理
　　　定额管理
　　　防洪管理
　　　分洪区管理
　　　工程管理
　　　供水管理
　　　馆藏管理

灌溉管理
灌区管理
航道管理
河道管理
合同管理
洪泛区管理
湖泊管理
计划管理
技术管理
教育管理
经济管理
经营管理
科研管理
流域管理
目标管理
企业管理
设备管理
生产管理
施工管理
数据库管理
水工建筑物管理
水库管理
水利管理
水文管理
水源管理
水质管理
水资源管理
投资管理
网络管理
物资管理
信息管理
用水管理
闸管理
滞洪区管理
质量管理

Guan li ji gou
管理机构　　　　　　[19A]
Administrative agency
Management organization

Guan li jing yan
管理经验　　　　　　[19A]

Management experience

Guan li ti zhi
管理体制   [19A]
Management system

Guan li xi tong
管理系统   [19A]
Management system
   S　系统*

Guan li xian dai hua
管理现代化   [19A]
Management modernization

Guan li zi dong hua
管理自动化   [19E]
Management automation
   S　自动化*

Guan liu
管流   [06B]
Pipe flow
   Y　压力流

Guan wang
管网   [19H]
Pipe network

Guan wang bu zhi
管网布置   [19C]
Pipe network layout
   S　布置*

Guan wang she ji
管网设计   [19C]
Pipe network design
   S　设计*

Guan xi shui liu
管系水流   [06B]
Pipe-system flow
   Y　压力流

Guan yong
管涌   [05D]
Piping
   D　潜蚀
      渗流潜蚀
   S　渗透变形
   Z　变形*
   C　流土

Guan yong shi yan
管涌试验   [06J, 05K]
Piping test
   S　渗流试验
   Z　试验*
   C　管涌仪

Guan yong yi
管涌仪   [16B, 05K]
Piping meter
   S　土工测试仪器
   Z　仪器*
   C　管涌试验

Guan zhu ji chu
管柱基础   [05N]
Hollow tube pile founda-
tion
   Y　柱基础

Guan zhu zhuang
管柱桩   [05N]
Hollow tube pile
   D　管桩
   S　桩*

Guan zhuang
管桩   [05N]
Pipe pile
Tubular pile
   Y　管柱桩

Guan cang guan li
馆藏管理   [19M]

Stock arrangement
　S　管理*

Guan ji hu jie
馆际互借　　　　　　　　[19M]
Interlibrary loan

Guan ce
观测*　　　　　　　　　　[16B]
Observation
Inspection
　F　爆破观测
　　变形观测
　　大坝观测
　　地震观测
　　溃坝观测
　　裂缝观测
　　气象观测
　　渗流观测
　　施工期观测
　　水流观测
　　水文测验
　　位移观测
　　温度观测
　　压力观测
　　应变观测
　　应力观测
　　原型观测
　　自动观测

Guan ce cheng guo
观测成果　　　　　　　　[16B]
Results of observation
　S　成果*
　C　观测资料整编

Guan ce fang fa
观测方法　　　　　　　　[16B]
Instrumentation method
　S　方法*

Guan ce jing
观测井　　　　　　　[04D, 16B]

Observation well
　D　观测孔
　S　井*

Guan ce kong
观测孔　　　　　　　　　[04D]
Inspection hole
　Y　观测井

Guan ce lang dao
观测廊道　　　　　　　　[09C]
Observation gallery
　S　廊道*

Guan ce she bei
观测设备　　　　　　　　[16B]
Observation device
　S　设备*
　C.原型观测仪器

Guan ce she ji
观测设计　　　　　　　　[16B]
Instrumentation design
　S　设计*

Guan ce yi qi
观测仪器　　　　　　　　[19I]
Observation instrument
　D　测试仪器
　F　波高仪
　　测波仪
　　测缝计
　　流量观测仪器
　　气象观测仪器
　　水位观测仪器
　　土工测试仪器
　　原型观测仪器
　S　仪器*

Guan ce yi qi bu zhi
观测仪器布置　　　　　　[16B]
Instrumentation allocat-
　ion

S 布置*

Guan ce zhuang zhi
观测装置   [16B]
Observation device
  F 自动观测装置
  S 装置*

Guan ce zi dong hua
观测自动化   [16B]
Observation automation
  S 自动化*

Guan ce zi liao
观测资料   [16B]
Observation data
  S 资料*
  C 监测资料

Guan ce zi liao zheng
  bian
观测资料整编   [16B]
Systematization of obse-
  rvation data
  C 观测成果

Guan gai
灌溉*   [11B]
Irrigation
  F 薄膜灌溉
    抽水灌溉
    春灌
    滴灌
    地面灌溉
    电力灌溉
    冬灌
    固定式灌溉
    管道输水灌溉
    机械灌溉
    间歇灌溉
    节水灌溉
    井灌
    轮灌

    牧场灌溉
    农田灌溉
    喷灌
    渗灌
    施肥灌溉
    湿润灌溉
    微灌
    污水灌溉
    咸水灌溉
    穴灌
    移动式灌溉
    引洪灌溉
    引水灌溉
    淤灌
    园林灌溉
    重力灌溉
  C 灌溉方法
    灌溉技术

Guan gai bao zheng lü
灌溉保证率   [11B]
Irrigation assurance fa-
  ctor

Guan gai beng zhan
灌溉泵站   [11E]
Pumping station for irr-
  igation
  S 水泵站*

Guan gai cheng xu
灌溉程序   [11C]
Irrigation procedure
Irrigation program
  Y 灌溉制度

Guan gai ding e
灌溉定额   [11C]
Irrigation requirement
Duty of irrigation water

Guan gai fang fa
灌溉方法   [11B]

Irrigation method
  S 方法*
  C 灌溉*

Guan gai gong cheng
灌溉工程   [11E]
Irrigation engineering
  S 工程*
  C 灌溉枢纽
     渠系工程
     田间工程

Guan gai guan dao
灌溉管道   [11E]
Irrigation pipeline
  F 配水管道
     喷灌管道
  S 管道*

Guan gai guan li
灌溉管理   [11C]
Irrigation management
  S 管理*

Guan gai gui hua
灌溉规划   [01C]
Irrigation planning
  S 水利规划
  Z 规划*
  C 灌溉制度
     灌区规划

Guan gai hui gui shui
灌溉回归水   [11C]
Irrigation return water
Irrigation return flow

Guan gai ji shu
灌溉技术   [11B]
Irrigation technique
  F 滴灌技术
     喷灌技术
  S 技术*

  C 灌溉*

Guan gai ji suan
灌溉计算   [01D]
Irrigation calculation
  S 兴利计算
  Z 计算*

Guan gai ji xie
灌溉机械   [11F]
Irrigation machinery
  S 排灌机械
  Z 机械*

Guan gai jing ji fen xi
灌溉经济分析   [00C]
Economic analysis of ir-
rigation
  S 经济分析
  Z 分析*

Guan gai jun yun xing
灌溉均匀性   [11B]
Uniformity of irrigation

Guan gai liu liang
灌溉流量   [11C]
Irrigation discharge
  S 流量*

Guan gai mian ji
灌溉面积   [11C]
Irrigation area
  S 面积*
  C 灌区

Guan gai mu chang
灌溉牧场   [11D]
Irrigated pasture
  S 牧场*
  C 牧场灌溉

Guan gai nong tian

灌溉农田   [19B]
Irrigated farmland
  S 农田*

Guan gai qin shi
灌溉侵蚀   [11G]
Irrigation erosion
  S 侵蚀*
  C 水力侵蚀

Guan gai qu shui
灌溉取水   [11B]
Irrigation diversion
  S 取水*

Guan gai she bei
灌溉设备   [11F]
Irrigation facilities
  F 滴灌设备
  S 排灌设备
  Z 设备*

Guan gai she ji
灌溉设计   [11B]
Irrigation design
  S 设计*

Guan gai shi jian
灌溉时间   [11B]
Irrigation period

Guan gai shi yan
灌溉试验   [11B]
Irrigation test
  F 滴灌试验
     喷灌试验
  S 试验*

Guan gai shu niu
灌溉枢纽   [11E]
Irrigation junction
  C 灌溉工程
     渠首

引水枢纽

Guan gai shui
灌溉水   [11B]
Irrigation water
  S 水*
  C 磁化水

Guan gai shui fei
灌溉水费   [00C]
Irrigation water cost
  S 水费
  Z 收费*

Guan gai shui li yong
lü
灌溉水利用率   [11C]
Irrigation efficiency
  Y 灌溉水利用系数

Guan gai shui li yong xi
shu
灌溉水利用系数   [11C]
Irrigation efficiency
  D 灌溉水利用率
     灌溉效率
  S 水利用系数
  Z 系数*

Guan gai shui wei
灌溉水位   [11B]
Irrigation water level
  S 水位*

Guan gai shui wen
灌溉水温   [11B]
Irrigation water temper-
  ature
  S 水温
  Z 温度*

Guan gai shui yuan
灌溉水源   [11B]

Irrigation watr source
  S   水源*

Guan gai shui zhi
灌溉水质   [11C, 17C]
Irrigation water quality
  S   水质
  Z   质量*
  C   污水灌溉

Guan gai xi tong
灌溉系统   [11E]
Irrigation system
  F   滴灌系统
      喷灌系统
  S   系统*
  C   灌区

Guan gai xi tong zi dong
hua
灌溉系统自动化   [11B]
Irrigation system autom-
ation
  S   自动化*

Guan gai xiao lü
灌溉效率   [11C]
Irrigation efficiency
  Y   **灌溉水利用系数**

Guan gai xiao yi
灌溉效益   [00C]
Irrigation benefit
  S   效益*

Guan gai xu shui liang
灌溉需水量   [11C]
Irrigation water requir-
ement
  D   田间需水量
  S   需水量
  Z   水量*
  C   作物需水量

Guan gai zhi du
灌溉制度   [11C]
Irrigation procedure
  D   灌溉程序
      灌水计划
  C   灌溉规划

Guan gai zhou qi
灌溉周期   [11B]
Irrigation interval
Irrigation cycle

Guan jiang
灌浆*   [14F]
Grouting
  F   补强灌浆
      固结灌浆
      化学灌浆
      回填灌浆
      基础灌浆
      接触灌浆
      接缝灌浆
      裂缝灌浆
      泥浆灌浆
      粘土灌浆
      粘土水泥灌浆
      水泥灌浆
      帷幕灌浆
      压力灌浆
      自流灌浆
  C   灌浆压力
      套管护壁法

Guan jiang beng
灌浆泵   [14I]
Grouting pump
  S   杂质泵
  Z   泵*

Guan jiang cai liao
灌浆材料   [14F]
Grouting material
  F   化学灌浆材料

S 材料*

Guan jiang gong yi
灌浆工艺   [14F]
Grouting technology
    S 工艺*

Guan jiang ji
灌浆机   [14I]
Grouting machine
    S 机械*

Guan jiang kong
灌浆孔   [14F]
Grouting hole

Guan jiang lang dao
灌浆廊道   [09C]
Grouting gallery
    S 廊道*

Guan jiang mao gan
灌浆锚杆   [14E]
Grouted rock bolt
    Y 锚杆*

Guan jiang sai
灌浆塞   [14I]
Packer

Guan jiang she bei
灌浆设备   [14F, 14I]
Grouting equipment
Grouting device
    S 设备*

Guan jiang shen du
灌浆深度   [14F]
Grouting depth
    C 灌浆压力

Guan jiang shi yan
灌浆试验   [14F]

Grouting test
    S 试验*

Guan jiang xiao guo
灌浆效果   [14F]
Grouting effect

Guan jiang ya li
灌浆压力   [14F]
Grouting pressure
    S 压力*
    C 灌浆*
      灌浆深度

Guan qu
灌区   [11C]
Irrigation district
Irrigated area
    F 井灌区
      渠灌区
      引黄灌区
    S 地区*
    C 灌溉面积
      灌溉系统

Guan qu guan li
灌区管理   [16A]
Management of irrigation
  district
    S 管理*

Guan qu gui hua
灌区规划   [01C]
Irrigation region plann-
  ing
Irrigation area planning
Irrigation district pla-
  nning
    S 水利规划
    Z 规划*
    C 灌溉规划

Guan qu liang shui

灌区量水   [11C]
Irrigation water-meter-
　　ing
　C　量水建筑物

Guan qu ni sha
灌区泥沙   [07A]
Sediment of irrigation
　　area
　S　泥沙*

Guan qu pai shui
灌区排水   [11B]
Drainage of irrigation
　　area
　S　排水*

Guan qu shui liang diao
　pei
灌区水量调配   [11C]
Water distribution in i-
　　rrigation district
　C　配水渠
　　　用水管理

Guan shui ding e
灌水定额   [11C]
Irrigation water quota

Guan shui ji hua
灌水计划   [11C]
Irrigation procedure
　Y　灌溉制度

Guan shui lü
灌水率   [11C]
Rate of irrigation

Guan zhu zhuang
灌注桩   [05N]
Bored concrete pile
　D　现浇砼桩
　F　爆扩桩

　　钻孔灌注桩
　S　桩*

Guan jian xian lu fa
关键线路法   [14B]
Critical path method
　S　方法*

Guan liu beng
贯流泵   [19H]
Tubular pump
　S　泵*

Guan liu shi shui lun ji
贯流式水轮机   [10F]
Tubular water turbine
　S　反击式水轮机
　Z　水轮机*

Guan ru shi yan
贯入试验   [05K]
Penetration test
　Y　触探*

Guan ru shi yan chui ji
　shu
贯入试验锤击数   [05K]
Number of blows of pene-
　　tration test
　Y　动力触探锤击数

Guan ru yi
贯入仪   [05K]
Penetrometer
　Y　触探仪

Guan ru zu kang
贯入阻抗   [05F]
Penetration resistance
　Y　贯入阻力

Guan ru zu li
贯入阻力   [05F]

Penetration resistance
D　贯入阻抗
S　阻力
Z　力*

Guang dian ce ju
光电测距　　　　　　[03A]
Electro-optical distance
　measurement
S　测距
Z　测量*

Guang mian bao po
光面爆破　　　　　　[14K]
Smooth blasting
S　控制爆破
Z　爆破*

Guang pan
光盘　　　　　　　　[19F]
Optical disk

Guang pu fen xi
光谱分析　　　　　　[18B]
Spectrographic analysis
S　分析*

Guang tan mo xing
光弹模型　　　　　　[08F]
Photoelastic model
S　结构模型
Z　模型*

Guang tan shi yan
光弹试验　　　　　　[08F]
Photoelastic experiment
D　偏光弹性试验
F　全息光弹试验
　　三维光弹试验
S　试验*
C　应力分析

Guang tan xing fa

光弹性法　　　　　　[08B]
Photoelastic method
F　全息光弹性法
　　三维光弹性法
S　结构计算方法*

Guang xue yi qi
光学仪器　　　　　　[19I]
Optical instrument
S　仪器*

Guang yu wang
广域网　　　　　　　[19F]
Wide area network
S　网络*

Gui cheng
规程*　　　　　　　[19D]
Specification
Code
F　试验规程
C　标准*
　　规范*

Gui fan
规范*　　　　　　　[19D]
Specification
F　测绘规范
　　设计规范
　　施工规范
C　标准*
　　规程*

Gui hua
规划*　　　　　　　[19A]
Program
Planning
F　城市规划
　　工程规划
　　渠系规划
　　区域规划
　　水利规划
　　远景规划

综合规划
总体规划
最优规划

Gui hua bao gao
规划报告   [19A]
Planning report
　S　报告*

Gui hua lun
规划论*   [18A]
Programming theory
　F　动态规划
　　　数学规划

Gui ze bo
规则波   [06I]
Regular wave
　S　波*

Gui dao shi qi zhong ji
轨道式起重机   [14I]
Rail mounted crane
　S　起重机*
　C　门式起重机
　　　桥式起重机
　　　塔式起重机

Gui fen
硅粉   [15B]
Silica fume
　C　混合材料

Gui fen tong
硅粉砼   [15F]
Silica fume concrete
　S　特种砼
　Z　砼*

Gui hua jia gu
硅化加固   [05P]
Silicification
　Y　化学加固

Gui suan na
硅酸钠   [14F]
Water glass
Liquid glass
Sodium silicate
　D　水玻璃
　S　化学灌浆材料
　Z　材料*

Gui suan yan gu liao
硅酸盐骨料   [15D]
Silicate aggregate
　S　骨料*

Gui suan yan shui ni
硅酸盐水泥   [15B]
Portland cement
　D　波特兰水泥
　F　大坝水泥
　　　低碱水泥
　　　粉煤灰水泥
　　　高强水泥
　　　混合水泥
　　　火山灰水泥
　　　抗硫酸盐水泥
　　　矿渣水泥
　　　普通水泥
　　　早强水泥
　S　水泥*

Gun dong zhou cheng
滚动轴承   [19H]
Rolling bearing
　S　轴承*

Gun lun zha men
滚轮闸门   [09D]
Roller gate
　　Y　辊式闸门

Gun yi shi pen guan ji
滚移式喷灌机   [11F]
Rolling move sprinkler

S 移动式喷灌机
Z 喷灌机*

Gun zi zhou cheng
滚子轴承 [19H]
Roller bearing
S 轴承*

Gun shi zha men
辊式闸门 [09D]
Roller gate
D 滚轮闸门
S 闸门*

Guo cheng
过程* [20B]
Process
F 过渡过程
马尔可夫过程
随机过程

Guo cheng kong zhi
过程控制 [19E]
Procedure control
Process control
S 控制*

Guo dian liu bao hu
过电流保护 [10J]
Overcurrent protection
S 保护*

Guo dian ya bao hu
过电压保护 [10J]
Overvoltage protection
S 保护*

Guo du ceng
过渡层 [08D]
Intermediate layer
C 垫层
反滤层

Guo du ceng (shui li xue)
过渡层(水力学) [06A]
Buffer region(hydraulics-
s)

Guo du guo cheng
过渡过程 [20A]
Transient process
D 水力过渡过程
F 水轮机过渡过程
S 过程*

Guo du liu
过渡流 [06A]
Transient flow
F 明满过渡流
S 水流*

Guo du xing he duan
过渡性河段 [07B]
Transitional reach
S 河段*

Guo liang cai fa
过量采伐 [11G, 19B]
Excess deforestation
C 水土流失

Guo mu ji
过木机 [09J]
Log pass machine
C 过木建筑物
卷扬机

Guo mu jian zhu wu
过木建筑物 [09J]
Log pass structure
S 水工建筑物*
C 筏道
过木机
漂木道
索道

Guo shui duan mian
过水断面   [06A]
Flow section
　F　水力最佳断面
　S　断面*

Guo shui dui shi ba
过水堆石坝   [09C]
Overflow rockfill dam
　S　堆石坝
　Z　坝*

Guo shui neng li
过水能力   [06A]
Discharge capacity
　Y　泄水能力

Guo shui tu ba
过水土坝   [09C]
Overflow earth dam
　S　土坝
　Z　坝*

Guo shui wei yan
过水围堰   [14D]
Overflow cofferdam
　S　围堰*

Guo yu jian zhu wu
过鱼建筑物   [09J]
Fishpass structure
　S　水工建筑物*
　C　过鱼设施
　　　鱼道*
　　　鱼闸*

Guo yu she shi
过鱼设施   [09J]
Fish facilities
　C　过鱼建筑物

Guo ji biao zhun
国际标准   [19D]

International standard
　S　标准*

Guo ji fa
国际法   [19L]
International law
　S　法律*

Guo ji he liu
国际河流   [18D]
International river
　S　河流*
　C　界河

Guo ji he zuo
国际合作   [19A]
International coorperat-
　ion

Guo ji hu lian wang luo
国际互联网络   [19F]
Internet
　S　网络*

Guo ji hui yi
国际会议   [19M]
International conference
　S　会议*

Guo ji jiao liu
国际交流   [19A]
International exchange

Guo ji zhao biao
国际招标   [19A]
International invitation
　for bid
　S　招标*

Guo jia biao zhun
国家标准   [19D]
National standard
　S　标准*

Guo min jing ji
国民经济   [19A]
National economy
  S 经济*

Guo min jing ji ping jia
国民经济评价   [19A]

National economical eva-
  luation
  S 评价*

Guo shu
果树   [19B]
Fruit tree

H

Hai an
海岸*   [13A]
Coast
  F 河口海岸
     沙质海岸
     岩质海岸
     淤泥质海岸

Hai an ce liang
海岸测量   [03E]
Coast survey
  S 工程测量
  Z 测量*

Hai an chong shua
海岸冲刷   [13A]
Coast erosion
  C 海岸防护
     海岸演变

Hai an diao cha
海岸调查   [13A]
Coast investigation
  S 调查*
  C 海岸演变

Hai an fang hu
海岸防护   [13A]
Coast protection
Coastal protection
  S 防护*
  C 海岸冲刷

Hai an fang hu lin
海岸防护林   [13A]
Coast protective forest
  S 护岸林
  Z 防护林*

Hai an gong cheng
海岸工程   [13A]
Coastal engineering
  S 工程*

Hai an piao sha
海岸漂沙   [07A]
Coast drift-sand
  Y **沿岸漂沙**

Hai an xian
海岸线   [13A]
Coast line
Shoreline

Hai an yan bian
海岸演变   [13A]
Coast change
Coast evolution
  C 海岸冲刷
     海岸调查
     海岸淤积

Hai an yu ji
海岸淤积   [13A]
Coast deposition
Coast sedimentation
Coast accretion
  S 淤积*
  C 海岸演变

Hai an zheng zhi
海岸整治   [13A]
Coast regulation

Hai ba gao
海拔高   [03A]
Height above sealevel
  Y 高程

Hai di

海堤* [13B]
Coastal levee
Sea dike
  F 挡潮堤
      岛堤
      导航堤
      内堤
      突堤
      外堤
  C 海塘

Hai gang
海港 [13B]
Sea port
  S 港口*

Hai gang gong cheng
海港工程 [13B]
Harbor engineering
  S 港口工程
  Z 工程*

Hai gang shui wen
海港水文 [02L]
Harbor hydrology
  Y 海洋水文

Hai lang
海浪 [02L]
Sea wave
  S 波浪*

Hai liu
海流 [02L]
Sea current
  F 沿岸流
  S 水流*

Hai man
海漫 [09F]
Apron extension
  C 护坦

Hai shui
海水 [01A]
Sea water
  S 水*

Hai shui dan hua
海水淡化 [01B]
Seawater desalting

Hai shui ru qin
海水入侵 [17B]
Sea water encroachment
Sea water intrusion
  D 盐水入侵
  C 淡水咸化
      地下水咸化

Hai tang
海塘 [13A]
Coastal levee
Sea wall
   C 海堤*

Hai tu wei ken
海涂围垦 [13A, 18D]
Coastal reclamation
  Y 围海造陆

Hai wan
海湾 [13A, 18D]
Gulf

Hai yang
海洋 [18D]
Ocean

Hai yang fa
海洋法 [19L]
Law of the sea
  S 法律*

Hai yang guan ce zhan
海洋观测站 [02L]

Oceanographic station

Hai yang shui wen
海洋水文   [02L]
Marine hydrology
   D 海港水文
   S 水文*

Hai yang shui wen xue
海洋水文学   [02A]
Marine hydrology
   S 水文学*

Hai yang wu ran
海洋污染   [17B]
Sea pollution
   S 环境污染
   Z 污染*

Hai yang xue
海洋学   [02L]
Oceanology
Oceanography

Han
函   [19M]
Letter

Han shu
函数*   [18A]
Function
   F 水跃函数
      相关函数
      样条函数

Han di
旱地   [19B]
Arid land
   Y 旱田

Han lao jian zong he zhi
   li
旱涝碱综合治理   [11G]

Comprehensive control of
   drought logging and a-
   kal
   S 综合治理*

Han qing
旱情   [02B]
Drought condition
   C 干旱
      旱灾

Han qing diao cha
旱情调查   [02D]
Drought survey
   S 调查*

Han qing yu bao
旱情预报   [02J]
Drought forecasting
   S 水文预报
   Z 预报*

Han tian
旱田   [19B]
Arid field
   D 旱地
   S 农田*

Han zai
旱灾   [02B]
Drought disaster
   S 气象灾害
   Z 灾害*
   C 旱情
      抗旱

Han zuo wu
旱作物   [19B]
Xerophyte

Han dong
涵洞   [11E, 19C]
Culvert

C 涵管
　渠系建筑物

Han dong dao liu
涵洞导流 [14D]
Culvert diversion
S 导流*

Han guan
涵管 [11E]
Culvert tube
Pipe culvert
C 涵洞
　渠系建筑物

Han feng
焊缝 [14J]
Weld seam
S 接缝
Z 缝*

Han jie
焊接 [14J, 19H]
Welding
F 水轮机焊接
　水下焊接
S 连接*

Han jie ji shu
焊接技术 [19H]
Welding technique
S 技术*

Han jie she bei
焊接设备 [19H]
Welding equipment
S 设备*

Han fu shui
含氟水 [17B]
Fluoric water
S 水*

Han jian liang
含碱量 [15B]
Alkali content
C 低碱水泥
　碱骨料反应

Han qi liang
含气量 [15K]
Air content
C 引气剂
　砼孔结构

Han qi nong du
含气浓度 [06E]
Air content
S 浓度*

Han sha lü
含砂率 [15F]
Sand ratio
C 砼配合比

Han sha liang
含沙量 [07A]
Sediment concentration
C 输沙*

Han sha liang ji
含沙量计 [02G]
Sadiment charge meter
Sediment concentration
　meter
C 测沙仪

Han sha shui liu
含沙水流 [07A]
Sediment-laden flow
D 挟沙水流
F 高含沙水流
S 水流*

Han shui ceng
含水层* [04D]

Aquifer
 F 承压含水层
 C 透水层

Han shui liang
含水量   [05D]
Water content
Moisture content
 F 土壤含水量
 S 水量*
 C 稠度(土力学)
    含水量试验
    缩限

Han shui liang kong zhi
含水量控制   [14H]
Water content control
Moisture content control
 S 控制*

Han shui liang shi yan
含水量试验   [05K]
Water content determina-
 tion
 S 试验*
 C 含水量

Han leng di qu
寒冷地区   [18D]
Cold region
 S 地区*

Hang ce
航测   [03A]
Aerophotogrammetry
Aerial survey
 Y 航空测量

Hang dao
航道*   [12D]
Navigation pass
Navigation channel
 F 进港航道

内河航道
渠化航道
入海航道
深水航道
引航道

Hang dao bian qian
航道变迁   [12D]
Navigation channel change

Hang dao ce liang
航道测量   [03E]
Water course survey
 S 水利工程测量
 Z 测量*

Hang dao guan li
航道管理   [12D]
Navigation channel mana-
 gement
Navigation pass managem-
 ent
 S 管理*

Hang dao shu jun
航道疏浚   [12D]
Waterway dredging
Navigation channel dred-
 ging
 Y 航道整治

Hang dao yu ji
航道淤积   [07C]
Navigation pass sedimen-
 tation
Navigable-pass sediment-
 ation
Navigation channel sedi-
 mentation
 S 淤积*

Hang dao zheng zhi
航道整治   [12D]

航道整治 [12D]
Waterway regulation
Navigation channel regu-
 lation
 D 航道疏浚
 C 港口清淤
   河道疏浚
   河道整治*
   机械疏浚

Hang kong ce liang
航空测量 [03A]
Aerial survey
 D 航测
 S 测量*
 C 航空遥感
   摄影测量
   遥测

Hang kong she ying
航空摄影 [03A]
Aerial photography
Aerophotography
 S 摄影*

Hang kong wu tan
航空物探 [03H]
Airborne geophysics
Airborne geophysical pr-
 ospecting
 S 地球物理勘探
 Z 地质勘探*

Hang kong yao gan
航空遥感 [19G]
Aerial remote sensing
 S 遥感*
 C 航空测量

Hang tian ce liang
航天测量 [03A]
Aerospace survey
 S 测量*

 C 地球卫星勘测
   航天遥感
   遥测

Hang tian she ying
航天摄影 [03A]
Space photography
 S 摄影*

Hang tian yao gan
航天遥感 [19G]
Space remote sensing
 D 卫星遥感
 S 遥感*
 C 地球卫星勘测
   航天测量

Hang yun
航运 [19C]
Shipping
Navigation

Hang yun gui hua
航运规划 [01C]
Navigation planning
 S 水利规划
 Z 规划*

Hang yun ji suan
航运计算 [01D]
Navigation calculation
 S 兴利计算
 Z 计算*

Hang yun xiao yi
航运效益 [00C]
Navigation benefit
 S 效益*

Hang che
行车 [14I]
Travelling crane
Bridge crane

Y 桥式起重机

Hang ju
行距   [20A]
Row distance
　D　排距
　S　距离*

Hang ye biao zhun
行业标准   [19D]
Trade standard
　D　部颁标准
　S　标准*

Hang shi ji
夯实机   [14I]
Rammer
Y 打夯机

Hang shi jia gu
夯实加固   [05P]
Ground tamping
Stabilization by compac-
tion
　D　压实加固
　S　挤密加固
　Z　加固*

Hao hui liang
耗灰量   [14F]
Consumption of cement
Cement consumption

Hao jiang liang
耗浆量   [14F]
Grout consumption

Hao yang xi shu
耗氧系数   [17A]
Oxygen consuming coeffc-
ient
　S　系数*

Hao miao bao po
毫秒爆破   [14K]
Split-second blasting
Millisecond blasting
　D　微差爆破
　S　控制爆破
　Z　爆破*

He an
河岸   [07B]
River bank

He an chong shua
河岸冲刷   [07B]
Bank erosion
　S　冲刷*
　C　库岸演变
　　　坍岸*

He an shi yi hong dao
河岸式溢洪道   [09F]
River bank spillway
　D　岸边式溢洪道
　F　侧槽式溢洪道
　　　虹吸式溢洪道
　　　井式溢洪道
　　　正槽式溢洪道
　S　溢洪道*
　C　开敞式溢洪道

He cao cao lü
河槽糙率   [07B]
Channel roughness
　D　河床糙率
　S　糙率*
　C　河床粗化
　　　明槽阻力

He cao heng duan mian
河槽横断面   [07B]
Cross section of channel
　S　横断面
　Z　断面*

He cao ji liu
河槽集流   [02C]
Concentration of channel
　Y　河道汇流

He chuan fang hong
河川防洪   [12B]
River flood control
　S　防洪*

He chuan guan li
河川管理   [12A, 16A]
River management
　Y　河道管理

He chuan jing liu
河川径流   [02C]
Stream runoff
　S　径流*

He chuang
河床   [07B, 18D]
River bed
　D　冲积河床
　C　冲积作用

He chuang bian xing
河床变形   [07B]
River bed deformation
　Y　河道演变

He chuang cao lü
河床糙率   [07B]
River bed roughness
　Y　河槽糙率

He chuang chong shua
河床冲刷   [07B]
River bed scour
　S　冲刷*

He chuang cu hua
河床粗化   [07B]

River bed armoring
　C　河槽糙率
　　河道淤积
　　明槽阻力

He chuang shi chang fang
河床式厂房   [10C]
River channel type pow-
　er-house
　S　水电站厂房
　Z　厂房*

He chuang shi shui dian
　zhan
河床式水电站   [10B]
Hydroelectric power pla-
　nt in river channel
Water power station in
　river channel
　S　水电站*

He chuang shi yan zhan
河床实验站   [02F]
River bed experiment st-
　ation
　S　水文实验站*

He chuang shi yi hong
　dao
河床式溢洪道   [09F]
Channel spillway
　S　溢洪道*

He chuang wen ding fen
　xi
河床稳定分析   [07B]
River bed stability ana-
　lysis
　S　稳定分析
　Z　分析(力学)*
　C　河道演变

He chuang xing tai

He chuang xing tai
河床形态   [07B]
River bed form
  D 河道形态
  C 河槽横断面
     河床纵断面

He chuang yan bian
河床演变   [07B]
Evolution of river bed
  Y 河道演变

He chuang zhi
河床质   [07A]
Bed material
  D 床沙
  S 泥沙*
  C 床沙质

He chuang zhi cai yang
  qi
河床质采样器   [02G]
Bed-material sampler
  S 泥沙采样器
  Z 取样器*

He chuang zhi ce yan
河床质测验   [02E]
Observation of bed mate-
  rial
  S 泥沙测验
  Z 观测*

He chuang zong duan mian
河床纵断面   [07B]
Longitudinal profile of
  river bed
  D 河床纵剖面
  S 纵断面
  Z 断面*
  C 河床形态

He chuang zong pou mian

河床纵剖面   [07B]
River-bed profile
  Y 河床纵断面

He chuang zu li
河床阻力   [07B]
River bed resistance
  Y 明槽阻力

He dao
河道*   [07B]
River course
River channel
  F 古河道
     天然河道
  C 河流*

He dao bian xing
河道变形   [07B]
River channel deformati-
  on
  Y 河道演变

He dao cai sha fei
河道采砂费   [00C]
River bed sand excavati-
  ng costs
  S 收费*

He dao ce liang
河道测量   [03E]
River course survey
  S 测量*

He dao cha kan
河道查勘   [01C]
River survey
  Y 河道调查

He dao chong shua
河道冲刷   [07C]
River erosion
  S 冲刷*

He dao chong yu
河道冲淤 [07C]
River desilting
　Y 河道清淤

He dao dao chuang
河道倒床 [07B]
River channel inversed
　　bed

He dao diao cha
河道调查 [02D]
River investigation
　D 河道查勘
　S 调查*

He dao duan liu
河道断流 [02A]
River course run dry

He dao gong cheng
河道工程 [12C]
River engineering
River course works
　F 护滩工程
　　控导工程
　　险工
　S 工程*
　C 防洪工程

He dao guan li
河道管理 [12A, 16A]
River management
Stream management
　D 河川管理
　S 管理*

He dao hui liu
河道汇流 [02C]
Concentration of channel
　D 河槽集流
　S 汇流
　Z 径流*

He dao qing yu
河道清淤 [07C]
River silt removing
　D 河道冲淤
　S 清淤*

He dao qing zhang
河道清障 [12B]
River channel cleaning

He dao shu jun
河道疏浚 [12C]
River dredging
　S 治河措施*
　C 航道整治
　　河道整治*
　　机械疏浚

He dao xing tai
河道形态 [07B]
Channel morphology
　Y 河床形态

He dao xu shui
河道蓄水 [07B]
River channel storage
　.S 蓄水*

He dao yan bian
河道演变 [07B]
Fluvial process
　D 河床变形
　　河床演变
　　河道变形
　C 河床稳定分析

He dao yan bian gui lü
河道演变规律 [07B]
Fluvial process pattern
　C 冲淤变化

He dao yu ji
河道淤积 [07C]

River channel sedimenta-
    tion
River channel aggradati-
    on
S 淤积*
C 地上悬河
    河床粗化

He dao zheng zhi
河道整治*   [12C]
River training
River regulation
F 河口整治
    交汇段整治
    浅滩整治
    桥渡处整治
    险滩整治
C 航道整治
    河道疏浚
    河势控制
    治河规划

He dao zheng zhi cuo shi
河道整治措施   [12C]
River regulation measure
Y 治河措施*

He duan
河段*   [18D]
River reach
Reach
F 测验河段
    分叉型河段
    感潮河段
    过渡性河段
    交汇河段
    上游河段
    顺直型河段
    弯曲型河段
    下游河段
    游荡型河段
    中游河段
C 河流*

He gang
河港   [13B]
River port
F 河口港
    内河港
S 港口*

He gong cai liao
河工材料   [15A]
River engineering mater-
    ial
S 工程材料
Z 材料*

He gong mo xing
河工模型   [06J]
Model of river engineer-
    ing
S 模型*

He gong mo xing shi yan
河工模型试验   [06J]
River model test
S 水工模型试验
Z 模型试验*

He gu
河谷   [18D]
River valley

He kou
河口*   [02K]
River mouth
Estuary
F 潮汐河口

He kou gang
河口港   [13B]
Estuarine harbour
S 河港
Z 港口*

He kou gong cheng

河口工程   [12C]
Estuarine project
  S 工程*

He kou hai an
河口海岸   [13A]
River mouth coast
Estuarine coast
  S 海岸*

He kou huan liu
河口环流   [06C]
Estuarine circulation
  S 环流
  Z 水流*

He kou liu lu
河口流路   [07B]
Estuarine channel
  D 入海流路
  C 主流摆动

He kou mo xing
河口模型   [06J]
Estuarial model
  S 水工模型
  Z 模型*

He kou ni sha
河口泥沙   [07A]
Estuarial sediment
  S 泥沙*
  C 河口淤积

He kou san jiao zhou
河口三角洲   [18D]
Estuarine delta

He kou sha zhou
河口沙洲   [07B]
Sand bar
  Y 拦门沙

He kou yu ji
河口淤积   [07C]
Estuary sedimentation
  S 淤积*
  C 河口泥沙

He kou zheng zhi
河口整治   [12C]
Regulation of river mou-
th
Regulation of estuary
  S 河道整治*

He liu
河流*   [18D]
Stream
River
  F 辫状河
     常流河
     冲积河流
     地上悬河
     多沙河流
     伏流
     干流
     国际河流
     季节性河流
     间歇河
     界河
     均衡河流
     内陆河
     平原河流
     山区河流
     先成河
     运河
     支流
  C 河道*
     河段*

He liu bi jiang
河流比降   [02K]
Gradient of river

He liu bing qing

河流冰情   [02A]
River ice condition
Ice condition of river
　Y　冰情

He liu di mao
河流地貌   [18D]
Stream geomorphy
　S　地貌*

He liu di zhi zuo yong
河流地质作用   [04A]
Fluvial geological proc-
　ess

He liu fen lei
河流分类   [02K]
River classification
　S　分类*

He liu fen shui
河流分水   [01D]
River water distribution
　D　河流水量分配
　S　水量分配
　Z　分配*

He liu feng dong
河流封冻   [02A]
Frozen over the river
　D　封河
　C　冰情

He liu jie dong
河流解冻   [02A]
Defrosting of river
Thawing of river
　D　开河
　C　冰情

He liu ni sha
河流泥沙   [07A]
River sediment

　S　泥沙*
　C　流域泥沙

He liu ni sha shi yan
河流泥沙实验   [02F]
Sediment experiment
　S　水文实验*

He liu shu sha
河流输沙   [07A]
Sediment transport in r-
　iver
　S　输沙*
　C　水力输沙

He liu shui liang fen
　pei
河流水量分配   [01D]
River water distribution
　Y　河流分水

He liu shui mian xian
河流水面线   [06C]
River surface profile
　S　水面曲线
　Z　曲线*

He liu shui wen
河流水温   [02A]
Stream water temperature
　S　水温
　Z　温度*

He liu shui zhi
河流水质   [02C, 17C]
River water quality
　S　水质
　Z　质量*

He liu shui zi yuan
河流水资源   [01A]
River water resources
　S　地表水资源

Z 水资源*

He liu wu ran
河流污染 [17B]
River pollution
Stream pollution
S 环境污染
Z 污染*

He liu xi duo
河流袭夺 [02K]
River capture

He man tan
河漫滩 [18D]
Washland
Alluvial flat
C 滩地

He shi
河势 [07B, 12A]
River regime
D 江势

He shi kong zhi
河势控制 [12C]
River regime control
S 控制*
C 河道整治*
治河措施*
主流摆动

He shui
河水 [01A]
River water
S 地表水
Z 水*

He shui dao guan
河水倒灌 [07B]
River water reverse flow

He wang

河网 [02K, 18D]
River network
C 河网地区
河网化规划
水系

He wang di qu
河网地区 [18D]
River network area
S 地区*
C 河网

He wang hua gui hua
河网化规划 [01C]
River network planning
S 水利规划
Z 规划*
C 河网

He wang hui liu
河网汇流 [02C]
Concentration of river
network
S 汇流
Z 径流*

He wu
河务 [12A]
River affairs
D 江务

He xi
河系 [02K]
River system
Y 水系

He xi diao cha
河系调查 [02D]
River system survey
D 水系调查
S 调查*

He xiang guan xi

河相关系   [07B]
River facies relation
River regime relation

He yuan
河源   [02K]
Source of river
River head

He cheng xian wei
合成纤维   [15J, 18C]
Synthetic fiber

He cheng xiang jiao
合成橡胶   [18C]
Synthetic rubber

He jin
合金   [15I]
Alloy
    C   合金钢

He jin gang
合金钢   [15I]
Alloy steel
    F   低合金钢
    S   钢*
    C   合金

He long
合龙   [14D]
Closure

He tong
合同*   [19A]
Contract
    F   施工合同

He tong guan li
合同管理   [19A]
Contract management
    S   管理*

He dian zhan
核电站   [19C]
Nuclear power plant

He gong ye
核工业   [19C]
Nuclear industry
    S   工业*
    C   能源工业

He yi xing
和易性   [15K]
Workability

He zai
荷载*   [08A]
Load
    D   载荷
    F   冰荷载
        等效荷载
        地震荷载
        动荷载
        分布荷载
        横向荷载
        活荷载
        极限荷载
        集中荷载
        剪切荷载
        校核荷载
        静荷载
        临界荷载
        疲劳荷载
        设计荷载
        竖向荷载
        水荷载
        瞬时荷载
        随机荷载
        温度荷载
        雪荷载
    C   荷载分布
        荷载试验

He zai fen bu

荷载分布 [08B]
Load distribution
  S 分布*
  C 荷载*

He zai shi yan
荷载试验 [08F]
Load test
Loading test
  S 试验*
  C 荷载*

He zai zu he
荷载组合 [08A]
Load combination

Hei se jin shu
黑色金属 [15I]
Ferrous metal
  S 金属*

Heng bo
横波 [18B]
Transversal wave
  D 压缩波
  S 波*

Heng duan mian
横断面 [08B]
Cross section
  F 河槽横断面
  S 断面*

Heng feng
横缝 [08E]
Transverse joint
  S 接缝
  Z 缝*
  C 结构缝
    施工缝

Heng he fang zhi
横河防治 [12C]

Transverse river regula-
  tion
  S 防治*

Heng la zha men
横拉闸门 [09D]
Drawing gate
  S 闸门*

Heng xiang he zai
横向荷载 [08A]
Lateral load
  S 荷载*
  C 侧压力

Heng xiang liu
横向流 [06A]
Cross flow
  S 水流*

Heng xiang shu sha
横向输沙 [07A]
Transverse transport of
  sediment
  S 输沙*

Heng xiang xie mian
sheng chuan ji
横向斜面升船机 [09K]
Transverse inclined shi-
  plift
  S 斜面升船机
  Z 升船机*

Heng xiang zhi cheng
横向支撑 [08C]
Transverse bracing
  S 支撑
  Z 结构*

Heng ding liu
恒定流 [06C]
Steady flow

D 稳定流
S 水流*

Heng ding shen liu
恒定渗流   [06G]
Steady seepage flow
D 稳定渗流
S 渗流*

Heng zai
恒载   [08A]
Permanent load
Y **静荷载**

Heng jia
桁架   [08C]
Truss
Y **桁架结构**

Heng jia gong shi du cao
桁架拱式渡槽   [11E]
Roof truss-arched flume
S 拱式渡槽
Z 渡槽*

Heng jia jie gou
桁架结构   [08C]
Truss structure
D 桁架
S 工程结构
Z 结构*

Hong fan qu
洪泛区   [12A]
Flood plain
S 地区*
C 分洪区
    蓄洪区
    滞洪区

Hong fan qu guan li
洪泛区管理   [12B]
Flood plain management

S 管理*

Hong feng
洪峰   [02C]
Peak flow
Peak discharge
Flood peak
Y **洪峰流量**

Hong feng jing liu
洪峰径流   [02C]
Peak runoff
D 洪水径流
S 径流*
C 洪峰流量

Hong feng liu liang
洪峰流量   [02C]
Peak flow
D 洪峰
S 流量*
C 洪峰径流

Hong feng liu liang mo
shu
洪峰流量模数   [02I]
Peak flow modulus
S 模数*

Hong ji ping yuan
洪积平原   [18D]
Deluvial plain
S 平原*
C 洪积扇

Hong ji shan
洪积扇   [18D]
Deluvial fan
C 洪积平原

Hong liang
洪量   [02C]
Flood volume

Y 洪水总量

Hong shui
洪水*   [02C]
Flood
　F　暴雨洪水
　　超标洪水
　　古洪水
　　溃坝洪水
　　历史洪水
　　流域洪水
　　融雪洪水
　　设计洪水
　　特大洪水
　C　洪水总量

Hong shui bao jing xi
　　tong
洪水报警系统   [12B]
Flood warning system
　S　报警系统
　Z　系统*

Hong shui bao xian
洪水保险   [12B]
Flood insurance
　D　防洪保险
　S　保险*

Hong shui bo
洪水波   [06I]
Flood wave
　S　波*

Hong shui diao cha
洪水调查   [02D]
Flood survey
Flood investigation
　F　历史洪水调查
　S　水文调查
　Z　调查*

Hong shui guo cheng xian

洪水过程线   [02C, 02I]
Flood hydrograph
　S　水文曲线
　Z　曲线*
　C　洪水计算

Hong shui ji suan
洪水计算   [02I]
Flood computation
　D　洪水演算
　S　水文计算
　Z　计算*
　C　防洪计算
　　洪水过程线

Hong shui jing liu
洪水径流   [02C]
Flood runoff
　Y　洪峰径流

Hong shui li shi
洪水历时   [02C]
Flood duration

Hong shui mo xing
洪水模型   [02I]
Flood model
　F　洪水预报模型
　S　水文模型
　Z　模型*

Hong shui ni sha
洪水泥沙   [07A]
Flood sediment
　S　泥沙*

Hong shui pin lü
洪水频率   [02H]
Flood frequency
　S　频率*
　C　历史洪水

Hong shui te xing

洪水特性   [02C]
Flood characteristic
  S 特性*

Hong shui wei
洪水位   [02C]
Flood stage
  F 校核洪水位
      设计洪水位
  S 水位*

Hong shui yan suan
洪水演算   [02I]
Flood routing
  Y 洪水计算

Hong shui yu bao
洪水预报   [02J]
Flood forecasting
  D 防洪预报
  F 区域洪水预报
      实时洪水预报
  S 水文预报
  Z 预报*

Hong shui yu bao mo xing
洪水预报模型   [02J]
Flood forecast model
  S 洪水模型
  Z 模型*

Hong shui zai hai
洪水灾害   [02B]
Flood disaster
  Y 水灾

Hong shui zong liang
洪水总量   [02C]
Flood volume
  D 洪量
  C 洪水*

Hong shui zu he

洪水组合   [02I]
Flood synthesis

Hong zai
洪灾   [02B]
Flood disaster
  Y 水灾

Hong zai diao cha
洪灾调查   [12A]
Flood disaster investig-
ation
  S 调查*

Hong nian tu
红粘土   [05B]
Red clay
Laterite
  S 特种土
  Z 土*

Hong rang gai liang
红壤改良   [11G]
Improvement of red soil
  S 土壤改良*

Hong tu
红土   [05B]
Laterite
  S 土*

Hong wai ce ju
红外测距   [03A]
Infra-red distance meas-
urement
  S 测距
  Z 测量*

Hong wai xian kan tan
红外线勘探   [03F]
Infra-red prospecting
  S 地质勘探*

Hong wai yao gan
红外遥感 [19G]
Infra-red remote sensing
  S 遥感*

Hong xi guan
虹吸管 [09H]
Siphon
  C 倒虹吸管

Hong xi shi jin shui kou
虹吸式进水口 [09G]
Siphon intake
  S 进水口*

Hong xi shi yi hong dao
虹吸式溢洪道 [09F]
Siphon spillway
  S 河岸式溢洪道
  Z 溢洪道*

Hou du
厚度* [19D]
Thickness
  F 冰厚

Hou ping jia
后评价 [20A]
Post-evaluation
  S 评价*

Hou zhang fa
后张法 [14G]
Post-tension method
  S 预加应力方法
  Z 方法*
  C 预应力砼

Hu an
护岸 [12C]
Bank protection
Bank paving
  C 护岸林

    护坡*

Hu an gong cheng
护岸工程 [13A]
Bank-protection works
  S 工程*

Hu an lin
护岸林 [12C, 19B]
Bank protection forest
  F 海岸防护林
  S 防护林*
  C 护岸

Hu di
护底 [12C]
River bed protection

Hu jiao
护脚 [12C]
Footing protection

Hu po
护坡* [09A]
Slope protection
Revetment
  F 坝护坡
      草皮护坡
      码头护坡
      抛石护坡
      砌石护坡
      渠道护坡
      砼块护坡
  C 防浪林
      护岸

Hu tan gong cheng
护滩工程 [12C]
Beach protection project
  S 河道工程
  Z 工程*
  C 浅滩整治

Hu tan
护坦   [09F]
Apron
　C　海漫

Hu die fa
蝴蝶阀   [09D]
Butterfly valve
　S　阀门*

Hu gan qi
互感器   [10J]
Multural inductor

Hu ku fang hong
湖库防洪   [12B]
Flood control of lake a-
　　nd reservoir
Lake and reservoir floo-
　　dproofing
　F　湖区防洪
　　　水库防洪
　S　防洪*

Hu po
湖泊*   [18D]
Lake
　F　冰川湖
　　　淡水湖
　　　季节性湖泊
　　　内陆湖
　　　盐湖

Hu po guan li
湖泊管理   [01B]
Lake management
　S　管理*

Hu po qing yu
湖泊清淤   [07C]
Lake silt removing
　S　清淤*

Hu po shui wen diao cha
湖泊水文调查   [02D]
Hydrologic survey of la-
　　ke
　S　水文调查
　Z　调查*

Hu po shui zhi
湖泊水质   [02C, 17C]
Lake water quality
　S　水质
　Z　质量*

Hu po shui zi yuan
湖泊水资源   [01A]
Water resources in lake
　S　地表水资源
　Z　水资源*

Hu po wu ran
湖泊污染   [17B]
Lake pollution
　S　环境污染
　Z　污染*

Hu po yu ji
湖泊淤积   [07C]
Lake sedimentation
　S　淤积*

Hu qu
湖区   [18D]
Lake region
　S　地区*

Hu qu fang hong
湖区防洪   [12B]
Lake flood control
　S　湖库防洪
　Z　防洪*

Hu shui
湖水   [01A]

Lake water
  S 地表水
  Z 水*

Hu xing gang zha men
弧形钢闸门   [09D]
Steel tainter gate
Steel radial gate
  S 钢闸门
      弧形闸门
  Z 闸门*

Hu xing zha men
弧形闸门   [09D]
Tainter gate
Radial gate
  F 弧形钢闸门
  S 闸门*

Hua dong mo ban
滑动模板   [14G]
Sliding form
Slip form
  F 液压滑动模板
  S 活动模板
  Z 模板*

Hua dong zha men
滑动闸门   [09D]
Sliding gate
  S 闸门*

Hua dong zhi zuo
滑动支座   [08E]
Sliding support
  S 支座*

Hua dong zhou cheng
滑动轴承   [19H]
Plain bearing
Sliding bearing
  S 轴承*

Hua fa
滑阀   [09D]
Slide valve
  S 阀门*

Hua po
滑坡*   [04C]
Landslide
Sliding
  F 冻融滑坡
      土质滑坡
      岩质滑坡
      重力滑坡
  C 边坡稳定性
      泥石流
      稳定安全系数
      涌浪

Hua po fang zhi
滑坡防治   [04C]
Slide prevention
  S 防治*

Hua po jian ce
滑坡监测   [16B]
Slide monitoring
  S 监测*
  C 水库坍岸
      岩体变位

Hua po yu bao
滑坡预报   [04C]
Slide forecast
  S 预报*

Hua xue dao shi yi hong
dao
滑雪道式溢洪道   [09F]
Ski-jump spillway
  D 挑流式溢洪道
  S 溢洪道*

Hua fei

化肥   [18C]
Chemical fertilizer

Hua he fan ying
化合反应   [18C]
Compound reaction
　S　化学反应*

Hua he wu
化合物*   [18C]
Compound
　F　氮化物
　　硫化物
　　氯化物
　　氰化物
　　无机化合物
　　氧化物
　　有机化合物

Hua tan
化探   [03H]
Geochemical exploration
　Y　地球化学勘探

Hua xue
化学*   [18C]
Chemistry
　F　地球化学
　　胶体化学
　　水化学
　　土壤化学

Hua xue chu li
化学处理   [18C]
Chemical treatment
　S　处理*

Hua xue fan ying
化学反应*   [18C]
Chemical reaction
　F　分解反应
　　化合反应
　　还原反应

　　氧化反应
　　置换反应

Hua xue gong ye
化学工业   [19C]
Chemical industry
　S　工业*

Hua xue guan jiang
化学灌浆   [14F]
Chemical injection
Chemical grouting
　F　环氧树脂灌浆
　S　灌浆*

Hua xue guan jiang cai
　liao
化学灌浆材料   [15J, 14F]
Chemical grouting mater-
　ial
Chemical grouting agent
　F　丙烯酰胺
　　铬木素
　　硅酸钠
　　聚氨酯
　　聚甲基丙烯酸甲酯
　　脲醛树脂
　S　灌浆材料
　Z　材料*

Hua xue hao yang liang
化学耗氧量   [17B]
Chemical oxygen demand
　D　COD

Hua xue jia gu
化学加固   [05P]
Chemical stabilization
　D　硅化加固
　S　加固*

Hua xue shi yan
化学试验   [18C]

Chemical test
  S　试验*

Hua xue tu rang gai
  liang
化学土壤改良　　　　　　[11G]
Chemical amelioration of
  soil
  S　土壤改良*

Hua xue xing zhi
化学性质*　　　　　　　[18C]
Chemical properties
  F　水化学性质

Hua xue yan
化学岩　　　　　　　　　[05L]
Chemical rock
  F　石灰岩
  S　沉积岩
  Z　岩石*

Hua gang yan
花岗岩　　　　　　　　　[05L]
Granite
  S　酸性岩
  Z　岩石*

Hua sheng
花生　　　　　　　　　　[19B]
Peanut
Ground nut

Huai he zhi li
淮河治理　　　　　　　　　[00A]
Regulating Huaihe
  Y　治淮

Huan bian liu
缓变流　　　　　　　　　[06C]
Gradually varied flow
  D　渐变流
  S　水流*

  C　急变流

Huan liu
缓流　　　　　　　　　　[06C]
Tranquil flow
  S　水流*

Huan ning ji
缓凝剂　　　　　　　　　[15C]
Set retarder
  S　外加剂*
  C　凝结时间

Huan jing
环境*　　　　　　　　　[17A]
Environment
  F　城市环境
    第二环境
    第一环境
    库区环境
    生态环境
    水环境

Huan jing bao hu
环境保护*　　　　　　　[17C]
Environmental protection
  F　水源保护
    水资源保护

Huan jing gong cheng
环境工程　　　　　　　　[17A]
Environmental engineeri-
  ng
  S　工程*

Huan jing jian ce
环境监测　　　　　　　　[17C]
Environmental monitoring
  F　水质监测
  S　监测*

Huan jing jiao yu
环境教育　　　　　　　　[17A]

Environmental education
S 教育*

Huan jing ke xue
环境科学   [17A]
Environmental science

Huan jing mo shi
环境模式   [17A]
Environmental pattern
    D 环境质量模式

Huan jing rong liang
环境容量   [17A]
Environmental assimilat-
    ing capacity
Environmental capacity

Huan jing shui li
环境水利   [17A]
Environmental hydraulic
    engineering
    F 城市环境水利
    S 水利*
    C 环境水文学

Huan jing shui li xue
环境水力学   [17A]
Environmental hydraulics
    S 水力学
    Z 力学*

Huan jing shui wen
环境水文   [02A]
Environmental hydrology
    S 水文*

Huan jing shui wen xue
环境水文学   [17A]
Environmental hydrology
    S 水文学*
    C 环境水利

Huan jing wu ran
环境污染   [17B]
Environmental pollution
    F 城市污染
       海洋污染
       河流污染
       湖泊污染
       水库污染
       土壤污染
    S 污染*
    C 第二环境
       公害

Huan jing xiao yi
环境效益   [19A]
Environmental benefit
    S 效益*
    C 水利工程评价

Huan jing yao gan
环境遥感   [19G]
Environment remote sens-
    ing
    S 遥感*

Huan jing ying xiang
环境影响*   [17A]
Environmental effect
Environmental impact
Environmental influence
    F 水利工程环境影响
    C 环境影响评价

Huan jing ying xiang
    ping jia
环境影响评价   [17A]
Environmental impact as-
    sessment
    S 评价*
    C 环境影响*

Huan jing zhi liang
环境质量   [17A]

Environmental quality
　S　质量*

Huan jing zhi liang mo
　shi
环境质量模式　　　　　[17A]
Environmental quality p-
　attern
　Y　环境模式

Huan liu
环流　　　　　　　　　　[06C]
Circulating current
Circulation flow
　D　回流
　F　河口环流
　S　水流*

Huan liu li lun
环流理论　　　　　　　　[06C]
Circulation theory
　S　理论*

Huan xiang ying li
环向应力　　　　　　　　[08B]
Circumferential stress
　Y　切向应力

Huan xing ban
环形板　　　　　　　　　[08D]
Ring-shap slab
　S　板*

Huan xing duan mian
环形断面　　　　　　　　[08B]
Annular section
　S　断面*

Huan yang sha jiang
环氧砂浆　　　　　　　　[15E]
Epoxy resin mortar
　S　砂浆*
　C　环氧树脂

Huan yang shu zhi
环氧树脂　　　　　　　　[15J]
Epoxide resin
Epoxy resin
Epoxylite
　C　环氧砂浆
　　　树脂砼

Huan yang shu zhi guan
　jiang
环氧树脂灌浆　　　　　　[14F]
Epoxy resin grouting
　S　化学灌浆
　Z　灌浆*

Huan yang shu zhi tong
环氧树脂砼　　　　　　　[15F]
Epoxy resin concrete
　Y　树脂砼

Huan re xi shu
换热系数　　　　　　　　[18B]
Heat-transfer coefficie-
　nt
　Y　传热系数

Huan tu jia gu
换土加固　　　　　　　　[05P]
Stabilization by replac-
　ement of soil
　S　加固*

Huan yuan fan ying
还原反应　　　　　　　　[18C]
Reduction reaction
　S　化学反应*

Huang di
荒地　　　　　　　　　　[18D]
Barren land

Huang mo hua
荒漠化　　　　　　　　　[11G]

Desertification
   D   沙漠化
   C   水土保持*

Huang shan
荒山   [18D]
Barren mountain

Huang he zhi li
黄河治理   [00A]
Regulating Huanghe
   Y   治黄

Huang tu
黄土   [05B]
Loess
   D   大孔土
   F   湿陷性黄土
   S   土*
   C   湿陷性

Huang tu di qu
黄土地区   [18D]
Loess area
Loess region
   S   地区*

Hui ba
灰坝   [09C]
Ash dam
   S   土坝
   Z   坝*

Hui se li lun
灰色理论   [18A]
Gray theory
   S   理论*

Hui tu
灰土   [15H]
Lime-soil

Hui bian

汇编   [19M]
Collection

Hui bian yu yan
汇编语言   [19F]
Assembly language
Assembler language
   S   程序语言*

Hui liu
汇流   [02C]
Concentration
   D   集流
   F   河道汇流
       河网汇流
       流域汇流
       坡面径流
   S   径流*

Hui liu can shu
汇流参数   [02I]
Concentration parameter
   D   集流参数
   S   参数*

Hui liu ji suan
汇流计算   [02I]
Concentration calculati-
on
   S   径流计算
   Z   计算*

Hui liu li lun
汇流理论   [02I]
Concentration theory
   S   理论*

Hui liu qu xian
汇流曲线   [02I]
Concentration curve
   S   水文曲线
   Z   曲线*

Hui gui fen xi
回归分析 [18A]
Regression analysis
　S　统计分析
　Z　分析(数学)*

Hui gui mo xing
回归模型 [18A]
Regression model
　S　数学模型
　Z　模型*

Hui liu
回流 [06C]
Concentration
　Y　环流

Hui liu qu
回流区 [06C]
Backflow region

Hui shui qu
回水区 [06C]
Backwater region
　Y　壅水区

Hui shui qu xian
回水曲线 [06C]
Back-water curve
　Y　壅水曲线

Hui shui ying xiang
回水影响 [09B]
Backwater effect
　C　变动回水区

Hui tan zhi shu
回弹指数 [05I]
Rebound index
　S　系数*

Hui tian
回填 [14C]

Backfilling
　S　填筑*

Hui tian guan jiang
回填灌浆 [14F]
Backfill grouting
　S　灌浆*

Hui yu
回淤 [07C]
Back silting
　S　淤积*

Hui tu
绘图* [03C]
Mapping
　F　计算机绘图
　C　测绘

Hui tu gong ju
绘图工具 [03C]
Drawing instrument

Hui yi
会议* [19M]
Conference
Meeting
　F　国际会议
　　区域性会议
　　全国会议
　　水电会议
　　水利会议
　　讨论会
　　学术会议

Hui yi ji yao
会议纪要 [19M]
Meeting summary

Hun he cai liao
混合材料 [15A]
Mineral admixture
　S　材料*

C 粉煤灰
　　硅粉
　　火山灰
　　矿渣

Hun he fa jie liu
混合法截流   [14D]
Mixed closure method
　S 截流*

Hun he jie gou
混合结构   [08C]
Compound structure
　Y 组合结构

Hun he liu
混合流   [06C]
Mixed flow
　S 水流*

Hun he mo xing
混合模型   [06J]
Combined model
　S 模型*

Hun he shi fang bo di
混合式防波堤   [13B]
Composite breakwater
　S 防波堤*

Hun he shi shui dian
　zhan
混合式水电站   [10B]
Mixed water power stati-
on
　S 水电站*

Hun he shui ni
混合水泥   [15B]
Blended cement
　S 硅酸盐水泥
　Z 水泥*

Hun he yan
混合岩   [05L]
Migmatite
　S 变质岩
　Z 岩石*

Hun liu beng
混流泵   [11F]
Mixed flow pump
　S 叶片泵
　Z 泵*

Hun liu shi shui lun ji
混流式水轮机   [10F]
Francis turbine
Mixed flow water turbine
　D 法兰西斯式水轮机
　S 反击式水轮机
　Z 水轮机*

Hun ning tu
混凝土   [15F]
Concrete
　Y 砼*

Hun shui yi zhong liu
浑水异重流   [06F]
Turbid density flow
　S 异重流
　Z 水流*

Hun zhuo du
浑浊度   [17C]
Turbidity

Huo cheng yan
火成岩   [05L]
Igneous rock
　D 岩浆岩
　F 超基性岩
　　火山岩
　　基性岩
　　碱性岩

侵入岩
蛇绿岩
酸性岩
中性岩
S　岩石*

Huo dian chang
火电厂   [19C]
Thermal power plant

Huo shan hui
火山灰   [15B]
Pozzolan
　C　混合材料
　　　火山灰水泥

Huo shan hui gui suan
　yan shui ni
火山灰硅酸盐水泥   [15B]
Portland pozzolan cement
　Y　火山灰水泥

Huo shan hui shui ni
火山灰水泥   [15B]
Portland pozzolan cement
　D　火山灰硅酸盐水泥
　S　硅酸盐水泥
　Z　水泥*
　C　火山灰

Huo shan yan
火山岩   [05L]
Volcanic rock
　D　喷出岩
　S　火成岩
　Z　岩石*

Huo dong ba
活动坝   [09C]
Movable dam
　S　坝*
　C　软材料坝

Huo dong dai
活动带   [04B]
Mobile zone
Mobile belt
　Y　褶皱带

Huo dong duan ceng
活动断层   [04B]
Active fault
　S　断层(地质)*
　C　地震*

Huo dong jiao zhi zuo
活动铰支座   [08E]
Movable hinged support
　S　铰支座
　Z　支座*

Huo dong mo ban
活动模板   [14G]
Portable form
Movable form
　F　顶升模板
　　　滑动模板
　　　爬升模板
　S　模板*

Huo he zai
活荷载   [08A]
Live load
　S　荷载*

Huo xing gu liao
活性骨料   [15D]
Reactive aggregate
　S　骨料*
　C　非活性骨料
　　　碱骨料反应

Huo ran lü
或然率   [18A]
Probability
　Y　概率

J

Ji an bo
击岸波 [06I]
Impinging wave
S 波*
C 涌浪

Ji shi du
击实度 [05F]
Degree of compaction
Y 压实度

Ji shi gong
击实功 [05F]
Compactive effort
Y 压实功

Ji shi qu xian
击实曲线 [05F]
Compaction curve
S 曲线*

Ji ben nong tian
基本农田 [19B]
Basic farmland
S 农田*

Ji chu
基础* [05N]
Foundation
D 基脚
F 沉井
单独基础
筏形基础
反拱基础
刚性基础
联合基础
浅基础
柔性基础
深基础
水下基础

桩基础
C 地基*

Ji chu ban
基础板 [05N]
Foundation slab

Ji chu chan ye
基础产业 [19A]
Basic industry
S 产业*

Ji chu chen jiang
基础沉降 [05N]
Foundation settlement
S 沉降*
C 地基沉降

Ji chu chu li
基础处理 [05P]
Foundation treatment
Y 地基加固

Ji chu guan jiang
基础灌浆 [14F]
Foundation grouting
F 岩基灌浆
S 灌浆*

Ji chu jie gou
基础结构 [05N]
Foundation structure
F 桩基结构
S 结构*

Ji chu liang
基础梁 [08D]
Footing beam
S 梁*

Ji chu she ji
基础设计 [05N]
Foundation design
S 设计*

Ji chu she shi
基础设施 [19A]
Basic installation

Ji chu yang ya li guan
ce
基础扬压力观测 [16B]
Uplift pressure observa-
tion
Y **扬压力观测**

Ji jiao
基脚 [05N]
Footing
Foundation
Y **基础***

Ji jin
基金* [19J]
Fund
F **防洪基金**
水利建设基金

Ji keng
基坑 [14C]
Foundation pit

Ji keng kai wa
基坑开挖 [14C]
Pit excavation
D **地基开挖**
S **开挖***
C **隧洞开挖**
土方开挖
岩石开挖

Ji keng pai shui
基坑排水 [14C]

Pit drainage
S **排水***
C **地基排水**

Ji liu
基流 [02C]
Base flow
S **径流***

Ji liu fen ge
基流分割 [02I]
Base flow separation

Ji xian
基线 [03A]
Basic line
Base line
Base

Ji xian ce liang
基线测量 [03A]
Base measurement
S **测量***

Ji xing yan
基性岩 [05L]
Basic rock
F **玄武岩**
S **火成岩**
Z **岩石***

Ji zhun liu yu
基准流域 [02K]
Benchmark basin
S **流域***

Ji bian liu
急变流 [06C]
Rapid varied flow
S **水流***
C **缓变流**

Ji liu

急流   [06C]
Rapid flow
　S　水流*

Ji chuang
机床   [19H]
Machine tool

Ji dian pai guan
机电排灌*   [11B]
Drainage and irrigation
　　by mechanical-electric
　　power
　F　电力排灌
　　　机械排灌

Ji dian pai guan zhan
机电排灌站   [11E]
Power-driven drainage a-
　　nd irrigation station
　Y　排灌站

Ji dian she bei
机电设备   [19H]
Electrical and mechanic-
　al equipment
　S　设备*

Ji dian she bei an zhuang
机电设备安装   [19H]
Electromechanical equip-
　　ment installation
　S　设备安装
　Z　安装*

Ji dian she bei guan li
机电设备管理   [16A]
Management of electrical
　　and mechanical equipment
　S　设备管理
　Z　管理*

Ji dian she ji

机电设计   [19H]
Electromechanical design
　S　设计*

Ji jing
机井   [04D]
Tube well
Screened well
　Y　渗水井

Ji ju
机具   [19H]
Equipment

Ji li
机理*   [19D]
Mechanism
　F　破坏机理
　　　污染机制

Ji lu
机率   [18A]
Probability
　Y　概率

Ji qi yu yan
机器语言   [19F]
Computer language
　S　程序语言*

Ji xie
机械*   [19H]
Machinery
　F　铲运机
　　　大型机械
　　　风力机械
　　　灌浆机
　　　木工机械
　　　碾压机械
　　　排灌机械
　　　破碎机
　　　起重机械
　　　施工机械

疏浚机械
水力机械
砼机械
推土机
挖掘机械
小型机械
压实机械
运输机械
制冷机械
中型机械
桩工机械

Ji xie gong ye
机械工业 [19C]
Mechanical industry
　S　工业*

Ji xie guan gai
机械灌溉 [11B]
Irrigation by mechanical
　power
　S　灌溉*
　C　抽水灌溉

Ji xie hua shi gong
机械化施工 [14B]
Mechanized construction
　D　施工机械化
　S　施工*

Ji xie mi feng
机械密封 [19H]
Mechanical seal
　S　密封*

Ji xie pai guan
机械排灌 [11B]
Drainage and irrigation
　by mechanical power
　S　机电排灌*

Ji xie qing yu
机械清淤 [12C]

Mechanical silt cleaning
　Y　机械疏浚

Ji xie shu jun
机械疏浚 [12C]
Mechanical dredging
　D　机械清淤
　S　治河措施*
　C　航道整治
　　　河道疏浚

Ji xie yi biao
机械仪表 [19I]
Mechanical gauge
　S　仪表*

Ji xie zhen dong
机械振动 [19H]
Mechanical vibration
　S　振动*

Ji xing xuan ze
机型选择 [19H]
Machine type selection
　S　选择*

Ji zhi
机制 [19D]
Mechanism

Ji zuo
机座 [19H]
Frame

Ji da liu liang
极大流量 [02I]
Maximum discharge
　Y　最大流量

Ji xian
极限 [18A]
Limit

Ji xian cheng zai li
极限承载力   [08B]
Ultimate bearing capaci-
ty
  S 承载力*

Ji xian he zai
极限荷载   [08A]
Ultimate load
Limit load
  S 荷载*

Ji xian he zai fa
极限荷载法   [08B]
Ultimate load method
  S 结构计算方法*

Ji xian ping heng fa
极限平衡法   [08B]
Limit equilibrium method

Ji xian qiang du
极限强度   [08B]
Ultimate strength
  S 强度(力学)*
  C 屈服极限
    容许应力

Ji xian zhuang tai
极限状态   [08B]
Ultimate state
  C 应力状态

Ji xiao liu liang
极小流量   [02I]
Minimum discharge
  Y 最小流量

Ji zhi
极值   [18A]
Extreme value
  S 数值*

Ji zhi fen bu
极值分布   [18A]
Extreme-value distribut-
ion
  S 分布*

Ji dian bao hu
继电保护   [10J]
Relay protection
  S 保护*
  C 继电器

Ji dian qi
继电器   [10J]
Electric relay
  C 继电保护

Ji fa ji hua fa
激发极化法   [03H]
Induced polarization me-
thod
IP method
  S 电法勘探
  Z 地质勘探*

Ji guang ce liang
激光测量   [03A]
Laser survey
  S 测量*

Ji guang ce liang yi qi
激光测量仪器   [03D]
Laser measuring instrum-
ent
  S 测绘仪器
  Z 仪器*

Ji guang po sui
激光破碎   [14C]
Laser breaking
  S 破碎*

Ji guang zhun zhi yi

激光准直仪   [16B]
Laser aligner
Laser collimater
　S　准直仪*

Ji hua
计划*   [19A]
Scheme
Plan
Project
　F　施工计划
　　　施工网络进度
　　　用水计划

Ji hua gong zuo
计划工作   [19A]
Project work

Ji hua guan li
计划管理   [19A]
Project management
Planned management
　S　管理*

Ji hua jing ji ti zhi
计划经济体制   [19A]
Planned economical syst-
　em
　S　经济体制
　Z　体制*

Ji liang ji shu
计量技术   [19D]
Measuring technique
　S　技术*

Ji liang yi biao
计量仪表   [19I]
Measuring instrument
　S　仪表*

Ji liang zhuang zhi
计量装置   [19I]

Measuring equipment
　S　装置*

Ji suan
计算*   [18A]
Computation
Calculation
　F　电能计算
　　　概算
　　　固结计算
　　　估算
　　　计算机计算
　　　简化计算
　　　结构计算
　　　近似计算
　　　决算
　　　配筋计算
　　　平差计算
　　　强度计算
　　　渗流计算
　　　数值计算
　　　水库计算
　　　水利计算
　　　水力计算
　　　水文计算
　　　水文水利计算
　　　调节保证计算
　　　土方计算
　　　稳定计算
　　　紊流计算
　　　预算

Ji suan fang fa
计算方法   [18A]
Computational method
　S　方法*

Ji suan fang fa
计算方法(数学)   [18A]
Computational method
　D　数值分析
　F　变分法
　　　边界元法

　　差分法
　　插值法
　　迭代法
　　有限元法
　　最小二乘法
　S　方法*

Ji suan gong shi
计算公式   [18A]
Computational formula
　S　公式*

Ji suan ji
计算机*   [19F]
Computer
　D　电脑
　　电子计算机
　F　大型计算机
　　单板计算机
　　单片处理机
　　个人计算机
　　巨型计算机
　　模拟计算机
　　数字计算机
　　微型计算机
　　小型计算机
　　中型计算机

Ji suan ji fu zhu she ji
计算机辅助设计   [19F]
Computer-aided design
　S　设计*
　C　计算机计算

Ji suan ji hui tu
计算机绘图   [19F]
Computer drawing
　S　绘图*

Ji suan ji ji shu
计算机技术   [19F]
Computer technique
　S　技术*

Ji suan ji ji suan
计算机计算   [19F]
Computer computing
　D　电算
　S　计算*
　C　计算机辅助设计

Ji suan ji jian suo
计算机检索   [19F]
Computer retrieval
Computer search
　S　检索*

Ji suan ji kong zhi
计算机控制   [19E, 19F]
Computer control
　S　控制*

Ji suan ji mo ni
计算机模拟   [19F]
Computer simulation
　S　模拟*

Ji suan ji ruan jian
计算机软件*   [19F]
Software
　D　程序系统
　F　系统软件
　　应用软件

Ji suan ji wang luo
计算机网络   [19F]
Computer network
　S　网络*

Ji suan ji xi tong
计算机系统   [19F]
Computer system
　S　系统*

Ji suan ji ying yong
计算机应用   [19F]
Computer application

F 微型机应用
S 应用*

Ji jie bian hua
季节变化   [20A]
Seasonal variation
S 变化*

Ji jie dong tu
季节冻土   [05B]
Seasonal frozen soil
Periodic frozen soil
S 冻土
Z 土*
C 多年冻土

Ji jie xing chu li
季节性出力   [10A]
Seasonal power
Seasonal output
S 出力*

Ji jie xing he liu
季节性河流   [18D]
Seasonal stream
D 非常流河
S 河流*

Ji jie xing hu po
季节性湖泊   [18D]
Seasonal lake
S 湖泊*

Ji tiao jie shui ku
季调节水库   [09B]
Seasonal regulating res-
  ervoir
S 调节水库
Z 水库*

Ji liao
集料   [15D]
Aggregate

Y 骨料*

Ji liu
集流   [02C]
Concentration
Y 汇流

Ji liu can shu
集流参数   [02I]
Parameter of collective
  flow
Collecting parameter
Y 汇流参数

Ji shui
集水*   [01B]
Reclaimed water
Water collection
F 路面集水
   屋面集水

Ji shui chi
集水池   [19C]
Catch-water basin
Sump basin
Y 蓄水池

Ji shui mian ji
集水面积   [02K]
Catchment area
Y 流域面积

Ji yu chuan
集鱼船   [09J]
Fish collection ship

Ji zhong he zai
集中荷载   [08A]
Cencentrated load
S 荷载*

Ji zhong kong zhi
集中控制   [19E]

Centralized control
  S 控制*

Ji zi
集资*   [19J]
Funds raising
Financing
Funds collecting
  F 工程集资

Ji zi ban dian
集资办电   [10A]
Electric industry by ra-
  ised funds

Ji liao ji
给料机   [14I]
Feeder
  D 喂料机

Ji shui du
给水度   [04D]
Water yield

Ji shui she ji
给水设计   [19C]
Water supply design
  Y 供水设计

Ji shui xi tong
给水系统   [19C]
Water supply system
  Y 供水系统

Ji lü
几率   [18A]
Probability
  Y 概率

Ji lu
记录   [19M]
Record

Ji lu qi
记录器   [02G]
Recorder unit
  Y 记录装置

Ji lu zhuang zhi
记录装置   [02G]
Recorder unit
  D 记录器
  S 装置*

Ji mi jia gu
挤密加固   [05P]
Stabilization by densif-
  ication
  F 爆破加固
    夯实加固
  S 加固*

Ji mi sha zhuang
挤密砂桩   [05N]
Sand compaction pile
  S 碎石桩
  Z 桩*

Ji ya dai
挤压带   [04B]
Compressive zone
  D 挤压构造带
  S 构造带*

Ji ya gou zao dai
挤压构造带   [04B]
Compressive tectonic zo-
ne
  Y 挤压带

Ji shu
技术*   [19A]
Technique
  F 安全技术
    坝抗震技术
    爆破技术

并行计算技术
操作技术
测量技术
测试技术
吹填技术
定向技术
多媒体技术
防冻技术
灌溉技术
焊接技术
计量技术
计算机技术
勘探技术
控制技术
模拟技术
模型技术
排水技术
取样技术
射流技术
摄影技术
施工技术
试验技术
疏浚技术
数字技术
水流显形技术
通信技术
网络计划技术
网络技术
新技术
遥测技术
遥感技术
栽培技术
诊断技术
制冷技术
筑坝技术
注浆堵水技术
自动化技术
钻井技术

Ji shu biao zhun
技术标准 [19D]
Technical standard
  S 标准*

Ji shu gai zao
技术改造* [19D]
Technical improvement
Technical reformation
  F 泵站技术改造
  C 技术革新

Ji shu ge xin
技术革新 [19D]
Technical innovation
  C 技术改造*

Ji shu guan li
技术管理 [19D]
Technical management
  S 管理*

Ji shu jian du
技术监督 [19D]
Technical monitoring

Ji shu jiao liu
技术交流 [19D]
Technical exchange
Technical communication
  C 技术协作

Ji shu jin bu
技术进步 [19D]
Technical improvement

Ji shu jing ji fen xi
技术经济分析 [19A]
Technical economic analysis
  S 分析*
  C 可行性研究

Ji shu jing ji zhi biao
技术经济指标 [19A]
Technical economic index
  F 泵站技术经济指标
  S 指标*

Ji shu she ji
技术设计   [19C]
Technological design
  S 设计*

Ji shu tui guang
技术推广   [19D]
Technical spreading

Ji shu wei xing
技术卫星   [19G]
Technology satellite
  S 卫星*

Ji shu xie zuo
技术协作   [19D]
Technical cooperation
  C 技术交流

Ji shu yin jin
技术引进   [19D]
Technical importation

Ji shu zheng ce
技术政策   [19D]
Technical policy
  S 政策*

Ji shu zhi cheng
技术职称   [19K]
Technical title

Ji shu zong jie
技术总结   [19D]
Technical summary
  S 总结*

Ji xue
积雪   [02C]
Snow cover

Jia cao cao shi yu dao
加糙槽式鱼道   [09J]

Roughening trough fishw-
  ay
  D 丹尼尔式鱼道
  S 鱼道*

Jia gong
加工*   [20B]
Manufacting
Processing
  F 金属加工
     信息加工

Jia gu
加固*   [19C]
Strengthening
Reinforcing
Reinforcement
  F 坝加固
     除险加固
     堤防加固
     地基加固
     冻结加固
     化学加固
     换土加固
     挤密加固
     铝化加固
     锚固
     排水加固
     岩栓加固
     岩体加固
     预压加固
     振动加固

Jia gu she ji
加固设计   [19C]
Reinforcing design
Strengthening design
  S 设计*

Jia jin tong
加筋砼   [15F]
Reinforced concrete
  F 钢筋砼

少筋砼
纤维砼
S 砼*

Jia jin tu
加筋土   [15H]
Reinforced earth

Jia jin tu ba
加筋土坝   [09C]
Reinforced earth dam
  S 土坝
  Z 坝*

Jia jin huan
加劲环   [08D]
Stiffener ring
  S 结构构件*

Jia qi ji
加气剂   [15C]
Air entraining agent
  Y 引气剂

Jia qi tong
加气砼   [15F]
Air entrained concrete
  Y 引气砼

Jia sha she bei
加沙设备   [06J]
Sand addition device
  S 设备*

Jia ceng shui
夹层水   [04D]
Bedded water
  Y 层间水

Jia die jie gou
架叠结构   [05B]
Flocculated structure
  Y 絮状结构(土力学)

Jia kong suo dao
架空索道   [14I]
Overhead cableway
Aerial cableway
  S 输送机*
  C 缆索起重机

Jia ge
价格*   [19A]
Price
  F 电价
     水价
     影子价格

Jia zhi fen xi
价值分析   [18A]
Value analysis
  S 分析*
  C 价值工程

Jia zhi gong cheng
价值工程   [14B]
Value engineering
  C 价值分析

Jia ning
甲凝   [14F]
Polymethylmethacrylate
  Y 聚甲基丙烯酸甲酯

Jian
碱   [18C]
Alkali

Jian du
碱度   [18C]
Alkalinity
  D 碱性
  C pH 值

Jian gu liao fan ying
碱骨料反应   [15D]
Alkali-aggregate reacti-

on
D 水泥骨料反应
C 低碱水泥
  含碱量
  活性骨料
  碳酸盐骨料

Jian tu
碱土   [11G]
Alkaline soil
  Y 碱性土壤

Jian xing
碱性   [18C]
Alkalinity
  Y 碱度

Jian xing tu
碱性土   [11G]
Alkaline soil
  Y 碱性土壤

Jian xing tu rang
碱性土壤   [11G]
Alkaline soil
  D 碱土
    碱性土
  S 土壤*

Jian xing yan
碱性岩   [05L]
Alkaline rock
  S 火成岩
  Z 岩石*

Jian bian guan
渐变管   [06B]
Gradually varied pipe

Jian bian liu
渐变流   [06C]
Gradually varied flow
  Y 缓变流

Jian cai gong ye
建材工业   [19C]
Building-material indus-
  try
  S 工业*

Jian zhu cai liao
建筑材料   [15A]
Building material
Construction material
  F 天然建筑材料
    新型建筑材料
    有机建筑材料
  S 材料*

Jian zhu cai liao xing
  neng
建筑材料性能   [15K]
Properties of construct-
  ion material
  S 材料性能
  Z 性能*

Jian zhu ce liang
建筑测量   [03E]
Architectural survey
  S 工程测量
  Z 测量*

Jian zhu gong cheng
建筑工程   [19C]
Construction engineering
Building engineering
  S 工程*
  C 建筑物*

Jian zhu she ji
建筑设计   [19C]
Architectural design
  S 设计*

Jian zhu wu
建筑物*   [19C]

Structure
  D 构筑物
  F 地下建筑物
     高层建筑物
     工业建筑物
     民用建筑物
     装配式建筑物
  C 建筑工程

Jian zhu wu fu zheng
建筑物扶正   [19C]
Building righting

Jian zhu wu lao hua
建筑物老化   [16A]
Structure deterioration
  S 老化*
  C 坝老化
     工程老化

Jian zhu wu wei xiu
建筑物维修   [19C]
Maintenance of structure
  S 维修*

Jian cao
键槽   [08E]
Key slot

Jian ce
监测*   [16B]
Monitoring
  F 安全监测
     滑坡监测
     环境监测
  C 监控

Jian ce xi tong
监测系统   [19E]
Monitoring system
  F 水力监测系统
  S 系统*

Jian ce zi liao
监测资料   [16B]
Monitoring data
  S 资料*
  C 观测资料

Jian du kong zhi
监督控制   [19E]
Monitor
Supervision
  Y 监控

Jian kong
监控   [19E]
Monitor
Supervision
  D 监督控制
  S 控制*
  C 监测*
     遥控

Jian cha
检查*   [20B]
Examination
Monitoring
  F 安全检查
     裂缝检查
     外部检查
     现场检查

Jian cha kong
检查孔   [14F]
Inspection hole

Jian cha lang dao
检查廊道   [09C]
Inspection gallery
  S 廊道*

Jian suo
检索*   [19M]
Retrieval
Search

F   计算机检索
　　手工检索
　　信息检索
　　专题检索
　　追溯检索
C   检索策略

Jian suo ce lue
检索策略   [19M]
Retrieval tactics
C   检索*

Jian xiu
检修   [19C]
Repair
Y   维修*

Jian xiu zha men
检修闸门   [09D]
Service gate
Bulkhead gate
S   闸门*
C   事故闸门

Jian yan
检验*   [19I]
Inspection
Test
F   无损检验

Jian ding
鉴定*   [19D]
Appraisement
Verification
Certification
F   质量鉴定

Jian ding shu
鉴定书   [19M]
Certificate

Jian duan ji pei
间断级配   [15D]

Gap grading
C   骨料级配

Jian duan yun xing
间断运行   [19A]
Discontinuous operation
S   运行*

Jian jie fei yong
间接费用   [19J]
Indirect charge
Indirect cost
S   费用*

Jian jie shui ji
间接水击   [06B]
Indirect hammer
S   水击*

Jian xie guan gai
间歇灌溉   [11B]
Intermittent irrigation
D   波涌灌溉
S   灌溉*
C   节水灌溉

Jian xie he
间歇河   [18D]
Intermittent stream
S   河流*

Jian duan ying li
尖端应力   [08B]
Point stress
S   应力*

Jian he
减河   [12C]
By-pass channel

Jian sha xiao yi
减沙效益   [00C]
Silt mitigation benefit

S 效益*

Jian shi cuo shi
减蚀措施   [11G]
Erosion control measures
S 措施*
C 水土保持措施

Jian shui ji
减水剂   [15C]
Plasticizer
Water reducing agent
D 塑化剂
F 高效减水剂
S 外加剂*

Jian ya cuo shi
减压措施   [20A]
Pressure reducing measu-
re
S 措施*

Jian ya fa
减压阀   [19H]
Relief valve
S 阀门*

Jian ya jing
减压井   [09L]
Relief well

Jian ya mo xing shi yan
减压模型试验   [06J]
Vacuum model test
S 模型试验*
C 减压箱

Jian ya xiang
减压箱   [06J]
Vacuum tank
C 减压模型试验

Jian yu cuo shi

减淤措施   [07C]
Sediment control measure
S 措施*

Jian zai
减灾   [19A]
Calamity reduction

Jian zu
减阻   [06A]
Friction reduction
Resistance reduction

Jian hua ji suan
简化计算   [18A]
Simplified compute
Simplified calculation
S 计算*

Jian jie
简介   [19M]
Summary
Brief introduction

Jian zhi ban
简支板   [08D]
Simple supported plate
S 板*

Jian zhi liang
简支梁   [08D]
Simple supported beam
S 梁*

Jian li
剪力   [08A]
Shear force
S 力*

Jian li qiang
剪力墙   [08D]
Shear wall
S 墙*

C 多层结构

Jian liu
剪流   [06A]
Shear flow
  Y 剪切流

Jian qie bian xing
剪切变形   [08B]
Shear deformation
  S 变形*

Jian qie bo
剪切波   [18B]
Shear wave
  Y 纵波

Jian qie dai
剪切带   [04B]
Shear zone
  S 构造带*

Jian qie he zai
剪切荷载   [08A]
Shear load
  S 荷载*

Jian qie liu
剪切流   [06A]
Shear flow
  D 剪流
  S 水流*

Jian qie mo liang
剪切模量   [08B]
Shear modulus
  F 动剪切模量
  S 模量*

Jian qie po huai
剪切破坏   [08B]
Shear failure
  F 冲压剪切破坏

S 破坏*
C 剪应力
   抗剪强度

Jian qie qiang du
剪切强度   [08B]
Shear strength
  Y 抗剪强度

Jian qie shi yan(tu li
  xue)
剪切试验(土力学)   [05K]
Shear test
  D 抗剪试验(土力学)
  F 不排水剪
     单剪试验
     固结不排水剪
     排水剪
     十字板剪切试验
     直剪试验
  S 试验*

Jian qie yi
剪切仪   [08F]
Shear meter
  S 测力计
  Z 仪器*

Jian ying bian
剪应变   [08B]
Shear strain
  S 应变*

Jian ying li
剪应力   [08B]
Shear stress
  S 应力*
  C 剪切破坏
     扭矩

Jian shi
溅蚀   [11G]
Raindrop erosion

Splash erosion
  S 侵蚀*
  C 水力侵蚀

Jian ying yan shi
坚硬岩石   [05L]
Hard rock
  S 岩石*
  C 软弱岩石

Jiang hua
讲话   [19M]
Speaking

Jiang jin
奖金   [19K]
Money award

Jiang li
奖励   [19K]
Reward

Jiang shi
江势   [12A]
River regime
  Y 河势

Jiang wu
江务   [12A]
River affairs
  Y 河务

Jiang xin zhou
江心洲   [07B]
Sand bar in middle of r-
  iver
  S 沙洲*

Jiang shui
降水*   [02C]
Precipitation
  F 雹暴
     地形性降水

     降雨
     可能最大降水
     前期降水
     人工降水
     特大降水
  C 降水量

Jiang shui fen bu
降水分布   [02C]
Precipitation distribut-
ion
Rainfall distribution
  D 降雨时空分布
  S 分布*

Jiang shui guan ce
降水观测   [02E]
Precipitation observati-
on
  S 水文测验
  Z 观测*

Jiang shui ji suan
降水计算   [02I]
Precipitation computati-
on
  S 水文计算
  Z 计算*

Jiang shui liang
降水量   [02C]
Precipitation
  S 水量*
  C 降水*

Jiang shui mo xing
降水模型   [02I]
Precipitation model
  F 暴雨模型
  S 水文模型
  Z 模型*

Jiang shui shi yan

降水实验   [02F]
Precipitation experiment
  S 水文实验*

Jiang shui wu ran
降水污染   [17B]
Rainfall pollution
  S 污染*
  C 酸雨

Jiang shui yu bao
降水预报   [02J]
Precipitation forecasti-
  ng
  S 水文预报
  Z 预报*

Jiang yu
降雨   [02C]
Rainfall
  D 降雨深
     雨
     雨量
  F 暴雨
     酸雨
  S 降水*
  C 降雨量
     降雨强度

Jiang yu jing liu
降雨径流   [02C]
Rainfall runoff
  F 暴雨径流
  S 径流*

Jiang yu li shi
降雨历时   [02C]
Rainfall duration

Jiang yu liang
降雨量   [02C]
Rainfall amount
  C 降雨

Jiang yu mian ji
降雨面积   [02C]
Rainfall area
  D 雨区
  S 面积*

Jiang yu pin lü
降雨频率   [02H]
Rainfall frequency

Jiang yu qiang du
降雨强度   [02C]
Rainfall intensity
  S 强度*
  C 降雨

Jiang yu shen
降雨深   [02C]
Rainfall depth
  Y 降雨

Jiang yu shi kong fen bu
降雨时空分布   [02C]
Time and space distribu-
  tion of rainfall
  Y 降水分布

Jiang ye
浆液   [14F]
Grout

Jiang ye pei bi
浆液配比   [14F]
Grout proportion

Jiao che
绞车   [14I]
Winch
  Y 卷扬机

Jiao xi shi wa ni chuan
绞吸式挖泥船   [12C]
Cutter suction dredger

S 挖泥船
Z 船*

Jiao dai yan
交代岩   [05L]
Metasomatie
S 变质岩
Z 岩石*

Jiao hui ce liang fa
交会测量法   [03A]
Intersection method
S 测量方法
Z 方法*

Jiao hui duan zheng zhi
交汇段整治   [12C]
Confluence reach regula-
tion
S 河道整治*

Jiao hui he duan
交汇河段   [07B]
Confluent section
S 河段*

Jiao liu dian fa kan tan
交流电法勘探   [03H]
Electromagnetic method
prospecting
S 电法勘探
Z 地质勘探*

Jiao tong
交通*   [19C]
Traffic
F 施工交通

Jiao tong lang dao
交通廊道   [09C]
Access gallery
S 廊道*

Jiao tong yun shu ye
交通运输业   [19C]
Traffic-transport indus-
try

Jiao he he zai
校核荷载   [08A]
Check load
S 荷载*

Jiao he hong shui wei
校核洪水位   [01D]
Exceptional flood level
S 洪水位
Z 水位*

Jiao jie
铰接   [08E]
Hinged joint
S 连接*

Jiao zhi zuo
铰支座   [08E]
Hinged support
F 固定铰支座
活动铰支座
S 支座*

Jiao jie wu
胶结物   [05L]
Cementing matter

Jiao ning cai liao
胶凝材料   [15A]
Cementing material
Cementitious material
S 材料*
C 石膏
石灰
水泥*

Jiao ru
胶乳   [15C]

Latex
  C 胶乳水泥砂浆

Jiao ru shui ni sha
  jiang
胶乳水泥砂浆   [15E]
Latex cement mortar
  S 砂浆*
  C 胶乳

Jiao ti
胶体   [18C]
Colloid

Jiao ti hua xue
胶体化学   [18C]
Colloidal chemistry
  S 化学*

Jiao yu
教育*   [19K]
Education
  F 环境教育
     普及教育
     职业教育
  C 教育管理

jiao yu guan li
教育管理   [19K]
Education management
  S 管理*
  C 教育*

Jie chu chong shua
接触冲刷   [06H]
Contact erosion
  S 冲刷*

Jie chu guan jiang
接触灌浆   [14F]
Contact grouting
  S 灌浆*

Jie chu ying li
接触应力   [08B]
Contact stress
  S 应力*

Jie di(dian)
接地(电)   [19H]
Grounding
Electrical earthing
Earthing

Jie feng
接缝   [08E]
Joint
  F 焊缝
     横缝
     结构缝
     施工缝
     砼接缝
     纵缝
  S 缝*
  C 节点

Jie feng guan jiang
接缝灌浆   [14F]
Joint grouting
  S 灌浆*

Jie he mian
接合面   [08E]
Interface
  Y 结合面

Jie kou(ji suan ji)
接口(计算机)   [19F]
Interface

Jie li qi
接力器   [10F]
Servomotor

Jie tou
接头   [08E]

Conjunction
Coupling
   Y 连接*

Jie zhuang
接桩   [05N]
Pile splicing
   S 打桩工程
   Z 工程*

Jie di
阶地   [18D]
Terrace

Jie duan bao gao
阶段报告   [19M]
Intermediate report
   S 报告*

Jie di chong shua
揭底冲刷   [07C]
Bed-exposed erosion
   S 冲刷*

Jie dian
节点   [08E]
Node
   D 结点
   C 接缝
       连接*

Jie dian wei yi
节点位移   [08B]
Node displacement
   S 位移*

Jie dian ying li
节点应力   [08B]
Node stress
   S 应力*

Jie li
节理   [04B]

Joint
   C 节理玫瑰图

Jie li mei gui tu
节理玫瑰图   [04B]
Rosette joint diagram
   C 节理

Jie li yan ti
节理岩体   [05L]
Jointing rock mass
   S 不连续岩体
   Z 岩体*

Jie liao cuo shi
节料措施   [15A]
Measure of saving material
   S 措施*

Jie liu fa
节流阀   [19H]
Throttle valve
   Y 调节阀

Jie neng cuo shi
节能措施   [19C]
Measure of saving energy
   S 措施*

Jie shui
节水*   [01B]
Water saving
   F 城市节水
       工业节水
       农业节水

Jie shui cuo shi
节水措施   [01B]
Measure of saving water
   S 措施*
   C 水重复利用率

Jie shui guan gai
节水灌溉   [11B]
Water saving irrigation
　S　灌溉*
　C　薄膜灌溉
　　　间歇灌溉
　　　喷灌
　　　湿润灌溉

Jie shui nong ye
节水农业   [19B]
Saving water agriculture
　S　农业*

Jie shui xiao yi
节水效益   [00C]
Water saving benefit
　S　效益*

Jie zhi zha
节制闸   [09D]
Regulator
　D　拦河闸
　S　水闸*

Jie dian
结点   [08E]
Node
　Y　节点

Jie gou
结构*   [08C]
Structure
　F　地下结构
　　　房屋结构
　　　工程结构
　　　基础结构
　　　抗震结构
　　　空间结构
　　　平面结构
　　　桥梁结构
　　　轻型结构
　　　上部结构

　　　水下结构
　　　土结构
　　　土壤结构
　　　下部结构
　　　斜拉结构
　　　岩体结构
　　　圆形结构
　C　结构型式

Jie gou cai liao
结构材料   [15A]
Structural material
　S　材料*
　C　钢*
　　　铝合金
　　　型钢

Jie gou dong li fen xi
结构动力分析   [08B]
Dynamic structural anal-
　ysis
　S　结构分析
　Z　分析(力学)*
　C　动力计算

Jie gou fen xi
结构分析   [08B]
Structural analysis
　F　非线性结构分析
　　　结构动力分析
　　　抗震分析
　　　应力分析
　S　分析(力学)*
　C　结构计算

Jie gou fen xi fang fa
结构分析方法   [08B]
Structural analysis met-
　hod
　Y　结构计算方法*

Jie gou feng
结构缝   [08E]

Structural joint
    D　永久缝
    F　沉降缝
　　　伸缩缝
　　　周边缝
    S　接缝
    Z　缝*
    C　横缝
　　　纵缝

Jie gou gang
结构钢　　　　　　　　　[15I]
Structural steel
    S　钢*

Jie gou gou jian
结构构件* 　　　　　　　[08D]
Structural member
    D　构件
    F　变截面构件
　　　钢筋砼构件
　　　钢丝网水泥构件
　　　工字形构件
　　　加劲环
　　　矩形截面构件
　　　连续结构构件
　　　受剪构件
　　　受拉构件
　　　受弯构件
　　　受压构件
　　　弹性构件
　　　砼构件
　　　弯扭构件
　　　预制构件
　　　组合截面构件
    C　板*
　　　梁*
　　　墙*
　　　柱*

Jie gou ji suan
结构计算　　　　　　　　[08B]
Structure calculation

    F　变形计算
　　　动力计算
　　　静力计算
　　　抗裂计算
　　　抗震计算
　　　内力计算
    S　计算*
    C　结构分析

Jie gou ji suan fang fa
结构计算方法*　　　　　　[08B]
Structure calculation m-
ethod
    D　结构分析方法
    F　纯拱法
　　　叠加法
　　　拱梁法
　　　光弹性法
　　　极限荷载法
　　　力法
　　　能量法
　　　柔度法
　　　塑性铰线法
　　　弯矩分配法
　　　位移法

Jie gou li xue
结构力学　　　　　　　　[08B]
Structural mechanics
    S　力学*

Jie gou mo xing
结构模型　　　　　　　　[08F]
Structure model
    F　光弹模型
　　　平面模型
　　　三维光弹模型
　　　整体结构模型
    S　模型*

Jie gou mo xing shi yan
结构模型试验　　　　　　[08F]
Structure model test

S 模型试验*

Jie gou she ji
结构设计   [08B]
Structural design
　S 设计*
　C 体型设计

Jie gou wen ding xing
结构稳定性   [08B]
Structural stability
　S 稳定性*

Jie gou xing shi
结构型式   [08C]
Structural form
　C 结构*

Jie he mian
结合面   [08E]
Interface
　D 接合面
　C 层面结合
　　破坏面

Jie he
界河   [18D]
Boundary river
　S 河流*
　C 国际河流

Jie xian han shui liang
界限含水量   [05C]
Atterberg limit
　Y 阿太堡界限*

Jie xian han shui liang
　shi yan
界限含水量试验   [05K]
Limit moisture content
　test
　F 塑限试验
　　缩限试验

液限试验
　S 试验*
　C 稠度试验

Jie liu
截流*   [14D]
Closure
River closure
　F 定向爆破截流
　　混合法截流
　　立堵法截流
　　平堵法截流

Jie liu mo xing shi yan
截流模型试验   [06J]
Closure model test
River-closure model test
　S 水工模型试验
　Z 模型试验*

Jie shui qiang
截水墙*   [05Q]
Cut-off wall
　D 地下防渗墙
　F 板桩截水墙
　　地下连续墙
　　沥青砼截水墙
　　粘土截水墙
　　砼截水墙

Jie xi fa
解析法   [18A]
Analytic method

Jin gang hang dao
进港航道   [12D]
Navigation entrance cha-
nnel
Entrance channel
　S 航道*
　C 引航道

Jin shui dao

进水道   [09G]
Inlet channel
   D 进水流道

Jin shui ge zha
进水格栅   [09G]
Trash screen
   Y 拦污栅

Jin shui jian zhu wu
进水建筑物   [09G]
Instake works
   Y 取水建筑物

Jin shui kou
进水口*   [09G]
Inlet
Intake
   F 虹吸式进水口
      井式进水口
      喇叭形进水口
      深式进水口
      水电站进水口

Jin shui liu dao
进水流道   [09G]
Inlet channel
   Y 进水道

Jin shui ta
进水塔   [09G]
Intake tower
   Y 取水塔

Jin shui zha
进水闸   [09D]
Intake sluice
Inlet sluice
   D 渠首闸
   S 水闸*
   C 取水建筑物

Jin gang shi zuan jin

金刚石钻进   [03G]
Diamond drilling
   S 钻进*

Jin shu
金属*   [15I]
Metal
   F 黑色金属
      有色金属
      重金属

Jin shu cai liao
金属材料   [15I]
Metallic material
   S 材料*

Jin shu chu xiu fang xiu
金属除锈防锈   [14J]
Rust removal and proof
   of metal

Jin shu duan lie
金属断裂   [15K]
Metal fracturing
   S 断裂*

Jin shu jia gong
金属加工   [19H]
Metal processing
   S 加工*
   C 切削

Jin shu jie gou
金属结构   [08C]
Metal structure
   F 钢结构
      水电站金属结构
   S 工程结构
   Z 结构*
   C 木结构

Jin shu jie gou an
  zhuang

金属结构安装　　　　　[14J]
Metal structure install-
ation
　　S　安装*

Jin shu li zi
金属离子　　　　　　　[18C]
Metallic ion
　　Y　阳离子

Jin shu tan shang
金属探伤　　　　　　　[19I]
Metal detection
Metal inspection
　　S　探伤*

Jin xiang fen xi
金相分析　　　　　　　[15L]
Metallographic examinat-
ion
　　S　分析*

Jin ren bao po
近人爆破　　　　　　　[14K]
Nearby blasting
　　S　爆破*

Jin si gong shi
近似公式　　　　　　　[18A]
Approximate formula
　　S　公式*
　　C　近似计算
　　　　经验公式

Jin si ji suan
近似计算　　　　　　　[18A]
Approximate calculation
　　S　计算*
　　C　近似公式

Jin run xian
浸润线　　　　　　　　[06G]
Phreatic line

Saturation line
Infiltration line

Jin run xian guan ce
浸润线观测　　　　　　[16B]
Phreatic line observati-
on
Saturation line observa-
tion
　　S　渗流观测
　　Z　观测*

Jin zi tong
浸渍砼　　　　　　　　[15F]
Impregnated concrete
　　D　聚合物浸渍砼
　　S　特种砼
　　Z　砼*
　　C　聚合物

Jin tie
津贴　　　　　　　　　[19K]
Subsidy
Allowance

Jing
井*　　　　　　　　　　[04D]
Water well
　　F　大口径井
　　　　辐射井
　　　　观测井
　　　　坎儿井
　　　　排水井
　　　　渗水井
　　　　小口径井
　　　　自流井

Jing dian bu zhi
井点布置　　　　　　　[04D]
Well point arrangement
　　S　布置*

Jing dian pai shui

井点排水   [14C]
Well point drain
  S 地基排水
  Z 排水*

Jing guan
井灌   [11B]
Well irrigation
  S 灌溉*
  C 抽水灌溉

Jing guan qu
井灌区   [11C]
Well irrigation district
  S 灌区
  Z 地区*
  C 井渠联合运用

Jing jia
井架   [03G]
Headframe
  D 钻塔

Jing liu xiao neng
井流消能   [06H]
Well-flow energy dissip-
  ation
  S 消能*

Jing lou
井漏   [03G]
Loss of well
  S 孔内事故
  Z 事故*

Jing qu lian he yun yong
井渠联合运用   [11C]
Well-canal combined ope-
  ration
  S 联合运用
  Z 运用*
  C 井灌区
      渠灌区

Jing shi jin shui kou
井式进水口   [09G]
Shaft intake
  S 进水口*

Jing shi tiao ya shi
井式调压室   [10E]
Surge shaft
  Y 调压井

Jing shi yi hong dao
井式溢洪道   [09F]
Shaft spillway
  D 漏斗式溢洪道
  S 河岸式溢洪道
  Z 溢洪道*

Jing tong ji chu
井筒基础   [14L, 05N]
Well foundation
Shaft foundation
  Y 沉井

Jing xia luo wu
井下落物   [03G]
Lost tool
  S 孔内事故
  Z 事故*

Jing yong beng
井用泵   [11F]
Well pump
  F 长轴井泵
      浅井泵
      深井泵
  S 水泵
  Z 泵*

Jing ding jie gou
静定结构   [08C]
Statically determinate
  structure
  S 工程结构

Z 结构*

Jing he zai
静荷载   [08A]
Static load
   D 恒载
   S 荷载*

Jing li chu tan
静力触探   [05K]
Static sounding
   D 静力贯入
   S 触探*
   C 动力触探

Jing li guan ru
静力贯入   [05K]
Static penetration
   Y 静力触探

Jing li ji suan
静力计算   [08B]
Static calculation
   S 结构计算
   Z 计算*

Jing li xue mo xing shi
  yan
静力学模型试验   [08F]
Static model test
   S 模型试验*

Jing shui chen jiang
静水沉降   [07A]
Still-water settlement
   S 沉降*

Jing shui chi
静水池   [09I]
Stilling basin
   Y 消力池

Jing shui ya li

静水压力   [06A]
Static pressure
   S 水压力
   Z 压力*

Jing tai tou zi
静态投资   [19A]
Static investment
   S 投资*

Jing zhi tu ya li
静止土压力   [05J]
Earth pressure at rest
   S 土压力
   Z 压力*

Jing zhi tu ya li xi shu
静止土压力系数   [05J]
Coefficient of earth pr-
  essure at rest
   S 土压力系数
   Z 系数*

Jing fei
经费   [19J]
Fund
Cost

Jing ji
经济*   [19A]
Economy
   F 防洪经济
      国民经济
      库区经济
      流域经济
      农村经济
      农业经济
      区域经济
      水利经济

Jing ji bi jiao
经济比较   [19A]
Economic comparison

S 比较*

Jing ji diao du
经济调度 [19A]
Economic regulation
　　S 调度*
　　C 经济运行

Jing ji duan mian
经济断面 [08B]
Economic section
　　S 断面*

Jing ji fa gui
经济法规 [19A]
Economic law
　　S 法规*

Jing ji fen xi
经济分析 [19A]
Economic analysis
　　F 防洪经济分析
　　　灌溉经济分析
　　　排水经济分析
　　　投入产出分析
　　S 分析*

Jing ji gou
经济沟 [19B]
Economic gully
　　S 山沟*

Jing ji guan li
经济管理 [19A]
Economic management
　　S 管理*

Jing ji lin
经济林 [19B]
Economic forest

Jing ji te qu
经济特区 [19A]

SEZ
Special Economic Zone
　　S 地区*
　　C 开放城市

Jing ji ti zhi
经济体制 [19A]
Economical system
　　F 计划经济体制
　　　市场经济体制
　　S 体制*

Jing ji xiao yi
经济效益 [19A]
Economic benefit
　　S 效益*
　　C 投资效益

Jing ji yang cheng
经济扬程 [11E]
Economical lift
Economical head

Jing ji yun xing
经济运行 [19A]
Economic operation
　　S 运行*
　　C 经济调度

Jing ji zheng ce
经济政策 [19A]
Economic policy
　　S 政策*

Jing ji zuo wu
经济作物 [19B]
Industrial crop
Cash crop
　　S 作物*

Jing wei yi
经纬仪 [03D]
Transit

Theodolite
   S   测绘仪器
   Z   仪器*

Jing yan gong shi
经验公式   [18A]
Empirical formula
Experiential formula
   S   公式*
   C   近似公式

Jing yan pin lü
经验频率   [02H]
Experience frequency
   S   频率*

Jing ying
经营*   [19A]
Management
   F   综合经营

Jing ying guan li
经营管理   [19A]
Management
   S   管理*

Jing hua
净化*   [17C]
Cleaning
Purification
   F   生物净化
       水净化
       自净

Jing xiao yi
净效益   [19A]
Net benefit
   S   效益*

Jing yu
净雨   [02I]
Net rainfall
   Y   有效降雨量

Jing liu
径流*   [02C]
Runoff
   F   地表径流
       地下径流
       固体径流
       河川径流
       洪峰径流
       汇流
       基流
       降雨径流
       枯季径流
       年径流
       融雪径流
   C   产流
       自净

Jing liu bian hua
径流变化   [02I]
Variation of runoff
   S   变化*

Jing liu chang
径流场   [02F]
Runoff plot

Jing liu guan ce
径流观测   [02E]
Runoff observation
   S   流量测验
   Z   观测*

Jing liu guo cheng xian
径流过程线   [02I]
Runoff hydrograph
   Y   流量过程线

Jing liu ji suan
径流计算   [02I]
Runoff computation
   D   流量演算
   F   产流计算
       汇流计算

年径流计算
S 水文计算
Z 计算*

Jing liu mo shu
径流模数 [02I]
Runoff modulus
S 模数*

Jing liu mo xing
径流模型 [02I]
Runoff model
D 流量模型
S 水文模型
Z 模型*

Jing liu shen
径流深 [02I]
Runoff depth

Jing liu shi shui dian zhan
径流式水电站 [10B]
Runoff river water power station
Runoff river hydroelectric power plant
S 水电站*

Jing liu shi yan
径流实验 [02F]
Runoff experiment
S 水文实验*

Jing liu shi yan zhan
径流实验站 [02F]
Runoff experimental station
S 水文实验站*

Jing liu sun shi
径流损失 [02C]
Loss of runoff

S 损失*

Jing liu tiao jie
径流调节 [01D]
Runoff regulation
S 调节*

Jing liu tu
径流图 [02E]
Runoff chart
S 图*

Jing liu yu bao
径流预报 [02J]
Runoff forecasting
D 流量预报
S 水文预报
Z 预报*

Jing liu zi liao xi lie
径流资料系列 [02H]
Run-off series
S 水文资料系列*

Jing xiang ying li
径向应力 [08B]
Radial stress
S 应力*
C 切向应力

Jing mi ce liang
精密测量 [03A]
Precise survey
S 测量*

Jing shen wen ming jian she
精神文明建设 [19L]
Ethical values construction
Spiritual values construction

Jiu ye
就业   [19K]
Employment

Ju an zhi
聚氨酯   [14F]
Polyurethane
   D 氰凝
   S 化学灌浆材料
   Z 材料*

Ju he wu
聚合物   [15J]
Polymer
   C 浸渍砼
      聚合物砂浆
      聚合物水泥砂浆
      聚合物水泥砼

Ju he wu jin zi tong
聚合物浸渍砼   [15F]
Polymer impregnated con-
crete
   Y 浸渍砼

Ju he wu sha jiang
聚合物砂浆   [15E]
Polymer mortar
   S 砂浆*
   C 聚合物

Ju he wu shui ni sha
jiang
聚合物水泥砂浆   [15E]
Polymer cement mortar
   S 砂浆*
   C 聚合物

Ju he wu shui ni tong
聚合物水泥砼   [15F]
Polymer cement concrete
   S 特种砼
   Z 砼*

   C 聚合物

Ju jia ji bing xi suan
jia zhi
聚甲基丙烯酸甲酯   [14F]
Polymethylmethacrylate
   D 甲凝
   S 化学灌浆材料
   Z 材料*

Ju bu chong shua
局部冲刷   [06H]
Local scour
   S 冲刷*
   C 冲刷坑
      冲刷深度

Ju bu jia cu zhuang
局部加粗桩   [05N]
Local enlarged pile
   S 桩*

Ju bu shui tou sun shi
局部水头损失   [06A]
Local head loss
Local loss
   S 水头损失
   Z 损失*

Ju bu ying li
局部应力   [08B]
Local stress
   S 应力*

Ju yu wang
局域网   [19F]
Local area network
   S 网络*

Ju chuan ji
举船机   [09K]
Ship lift
   Y 升船机*

Ju feng
飓风   [02B]
Hurricane
  Y 台风

Ju li
距离*   [20B]
Distance
  F 管距
    行距
    孔距
    桩距

Ju li ce liang
距离测量   [03A]
Distance measurement
  Y 测距

Ju min xu shui liang
居民需水量   [19C]
Domestic water demand
  S 需水量
  Z 水量*

Ju xing duan mian
矩形断面   [08B]
Rectangular section
  S 断面*

Ju xing jie mian gou
  jian
矩形截面构件   [08D]
Rectangular section mem-
ber
  S 结构构件*
  C 受弯构件
    受压构件

Ju xing yan
矩形堰   [06D]
Rectangular weir
  S 堰*

Ju zhen fa fen xi
矩阵法分析   [18A]
Matrix method analysis
  S 分析(数学)*

Ju xing ji suan ji
巨型计算机   [19F]
Giant computer
  S 计算机*

Juan yang ji
卷扬机   [14I]
Winch
  D 绞车
  C 过木机
    升船机*

Juan yang shi qi bi ji
卷扬式启闭机   [09D]
Cable gate hoist
  S 启闭机*

Jue ce(shu xue)
决策(数学)   [18A]
Decision

Jue ce zhi chi xi tong
决策支持系统   [19E]
Decision support system

Jue ding
决定   [19M]
Decision

Jue suan
决算   [19J]
Final account
  S 计算*

Jue jin ji
掘进机   [14I]
Tunneller
  D 隧洞掘进机

F 分断面掘进机
　　全断面掘进机
S 挖掘机械
Z 机械*

Jue re wen sheng
绝热温升   [15K]
Adiabetic temperature r-
ise
S 温升*
C 砼温度应力

Jue yuan qi jian
绝缘器件   [19H]
Insulating device

Jun bu he zai
均布荷载   [08A]
Uniform load
Uniformly distributed l-
oad
　Y 分布荷载

Jun heng he liu
均衡河流   [07B]
Graded river
S 河流*

Jun yun chen jiang
均匀沉降   [05M]
Uniform settlement
S 沉降*

Jun yun liu
均匀流   [06C]
Uniform flow
S 水流*

Jun yun sha
均匀沙   [07A]
Uniform silt
S 泥沙*

Jun yun shui ya li
均匀水压力   [06A]
Uniform water pressure
S 水压力
Z 压力*

Jun yun xing
均匀性   [20A]
Uniformity

Jun zhi di ji
均质地基   [05M]
Homogeneous foundation
S 地基*
C 非均质地基

Jun zhi tu
均质土   [05B]
Homogeneous soil
S 土*
C 非均质土

Jun zhi tu ba
均质土坝   [09C]
Homogeneous earth dam
D 单种土质坝
S 土坝
Z 坝*
C 分区土坝

Jun gong ce liang
竣工测量   [03E]
Finish construction sur-
vey
S 工程测量
Z 测量*

Jun gong she ji
竣工设计   [14A]
Project finish design
S 设计*

K

Ka che
卡车 [19C]
Truck
　Y 载重汽车

Ka pu lan shui lun ji
卡普兰水轮机 [10F]
Kaplan turbine
　Y 转桨式水轮机

Ka si te
喀斯特 [04D]
Karst
　Y 岩溶

Ka si te di xing
喀斯特地形 [18D]
Karst geomorphy
Karst topography
　Y 岩溶地貌

Ka si te shui
喀斯特水 [04D]
Karst water
　Y 岩溶水

Kai chang shi yi hong
　dao
开敞式溢洪道 [09F]
Open spillway
　S 溢洪道*
　C 河岸式溢洪道

Kai fa
开发* [20B]
Exploitation
Development
　F 流域开发
　　水资源开发
　　滩涂开发

梯级开发
综合开发

Kai fa xing yi min
开发性移民 [19A]
Development migration
　S 移民*

Kai fang cheng shi
开放城市 [18D]
Open city
　S 城市*
　C 经济特区

Kai gou ji
开沟机 [14I]
Trench digger
Trencher
Ditcher
　Y 挖沟机

Kai guan zhan
开关站 [10J, 19C]
Switch yard
Switch station

Kai he
开河 [02A]
River opening
　Y 河流解冻

Kai wa
开挖* [14C]
Excavation
　D 挖掘
　F 爆破开挖
　　边坡开挖
　　冻土开挖
　　基坑开挖
　　渠道开挖

全断面开挖
水力开挖
水下开挖
隧洞开挖
土方开挖
岩石开挖

Kan ce
勘测*   [03A]
Reconnaissance
   F 地球卫星勘测

Kan ce bao gao
勘测报告   [03F]
Exploration report
   S 报告*

Kan cha
勘察*   [03F]
Reconnaissance
   D 普查
   F 坝址踏勘
      地质勘察

Kan tan gong cheng
勘探工程   [03G]
Exploration survey engi-
  neering
Exploration engineering
   F 槽探
      洞探
      坑探
      钻探
   S 工程*

Kan tan ji shu
勘探技术   [03G]
Exploration technique
   S 技术*

Kan er jing
坎儿井   [11E]
Kanr well

S 井*
   渠道*
C 地下渠道

Kang ba qiang du
抗拔强度   [08B]
Pull-out strength
   S 强度(力学)*

Kang chong shua xing
抗冲刷性   [15K]
Erosion resistance

Kang dong cuo shi
抗冻措施   [14B]
Frost resisting measure
   S 措施*

Kang dong rong xing
抗冻融性   [15K]
Freezing and thawing re-
  sistance
   Y 抗冻性

Kang dong xing
抗冻性   [15K]
Frost resistance
   D 抗冻融性

Kang fen san xing
抗分散性   [15K]
Disperse resistance
   C 水下砼

Kang gan shi xing
抗干湿性   [15K]
Wetting and drying resi-
  stance

Kang han
抗旱   [11A]
Drought resisting
Drought relief

C 旱灾

Kang hong qiang xian
抗洪抢险 [12B]
Flood fighting
Fight against the flood
emergency
C 堤防加固
防洪调度
防汛组织

Kang hua wen ding
抗滑稳定 [08B]
Stability against slidi-
ng
C 坝设计

Kang hua zhuang
抗滑桩 [05N]
Anti-sliding pile
S 桩*

Kang jian qiang du
抗剪强度 [08B]
Shear strength
D 剪切强度
抗切强度
S 强度(力学)*
C 剪切破坏
孔隙水压力
内聚力
内摩擦角

Kang jian qiang du shi
yan
抗剪强度试验 [08F]
Shear strength test
S 强度试验
Z 试验*

Kang jian shi yan(tu li
xue)
抗剪试验(土力学) [05K]

Shear test
Y 剪切试验(土力学)

Kang kong shi xing
抗空蚀性 [15K]
Cavitation resistance

Kang la qiang du
抗拉强度 [08B]
Tensile strength
D 抗张强度
S 强度(力学)*
C 砼极限拉伸

Kang lao hua xing
抗老化性 [15K]
Aging resistance

Kang lie ji suan
抗裂计算 [08B]
Crack computation
S 结构计算
Z 计算*

Kang lie qiang du
抗裂强度 [08B]
Crack strength
S 强度(力学)*

Kang lie xing
抗裂性 [15K]
Cracking resistance
C 断裂韧度

Kang liu suan yan gui
suan yan shui ni
抗硫酸盐硅酸盐水泥 [15B]
Sulfate resisting cement
Y 抗硫酸盐水泥

Kang liu suan yan shui
ni
抗硫酸盐水泥 [15B]

Sulfate resisting cement
  D 抗硫酸盐硅酸盐水泥
  S 硅酸盐水泥
  Z 水泥*

Kang mo shi yan
抗磨试验 [08F]
Abrasion test
  S 力学性能试验
  Z 试验*

Kang mo xing
抗磨性 [15K]
Abrasion resistance

Kang qie qiang du
抗切强度 [08B]
Shear strength
  Y **抗剪强度**

Kang qin shi xing
抗侵蚀性 [15K]
Corrosion resistance

Kang qing fu xing
抗倾覆性 [08B]
Anti-tiltability
  C 稳定分析
      稳定性*

Kang shen xing
抗渗性 [15K]
Impermeability
  Y 渗透性

Kang wan qiang du
抗弯强度 [08B]
Bending strength
Flexural strength
  F 斜截面强度
  S 强度(力学)*
  C 弯曲破坏
      弯曲应力

Kang ya qiang du
抗压强度 [08B]
Compression strength
  S 强度(力学)*

Kang ya qiang du shi yan
抗压强度试验 [08F]
Compressive strength te-
  st
  S 强度试验
  Z 试验*

Kang zai
抗灾 [19A]
Calamity resistance

Kang zhang qiang du
抗张强度 [08B]
Tensile strength
  Y **抗拉强度**

Kang zhen
抗震 [08B]
Earthquake resistance
Seismic resistance

Kang zhen fen xi
抗震分析 [08B]
Aseismic analysis
  S 结构分析
  Z 分析(力学)*

Kang zhen ji suan
抗震计算 [08B]
Aseismic calculation
  S 结构计算
  Z 计算*
  C 地震荷载

Kang zhen jie gou
抗震结构 [08C]
Earthquake resistant st-
  ructure

S 结构*

Kang zhen she ji
抗震设计 [08B]
Aseismic design
　F 坝抗震设计
　S 设计*

Kang zhen xing neng
抗震性能 [08B]
Earthquake resistant be-
havior
　S 性能*
　C 动力特性

Kao cha
考察 [20B]
Tour of observation
Investigation

Kao cha bao gao
考察报告 [19M]
Investigation report
　F 出国考察报告
　S 报告*

Kao cha zi liao
考察资料 [19M]
Investigation material
　F 出国考察资料
　S 资料*

Kao he
考核 [20B]
Examination

Ke chi xu fa zhan
可持续发展 [19A]
Sustained development

Ke kao du
可靠度 [20A]
Reliability

Ke kao xing
可靠性* [20A]
Reliability
　F 运行可靠性
　C 破坏分析

Ke neng zui da bao yu
可能最大暴雨 [02C]
Probable maximum storm
　S 设计暴雨
　Z 降水*

Ke neng zui da hong shui
可能最大洪水 [02C]
PMF
Probable maximum flood
　S 设计洪水
　Z 洪水*
　C 可能最大降水

**Ke neng zui da jiang
shui**
可能最大降水 [02C]
PMP
Probable maximum precip-
itation
　S 降水*
　C 可能最大洪水

Ke ni shi shui lun ji
可逆式水轮机 [10F]
Reversible pump-turbine
　D 水泵水轮机
　S 水轮机*

Ke xing xing
可行性 [20A]
Feasibility

Ke xing xing yan jiu
可行性研究 [19A]
Feasibility study
　S 研究*

C 财务分析
   风险分析
   技术经济分析

Ke ya suo liu ti
可压缩流体   [18B]
Compressible fluid
   S 流体*

Ke yong xing
可用性   [20A]
Utility
Applicability

Ke ji bao gao
科技报告   [19M]
Scientific and technical
   report
   S 报告*

Ke ji cheng guo
科技成果   [19D]
Scientific and technical
   achievement
   S 成果*

Ke ji qing bao gong zuo
科技情报工作   [19M]
Scientific and technical
   information work

Ke jiao xing guo
科教兴国   [19A]
Prosperity of the nation
   with science and educatio

Ke jiao xing shui
科教兴水   [00A]
Water industry prospered
   by science and education

Ke xue yan jiu
科学研究   [19D]

Scientific research
Scientific study
   Y 科研

Ke yan
科研   [19D]
Research
Scientific study
   D 科学研究
   S 研究*

Ke yan guan li
科研管理   [19D]
Scientific research man-
   agement
   S 管理*

Ke yan ji gou
科研机构   [19D]
Scientific research org-
   anization

Ke la ke zhi
克拉克值   [04A]
Clark value
   S 数值*

Ke li cai liao
颗粒材料   [15A]
Granular material
   S 材料*

Ke li fen xi
颗粒分析   [05K]
Grain size analysis
Grading analysis
   D 粒径分析
   S 分析*

Ke li ji pei
颗粒级配   [05B]
Grain gradation
   D 颗粒组成

C 不均匀系数
   曲率系数

Ke li zu cheng
颗粒组成   [05B]
Granulometric compositi-
on
   Y 颗粒级配

Keng tan
坑探   [03G]
Exploring mining
   S 勘探工程
   Z 工程*

Kong ban liu liang ji
孔板流量计   [02G]
Hole plate flowmeter
   S 流量计
   Z 仪器*

Kong ban xiao neng gong
孔板消能工   [09I]
Hole plate dissipator
   S 消能工*

Kong ju
孔距   [20A]
Hole distance
   S 距离*

Kong kou chu liu
孔口出流   [06D]
Orifice flow
   D 孔流
   S 水流*

Kong kou shi yi hong dao
孔口式溢洪道   [09F]
Orifice spillway
   S 溢洪道*
   C 胸墙

Kong kou ying li
孔口应力   [08B]
Stress around opening
   S 应力*

Kong liu
孔流   [06D]
Orifice flow
   Y 孔口出流

Kong nei shi gu
孔内事故   [03G]
Hole trouble
Hole accident
   D 钻井事故
   F 断钻
      井漏
      井下落物
      埋钻
      烧钻
   S 事故*

Kong nei zhi shui
孔内止水   [03G]
Water stop in hole
   C 封孔(钻探工程)

Kong xi bi
孔隙比*   [05C]
Void ratio
   F 临界孔隙比
   C 孔隙率

Kong xi du
孔隙度   [05C, 15K]
Porosity
   Y 孔隙率

Kong xi lu
孔隙率   [15K]
Porosity
   D 孔隙度
   C 孔隙比*

渗透性

Kong xi qi ya li
孔隙气压力   [05H]
Pore air pressure
　C　孔隙水压力

Kong xi shui
孔隙水   [04D]
Pore water
　S　地下水
　Z　水*
　C　岩溶水

Kong xi shui ya li
孔隙水压力   [05E]
Void water pressure
Pore water pressure
　S　水压力
　Z　压力*
　C　超静水压力
　　　抗剪强度
　　　孔隙气压力
　　　主固结

Kong xi shui ya li guan
ce
孔隙水压力观测   [16B]
Pore water pressure obs-
ervation
　S　压力观测
　Z　观测*

Kong xi shui ya li yi
孔隙水压力仪   [05K]
Pore water pressure cell

Kong dao gong cheng
控导工程   [12C]
Control and training pr-
oject
　S　河道工程
　Z　工程*

Kong zhi
控制*   [20B]
Control
　F　潮汐控制
　　　程序控制
　　　过程控制
　　　含水量控制
　　　河势控制
　　　计算机控制
　　　集中控制
　　　监控
　　　空蚀控制
　　　联机控制
　　　流量控制
　　　模拟控制
　　　人工控制
　　　渗流控制
　　　实时控制
　　　数字控制
　　　水位控制
　　　顺序控制
　　　脱机控制
　　　温度控制
　　　污染控制
　　　压力控制
　　　遥控
　　　应变控制
　　　应力控制
　　　质量控制
　　　自动控制
　　　最优控制

Kong zhi bao po
控制爆破   [14K]
Controlled blasting
　F　光面爆破
　　　毫秒爆破
　　　预裂爆破
　S　爆破*

Kong zhi ce liang
控制测量   [03A]
Control survey

S　测量*

自动化系统

Kong zhi dian
控制点   [03A]
Controlling point
　Y　测量控制点*

Kong zhi fa
控制阀   [19H]
Controlling valve
　Y　调节阀

Kong zhi fang fa
控制方法   [19E]
Control method
　S　方法*

Kong zhi ji shu
控制技术   [19E]
Control technique
　S　技术*

Kong zhi she bei
控制设备   [19E]
Control equipment
　S　设备*

Kong zhi wang
控制网   [03A]
Control network
　Y　测量控制网*

Kong zhi wang ping cha
控制网平差   [03B]
Adjustment of control n-
　etwork
　S　测量平差*

Kong zhi xi tong
控制系统   [19E]
Control system
　S　系统*
　C　报警系统

Kong zhi yi biao
控制仪表   [19I]
Control instrument
　S　仪表*

Kong fang fa
空放阀   [19H]
Emptying valve
　S　阀门*

Kong fu gong ba
空腹拱坝   [09C]
Hollow arch dam
　D　空心拱坝
　S　拱坝
　Z　坝*
　C　空腹重力坝

Kong fu zhong li ba
空腹重力坝   [09C]
Hollow gravity dam
　S　重力坝
　Z　坝*
　C　空腹拱坝

Kong hua
空化   [06E]
Cavitation
　C　空化数
　　　空蚀*

Kong hua shu
空化数   [06E]
Cavitation number
　C　空化

Kong hua shui liu
空化水流   [06E]
Cavitation flow
　S　高速水流
　Z　水流*

Kong jian fen bu
空间分布   [20A]
Space distribution
  S 分布*

Kong jian jie gou
空间结构   [08C]
Space structure
  S 结构*
  C 平面结构

Kong qi tiao jie xi tong
空气调节系统   [19C]
Air conditioning system
  S 调节系统
  Z 系统*
  C 通风系统

Kong qi ya suo ji
空气压缩机   [14I]
Air compressor
  S 压缩机*
  C 通风机

Kong shi
空蚀*   [06E]
Cavitation damage
Cavitation erosion
  D 气蚀
  F 水轮机空蚀
  C 空化
     空蚀控制

Kong shi guan ce
空蚀观测   [16B]
Cavitation observation
  S 水流观测
  Z 观测*

Kong shi kong zhi
空蚀控制   [06E]
Cavitation control
  S 控制*

  C 掺气减蚀
     空蚀*

Kong shi yi
空蚀仪   [08F]
Cavitation meter
  D 气蚀仪

Kong xin gong ba
空心拱坝   [09C]
Hollow arch dam
  Y 空腹拱坝

Kong xue
空穴   [06E]
Cavitation
  D 气穴

Kong xue yi
空穴仪   [06J]
Cavitation meter

Kong zhu fa
空注阀   [19H]
Hollow jet valve
  S 阀门*

Kou men
口门   [07B]
Mouth

Kou men shui liu
口门水流   [06A]
Entrance flow
Mouth flow
  S 水流*

Ku an
库岸   [09B]
Reservoir bank
  C 水库*

Ku an yan bian

库岸演变   [07B]
Evolution of reservoir
  bank
  C   河岸冲刷
      坍岸*

Ku cun cheng xu
库存程序   [19F]
Library routine
Library program
  D   程序库程序
  S   系统软件
  Z   计算机软件*

Ku lun tu ya li li lun
库仑土压力理论   [05J]
Coulomb's earth pressure
  theory
  S   土压力理论
  Z   理论*

Ku qu
库区   [09B]
Reservoir region
  S   地区*
  C   水库*

Ku qu di xia shui
库区地下水   [04D]
Reservoir region ground
  water
  S   地下水
  Z   水*

Ku qu di zhi diao cha
库区地质调查   [03F]
Reservoir region geolog-
  ic survey
Reservoir site geologic
  survey
  S   地质勘察
  Z   勘察*
  C   水库测量

Ku qu diao cha
库区调查   [01C]
Investigation of reserv-
  oir region
  S   调查*
  C   水库调查
      水库淹没
      水库移民
      水库征地

Ku qu guan li
库区管理   [16A]
Reservoir region manage-
  ment
  Y   水库管理

Ku qu huan jing
库区环境   [17A]
Reservoir region enviro-
  nment
  S   环境*

Ku qu jing ji
库区经济   [00C]
Reservoir district econ-
  omy
  S   经济*

Ku qu lü hua
库区绿化   [16A]
Reservoir region affore-
  st
  C   库区水土保持
      水库管理

Ku qu qi hou
库区气候   [02B]
Reservoir climate
  S   气候*

Ku qu shui tu bao chi
库区水土保持   [11G, 16A]
Soil and water conserva-

tion on reservoir
S 水土保持*
C 库区绿化
   水库管理

Ku qu tu di li yong
库区土地利用   [16A]
Land utilization of res-
ervoir region
S 土地利用
Z 利用*

Ku qu yan mo sun shi
库区淹没损失   [00C]
Reservoir inundation lo-
ss
Y 水库淹没

Ku rong
库容*   [01D]
Reservoir capacity
Reservoir storage
F 重复利用库容
   动库容
   防洪库容
   死库容
   调洪库容
   兴利库容
   淤沙库容
   总库容

Ku rong qu xian
库容曲线   [01D]
Reservoir storage curve
S 曲线*

Ku shui
库水   [01A]
Reservoir water
S 水*

Ku shui wei
库水位   [16A]

Reservoir level
S 水位*

Ku shui wei zhou jiang
库水位骤降   [16A]
Reservoir drawdown
C 水位变化

Ku ji jing liu
枯季径流   [02C]
Low water flow
Dry weather flow
Dry season runoff
D 枯水径流
   枯水流量
S 径流*

Ku ji jing liu yu bao
枯季径流预报   [02J]
Forecast of dry weather
runoff
Y 枯水预报

Ku shui diao cha
枯水调查   [02D]
Low water survey
S 水文调查
Z 调查*

Ku shui jing liu
枯水径流   [02C]
Low water discharge
Y 枯季径流

Ku shui liu liang
枯水流量   [02C]
Low water flow
Y 枯季径流

Ku shui nian
枯水年   [02B]
Low flow year
Dry year

D　少水年

Ku shui qi
枯水期　　　　　　　　[02C]
Low water season

Ku shui qi diao du
枯水期调度　　　　　　[16A]
Dry period regulation
　　S　调度＊

Ku shui wei
枯水位　　　　　[01D, 02C]
Low water level
　　S　水位＊

Ku shui yu bao
枯水预报　　　　　　　[02J]
Low water forecasting
　　D　枯季径流预报
　　S　水文预报
　　Z　预报＊

Kua liu yu diao shui
跨流域调水　　　　　　[01B]
Interbasin diversion
Interbasin water diversion
　　C　调水工程
　　　　跨流域引水

Kua liu yu gui hua
跨流域规划　　　　　　[01C]
Interbasin development
　　planning
　　S　水利规划
　　Z　规划＊

Kua liu yu yin shui
跨流域引水　　　　　　[01B]
Interbasin water transf-
　　er
Interbasin water divers-

ion
　　S　引水＊
　　C　跨流域调水
　　　　引水工程

Kuai jian
快剪　　　　　　　　　[05K]
Quick shear test
　　Y　不排水剪

Kuai jian shi yan
快剪试验　　　　　　　[05K]
Quick shear test
　　Y　不排水剪

Kuai su gu jie shi yan
快速固结试验　　　　　[05K]
Rapid consolidation test
　　S　固结试验
　　Z　试验＊

Kuai su shi gong
快速施工　　　　　　　[14B]
Quick construction
　　S　施工＊

Kuai su shi yan
快速试验　　　　　　　[15L]
Quick test
Accelerated test
　　S　试验＊

Kuai shi
块石　　　　　　　　　[15D]
Rubble
Block stone

Kuai shi tong
块石砼　　　　　　　　[15F]
Rubble concrete
　　S　砼＊

Kuan ding yan

宽顶堰 [06D]
Broad-crested weir
 S 堰*

Kuan du
宽度* [19D]
Width
 F 坝顶宽度

Kuan feng zhong li ba
宽缝重力坝 [09C]
Slotted gravity dam
 S 重力坝
 Z 坝*
 C 大头坝
   梯形坝

Kuan wei dun
宽尾墩 [09I]
Wide end pier

Kuang chuang
矿床 [04A]
Mineral deposit

Kuang hua du
矿化度 [17C]
Mineralization degree
 C 硬度

Kuang qu
矿区 [19C]
Mineral area

Kuang shui
矿水 [04D]
Mineral water
Mine water
 S 地下水
 Z 水*

Kuang zha
矿渣 [15B]

Slag
Blast furnace slag
 C 混合材料
   矿渣大坝水泥
   矿渣水泥

Kuang zha da ba shui ni
矿渣大坝水泥 [15B]
Slag dam cement
 S 大坝水泥
 Z 水泥*
 C 矿渣

Kuang zha gui suan yan
  shui ni
矿渣硅酸盐水泥 [15B]
Slag cement
Portland slag cement
 Y 矿渣水泥

Kuang zha shui ni
矿渣水泥 [15B]
Slag cement
Portland slag cement
 D 矿渣硅酸盐水泥
 S 硅酸盐水泥
 Z 水泥*
 C 矿渣

Kuang jia
框架 [08C]
Frame
 Y 框架结构

Kuang jia jie gou
框架结构 [08C]
Frame structure
 D 框架
 F 单层框架
   排架结构
 S 工程结构
 Z 结构*

Kui ba
溃坝 [16A]
Dam failure
Dam break
　C　大坝失事
　　　工程事故

Kui ba bo
溃坝波 [06I]
Dam-break wave
　S　波*
　C　冲击波

Kui ba guan ce
溃坝观测 [16B]
Dam failure observation
　S　观测*
　C　大坝失事
　　　失事分析

Kui ba hong shui
溃坝洪水 [02C]
Dam breaking flood
　S　洪水*

Kui ba mo xing shi yan
溃坝模型试验 [06J]
Dam-break model test
　S　水工模型试验
　Z　模型试验*

Kui di
溃堤 [12A]
Levee break

Kuo jian gong cheng
扩建工程 [19C]
Extension engineering
　S　工程*
　C　坝加高

Kuo san
扩散* [18B]
Diffusion
　F　水流扩散
　　　紊动扩散

Kuo san fang cheng
扩散方程 [18B]
Diffusion equation
　S　方程*

Kuo san shi xiao neng
　gong
扩散式消能工 [09I]
Divergence dissipator
　S　消能工*

Kuo san shui yue
扩散水跃 [06C]
Diffusion jump
　S　水跃*

Kuo san xi shu
扩散系数 [18B]
Diffusion coefficient
　S　系数*

L

La ba xing jin shui kou
喇叭形进水口   [09G]
Bell mouth intake
  S   进水口*

La ji wu ran
垃圾污染   [17B]
Rubbish pollution
  S   污染*

La li
拉力   [08A]
Tension
  S   力*

La li ce ding yi
拉力测定仪   [08F]
Tension meter
  S   测力计
  Z   仪器*

La pu la si bian huan
拉普拉斯变换   [18A]
Laplace transform
  S   变换*

La shen
拉伸   [08B]
Tension
  C   拉应力

La shen shi yan
拉伸试验   [08F]
Tension test
Tensile test
  S   强度试验
  Z   试验*

La ying li
拉应力   [08B]

Tensile stress
  S   应力*
  C   拉伸

Lai shui yu ce
来水预测   [01B]
Inflow forecast
  S   预测*
  C   供水预测

Lan che shi beng zhan
缆车式泵站   [11E]
Cable car pumping stati-
on
  Y   泵车

Lan suo qi zhong ji
缆索起重机   [14I]
Cable crane
  S   起重机*
  C   架空索道

Lan he ba
拦河坝   [09C]
Dam across river
Retaining dam
  Y   坝*

Lan he zha
拦河闸   [09D]
Sluice across river
Regulator
  Y   节制闸

Lan men sha
拦门沙   [07B]
Sand bar
  D   河口沙洲
  S   沙洲*

Lan sha
拦沙   [07C]
Sediment trapping

Lan sha ba
拦沙坝   [12C]
Sediment control dam
   S 坝*

Lan wu zha
拦污栅   [09G]
Trash rack
Trash screen
   D 进水格栅

Lang dao
廊道*   [09C]
Gallery
   F 观测廊道
      灌浆廊道
      检查廊道
      交通廊道
      排水廊道
      输沙廊道

Lang ken tu ya li li lun
朗肯土压力理论   [05J]
Rankine's earth pressure
  theory
   S 土压力理论
   Z 理论*

Lao bao
劳保   [19K]
Labour protection
   D 劳动保护
   C 施工安全
      施工防护

Lao dong bao hu
劳动保护   [19K]
Labour protection
   Y 劳保

Lao dong gong zi
劳动工资   [19K]
Labour wage

Lao dong li
劳动力   [19K]
Labour
Work force

Lao hua
老化*   [20B]
Aging
   F 坝老化
      材料老化
      工程老化
      建筑物老化

Lao qu
涝区   [18D]
Water logging region
   S 地区*

Lao zai
涝灾   [02B]
Water logging disaster
   Y 水灾

Lei ban
肋板   [08D]
Ribbed panel
   Y 带肋板

Lei dun ba
肋墩坝   [09C]
Buttress dam
   Y 支墩坝

Lei gong du cao
肋拱渡槽   [11E]
Ribbed arch flume
   S 拱式渡槽
   Z 渡槽*

Lei xing nian
肋形碾   [14I]
Ribbed roller
  S 碾压机械
  Z 机械*

Lei da ce ju
雷达测距   [03A]
Radar range finding
  S 测距
  Z 测量*

Lei da ce yu xi tong
雷达测雨系统   [02G]
Radar rain gauge system
  Y 雷达测雨装置

Lei da ce yu zhuang zhi
雷达测雨装置   [02G]
Radar rain gauge system
  D 雷达测雨系统

Lei ji qu xian
累积曲线   [02H]
Mass curve
  F 蓄水累积曲线
  S 频率曲线
  Z 曲线*

Lei xing
类型*   [20B]
Type
  F 振型

Leng dong ji
冷冻机   [19H]
Freezer
Refrigerator
  Y 制冷机

Leng hai
冷害   [02B]
Cold damage

  S 气象灾害
  Z 灾害*

Leng jin tian
冷浸田   [19B]
Cold wet land
  Y 冷渍田

Leng que
冷却*   [19C]
Cooling
  F 风冷却
     水冷却

Leng que shui
冷却水   [01B]
Cooling water
  S 水*
  C 循环水场

Leng que shui chi
冷却水池   [19C]
Cooling water tank
  S 水池*

Leng que shui ta
冷却水塔   [19C]
Cooling water tower
Cooling tower
  D 凉水塔
  S 水塔*

Leng que xi tong
冷却系统   [19C]
Cooling system
  S 系统*

Leng tong
冷砼   [15F]
Cold concrete
  S 砼*

Leng zi tian

冷渍田 [19B]
Cold wet land
  D 冷浸田
  S 农田*

Leng zi tian gai liang
冷渍田改良 [11G]
Improvement of cold wet
  land
  S 渍田改良
  Z 土壤改良*

Li
力* [18B]
Force
  F 坝肩推力
    冻胀力
    法向力
    剪力
    拉力
    离心力
    摩擦力
    内力
    粘着力
    启闭力
    渗透力
    水平力
    外力
    轴力
    阻力
  C 应力*

Li fa
力法 [08B]
Force method
  S 结构计算方法*
  C 柔度法

Li ju
力矩* [08B]
Moment
  F 扭矩
    弯矩

Li ju fen pei fa
力矩分配法 [08B]
Moment distribution met-
  hod
  Y 弯矩分配法

Li xue
力学* [18B]
Mechanics
  F 爆破力学
    材料力学
    地质力学
    断裂力学
    工程力学
    结构力学
    理论力学
    流体力学
    热力学
    水力学
    塑性力学
    弹性力学
    土力学
    岩石力学

Li xue mo xing
力学模型 [18B]
Mechanical model
  F 岩土力学模型
  S 模型*

Li xue xing neng shi yan
力学性能试验 [08F]
Test of mechanical prop-
  erty
  F 抗磨试验
    破坏试验
    强度试验
    徐变试验
    振动试验
  S 试验*
  C 试验机
    土工试验

Li xue xing zhi
力学性质*   [18B]
Mechanical property
  F 材料力学性质
     热力学性质

Li an ma tou
离岸码头   [13C]
Offshore dock
Offshore termianl
Offshore wharf
  D 岛式码头
     栈桥码头
  S 码头*

Li cha xi shu
离差系数   [02H]
Coefficient of deviation
Variation coefficient
  Y 变差系数

Li xian kong zhi
离线控制   [19E]
Off-line control
  Y 脱机控制

Li xin beng
离心泵   [19H]
Centrifugal pump
  S 叶片泵
  Z 泵*

Li xin ji
离心机   [05K]
Centrifuger
  C 离心模型试验

Li xin li
离心力   [18B]
Centrifugal force
  S 力*

Li xin mo xing shi yan

离心模型试验   [05K]
Centrifuge model test
  S 土工模型试验
  Z 模型试验*
  C 离心机

Li xin shi pen tou
离心式喷头   [11F]
Centrifugal sprinkle he-
ad
  S 喷头*

Li xiu
离休   [19K]
Retire on full pay

Li zi
离子*   [18C]
Ion
  F 阳离子
     阴离子

Li bo
立波   [06I]
Standing wave
  D 驻波
  S 波*

Li du fa jie liu
立堵法截流   [14D]
Vertical closure method
  S 截流*

Li mo gong yi
立模工艺   [14G]
Technique of erecting f-
orm
Formwork
  S 工艺*

Li ti ce liang
立体测量   [03A]
Stereoscopic survey

S 测量*

Li ci xi tong
励磁系统   [10H]
Exciter system

Li jian ying li
粒间应力   [05H]
Granular stress
  Y 有效应力

Li jing
粒径   [20A]
Grain size
  F 泥沙粒径
  S 直径*

Li jing fen xi
粒径分析   [05K]
Grain size analysis
  Y 颗粒分析

Li lun
理论*   [19D]
Theory
  F 薄膜理论
    固结理论
    环流理论
    汇流理论
    灰色理论
    泥沙理论
    强度理论
    土压力理论
    误差理论
    相似理论
    振动理论
  C 原理*

Li lun li xue
理论力学   [18B]
Theoretical mechanics
  S、力学*

Li lun yan jiu
理论研究   [19D]
Theory research
  S 研究*

Li xiang liu ti
理想流体   [18B]
Ideal fluid
  S 流体*

Li qing
沥青*   [15J]
Asphalt
Bitumen
  F 乳化沥青
  C 防水材料
    沥青胶
    沥青砼
    沥青砼性能

Li qing jiao
沥青胶   [15J]
Asphalt mastic
  C 沥青*

Li qing shi yan
沥青试验   [15L]
Asphalt test
  S 试验*

Li qing tong
沥青砼   [15J]
Asphalt concrete
  S 砼*
  C 沥青*
    沥青性能
    沥青砼性能

Li qing tong fang shen
沥青砼防渗   [09L]
Asphalt concrete seepage
  prevention
  S 防渗*

Li qing tong jie shui
qiang
沥青砼截水墙   [05Q]
Asphalt concrete cutoff
  wall
  S 截水墙*

Li qing tong mian ban
沥青砼面板   [09C]
Asphalt concrete facing
  S 砼面板
  Z 面板*
  C 沥青砼面板坝

Li qing tong mian ban ba
沥青砼面板坝   [09C]
Asphalt concrete facing
  dam
  S 面板坝
  Z 坝*
  C 沥青砼面板

Li qing tong shi yan
沥青砼试验   [15L]
Asphalt concrete test
  S 砼试验
  Z 试验*

Li qing tong xin qiang
沥青砼心墙   [09C]
Asphalt concrete core
  S 心墙*
  C 沥青砼心墙坝

Li qing tong xin qiang
ba
沥青砼心墙坝   [09C]
Asphalt concrete core d-
  am
  S 心墙坝
  Z 坝*
  C 沥青砼心墙

Li qing tong xing neng
沥青砼性能   [15K]
Properties of asphalt c-
  oncrete
  S 砼性能
  Z 性能*
  C 沥青*
     沥青性能
     沥青砼

Li qing tu
沥青土   [15J]
Soil-asphalt

Li qing xing neng
沥青性能   [15K]
Properties of asphalt
  S 性能*
  C 沥青砼
     沥青砼性能

Li run
利润   [19J]
Profit

Li run lü
利润率   [19J]
Profit rate

Li yong
利用*   [20B]
Utilization
  F 重复利用
     风能利用
     水资源利用
     土地利用
     综合利用

Li yong xi shu
利用系数   [18A]
Utility factor
  F 水利用系数
  S 系数*

Li shi
砾石 [15D]
Gravel
　Y 卵石

Li yan
砾岩 [05L]
Conglomerate
　S 碎屑岩
　Z 岩石*

Li shi qu xian
历时曲线 [02H]
Duration curve
　S 频率曲线
　Z 曲线*

Li shi
历史* [19K]
History
　F 地震史
　　发展史
　　水利史
　　水文史

Li shi hong shui
历史洪水 [02C]
Historical flood
　S 洪水*
　C 洪水频率

Li shi hong shui diao
cha
历史洪水调查 [02D]
Historical flood invest-
igation
　S 洪水调查
　Z 调查*

Li shi zui di shui wei
历史最低水位 [01D]
Historical lowest water
level

S 水位*

Li shi zui gao shui wei
历史最高水位 [01D]
Historical highest water
level
　S 水位*

Lian dou shi wa ni chuan
链斗式挖泥船 [12C]
Bucket dredger
　S 挖泥船
　Z 船*

Lian shi qi bi ji
链式启闭机 [09D]
Chain hoist
　S 启闭机*

Lian gong ba
连拱坝 [09C]
Multiple arch dam
　S 拱坝
　　支墩坝
　Z 坝*

Lian jie
连接* [08E]
Connection
　D 接头
　F 层面结合
　　厂坝连接
　　搭接
　　对接
　　刚接
　　焊接
　　铰接
　　螺栓连接
　　铆接
　　砼与岩石连接
　　土和砼建筑物连接
　C 节点

Lian xu bao yu
连续暴雨   [02C]
Continuous storm
  S　暴雨
  Z　降水*

Lian xu ji pei
连续级配   [15D]
Continuous grading
  C　骨料级配

Lian xu jie gou gou jian
连续结构构件   [08D]
Continuous structure me-
member
  S　结构构件*
  C　连续梁

Lian xu liang
连续梁   [08D]
Continuous beam
  S　梁*
  C　连续结构构件

Lian xu liu
连续流   [06A]
Continuous flow
  S　水流*

Lian xu yan ti
连续岩体   [05L]
Continuous rock mass
  S　岩体*
  C　不连续岩体

Lian xu yun xing
连续运行   [19A]
Continuous operation
  S　运行*

Lian xu zuan jin
连续钻进   [03G]
Continuous boring

  S　钻进*

Lian he diao du
联合调度   [16A]
Combined regulation
  F　水库群联合调度
  S　调度*

Lian he ji chu
联合基础   [05N]
Combined foundation
  S　基础*

Lian he xiao neng
联合消能   [06H]
Composite energy dissip-
ation
  S　消能*

Lian he xiao neng gong
联合消能工   [09I]
Combined dissipator
Composite dissipator
  S　消能工*

Lian he xie liu
联合泄流   [09F]
Combined discharge
  S　泄水*

Lian he yun yong
联合运用   [20A]
Combined utilization
  F　井渠联合运用
    水资源联合运用
  S　运用*

Lian ji kong zhi
联机控制   [19E]
On-Line control
  D　在线控制
  S　控制*

Lian wang
联网   [10K]
Grid interconnection

Lian wang yun xing
联网运行   [10K]
Grid interconnection op-
    eration
  S 运行*

Liang
梁*   [08D]
Beam
  F 次梁
     吊车梁
     固端梁
     基础梁
     简支梁
     连续梁
     曲梁
     深梁
     T 形梁
     箱形梁
     悬臂梁
     预应力梁
     主梁
  C 结构构件*

Liang shi du cao
梁式渡槽   [11E]
Beam flume
  S 渡槽*

Liang zhu jie tou
梁柱接头   [08E]
Beam-column connection

Liang gang fen xi
量纲分析   [18A]
Dimensional analysis
  S 分析(数学)*

Liang shui cao

量水槽   [11C]
Measuring channel
  S 量水建筑物
  Z 水工建筑物*
  C 量水设备
     量水堰
     量水装置

Liang shui jian zhu wu
量水建筑物   [11E]
Measuring structure
  F 量水槽
     量水堰
  S 水工建筑物*
  C 灌区量水

Liang shui she bei
量水设备   [11C]
Water-measuring device
  S 设备*
  C 量水槽
     量水堰
     量水装置

Liang shui yan
量水堰   [06D, 11E]
Measuring weir
  S 量水建筑物
     堰*
  Z 水工建筑物*
  C 量水槽
     量水设备
     量水装置

Liang shui zhuang zhi
量水装置   [11C]
Water-measuring install-
    ation
  S 装置*
  C 量水槽
     量水设备
     量水堰

Liang jiao gong
两铰拱   [08C]
Double hinged arch
   S 拱*

Liang shi zuo wu
粮食作物   [19B]
Grain crop
Cereal crop
   S 作物*

Liang shui ta
凉水塔   [19C]
Cooling water tower
Cooling tower
   Y 冷却水塔

Liao chang xuan ze
料场选择   [14B]
Selection of aggregate
  quarry
   S 选择*

Lie feng
裂缝   [08B]
Crack
   F 坝裂缝
      隧洞裂缝
      砼裂缝
      温度裂缝
   S 缝*

Lie feng chu li
裂缝处理   [16A]
Crack treatment
   S 处理*
   C 裂缝检查

Lie feng guan ce
裂缝观测   [16B]
Crack observation
   S 观测*

Lie feng guan jiang
裂缝灌浆   [14F]
Crack grouting
   S 灌浆*

Lie feng jian cha
裂缝检查   [16A]
Crack inspection
   S 检查*
   C 安全检查
      裂缝处理

Lie xi shui
裂隙水   [04D]
Fracture water
Fissure water
   S 地下水
   Z 水*
   C 岩溶水

Lie xi yan ti
裂隙岩体   [05L]
Fissured rock mass
   S 不连续岩体
   Z 岩体*

Lin di
林地   [18D]
Forest land

Lin qu
林区   [18D]
Forest region
Forest district
   S 地区*
   C 森林

Lin ye
林业   [19B]
Forestry

Lin jie duan mian
临界断面   [06C]

Critical section
S 断面*

Lin jie he zai
临界荷载 [08A]
Critical load
S 荷载*
C 临界应力

Lin jie kong xi bi
临界孔隙比 [05E]
Critical void ratio
S 孔隙比*

Lin jie liu
临界流 [06C]
Critical flow
S 水流*
C 超临界流

Lin jie liu su
临界流速 [06C]
Critical velocity
S 流速*

Lin jie po jiang
临界坡降 [06H]
Critical gradient
Critical slope
Y 临界水力坡降

Lin jie shui li po jiang
临界水力坡降 [06H]
Critical hydraulic grad-
ient
D 临界坡降
S 水力坡度*
C 渗透变形

Lin jie shui shen
临界水深 [06C]
Critical depth
S 水深*

Lin jie shui yue
临界水跃 [06C]
Critical jump
S 水跃*

Lin jie tui yi li
临界推移力 [07A]
Critical drag force
Critical tractive force
C 起动流速

Lin jie wen du
临界温度 [18B]
Critical temperature
S 温度*

Lin jie ya li
临界压力 [18B]
Critical pressure
S 压力*

Lin jie ying li
临界应力 [08B]
Critical stress
S 应力*
C 临界荷载

Lin shi gong cheng
临时工程 [19C]
Temporary project
S 工程*

Ling min du(tu li xue)
灵敏度(土力学) [05C]
Sensitivity
C 灵敏粘土

Ling min nian tu
灵敏粘土 [05B]
Sensitive clay
D 敏感粘土
S 粘土*
Z 土*

C 灵敏度(土力学)

Ling qï
龄期   [15F]
Age
Age of concrete
   C 砼强度龄期关系

Ling qi
凌期   [02B]
Ice flood period
   Y 凌汛期

Ling xun
凌汛   [02B]
Ice flood

Ling xun qi
凌汛期   [02B]
Ice flood period
   D 凌期

Liu ba
柳坝   [12C]
Willow dam

Liu bian
流变   [05E]
Rheology
   C 蠕变*

Liu bing
流冰   [02A]
Flowing ice
Ice drift
   S 冰*

Liu chang
流场*   [06A]
Flow field
   F 渗流场
   C 流速分布
       流网法

Liu dong
流动   [18B]
Flow
   C 水流*

Liu dong can shu
流动参数   [18B]
Flow parameter
   S 参数*

Liu dong tong
流动砼   [15F]
Fluid concrete
   S 砼*

Liu dong wen du
流动温度   [18B]
Flow temperature
   S 温度*

Liu liang
流量*   [06A, 02C]
Discharge
   F 单宽流量
       地下水流量
       灌溉流量
       洪峰流量
       排水流量
       最大流量
       最小流量

Liu liang ce yan
流量测验   [02E]
Discharge measurement
Flow measurement
   F 径流观测
       流速测定
   S 水文测验
   Z 观测*

Liu liang guan ce yi qi
流量观测仪器   [02G]
Flow measurement instru-

ment
  S 观测仪器
  Z 仪器*

Liu liang guo cheng xian
流量过程线   [02I]
Discharge hydrograph
  D 径流过程线
  S 水文曲线
  Z 曲线*

Liu liang ji
流量计   [02G]
Flow meter
  F 超声波流量计
     电磁流量计
     孔板流量计
  S 水文仪器
  Z 仪器*

Liu liang kong zhi
流量控制   [19E]
Flow control
Discharge control
  S 控制*
  C 流量调节

Liu liang mo xing
流量模型   [02I]
Discharge model
  Y 径流模型

Liu liang tiao jie
流量调节   [19E]
Flow regulation
Discharge regulation
  S 调节*
  C 流量控制

Liu liang xi shu
流量系数   [02I]
Flow coefficient
Discharge coefficient

  S 系数*

Liu liang yan suan
流量演算   [02I]
Flow routing
  Y 径流计算

Liu liang yu bao
流量预报   [02J]
Runoff forecasting
  Y 径流预报

Liu pu
流谱   [06A]
Flow pattern

Liu su
流速*   [06A]
Flow velocity
  F 不冲流速
     不淤流速
     临界流速
     起动流速
     渗流流速
     扬动流速
  C 流速分布

Liu su ce ding
流速测定   [02E]
Flow velocity measureme-
nt
  S 流量测验
  Z 观测*

Liu su fen bu
流速分布   [06A]
Velocity distribution
  S 分布*
  C 流场*
     流速*

Liu su guan ce
流速观测   [16B]

Flow velocity observati-
on
　S　水流观测
　Z　观测＊

Liu su ji
流速计　　　　　　　[02G]
Current meter
Velocity meter
　Y　流速仪

Liu su shui tou
流速水头　　　　　　[06A]
Velocity head
　S　水头＊

Liu su xi shu
流速系数　　　　　　[06A]
Velocity coefficient
　S　系数＊

Liu su yi
流速仪　　　　[06J, 02G]
Velocimeter
Current meter
　D　流速计
　F　测向流速仪
　　　音响流速计
　S　水文仪器
　Z　仪器＊
　C　毕托管

Liu tai
流态　　　　　　　　[06A]
Flow regime

Liu tai guan ce
流态观测　　　　　　[16B]
Flow pattern observation
　S　水流观测
　Z　观测＊

Liu ti

流体＊　　　　　　　　[18B]
Fluid
　F　不可压缩流体
　　　非牛顿流体
　　　可压缩流体
　　　理想流体
　　　牛顿流体

Liu ti dong li xue
流体动力学　　　　　[18B]
Fluid dynamics
　S　流体力学
　Z　力学＊
　C　水动力学

Liu ti jing li xue
流体静力学　　　　　[18B]
Fluid statics
　S　流体力学
　Z　力学＊
　C　水静力学

Liu ti li xue
流体力学　　　　　　[18B]
Fluid mechanics
　F　流体动力学
　　　流体静力学
　S　力学＊
　C　水力学

Liu tong gong zuo
流通工作　　　　　　[19M]
Circulation

Liu tu
流土　　　　　　　　[05D]
Quick soil
　S　渗透变形
　Z　变形＊
　C　管涌

Liu wang
流网　　　　　　　　[06A]

Flow net
  C 流网法

Liu wang fa
流网法   [06A]
Flow-net method
Drift-net method
  S 方法*
  C 流场*
     流网
     渗流计算

Liu wen yan
流纹岩   [05L]
Rhyolite
Liparite
  S 酸性岩
  Z 岩石*

Liu xian
流限   [05C]
Liquid limit
  Y 液限

Liu xian
流线   [06A]
Stream line
Flow line

Liu xiang guan ce
流向观测   [16B]
Flow direction observation
  S 水流观测
  Z 观测*

Liu xing jie xian
流性界限   [05C]
Liquid limit
  Y 液限

Liu yu
流域*   [02K]

Catchment basin
Basin
Watershed
  F 大流域
     代表性流域
     基准流域
     实验流域
     小流域
  C 流域模型

Liu yu fang hong
流域防洪   [12B]
River basin flood control
  S 防洪*

Liu yu guan li
流域管理   [16A]
Watershed management
  S 管理*

Liu yu gui hua
流域规划   [01C]
Watershed planning
River basin planning
  S 水利规划
  Z 规划*

Liu yu hong shui
流域洪水   [02K]
Catchment flood
Watershed flood
  S 洪水*

Liu yu hui liu
流域汇流   [02K]
Watershed concentration
  S 汇流
  Z 径流*

Liu yu ji gou
流域机构   [00B]
River basin management

organizations

Liu yu jing ji
流域经济   [00C]
Watershed economy
  S 经济*

Liu yu kai fa
流域开发   [00C]
River basin development
  S 开发*
  C 流域综合治理
     水资源开发
     梯级开发

Liu yu mian ji
流域面积   [02K]
Watershed area
  D 集水面积
  S 面积*

Liu yu mo xing
流域模型   [02K]
Watershed model
River basin model
  S 模型*
  C 流域*

Liu yu ni sha
流域泥沙   [07A]
Watershed sediment
  S 泥沙*
  C 河流泥沙

Liu yu ping jun jiang yu
  liang
流域平均降雨量   [02K]
Areal rainfall
  Y 面雨量

Liu yu shui liang bian
  hua
流域水量变化   [02K]
Water amount fluctuation
  in catchment
  S 水量变化
  Z 变化*

Liu yu shui liang ping
  heng
流域水量平衡   [02K]
Watershed water balance
  S 水量平衡
  Z 平衡*

Liu yu shui wen
流域水文   [02K]
River basin hydrology
  S 水文*
  C 区域水文

Liu yu shui wen di li
流域水文地理   [02K]
Watershed hydrogeography
  S 水文地理*

Liu yu shui wen diao cha
流域水文调查   [02D]
Watershed hydrologic su-
  rvey
  S 水文调查
  Z 调查*

Liu yu shui wen te zheng
流域水文特征   [02K]
River basin hydrologic
  characteristic
  S 特征*
  C 水文特征值

Liu yu shui xun huan
流域水循环   [02K]
Water cycle in catchment
  S 水循环
  Z 循环*

Liu yu shui zi yuan
流域水资源 [01A]
River basin water resou-
rces
  S 水资源*
  C 区域水资源

Liu yu zong he diao cha
流域综合调查 [01C]
Comprehensive watershed
  investigation
  S 综合调查
  Z 调查*

Liu yu zong he zhi li
流域综合治理 [00C]
Comprehensive reclamati-
on of river basin
  S 综合治理*
  C 流域开发

Liu yu zong zheng fa
流域总蒸发 [02K]
Total evaporation of wa-
tershed
  S 蒸发*

Liu hua wu
硫化物 [18C]
Sulphide
Sulfide
  S 化合物*

Liu huang
硫磺 [15H]
Sulfur

Liu huang tong
硫磺砼 [15F]
Sulfur concrete
  S 特种砼
  Z 砼*

Liu suan
硫酸 [18C]
Sulphuric acid
Sulfuric acid
  S 无机酸
  Z 酸*

Liu suan yan shui ni
硫酸盐水泥 [15B]
Sulfate cement
  S 水泥*

Long kou
龙口 [14D]
River closure gap

Long tou shui ku
龙头水库 [09B]
Principal reservoir
  S 水库*

Long wang wei yan
笼网围堰 [14D]
Gabion cofferdam
  F 木笼围堰
    竹笼围堰
  S 围堰*

Lou dian bao hu
漏电保护 [10J]
Earth leakage protection
  S 保护*

Lou dou shi yi hong dao
漏斗式溢洪道 [09F]
Bellouth spillway
Morning glory spillway
Shaft spillway
  Y 井式溢洪道

Lu di shui wen
陆地水文 [02A]
Land hydrology

S 水文*

Roadbed

Lu di shui wen xue
陆地水文学 [02A]
Land hydrology
  S 水文学*

Lu mian
路面 [19C]
Pavement

Lu di wei xing
陆地卫星 [19G]
Land satellite
  S 卫星*

Lu mian ji shui
路面集水 [01B]
Rood surface collected
  water
Rood surface reclaimed
  water
  S 集水*

Lu mian zheng fa
陆面蒸发 [02C]
Land evaporation
  Y 土壤蒸发

Lu mu
垆姆 [05B]
Loam
  Y 亚粘土

Lu dian
露点 [02B]
Dew point
  C 湿度*

Luan shi
卵石 [15D]
Gravel
  D 砾石
  C 粗骨料
    砂砾石

Lu tian bao po
露天爆破 [14K]
Surface blasting
  Y 表面爆破

Luan shi hu po
乱石护坡 [09A]
Riprap
  Y 抛石护坡

Lu tian chang fang
露天厂房 [10C]
Outdoor power house
  S 厂房*

Lun guan
轮灌 [11B]
Rotation irrigation
  S 灌溉*

Lu tian shi yan chang
露天试验场 [06J]
Outdoor test field

Lun kuo bao po
轮廓爆破 [14K]
Perimeter blasting
  Y 周边爆破

Lu tian ya li shui guan
露天压力水管 [10D]
Exposed penstock
  S 压力水管*

Lu ji
路基 [19C]

Lun wen
论文 [19M]

Thesis
Paper
Article
  S 文献*

Lun zheng
论证 [19D]
Demonstration
Proof

Luo gan shi qi bi ji
螺杆式启闭机 [09D]
Screw hoist
  S 启闭机*

Luo shuan lian jie
螺栓连接 [08E]
Bolted connection
  S 连接*

Luo wen gang jin
螺纹钢筋 [15I]
Deformed reinforcing st-
eel
  S 钢筋*

Luo xuan liu
螺旋流 [06A]
Spiraling flow
Helicoidal flow
  S 压力流
  Z 水流*

Luo shui qu xian
落水曲线 [06C]
Drawdown curve
  S 水面曲线
  Z 曲线*

Lü
氯 [18C]
Chlorine

Lü hua wu
氯化物 [18C]
Chloride
  S 化合物*

Lü ding
率定 [06J]
Rating

Lü fen
铝粉 [15C]
Alluminum powder

Lü guan
铝管 [15I]
Alluminum tube
  F 薄壁铝管
  S 管*

Lü he jin
铝合金 [15I]
Alluminum alloy
  C 结构材料

Lü hua jia gu
铝化加固 [05P]
Stabilization by alumin-
izing
  S 加固*

Lü shui guan
滤水管 [04D]
Filter screened pipe
  S 管*

Lü shui qi
滤水器 [03G]
Strainer
Filter

Lü wang
滤网 [04D, 11E]
Filter screen

M

Ma er ke fu guo cheng
马尔可夫过程   [18A]
Markov process
   S 过程*

Ma si jing gen fa
马斯京根法   [02I]
Muskingun method
   S 方法*

Ma tou
码头*   [13C]
Dock
Quay
Wharf
   F 浮码头
      离岸码头
      深水码头
      实体码头
      顺岸码头
      突堤码头
      重力码头
      桩基码头

Ma tou hu po
码头护坡   [13C]
Dock slope protection
   S 护坡*

Ma tou yu ji
码头淤积   [07C]
Dock siltation
   S 淤积*

Mai cang shi ya li shui
  guan
埋藏式压力水管   [10D]
Buried penstock
Embedded penstock
   D 地下埋管

   S 压力水管*

Mai zuan
埋钻   [03G]
Drilling failure
Bury drill
   S 孔内事故
   Z 事故*

Mai chong shi pen tou
脉冲式喷头   [11F]
Pulse sprinkle head
   S 喷头*

Mai dong
脉动   [06E]
Pulsation

Mai dong fen xi
脉动分析   [08B]
Pulsating analysis
   S 分析(力学)*

Mai dong he zai
脉动荷载   [08A]
Fluctuating load
   Y 周期荷载

Mai dong shi yan
脉动试验   [06J]
Pulse test
   S 试验*

Mai dong shui liu
脉动水流   [06E]
Pulsating flow
   S 高速水流
   Z 水流*

Mai dong ya li

脉动压力   [06E]
Fluctuating pressure
Pulsating pressure
  S 压力*

Man guan
漫灌   [11B]
Flooding irrigation
  S 地面灌溉
  Z 灌溉*

Man tan shui liu
漫滩水流   [06A]
Overbank flow
  S 水流*

Man jian
慢剪   [05K]
Slow shear test
  Y 排水剪

Man jian shi yan
慢剪试验   [05K]
Slow shear test
  Y 排水剪

Man shi
蛮石   [15D]
Cyclopean

Man shi tong
蛮石砼   [15F]
Cyclopean concrete
  S 砼*

Mao gan
锚杆*   [14E]
Anchor bolt
Roof bolt
  D 灌浆锚杆
     锚栓
  F 预应力锚杆

Mao gu
锚固   [14E]
Anchoring
Bolting
  S 加固*

Mao pen zhi hu
锚喷支护   [14E]
Anchorage and gunite support
  S 支护*

Mao shuan
锚栓   [14E]
Anchor bolt
  Y 锚杆*

Mao zhuang
锚桩   [05N]
Anchor pile
  S 桩*

Mao guan
毛管   [11E]
Quarternary pipe
Micro pipe
  S 管*

Mao guan shui
毛管水   [04D, 05D]
Capillary water
  S 土壤水
  Z 水*
  C 重力水

Mao qu
毛渠   [11E]
Farm ditch
  S 渠道*

Mao jie
铆接   [08E]
Rivet joint

S 连接*

Mei jiao you
煤焦油   [15J]
Coal tar

Mei tan gong ye
煤炭工业   [19C]
Coal industry
S 工业*
C 能源工业

Mei yu qi
梅雨期   [02C]
Early summer rainy seas-
on
D 霉雨期

Mei yu qi
霉雨期   [02C]
Early summer rainy seas-
on
Y 梅雨期

Men diao
门吊   [09D]
Portal hoist
Y 门式启闭机

Men ji
门机   [09D]
Portal hoist
Y 门式启闭机

Men shi qi bi ji
门式启闭机   [09D]
Portal hoist
D 门吊
门机
S 启闭机*

Men shi qi zhong ji
门式起重机   [14I]

Portal crane
S 起重机*
C 轨道式起重机

Mi du
密度*   [18B]
Density
F 相对密度

Mi du liu
密度流   [06F]
Density flow
Y 异重流

Mi feng
密封*   [19H]
Seal
F 机械密封
迷宫密封
油封
轴密封

Mi feng cai liao
密封材料   [15A]
Sealant
S 材料*

Mi gong mi feng
迷宫密封   [19H]
Labyrinth seal
S 密封*

Mi gong yan
迷宫堰   [06D]
Labyrinth weir
S 堰*

Mi san
弥散   [17B]
Dispersion

Mi shui xing
泌水性   [15K]

Bleeding

Mian ban
面板* [08D]
Face plate
  F 防渗面板
    砼面板
    溢流面板

Mian ban ba
面板坝 [09C]
Facing dam
  F 沥青砼面板坝
    碾压砼面板坝
  S 土石坝
  Z 坝*
  C 砼面板

Mian ji
面积* [19D]
Area
  F 灌溉面积
    降雨面积
    流域面积

Mian liu
面流 [06C]
Surface flow
  S 水流*

Mian liu xiao neng
面流消能 [06H]
Dissipation of surface
  flow
Energy dissipation of s-
  urface regime
  S 消能*

Mian wu ran
面污染 [17B]
Non-point pollution
  S 污染*
  C 面污染源

异常营养化
有机污染

Mian wu ran yuan
面污染源 [17B]
Non-point pollution sou-
  rce
  S 污染源*
  C 面污染

Mian yu liang
面雨量 [02I]
Areal rainfall
  D 流域平均降雨量

Mian hua
棉花 [19B]
Cotton

Mie ci xi tong
灭磁系统 [10J]
De-excitation systems
  S 系统*

Min gan nian tu
敏感粘土 [05B]
Sensitive clay
  Y 灵敏粘土

Min jian zu zhi
民间组织 [19L]
Nongovernmental organiz-
  ation

Min yong jian zhu wu
民用建筑物 [19C]
Civil structure
  S 建筑物*

Min zhu dang pai
民主党派 [19L]
Democratic party

Ming cao shui li xue
明槽水力学   [06A]
Open channel hydraulics
  S 水力学
  Z 力学*

Ming cao shui liu
明槽水流   [06C]
Open channel flow
  D 明渠水流
  S 水流*

Ming cao zu li
明槽阻力   [06C]
Open channel resistance
  D 河床阻力
    渠道阻力
  S 阻力
  Z 力*
  C 河槽糙率
    河床粗化

Ming man guo du liu
明满过渡流   [06B]
Flow transition
  S 过渡流
  Z 水流*

Ming qu
明渠   [11E]
Uncovered canal
Open canal
  S 渠道*

Ming qu dao liu
明渠导流   [14D]
Channel diversion
  S 导流*

Ming qu pai shui
明渠排水   [19C]
Open ditch drainage
Canal drainage

  S 排水*

Ming qu shui liu
明渠水流   [06C]
Open channel flow
  Y 明槽水流

Ming wa fa shi gong
明挖法施工   [14B]
Open cut method
  S 施工*

Mo ban
模板*   [14G]
Form
Shuttering
  F 保温模板
    标准模板
    大型模板
    钢模板
    活动模板
    木模板
    砼模板
    吸水模板
    悬臂模板
    真空模板
  C 砼施工

Mo ban ce ya li
模板侧压力   [14G]
Form side pressure
Side pressure of form
Lateral pressure of form
  work
  S 侧压力
  Z 压力*

Mo ban zhou zhuan lü
模板周转率   [14G]
Rate of formwork turnov-
  er

Mo dai tong

模袋砼 [15F]
Bag packaged concrete
　S 砼*

Mo hu shu xue
模糊数学 [18A]
Fuzzy mathematics

Mo liang
模量* [18B]
Modulus
　F 变形模量
　　剪切模量
　　弹性模量
　　压缩模量

Mo ni
模拟* [20B]
Simulation
　F 计算机模拟
　　水流模拟
　　水文地质模拟
　　水文数学模拟
　　下渗模拟

Mo ni di zhen
模拟地震 [03H]
Analog earthquake
　S 地震*

Mo ni ji shu
模拟技术 [19D]
Analog technique
　F 水文模拟技术
　S 技术*

Mo ni ji suan ji
模拟计算机 [19F]
Analog computer
　S 计算机*

Mo ni kong zhi
模拟控制 [19E]

Analog control
　S 控制*

Mo shu
模数* [18A]
Modulus
　F 地形模数
　　洪峰流量模数
　　径流模数
　　侵蚀模数
　　细度模数

Mo xing
模型* [20B]
Model
　F 潮汐模型
　　断面模型
　　多目标模型
　　复合模型
　　港工模型
　　河工模型
　　混合模型
　　结构模型
　　力学模型
　　流域模型
　　侵蚀模型
　　石膏模型
　　数学模型
　　水工模型
　　水文模型
　　水质模型
　　土壤模型
　　物理模型
　　旋转模型
　　整体模型
　　最优模型
　C 模型试验*

Mo xing bi chi
模型比尺 [06J]
Model scale

Mo xing cai liao

模型材料 [06J]
Model material
　S　材料*

Mo xing ji shu
模型技术 [06J]
Modelling technique
　S　技术*

Mo xing lü
模型律 [06J]
Model law
　C　相似理论

Mo xing sha
模型沙 [06J]
Model sand

Mo xing shi yan
模型试验* [06J]
Model test
　F　冲刷试验
　　地质力学模型试验
　　电模拟试验
　　定床模型试验
　　动床模型试验
　　减压模型试验
　　结构模型试验
　　静力学模型试验
　　粘滞模型试验
　　气流模型试验
　　沙模型试验
　　水工模型试验
　　土工模型试验
　C　模型*

Mo xing shui lun ji
模型水轮机 [10F]
Model water turbine
　S　水轮机*

Mo ca li
摩擦力 [08A, 18B]

Frictional force
Friction
　F　桩摩擦力
　S　力*

Mo ca shi yan
摩擦试验 [08F]
Friction test
　S　试验*

Mo ca xi shu
摩擦系数 [18B]
Friction coefficient
　S　系数*

Mo ca zhuang
摩擦桩 [05N]
Friction pile
　S　桩*

Mo zu
摩阻 [18B]
Friction

Mo er bao luo xian
莫尔包络线 [05E]
Mohr envelope

Mo er po huai li lun
莫尔破坏理论 [05E]
Mohr rupture theory
　Y　莫尔强度理论

Mo er qiang du li lun
莫尔强度理论 [05E]
Mohr theory of failure
　D　莫尔破坏理论
　S　强度理论
　Z　理论*

Mo er yuan
莫尔圆 [05E]
Mohr circle

C 应变分析

Mo shang guan
膜上灌   1B]
Membrane irrigation
  Y 薄膜灌溉

Mo sun
磨损   [18B]
Wear
Attrition

Mu biao guan li
目标管理   [19A]
Object management
  S 管理*

Mu di gui hua
目的规划   [18A]
Goal programming
  S 数学规划
  Z 规划论*

Mu lu wen xian
目录文献   [19M]
Catalogue document
  S 文献*

Mu lu zu zhi
目录组织   [19M]
Form of catalogue

Mu cai
木材   [15J]
Wood
Timber

Mu gong ji xie
木工机械   [19H]
Wood working machinery
  S 机械*

Mu jie gou

木结构   [08C]
Wood structure
  S 工程结构
  Z 结构*
  C 金属结构
     砖石结构

Mu long wei yan
木笼围堰   [14D]
Crib cofferdam
Timber cofferdam
Wood crib cofferdam
  S 笼网围堰
  Z 围堰*

Mu mo ban
木模板   [14G]
Wooden form
  S 模板*

Mu zha men
木闸门   [09D]
Timber gate
Wooden gate
  S 闸门*

Mu zhuang
木桩   [05N]
Timber pile
Wooden pile
  S 桩*

Mu cao
牧草   [11D]
Grass
Pasture
  C 牧草需水量

Mu cao xu shui liang
牧草需水量   [11D]
Water requirement of gr-
    ass
  S 需水量

Z　水量*
C　牧草

Mu chang
牧场*   [11D]
Pasture-land
Pasture-ground
　F　灌溉牧场
　　人工牧场
　　天然牧场
　C　草场*

Mu chang gong shui
牧场供水   [11D]
Water supply of pasture
　S　供水*
　C　牧场灌溉
　　人畜饮水

Mu chang guan gai
牧场灌溉   [11D]
Pasture irrigation
　S　灌溉*
　C　灌溉牧场
　　牧场供水

Mu chang pai shui
牧场排水   [11D]
Pasture drainage
　S　排水*

Mu qu
牧区   [11D]
Pastoral area
　S　地区*
　C　草原
　　牧区供水
　　牧区水利

Mu qu gong shui
牧区供水   [11D]
Water supply of pastoral
　area
　S　供水*
　C　牧区

Mu qu shui li
牧区水利   [11D]
Water conservancy of pa-
storal area
　S　水利*
　C　牧区

Mu qu shui zhi
牧区水质   [11D, 17C]
Water quality of pastor-
al area
　S　水质
　Z　质量*

N

Na wu neng li
纳污能力   [17C]
Pollutant acceptance ca-
  pacity

Nai han zuo wu
耐寒作物   [19B]
Cold-enduring crop
  S 作物*

Nai han zuo wu
耐旱作物   [19B]
Drought-enduring crop
Xerophilous plant
  S 作物*

Nai jiu xing
耐久性   [15K]
Durability

Nai mo cai liao
耐磨材料   [15A]
Abrasion-resistance mat-
  erial
  S 材料*

Nai shi gang
耐蚀钢   [15I]
Corrosion resistant ste-
  el
  S 钢*

Nai yong nian xian
耐用年限   [15K]
Life
Service life

Nao du
挠度   [08B]
Deflection

  C 刚度

Nei bu hui shou lü
内部回收率   [19A]
Internal rate of return

Nei cha fa
内插法   [18A]
Interpolation method
  Y 插值法

Nei di
内堤   [13B]
Inner dike
Inner breakwater
  S 海堤*

Nei he gang
内河港   [13B]
River harbor
  S 河港
  Z 港口*

Nei he hang dao
内河航道   [12D]
Inland navigation chann-
  el
Inland waterway
  S 航道*

Nei ju li
内聚力   [05E]
Cohesion
  S 内力
  Z 力*
  C 抗剪强度
     粘着力

Nei li
内力   [08A]

Internal force
  F   内聚力
  S   力*

Nei li ji suan
内力计算   [08B]
Internal force calculat-
  ion
  S   结构计算
  Z   计算*

Nei lu he
内陆河   [18D]
Inland river
  S   河流*

Nei lu hu
内陆湖   [18D]
Inland lake
  S   湖泊*

Nei lu yun he
内陆运河   [12D]
Inland canal
  S   运河
  Z   河流*

Nei mo ca jiao
内摩擦角   [05E]
Angle of internal frict-
  ion
  C   抗剪强度

Nei shui ya li
内水压力   [06A]
Internal water pressure
  S   水压力
  Z   压力*

Neng liang
能量*   [18B]
Energy
  F   波浪能量

          断裂能

Neng liang fa
能量法   [08B]
Energy method
  F   单位荷载法
      单位位移法
  S   结构计算方法*

Neng liang fang cheng
能量方程   [18B]
Energy equation
  S   方程*
  C   伯努利方程

Neng liang shou heng
  ding lü
能量守恒定律   [18B]
Energy conservation law

Neng liang sun shi
能量损失   [18B]
Energy loss
  S   损失*
  C   水头损失

Neng yuan
能源*   [19C]
Energy sources
  F   风能
      太阳能
      新能源

Neng yuan gong ye
能源工业   [19C]
Energy industry
  S   工业*
  C   电力工业
      核工业
      煤炭工业
      石油工业

Ni duan ceng

逆断层   [04B]
Reversed fault
   S   断层(地质)*

Ni zhi fa
逆止阀   [19H]
Check valve
   Y   止回阀

Ni hua jia ceng
泥化夹层   [05L]
Argillaceous intercalat-
ed bed
   Y   软弱夹层

Ni jiang beng
泥浆泵   [14I]
Slurry pump
Mud pump
   S   杂质泵
   Z   泵*

Ni jiang gu bi fa shi
gong
泥浆固壁法施工   [14B]
Slurry trench construct-
ion
   S   施工*

Ni jiang guan jiang
泥浆灌浆   [14F]
Slurry grouting
   S   灌浆*

Ni liu
泥流*   [04C]
Earth-flow
Mudflow
   F   融冻泥流
   C   泥石流

Ni sha
泥沙*   [07A]

Sediment
   F   坝前泥沙
       冲泻质
       床沙质
       非均匀沙
       浮泥
       灌区泥沙
       河床质
       河口泥沙
       河流泥沙
       洪水泥沙
       均匀沙
       流域泥沙
       水库泥沙
       推移质
       悬移质
   C   输沙*

Ni sha cai yang qi
泥沙采样器   [02G]
Sediment sampler
   F   河床质采样器
       推移质采样器
       悬移质采样器
   S   取样器*

Ni sha ce yan
泥沙测验   [02E]
Sediment measurement
Sediment survey
   F   河床质测验
       推移质测验
       悬移质测验
   S   水文测验
   Z   观测*

Ni sha chen jiang
泥沙沉降   [07A]
Sediment settlement
   S   沉降*
   C   泥沙起动

Ni sha fang zhi

泥沙防治 [07C]
Prevention and control
  of sediment
  S 防治*
  C 防沙工程

Ni sha fen bu
泥沙分布 [07A]
Silt distribution
  S 分布*

Ni sha ji suan
泥沙计算 [07A]
Sediment calculation
  F 输沙计算
    淤积计算
  S 水文水利计算
  Z 计算*

Ni sha ke li
泥沙颗粒 [07A]
Sediment granule

Ni sha li jing
泥沙粒径 [07A]
Sediment grain diameter
  S 粒径
  Z 直径*

Ni sha li lun
泥沙理论 [07A]
Sediment theory
  S 理论*
  C 泥沙研究

Ni sha mo xing
泥沙模型 [07A]
Sediment model
  F 全沙模型
  S 水工模型
  Z 模型*
  C 动床模型
    泥沙研究

Ni sha qi dong
泥沙起动 [07A]
Sediment incipient moti-
  on
  S 泥沙运动*
  C 泥沙沉降
    泥沙跃移
    起动流速

Ni sha shu yi
泥沙输移 [07A]
Sediment transport
  Y 输沙*

Ni sha te xing
泥沙特性 [07A]
Characteristics of sedi-
  ment
Property of sediment
  S 特性*

Ni sha xi fu
泥沙吸附 [07A]
Silt adsorption
  S 吸附*
  C 污染物迁移
    重金属污染

Ni sha xu ning
泥沙絮凝 [07A]
Sediment flocculation

Ni sha xuan yi
泥沙悬移 [07A]
Sediment suspension
  S 泥沙运动*

Ni sha ya li
泥沙压力 [08A]
Sediment pressure
  S 压力*

Ni sha yan jiu

泥沙研究　　　　　　　[07A]
Sediment research
　S　研究*
　C　泥沙理论
　　　泥沙模型

Ni sha yu bao
泥沙预报　　　　　　　[02J]
Sediment forecasting
　S　水文预报
　Z　预报*

Ni sha yue yi
泥沙跃移　　　　　　　[07A]
Silt saltation
　S　跃移*
　C　泥沙起动

Ni sha yun dong
泥沙运动*　　　　　　[07A]
Sediment motion
　F　泥沙起动
　　　泥沙悬移
　　　沙波运动
　C　输沙*

Ni sha zu li
泥沙阻力　　　　　　　[07A]
Sediment resistance
　S　阻力
　Z　力*

Ni shi liu
泥石流　　　　　　　　[04C]
Debris flow
　C　滑坡*
　　　泥流*
　　　山地灾害

Ni tan tu
泥炭土　　　　　　　　[05B]
Peat soil
　S　特种土

　Z　土*

Ni zhi yan
泥质岩　　　　　　　　[05L]
Clay rock
　Y　粘土岩

Ni jian gong cheng
拟建工程　　　　　　　[19C]
Proposed project
　S　工程*

Ni long ba
尼龙坝　　　　　　　　[09C]
Nylon dam
Flexible dam
　D　充水塑料坝
　S　软材料坝
　Z　坝*

Nian bian hua
年变化　　　　　　　　[20A]
Annual variation
　S　变化*

Nian du bao gao
年度报告　　　　　　　[19M]
Annual report
　S　报告*

Nian fei yong zui xiao
　fa
年费用最小法　　　　　[19J]
Least annual cost method

Nian jian
年鉴*　　　　　　　　[19M]
Yearbook
　F　水文年鉴

Nian jiang yu liang
年降雨量　　　　　　　[02I]
Annual rainfall

D 年雨量

Nian jing liu
年径流   [02C]
Annual runoff
   D 正常径流
   S 径流*
   C 多年平均径流

Nian jing liu ji suan
年径流计算   [02I]
Annual runoff calculati-
on
   S 径流计算
   Z 计算*

Nian li yong xiao shi
年利用小时   [10B]
Annual operating hours

Nian shui liang ping
  heng
年水量平衡   [02C]
Annual water balance
   S 水量平衡
   Z 平衡*

Nian tiao jie
年调节   [01D]
Annual regulation
   S 调节*

Nian tiao jie shui ku
年调节水库   [09B]
Annual regulating reser-
voir
   S 调节水库
   Z 水库*

Nian yu liang
年雨量   [02I]
Annual rainfall
   Y 年降雨量

Nian du
粘度   [18B]
Viscosity

Nian jie ji
粘接剂   [15A]
Adhesion agent
Adhesive

Nian su xing
粘塑性   [05C]
Viscoplasticity

Nian tan xing
粘弹性   [05C]
Viscoelasticity

Nian tu
粘土   [05B]
Clay
   F 高岭土
      灵敏粘土
   S 粘性土
   Z 土*
   C 亚砂土
      亚粘土
      粘土岩

Nian tu guan jiang
粘土灌浆   [14F]
Clay grouting
   S 灌浆*

Nian tu jie shui qiang
粘土截水墙   [05Q]
Clay cut-off wall
   S 截水墙*

Nian tu pu gai
粘土铺盖   [05Q]
Clay blanket
   S 铺盖*

Nian tu ru bian
粘土蠕变 [05E]
Clay creep
  S 蠕变*

Nian tu shui ni guan
  jiang
粘土水泥灌浆 [14F]
Cement-clay grouting
  S 灌浆*

Nian tu xie qiang
粘土斜墙 [09C]
Clay sloping core
  S 斜墙*

Nian tu xin qiang
粘土心墙 [09C]
Clay core
  S 心墙*

Nian tu yan
粘土岩 [05L]
Clay rock
  D 泥质岩
  F 页岩
  S 沉积岩
  Z 岩石*
  C 粘土

Nian xing tu
粘性土 [05B]
Cohesive soil
  F 粘土
    亚粘土
    亚砂土
  S 土*
  C 无粘性土

Nian zhi mo xing shi yan
粘滞模型试验 [06J]
Viscous model test
  S 模型试验*

Nian zhi xi shu
粘滞系数 [06A]
Coefficient of viscosity
  S 系数*

Nian zhuo li
粘着力 [05E]
Adhesion force
  S 力*
  C 内聚力

Nian zhuo qiang du
粘着强度 [05E]
Adhesive strength
  S 强度(力学)*

Nian ya ba
碾压坝 [09C]
Rolled dam
  F 碾压砼坝
    碾压土坝
  S 坝*

Nian ya ji xie
碾压机械 [14I]
Rolling machinery
  F 钢轮碾
    肋形碾
    气胎碾
    羊脚碾
    振动碾
  S 机械*

Nian ya shi yan
碾压试验 [14H]
Rolling test
Roller compaction test
  S 试验*

Nian ya tong
碾压砼 [15F]
Roll compacted concrete
  S 砼*

C 振动碾

Nian ya tong ba
碾压砼坝   [09C]
Rolled concrete dam
  S 碾压坝
     砼坝
  Z 坝*

Nian ya tong mian ban
碾压砼面板   [09C]
Roller compacted concre-
  te face
  S 砼面板
  Z 面板*

Nian ya tong mian ban ba
碾压砼面板坝   [09C]
Rollcrete facing dam
  S 面板坝
  Z 坝*

Nian ya tu ba
碾压土坝   [09C]
Rolled earth dam
  S 碾压坝
     土坝
  Z 坝*

Niao quan shu zhi
脲醛树脂   [15J]
Urea formaldehyde resin
  S 化学灌浆材料
  Z 材料*

Ning gu dian
凝固点   [18B]
Freezing point
  D 固化点
  S 温度*

Ning jie
凝结   [15B]

Setting

Ning jie shi jian
凝结时间   [15B]
Setting time
  C 缓凝剂
     速凝剂

Niu duan ceng
扭断层   [04B]
Torsion fault
  Y 平移断层

Niu ju
扭矩   [08B]
Torque
Torque moment
  S 力矩*
  C 剪应力
     扭转

Niu kui zeng ying
扭亏增盈   [19A]
Making loss to profit

Niu zhuan
扭转   [08B]
Torsion
  C 扭矩
     扭转变形

Niu zhuan bian xing
扭转变形   [08B]
Torsional deformation
  S 变形*
  C 扭转

Niu dun liu ti
牛顿流体   [18B]
Newtonian fluid
  S 流体*

Niu tui

牛腿   [08D]
Corbel
   S 柱*
   C 深梁
      悬臂梁

Nong chang
农场   [19B]
Farm

Nong cun
农村   [19B]
Countryside

Nong cun dian qi hua
农村电气化   [10L]
Rural electrification

Nong cun jing ji
农村经济   [19B]
Rural economy
   S 经济*

Nong qu
农渠   [11E]
Sublateral canal
   D 田间支渠
   S 渠道*

Nong tian
农田*   [19B]
Cropland
Farmland
Field
   F 稻田
      灌溉农田
      旱田
      基本农田
      冷渍田
      水田
      梯田
   C 土地

Nong tian fang hu lin
农田防护林   [19B]
Agricultural protection
  forest
   S 防护林*

Nong tian guan gai
农田灌溉   [11B]
Field irrigation
Farm irrigation
   S 灌溉*

Nong tian ji ben jian
  she
农田基本建设   [19B]
Farmland capital constr-
  uction
Farm fundamental constr-
  uction

Nong tian pai shui
农田排水   [11B]
Field drainage
Farm drainage
   S 排水*

Nong tian shui li
农田水利   [11A]
Water conservancy of ag-
  riculture land
Irrigation and drainage
  for agriculture land
   S 水利*
   C 冬修(水利)
      坡改梯

Nong tian shui qing
农田水情   [11A]
Field water condition

Nong yao
农药   [18C]
Pesticide

C　土壤污染

Nong ye
农业*　　　　　　　　[19B]
Agriculture
　F　节水农业

Nong ye dai kuan
农业贷款　　　　　　　[19B]
Agricultural loan
　S　贷款*

Nong ye jie shui
农业节水　　　　　　　[19B]
Agricultural water saving
　S　节水*

Nong ye jing ji
农业经济　　　　　　　[19B]
Agricultural economy
　S　经济*

Nong ye qu hua
农业区划　　　　　　　[19B]
Agriculture division
　S　区域规划
　Z　规划*

Nong ye shui li hua
农业水利化　　　　　　[11A]
Agricultural water conservation

Nong ye shui zi yuan
农业水资源　　　　　　[01A]
Agricultural water reso-

urces
　S　水资源*

Nong ye tu rang
农业土壤　　　　　　　[11G]
Agricultural soil
　D　耕作土壤
　S　土壤*

Nong ye yi min
农业移民　　　　　　　[19B]
Agricultural migration
　S　移民*

Nong ye yong shui
农业用水　　　　　　　[11A]
Agricultural water
Water for agriculture
　S　用水*

Nong yong shui beng
农用水泵　　　　　　　[11F]
Agricultural pump
　Y　水泵

Nong zuo wu
农作物　　　　　　　　[19B]
Farm crop
　Y　作物*

Nong du
浓度*　　　　　　　　[18C]
Concentration
　F　掺气浓度
　　　含气浓度

P

PH zhi
pH值 [18C]
pH value
S 数值*
C 碱度
酸度

Pa sheng mo ban
爬升模板 [14G]
Climbing form
S 活动模板
Z 模板*

Pai fang biao zhun
排放标准 [17C]
Discharge standard
S 标准*

Pai guan ji ju
排灌机具 [11F]
Equipment for drainage
and irrigation

Pai guan ji xie
排灌机械 [11F]
Drainage and irrigation
machinery
F 灌溉机械
排水机械
S 机械*

Pai guan she bei
排灌设备 [11F]
Facilities for drainage
and irrigation
F 灌溉设备
S 设备*
C 提水设备

Pai guan zhan

排灌站 [11E]
Irrigation and drainage
pumping station
D 机电排灌站
C 水泵站*

Pai jia
排架 [08C]
Bent
Y 排架结构

Pai jia jie gou
排架结构 [08C]
Bent structure
D 排架
S 框架结构
Z 结构*

Pai ju
排距 [20A]
Row distance
Y 行距

Pai lao
排涝 [11A]
Water log control
D 除涝
防涝
治涝

Pai lao biao zhun
排涝标准 [11B]
Criterion of water log
control
D 除涝标准
S 标准*

Pai qi fa
排气阀 [19H]
Exhaust valve

S 阀门*

Pai sha
排沙 [07C]
Sediment ejection
　D 冲沙
　　放淤

Pai sha di kong
排沙底孔 [09F]
Sediment bottom sluice
　S 底孔*

Pai sha dong
排沙洞 [09E]
Flush tunnel
　S 隧洞*

Pai sha kong
排沙孔 [09F]
Sediment ejection outlet

Pai sha lang dao
排沙廊道 [09C]
Flush gallery
　Y 输沙廊道

Pai sha zha
排沙闸 [09D]
Silt releasing sluice
　Y 冲沙闸

Pai shui
排水* [19C]
Drainage
　F 暗管排水
　　城市排水
　　垂直排水
　　地基排水
　　地面排水
　　地下排水
　　电力排水
　　灌区排水

　　基坑排水
　　明渠排水
　　牧场排水
　　农田排水
　　水电站排水
　　水平排水
　　砼坝排水
　　土石坝排水
　C 排水技术

Pai shui beng zhan
排水泵站 [11E]
Pumping station for dra-
inage
　S 水泵站*

Pai shui cai liao
排水材料 [15A]
Drainage material
　S 材料*

Pai shui gong cheng
排水工程 [19C]
Drainage works
　S 工程*
　C 渠系工程

Pai shui gou
排水沟 [19C]
Drainage ditch

Pai shui guan dao
排水管道 [19C]
Drainage pipeline
　S 管道*

Pai shui ji shu
排水技术 [19C]
Drainage technique
　S 技术*
　C 排水*

Pai shui ji xie

排水机械 [19H]
Drainage machinery
  S 排灌机械
  Z 机械*

Pai shui jia gu
排水加固 [05P]
Stabilization by drainage
  S 加固*

Pai shui jian
排水剪 [05K]
Drained shear test
  D 慢剪
    慢剪试验
  S 剪切试验(土力学)
  Z 试验*
  C 不排水剪

Pai shui jing
排水井 [09L]
Drainage sump
Drainage well
  S 井*

Pai shui jing ji fen xi
排水经济分析 [00C]
Economic analysis of drainage
  S 经济分析
  Z 分析*

Pai shui kong
排水孔 [09L]
Drain hole

Pai shui lang dao
排水廊道 [09C]
Drainage gallery
  S 廊道*

Pai shui liu liang

排水流量 [09L, 19C]
Drain discharge
  S 流量*

Pai shui she ji
排水设计 [19C]
Drainage design
  S 设计*

Pai shui she shi
排水设施 [09L]
Drainage device

Pai shui xi tong
排水系统 [19C]
Drainage system
  F 城市排水系统
  S 系统*

Pai wu
排污 [17B]
Waste drainage

Pai wu fei
排污费 [17C]
Discharge fee
Pollution tax
  S 费用*

Pai mai
拍卖 [19J]
Auction

Pan bie shi
判别式 [18A]
Discriminant
Criterion

Pan bie zhun ze
判别准则 [18A]
Discrimination criterion

Pao mo su liao

泡沫塑料   [15J]
Foamed plastic
　S　塑料*

Pao shi hu po
抛石护坡   [09A]
Riprap slope protection
　D　乱石护坡
　S　护坡*

Pao wu xian gong
抛物线拱   [08C]
Parabolic arch
　S　拱*
　C　双曲拱
　　　无铰拱

Pao zhi bao po
抛掷爆破   [14K]
Throw blasting
　D　扬弃爆破
　S　爆破*

Pei dian zhuang zhi
配电装置   [10J, 19H]
Distribution apparatus
Distribution installati-
　on
　S　装置*

Pei jin
配筋   [08B]
Reinforcement
　C　配筋率

Pei jin ji suan
配筋计算   [08B]
Reinforing calculation
　S　计算*

Pei jin lü
配筋率   [08B]
Percentage of reinforce-

ment
　C　配筋

Pei jin qi ti jie gou
配筋砌体结构   [08C]
Reinforced masonry stru-
　cture
　S　砖石结构
　Z　结构*

Pei shui guan dao
配水管道   [11E]
Distribution pipeline
　S　灌溉管道
　Z　管道*

Pei shui qu
配水渠   [11E]
Distributary
　S　渠道*
　C　灌区水量调配

Pei tao gong cheng
配套工程   [19C]
Complete set projects
　S　工程*

Pei er dun shui lun ji
培尔顿水轮机   [10F]
Pelton turbine
　Y　冲击式水轮机

Pen chu yan
喷出岩   [05L]
Effusive rock
　Y　火山岩

Pen guan
喷灌   [11B]
Sprinkler irrigation
Spray irrigation
　F　雾灌
　S　灌溉*

C 节水灌溉

Pen guan guan dao
喷灌管道   [11F]
Sprinkler pipeline
  S 灌溉管道
  Z 管道*

Pen guan ji
喷灌机*   [11F]
Sprinkler
  F 大型喷灌机
    低压喷灌机
    高压喷灌机
    固定式喷灌机
    轻型喷灌机
    微型喷灌机
    小型喷灌机
    旋转式喷灌机
    移动式喷灌机
    中型喷灌机
    中压喷灌机
    自走式喷灌机

Pen guan ji shu
喷灌技术   [11B]
Sprinkler irrigation te-
chnique
  S 灌溉技术
  Z 技术*

Pen guan qiang du
喷灌强度   [11B]
Sprinkling intensity
  S 强度*

Pen guan shi yan
喷灌试验   [11B]
Sprinkler irrigation te-
st
  S 灌溉试验
  Z 试验*

Pen guan xi tong
喷灌系统   [11F]
Sprinkler irrigation sy-
stem
  S 灌溉系统
  Z 系统*

Pen jiang
喷浆   [15E]
Gunite

Pen she tong
喷射砼   [15F]
Shotcrete
  Y 喷砼

Pen tong
喷砼   [15F]
Shotcrete
  D 喷射砼
  S 砼*

Pen tong zhi hu
喷砼支护   [14E]
Shotcrete support
  S 支护*

Pen tou
喷头*   [11F]
Sprinkler head
Sprinkler
  F 低压喷头
    高压喷头
    固定式喷头
    离心式喷头
    脉冲式喷头
    射流式喷头
    手动式喷头
    塑料喷头
    微型喷头
    涡轮式喷头
    旋转式喷头
    摇臂式喷头

中压喷头

Pen tu
喷涂   [19H]
Spray painting

Pen wu yang hu
喷雾养护   [14G]
Fog curing
  S 养护*

Pen di
盆地   [18D]
Basin

Peng run tu
膨润土   [05B]
Bentonite
  Y 膨胀土

Peng zhang feng
膨胀缝   [08E]
Expanding joint
  Y 伸缩缝

Peng zhang ji
膨胀剂   [15C]
Expanding agent
  S 外加剂*

Peng zhang shi
膨胀势   [05C]
Swelling potential
  C 膨胀性

Peng zhang shui ni
膨胀水泥   [15B]
Expansive cement
  F 微膨胀水泥
     自应力水泥
  S 水泥*
  C 膨胀砼

Peng zhang tong
膨胀砼   [15F]
Expansive concrete
  F 微膨胀砼
  S 砼*
  C 膨胀水泥

Peng zhang tu
膨胀土   [05B]
Expansive soil
  D 膨润土
     胀缩土
  S 特种土
  Z 土*

Peng zhang tu ya li
膨胀土压力   [05J]
Expansive soil pressure
  S 土压力
  Z 压力*

Peng zhang xing
膨胀性   [05C]
Swelling
  C 膨胀势

Pi dai chuan dong
皮带传动   [19H]
Belt drive
  S 传动*
  C 带式输送机

Pi er xun fen bu
皮尔逊分布   [02H, 18A]
Pearson distribution
  D 皮尔逊Ⅲ型分布
  S 概率分布
  Z 分布*

Pi er xun san xing fen
  bu
皮尔逊Ⅲ型分布   [02H, 18A]
Pearson type 3 distribu-

tion
Y 皮尔逊分布

Pi fu
批复   [19M]
Written remark

Pi shi
批示   [19M]
Written comments

Pi lao he zai
疲劳荷载   [08A]
Fatigue load
  S 荷载*

Pi lao qiang du
疲劳强度   [08B]
Fatigue strength
  S 强度(力学)*

Pi li
劈理   [04B]
Cleavage

Pian guang tan xing shi
  yan
偏光弹性试验   [08F]
Polar photoelastic test
  Y 光弹试验

Pian tai xi shu
偏态系数   [02H]
Coefficient of skewness
Coefficient of skew
  S 系数*
  C 水文计算

Pian xin shou la gou
  jian
偏心受拉构件   [08D]
Eccentric tension member
  S 受拉构件

Z 结构构件*

Pian xin shou ya gou
  jian
偏心受压构件   [08D]
Eccentric compression m-
  ember
  S 受压构件
  Z 结构构件*

Pian ma yan
片麻岩   [05L]
Gneiss
  S 区域变质岩
  Z 岩石*

Piao mu dao
漂木道   [09J]
Log chute
  D 泻木槽
  C 过木建筑物

Piao sha
漂沙   [07A]
Drift-sand
  Y 沿岸漂沙

Pin lü
频率*   [18B]
Frequency
  F 洪水频率
    经验频率
    振动频率

Pin lü fen xi
频率分析   [02H]
Frequency analysis
  S 分析(数学)*

Pin lü qu xian
频率曲线   [02H]
Frequency curve
  D 概率曲线

F 分布曲线
   累积曲线
   历时曲线
S 曲线*

Pin lü tiao jie
频率调节   [19E]
Frequency regulation
Y 调频

Pin pu fen xi
频谱分析   [18B]
Spectrum analysis
S 分析*

Pin ren
聘任   [19K]
Engagement

Pin tong
贫砼   [15F]
Lean concrete
S 砼*
C 大坝砼
   水泥用量

Ping ban ba
平板坝   [09C]
Slab buttress dam
S 支墩坝
Z 坝*

Ping ban yi
平板仪   [03D]
Plane-table
Plane-table alidade
S 测绘仪器
Z 仪器*

Ping ban zha men
平板闸门   [09D]
Slab gate
Plane gate

Y 平面闸门

Ping ban zhen dao qi
平板振捣器   [14I]
Vibrating board
S 砼振捣器
Z 机械*

Ping cang
平仓   [14G]
Spreading
Leveling and spreading
Y 砼平仓

Ping cha ji suan
平差计算   [03B]
Adjustment computation
S 计算*

Ping du fa jie liu
平堵法截流   [14D]
Horizontal closure meth-
   od
S 截流*

Ping heng
平衡*   [20B]
Equilibrium
Balance
F 冲淤平衡
   电力电量平衡
   热量平衡
   生态平衡
   水量平衡
   水土资源平衡
   弹性平衡
   土方平衡
   土壤水平衡

Ping heng zhong shi chui
   zhi sheng chuan ji
平衡重式垂直升船机   [09K]
Balanced weight vertical

shiplift
S 垂直升船机
Z 升船机*

Ping mian
平面   [08C]
Plane
C 断面*

Ping mian ce liang
平面测量   [03A]
Plane survey
S 测量*

Ping mian jie gou
平面结构   [08C]
Plane structure
S 结构*
C 空间结构

Ping mian mo xing
平面模型   [06J]
Plane model
S 结构模型
Z 模型*

Ping mian po huai
平面破坏   [04C]
Plane failure
S 破坏*
C 圆弧破坏

Ping mian she liu
平面射流   [06E]
Plane jet
S 射流(水力学)
Z 水流*

Ping mian tou ying fa
平面投影法   [03C]
Plane projection method
S 方法*

Ping mian ying bian
平面应变   [08B]
Plane strain
S 应变*
C 平面应力

Ping mian ying li
平面应力   [08B]
Plane stress
S 应力*
C 平面应变

Ping mian zha men
平面闸门   [09D]
Plane gate
D 平板闸门
S 闸门*

Ping nian
平碾   [14I]
Flat roller
Smooth wheel roller
Y 钢轮碾

Ping shui nian
平水年   [02B]
Median flow year
Normal year
D 中水年

Ping yi duan ceng
平移断层   [04B]
Strike slip fault
D 扭断层
走向滑断层
S 断层(地质)*

Ping yi shi pen guan ji
平移式喷灌机   [11F]
Parallel-traveling spri-
nkler
S 移动式喷灌机
Z 喷灌机*

Ping yuan
平原*   [18D]
Plain
  F 冲积平原
     洪积平原

Ping yuan di qu
平原地区   [18D]
Plain region
Plain area
  S 地区*

Ping yuan he liu
平原河流   [18D]
Plain river
Plain stream
  S 河流*

Ping yuan qu fang hong
平原区防洪   [12B]
Plain floodproofing
  S 防洪*

Ping yuan shui ku
平原水库   [09B]
Plain reservoir
  S 水库*

Ping zheng an xian
平整岸线   [12C]
Leveling and smoothing
  the bank line
Training the bank line
Alignment of bank line
  S 治河措施*

Ping zheng du
平整度   [14H]
Evenness
  D 不平整度

Ping zheng tu di
平整土地   [11A]

Land leveling
  C 坡地整治
     土地利用

Ping jia
评价*   [20B]
Evaluation
  F 安全评价
     财务评价
     地质评价
     国民经济评价
     后评价
     环境影响评价
     水利工程评价
     水质评价
     水资源评价
     预评价

Ping jia fang fa
评价方法   [20A]
Evaluation method
  S 方法*

Po di
坡地   [18D]
Slope land

Po di zheng zhi
坡地整治   [11G]
Regulation of slope land
  C 平整土地
     土地利用

Po du
坡度   [20B]
Slope
Gradient

Po gai ti
坡改梯   [19B]
Changing slope land into
  terrace
  C 农田水利

Po mian jing liu
坡面径流 [02C]
Slope runoff
　S　汇流
　Z　径流*

Po huai
破坏* [20B]
Demolition
Destruction
　F　冻胀破坏
　　　剪切破坏
　　　平面破坏
　　　弯曲破坏
　　　岩体破坏
　　　圆弧破坏

Po huai fen xi
破坏分析 [08B]
Failure analysis
　S　分析(力学)*
　C　可靠性*

Po huai ji li
破坏机理 [08B]
Mechanism of failure
Mechanism of deteriorat-
　ion
　S　机理*

Po huai mian
破坏面 [08B]
Failure surface
　C　结合面

Po huai shi yan
破坏试验 [08F]
Destructive test
　S　力学性能试验
　Z　试验*
　C　强度试验

Po sui

破碎* [14C]
Fragmentation
Crushing
Breaking
　F　激光破碎

Po sui dai
破碎带 [04B]
Fracture zone
　C　风化带

Po sui ji
破碎机 [14I]
Breaker
Crusher
　D　碎石机
　S　机械*

Pou mian
剖面 [08B]
Profile
　Y　断面*

Pu cha
普查 [03F]
Census
　Y　勘察*

Pu ji jiao yu
普及教育 [19K]
Universal education
　S　教育*

Pu shi xi shu
普氏系数 [05L]
Protodiakonov's coeffic-
　ient
　Y　岩石坚固系数

Pu tong gui suan yan
　shui ni
普通硅酸盐水泥 [15B]
Ordinary Portland cement

Y　普通水泥

Pu tong shui ni
普通水泥　　　　　　　　[15B]
Ordinary Portland cement
　D　普通硅酸盐水泥
　S　硅酸盐水泥
　Z　水泥*

Pu gai
铺盖*　　　　　　　　　[09L]

Blanket
　D　防渗铺盖
　F　粘土铺盖
　　　砼铺盖

Pu qi
曝气　　　　　　　　　　[17C]
Aeration
　C　水处理
　　　水净化

Q

Qi
漆 [15J]
Coating
Paint

Qi bao
起爆 [14K]
Detonation
Priming
   D 引爆

Qi dong liu su
起动流速 [07A]
Incipient velocity
   S 流速*
   C 临界推移力
      泥沙起动

Qi zhong hua che
起重滑车 [14I]
Lift block
Electric pulley

Qi zhong ji
起重机* [14I]
Crane
   D 吊车
   F 轨道式起重机
      缆索起重机
      门式起重机
      汽车起重机
      桥式起重机
      塔式起重机
   C 升降机

Qi zhong ji xie
起重机械 [14I, 19H]
Hoisting machinery
   S 机械*
   C 装卸设备

Qi bi ji
启闭机* [09D]
Hoist
   D 闸门启闭机
   F 卷扬式启闭机
      链式启闭机
      螺杆式启闭机
      门式启闭机
      液压启闭机

Qi bi ji qiao
启闭机桥 [09D]
Service bridge
Operating bridge
   Y 工作桥

Qi bi li
启闭力 [09D]
Hoisting capacity
Lifting force
   D 启门力
   S 力*

Qi men li
启门力 [09D]
Lifting force
   Y 启闭力

Qi che qi zhong ji
汽车起重机 [14I]
Mobile crane
Automobile crane
   S 起重机*

Qi che shi jiao ban ji
汽车式搅拌机 [14I]
Truck mounted mixer
   S 砼搅拌机
   Z 机械*

Qi dian shi tiao ya shi
气垫式调压室   [10E]
Air cushion surge chamb-
  er
  S 调压室*

Qi dong yi biao
气动仪表   [19I]
Air driven gauge
  S 仪表*

Qi hou
气候*   [02B]
Climate
  F 库区气候

Qi hou tu ji
气候图集   [02B]
Climatological chart
  S 图集*

Qi hou xue
气候学   [02B]
Climatology

Qi li chuan dong
气力传动   [19H]
Pneumatic drive
  S 传动*
  C 管道气力运输

Qi liu mo xing shi yan
气流模型试验   [06J]
Air flow model test
  S 模型试验*

Qi shi
气蚀   [06E]
Cavitation erosion
  Y 空蚀*

Qi shi yi
气蚀仪   [08F]

Cavitation meter
  Y 空蚀仪

Qi tai nian
气胎碾   [14I]
Pneumatic-tyred roller
Pneumatic roller
  S 碾压机械
  Z 机械*

Qi ti
气体   [18B]
Gas

Qi wen
气温   [02B]
Air temperature
  S 温度*

Qi xiang fen xi
气象分析   [02B]
Meteorological analysis
  S 分析*

Qi xiang guan ce
气象观测   [02B]
Meteorological observat-
  ion
  S 观测*

Qi xiang guan ce yi qi
气象观测仪器   [02G]
Meteorological measuring
  instrument
  S 观测仪器
  Z 仪器*

Qi xiang wei xing
气象卫星   [19G]
Meteorological satellite
Weather satellite
  S 卫星*

Qi xiang xue
气象学*   [02B]
Meteorology
  F 水文气象学

Qi xiang yao su
气象要素   [02B]
Meteorological element

Qi xiang yu bao
气象预报   [02B]
Meteorological forecast-
  ing
  D 天气预报
  F 台风预报
  S 预报*

Qi xiang zai hai
气象灾害   [02B]
Meteorological disaster
  F 冰害
     冻害
     旱灾
     冷害
     水灾
  S 灾害*

Qi xiang zhan
气象站   [02B]
Meteorological station

Qi xiang zi liao
气象资料   [02B]
Meteorological data
  S 资料*

Qi xue
气穴   [06E]
Cavitation
  Y 空穴

Qi guan
畦灌   [11B]

Border irrigation
  S 地面灌溉
  Z 灌溉*

Qi kan
期刊   [19M]
Magazine
Periodical

Qi shi
砌石*   [14C]
Stone masonry
  F 干砌块石

Qi shi ba
砌石坝   [09C]
Stone masonry dam
  D 圬工坝
  F 砌石拱坝
     砌石重力坝
  S 坝*

Qi shi gong ba
砌石拱坝   [09C]
Stone masonry arch dam
  S 拱坝
     砌石坝
  Z 坝*
  C 砌石重力坝

Qi shi hu po
砌石护坡   [09A, 14H]
Stone pitching
Stone block protection
  of slope
  S 护坡*

Qi shi jie gou
砌石结构   [08C]
Masonry structure
  Y 砖石结构

Qi shi zhong li ba

砌石重力坝   [09C]
Stone masonry gravity d-
am
  S 砌石坝
      重力坝
  Z 坝*
  C 砌石拱坝

Qi zhu sha jiang
砌筑砂浆   [15E]
Masonry mortar
  Y 砂浆*

Qi ye
企业*   [19C]
Enterprise
  F 施工企业
      水利企业
      乡镇企业

Qi ye biao zhun
企业标准   [19D]
Enterprise standard
Company standard
  D 公司标准
  S 标准*

Qi ye guan li
企业管理   [19C]
Enterprise management
  S 管理*

Qian
铅   [18C]
Lead

Qian si long
铅丝笼   [12C]
Steel wire cage

Qian an gong cheng
迁安工程   [12B]
Migrating and settling

project
  S 工程*

Qian yi
迁移*   [18B]
Migration
  F 溶质迁移
      污染物迁移
      盐分迁移

Qian ba
潜坝   [09C]
Submerged dam
  S 坝*

Qian shi
潜蚀   [05D]
Piping
  Y 管涌

Qian shi fang bo di
潜式防波堤   [13B]
Submerged breakwater
  S 防波堤*

Qian shui(shui wen di
    zhi)
潜水(水文地质)   [04D]
Phreatic water(hydrogeo-
logy)
  S 地下水
  Z 水*
  C 包气带水

Qian shui beng
潜水泵   [11F]
Submerged pump
  D 潜水电泵
  S 水泵
  Z 泵*

Qian shui dian beng
潜水电泵   [11F]

Submersible electric pu-
mp
   Y 潜水泵

Qian shui zuo ye
潜水作业   [14L]
Diving operation
Diver's work
   Y 水下施工

Qian yan
潜堰   [06D]
Drowned weir
   S 堰*

Qian ceng di xia shui
浅层地下水   [04D]
Shallow groundwater
   S 地下水
   Z 水*

Qian ji chu
浅基础   [05N]
Shallow foundation
   D 浅埋基础
   S 基础*
   C 深基础

Qian jing beng
浅井泵   [11F]
Shallow well pump
   S 井用泵
   Z 泵*

Qian mai ji chu
浅埋基础   [05N]
Shallow foundation
   Y 浅基础

Qian shui bo
浅水波   [06I]
Shallow-water wave
   S 波*

Qian shui qu
浅水区   [18D]
Shallow water region

Qian tan
浅滩   [07B]
Shoal

Qian tan zheng zhi
浅滩整治   [12C]
Regulation of shoal
   S 河道整治*
   C 护滩工程

Qian zhen
浅震   [04B]
Shallow earthquake
   S 地震*

Qian chi
前池   [10D]
Forebay

Qian qi jiang shui
前期降水   [02I]
Antecedent precipitation
   S 降水*
   C 前期影响雨量

Qian qi ying xiang yu
liang
前期影响雨量   [02I]
Earlier effect of rainf-
all
   C 前期降水

Qian gu jie tu
欠固结土   [05B]
Underconsolidated soil
   D 欠压密土

Qian ya mi tu
欠压密土   [05B]

Underconsolidated soil
  Y 欠固结土

Qian jin ding
千斤顶 [14I]
Jack

Qiang
墙* [08D]
Wall
  F 承重墙
     挡土墙
     导流墙
     防浪墙
     剪力墙
     胸墙
     翼墙
  C 结构构件*

Qiang du
强度* [20B]
Intensity
  F 降雨强度
     喷灌强度
     填筑强度
     下渗强度

Qiang du(li xue)
强度（力学）* [18B]
Strength
  F 残余强度
     长期强度
     峰值强度
     极限强度
     抗拔强度
     抗剪强度
     抗拉强度
     抗裂强度
     抗弯强度
     抗压强度
     粘着强度
     疲劳强度
     屈服强度
     蠕变强度
     三轴强度
     瞬时强度
     砼强度
     岩石强度
     早期强度

Qiang du an quan xi shu
强度安全系数 [08B]
Strength safety-coeffic-
  ient
  S 安全系数
  Z 系数*

Qiang du ji suan
强度计算 [08B]
Strength calculation
  S 计算*

Qiang du li lun
强度理论 [08B]
Strength theory
  F 莫尔强度理论
  S 理论*

Qiang du shi yan
强度试验 [08F]
Strength test
  F 冲击试验
     断裂试验
     抗剪强度试验
     抗压强度试验
     拉伸试验
     弯曲试验
  S 力学性能试验
  Z 试验*
  C 破坏试验
     应力试验

Qiang du te xing
强度特性 [08B]
Strength characteristics
  S 特性*

C　材料力学性质

Qiang lie di zhen
强烈地震　　　　　　[04B]
Strong earthquake
　S　地震*

Qiao
桥　　　　　　　　　[19C]
Bridge
　D　桥梁

Qiao du chu zheng zhi
桥渡处整治　　　　　[12C]
Bridge ferry regulation
　S　河道整治*

Qiao liang
桥梁　　　　　　　　[19C]
Bridge
　Y　桥

Qiao liang jie gou
桥梁结构　　　　　　[08C]
Bridge structure
　S　结构*
　C　斜拉结构

Qiao shi qi zhong ji
桥式起重机　　　　　[14I]
Overhead travelling cra-
ne
Bridge crane
　D　行车
　S　起重机*
　C　轨道式起重机

Qiao ti
壳体*　　　　　　[08C, 08D]
Shell
　F　圆筒壳体

Qie ge

切割　　　　　　[14J, 19H]
Cutting

Qie tan
切滩　　　　　　　　[07B]
Cut overbank

Qie xiang ying li
切向应力　　　　　　[08B]
Tangential stress
　D　环向应力
　S　应力*
　C　径向应力

Qie xiao
切削　　　　　　　　[19H]
Cutting
　C　金属加工

Qin ru yan
侵入岩　　　　　　　[05L]
Intrusive rock
　S　火成岩
　Z　岩石*

Qin shi
侵蚀*　　　　　　　[20B]
Erosion
　F　冲沟侵蚀
　　　风力侵蚀
　　　灌溉侵蚀
　　　溅蚀
　　　水力侵蚀
　　　滩岸侵蚀
　　　土壤侵蚀
　　　重力侵蚀
　C　腐蚀
　　　侵蚀模数
　　　水泥性能

Qin shi fang cheng
侵蚀方程　　　　　　[11G]
Erosion equation

S 方程*

Qin shi fen xi
侵蚀分析   [11G]
Erosion analysis
S 分析*

Qin shi mo shu
侵蚀模数   [11G]
Erosion modulus
S 模数*
C 侵蚀*

Qin shi mo xing
侵蚀模型   [11G]
Erosion model
S 模型*

Qing
氢   [18C]
Hydrogen

Qing bao diao yan
情报调研   [19M]
Information investigati-
  on and study
Y 信息调研

Qing bao fu wu
情报服务   [19M]
Information service
Y 信息服务

Qing bao guan li
情报管理   [19F]
Information management
Y 信息管理

Qing bao jia gong
情报加工   [19M]
Information processing
Y 信息加工

Qing bao jian suo
情报检索   [19M]
Information retrieval
Y 信息检索

Qing bao wang luo
情报网络   [19F]
Information network
Y 信息网络

Qing chan he zi
清产核资   [19J]
Inventory of property

Qing ji
清基   [14C]
Cleaning of construction
  site

Qing wu ji
清污机   [09G]
Rack-cleaning machine
Waste-cleaning machine

Qing xi
清洗   [14C]
Cleaning
D 冲洗

Qing yu
清淤*   [07C]
Removal of sediment
Cleaning of sediment
F 冲淤
  港口清淤
  河道清淤
  湖泊清淤
  渠道清淤
  水库清淤
  挖淤
C 防淤

Qing gong ye

轻工业   [19C]
Light industry
　S　工业*

Qing gu liao
轻骨料   [15D]
Lightweight aggregate
　S　骨料*
　C　轻砼
　　　陶粒

Qing tong
轻砼   [15F]
Lightweight concrete
　S　砼*
　C　轻骨料

Qing xing jie gou
轻型结构   [08C]
Light type structure
　S　结构*

Qing xing pen guan ji
轻型喷灌机   [11F]
(动力机功率2.2千瓦~4.5
千瓦)
Light type sprinkler
　S　喷灌机*

Qing hua wu
氰化物   [18C]
Cyanide
　S　化合物*

Qing ning
氰凝   [14F]
Polyurethane
　Y　聚氨酯

Qing shi
请示   [19M]
Asking for instruction

Qing xie yan ceng
倾斜岩层   [04A]
Monoclinal strata
　D　单斜岩层

Qiu fa
球阀   [19H]
Globe valve
Ball valve
　S　阀门*

Qiu xing cha guan
球形岔管   [10D]
Spherical manifold
Spherical bifurcated pi-
pe
Spherical branch pipe
　S　岔管
　Z　压力水管*

Qiu zhou cheng
球轴承   [19H]
Spherical bearing
Ball bearing
　S　轴承*

Qiu jie
求解   [18A]
Seek result

Qiu ling
丘陵   [18D]
Hill

Qiu ling qu
丘陵区   [18D]
Hilly land
Hilly country
Hilly area
　S　地区*

Qu chuang wen ding xing
渠床稳定性   [11E]

Channel stability
  S 稳定性*

Qu dao
渠道*   [11E]
Canal
Channel
  D 水渠
  F 暗渠
     导流渠
     地下渠道
     斗渠
     干渠
     坎儿井
     毛渠
     明渠
     农渠
     配水渠
     尾水渠
     引水渠
     支渠
  C 渠化运河

Qu dao cao lü
渠道糙率   [11E]
Channel roughness
  S 糙率*

Qu dao ce liang
渠道测量   [03E]
Canal survey
  S 水利工程测量
  Z 测量*

Qu dao chen qi
渠道衬砌   [11E]
Canal lining
  S 衬砌*

Qu dao dian zhan
渠道电站   [10B]
Channel hydropower stat-
  ion

  S 水电站*

Qu dao fang shen
渠道防渗   [11E]
Seepage proof of canal
Preventing canal seepage
  S 防渗*

Qu dao hu po
渠道护坡   [11E]
Canal protection
Canal slope protection
  S 护坡*

Qu dao kai wa
渠道开挖   [14C]
Canal excavation
  S 开挖*

Qu dao qing yu
渠道清淤   [11E]
Canal desilting
  S 清淤*

Qu dao she ji
渠道设计   [11E]
Channel design
Canal design
  S 设计*

Qu dao yang yu
渠道养鱼   [19B]
Canal fish culture
Channel fish culture
  S 养鱼*

Qu dao yu ji
渠道淤积   [07C]
Channel sedimentation
Canal sedimentation
  S 淤积*

Qu dao zu li

渠道阻力 [11E]
Canal resistance
  Y 明槽阻力

Qu guan qu
渠灌区 [11C]
Canal irrigation distri-
ct
  S 灌区
  Z 地区*
  C 井渠联合运用

Qu hua gong cheng
渠化工程 [11E]
Canalization project
  S 工程*

Qu hua hang dao
渠化航道 [12D]
Canalized navigation ch-
annel
  S 航道*
  C 渠化运河

Qu hua yun he
渠化运河 [12D]
Canalized canal
  S 运河
  Z 河流*
  C 渠道*
    渠化航道

Qu shou
渠首 [11E]
Headworks
Diversion works
  C 灌溉枢纽
    引水枢纽

Qu shou zha
渠首闸 [09D]
Headgate
Inlet sluice

  Y 进水闸

Qu xi
渠系 [11E]
Canal system

Qu xi gong cheng
渠系工程 [11E]
Canal system works
  S 工程*
  C 灌溉工程
    排水工程

Qu xi gui hua
渠系规划 [01C]
Canal system planning
  S 规划*

Qu xi jian zhu wu
渠系建筑物 [11E]
Canal structure
  S 水工建筑物*
  C 跌水
    渡槽*
    涵洞
    涵管

Qu fu dian
屈服点 [08B]
Yield point
  Y 屈服极限

Qu fu ji xian
屈服极限 [08B]
Yield limit
  D 屈服点
  C 极限强度

Qu fu qiang du
屈服强度 [08B]
Yield strength
  S 强度(力学)*

Qu jian lai shui
区间来水   [02C]
Regional inflow
　Y　区间入流

Qu jian ru liu
区间入流   [02C]
Regional inflow
　D　区间来水

Qu yu bian zhi yan
区域变质岩   [05L]
Regional metamorphic ro-
ck
　F　片麻岩
　S　变质岩
　Z　岩石*

Qu yu fang hong
区域防洪   [12B]
Regional flood control
　S　防洪*

Qu yu fen xi
区域分析   [02I]
Regional analysis
　Y　区域综合

Qu yu gong cheng di zhi
区域工程地质   [04C]
Regional engineering ge-
ology
　S　工程地质*
　C　工程地质勘察

Qu yu gui hua
区域规划   [19A]
Regional planning
　F　农业区划
　　水利区划
　S　规划*

Qu yu hong shui yu bao

区域洪水预报   [02J]
Regional flood forecast-
ing
　S　洪水预报
　Z　预报*

Qu yu jing ji
区域经济   [19A]
Regional economy
　S　经济*

Qu yu shui liang ping
heng
区域水量平衡   [02K]
Regional water balance
　S　水量平衡
　Z　平衡*

Qu yu shui wen
区域水文   [02K]
Regional hydrology
　S　水文*
　C　流域水文

Qu yu shui wen di zhi
区域水文地质   [04D]
Regional hydrogeology
　S　水文地质*

Qu yu shui wen xue
区域水文学   [02A]
Regional hydrology
　S　水文学*

Qu yu shui xun huan
区域水循环   [02K]
Regional hydrologic cyc-
le
　S　水循环
　Z　循环*

Qu yu shui zi yuan
区域水资源   [01A]

Regional water resources
  S 水资源*
  C 流域水资源

Qu yu xing hui yi
区域性会议   [19M]
Regional conference
  S 会议*

Qu yu zong he
区域综合   [02I]
Regional synthesis
  D 区域分析

Qu liang
曲梁   [08D]
Curved beam
  S 梁*

Qu lü xi shu
曲率系数   [05B]
Coefficient of curvature
  S 系数*
  C 不均匀系数
      颗粒级配

Qu xian
曲线*   [18A]
Curve
  F 击实曲线
      库容曲线
      频率曲线
      水面曲线
      水位流量关系曲线
      水文曲线
      特性曲线
      堰面曲线

Qu xian ni he
曲线拟合   [02E]
Curve fitting

Qu shui

取水*   [01B]
Water taking
  F 表层取水
      抽水
      分层取水
      灌溉取水
      深层取水
      水库取水
      提水
      无坝取水
      有坝取水

Qu shui jian zhu wu
取水建筑物   [09G]
Intake works
  D 进水建筑物
  S 水工建筑物*
  C 进水闸
      引水工程
      引水建筑物

Qu shui shu niu
取水枢纽   [09A]
Water diversion project
  Y 引水枢纽

Qu shui ta
取水塔   [09G]
Diversion tower
  D 进水塔

Qu shui xu ke
取水许可   [00B]
Water drawing allowance

Qu xin zuan jin
取芯钻进   [03G]
Core drilling
  D 岩芯钻进
  S 钻进*
  C 不取芯钻进

Qu yang

取样   [19I]
Sampling
  C 取样器*
     试件
     芯样

Qu yang ji shu
取样技术   [19I]
Sampling technique
  S 技术*

Qu yang qi
取样器*   [19I]
Sampler
  F 泥沙采样器
     水取样器
     原状土取样器
     自动采样器
  C 取样

Quan
醛   [18C]
Aldehyde

Quan
泉   [04D]
Spring
  C 地下水排泄
     地下水源

Quan shui
泉水   [04D]
Spring water
  S 水*

Quan duan mian
全断面   [08B]
Full section
  S 断面*

Quan duan mian chen qi
全断面衬砌   [14E]
Full-face lining

  S 衬砌*

Quan duan mian jue jin
ji
全断面掘进机   [14I]
Full-face tunneller
  S 掘进机
  Z 机械*

Quan duan mian kai wa
全断面开挖   [14E]
Full-face excavation
  S 开挖*

Quan guo hui yi
全国会议   [19M]
National conference
  S 会议*

Quan ji pei tong
全级配砼   [15F]
Complete grading concre-
te
  S 砼*

Quan qiu ding wei xi
tong
全球定位系统   [03A]
Global positioning syst-
em
  D GPS
  S 系统*

Quan sha mo xing
全沙模型   [06J]
Whole sand model
  S 泥沙模型
  Z 模型*

Quan xi guang tan shi
yan
全息光弹试验   [08F]
Holographic photoelastic

test
S 光弹试验
Z 试验*

Quan xi guang tan xing
fa
全息光弹性法 [08B]
Holographic photoelastic
method
S 光弹性法
Z 结构计算方法*

Quan xi she ying
全息摄影 [03A]
Holography
S 摄影*

Que quan ding jie
确权定界 [00B]
Right and boundary deter-
rmination

Que shui

缺水 [01B]
Water dificit

Que shui di qu
缺水地区 [18D]
Water deficient region
Water-deficient area
S 地区*

Que xian
缺陷 [20B]
Defect

Qun ban xiao neng gong
裙板消能工 [09I]
Shirt dissipator
S 消能工*

Qun zhuang
群桩 [05N]
S 桩*

R

Ran liao
染料   [18C]
Dye

Rang tu
壤土   [05B]
Loam
　Y　亚粘土

Rao ba shen liu
绕坝渗流   [06G]
Seepage around abutment
　S　渗流*

Rao ba shen liu guan ce
绕坝渗流观测   [16B]
Observation of dam-abut-
　　ment percolation
　S　渗流观测
　Z　观测*

Rao dong tu
扰动土   [05B]
Disturbed soil
　S　土*
　C　原状土

Re chu li
热处理   [19H]
Heat-treatment
　S　处理*

Re dai zuo wu
热带作物   [19B]
Tropical crop
　S　作物*

Re dao lü
热导率   [18B]
Thermal conductivity

Heat conductivity
　Y　导热系数

Re feng yang hu
热风养护   [14G]
Hot air curing
　S　养护*

Re li bian zhi yan
热力变质岩   [05L]
Thermal metamorphic rock
　F　大理岩
　S　变质岩
　Z　岩石*

Re li xi tong
热力系统   [19C]
Thermodynamic system
　S　系统*
　C　采暖系统

Re li xue
热力学   [18B]
Thermodynamics
　S　力学*

Re li xue xing zhi
热力学性质   [18B]
Thermodynamical property
　S　力学性质*

Re liang jiao huan
热量交换   [18B]
Heat exchange

Re liang ping heng
热量平衡   [18B]
Heat balance
　S　平衡*

Re peng zhang
热膨胀 [18B]
Thermal expansion

Re peng zhang xi shu
热膨胀系数 [18B]
Thermal expansion coeff-
icient
　S　系数*

Re rong liang
热容量 [18B]
Heat capacity
Thermal capacity
　Y　比热

Re shui zi yuan
热水资源 [01A]
Heat water resources
　S　水资源*

Re wen ding xing
热稳定性 [18B]
Thermal stability
　S　稳定性*

Re wu ran
热污染 [17B]
Thermal pollution
　S　污染*

Re xue xing zhi
热学性质 [18B]
Thermal property
　S　物理性质*

Re ying li
热应力 [08A]
Thermal stress
　Y　温度应力

Ren cai jiao liu
人才交流 [19K]

Talent exchange

Ren cai kai fa
人才开发 [19K]
Talent development

Ren chu yin shui
人畜饮水 [11D]
Feeding men and animals
　　with water
　C　牧场供水
　　　牲畜需水量

Ren fang cuo shi
人防措施 [19C]
Air defence measure
　S　措施*

Ren gong bu ji
人工补给 [20A]
Artificial recharge
　S　补给*

Ren gong cao chang
人工草场 [11D]
Cultivated grassland
　D　草库伦
　S　草场*
　C　人工牧场

Ren gong di ji
人工地基 [05M]
Artificial foundation
　S　地基*
　C　天然地基

Ren gong dong tu
人工冻土 [05B]
Artificial frozen soil
　Y　人造冻土

Ren gong jiang shui
人工降水 [02C]

Artificial precipitation
Cloud seeding
  S 降水*

Ren gong kong zhi
人工控制   [20A]
Manual control
  D 手控
  S 控制*
  C 手工操作

Ren gong mu chang
人工牧场   [11D]
Cultivated pasture
  S 牧场*
  C 人工草场

Ren gong sha
人工砂   [15D]
Crushed sand
  S 砂*

Ren gong shen jing wang
  luo
人工神经网络   [19F]
Aritificial neural netw-
ork

Ren gong zhi neng
人工智能   [19E]
Artificial intelligence

Ren gong zhi sha
人工制砂   [14C]
Sand fabrication

Ren lei huo dong ying
  xiang
人类活动影响   [19A]
Effect of human activity
Human effect

Ren shi diao pei

人事调配   [19K]
Allocation of personnel

Ren zao dong tu
人造冻土   [05B]
Artificial frozen soil
  D 人工冻土
  S 冻土
  Z 土*

Ren zao wei xing
人造卫星   [19G]
Man-made satellite
Artificial satellite
  Y 卫星*

Ren zi zha men
人字闸门   [09D]
Miter gate
  S 闸门*

Ren mian
任免   [19K]
Appointment and removem-
ent

Ren xing duan lie
韧性断裂   [08B]
Ductile fracture
  S 断裂*

Ri tiao jie shui ku
日调节水库   [09B]
Daily regulating reserv-
oir
  S 调节水库
  Z 水库*

Rong dong ni liu
融冻泥流   [04C]
Solifluction
  S 泥流*
  C 冰冻翻浆

冻土   Dissolved oxygen

Rong hua ya suo   Rong lü
融化压缩   [05C]   溶滤   [15F]
Melting compression   Leaching
　C　冻胀破坏

                               Rong ye
Rong xue   溶液   [18C]
融雪   [02C]   Solution
Snow melt   　S　液体*

Rong xue hong shui   Rong zhi
融雪洪水   [02C]   溶质   [18C]
Snowmelt flood   Solute
　S　洪水*

                               Rong zhi qian yi
Rong xue jing liu   溶质迁移   [18B]
融雪径流   [02C]   Solute migration
Snowmelt runoff   　S　迁移*
　S　径流*

                               Rong xu cheng zai li
Rong xue jing liu yu bao   容许承载力   [08B]
融雪径流预报   [02J]   Allowable bearing capac-
Forecast of melting snow   ity
　runoff   　S　承载力*
　Y　春汛预报

                               Rong xu pai fang liang
Rong xue shui zi yuan   容许排放量   [17C]
融雪水资源   [01A]   Permissible discharge
Snow melt water resourc-
　es   Rong xu ying li
　D　冰川资源   容许应力   [08B]
　　　冰雪水资源   Allowable stress
　S　地表水资源   　S　应力*
　Z　水资源*   　C　极限强度

Rong ji   Rong zhong
溶剂   [18C]   容重*   [15K, 18B]
Solvate   Unit weight
Solvent   　D　单位重
                               　F　干容重
Rong jie yang   　　　土容重
溶解氧   [17C]

Rong zhong shi yan
容重试验   [05K]
Unit weight test
  S 试验*
  C 土容重

Rou du fa
柔度法   [08B]
Flexibility method
  S 结构计算方法*
  C 力法

Rou xing cai liao
柔性材料   [15A]
Flexibile material
  S 材料*

Rou xing ji chu
柔性基础   [05N]
Flexible foundation
  S 基础*

Rou xing jie gou
柔性结构   [08C]
Flexible structure
  S 工程结构
  Z 结构*
  C 刚性结构

Rou xing zhi zuo
柔性支座   [08E]
Flexible support
  S 支座*
  C 橡胶支座

Ru bian
蠕变*   [05E]
Creep
  F 粘土蠕变
    岩体蠕变
  C 流变
    蠕变率
    应力松弛

Ru bian lu
蠕变率   [05E]
Creep rate
  C 蠕变*

Ru bian qiang du
蠕变强度   [05E]
Creep strength
  S 强度(力学)*

Ru cang wen du
入仓温度   [14G]
Placing temperature
  S 温度*
  C 砼温度控制

Ru hai hang dao
入海航道   [12D]
Seaward navigation canal
  S 航道*

Ru hai liu lu
入海流路   [07B]
Estuarine channel
  Y 河口流路

Ru shen
入渗   [02C]
Infiltration
  Y 下渗

Ru hua li qing
乳化沥青   [15J]
Bituminous emulsion
  S 沥青*

Ruan cai liao ba
软材料坝   [09C]
Flexible dam
  F 尼龙坝
    橡胶坝
  S 坝*
  C 活动坝

Ruan guan
软管 [15J]
Hose
　S　管*

Ruan hua xi shu
软化系数 [05L]
Softening coefficient
　S　系数*

Ruan ruo di ji
软弱地基 [05M]
Soft foundation
　D　软土地基
　S　地基*

Ruan ruo jia ceng
软弱夹层 [05L]
Soft interlayer
　D　泥化夹层

Ruan ruo jia ceng di ji
软弱夹层地基 [05M]
Foundation with interbe-
dded argillous soil
　S　地基*

Ruan ruo yan shi
软弱岩石 [05L]
Soft rock
　S　岩石*
　C　坚硬岩石

Ruan tu
软土 [05B]
Soft soil
　D　淤泥
　S　特种土
　Z　土*

Ruan tu di ji
软土地基 [05M]
Soft soil foundation

　Y　软弱地基

Rui yuan yan
锐缘堰 [06D]
Sharp crested weir
　S　堰*
　C　薄壁堰

S

San he tu
三合土   [15H]
Lime concrete

San jiao gong
三铰拱   [08C]
Three-hinged arch
　　S　拱*

San jiao gong du cao
三铰拱渡槽   [11E]
Three-hinged arch flume
　　S　拱式渡槽
　　Z　渡槽*

San jiao ce liang
三角测量   [03A]
Triangulation
　　S　测量*

San jiao dian
三角点   [03A]
Triangulation point
　　S　测量控制点*

San jiao wang
三角网   [03A]
Triangulation network
Triangulation net
　　S　测量控制网*

San jiao yan
三角堰   [06D]
Triangular weir
　　S　堰*

San jiao zha men
三角闸门   [09D]
Triangular gate
　　S　闸门*

San shui zhuan hua
三水转化   [02C]
Water three phases tran-
　　sformation

San tong fa
三通阀   [19H]
Three-way valve
　　S　阀门*

San wei gu jie
三维固结   [05E]
Three-dimensional conso-
　　lidation
　　Y　三向固结

San wei guang tan mo
　　xing
三维光弹模型   [08F]
Three-dimensional photo-
　　elastic model
　　S　结构模型
　　Z　模型*

San wei guang tan shi
　　yan
三维光弹试验   [08F]
Three-dimensional photo-
　　elastic test
　　S　光弹试验
　　Z　试验*

San wei guang tan xing
　　fa
三维光弹性法   [08B]
Three-dimensional photo-
　　elastic method
　　S　光弹性法
　　Z　结构计算方法*

San wei liu
三维流   [06A]
Three-dimensional flow
　S　水流*

San wei shen liu
三维渗流   [06G]
Three-dimensional seepa-
ge
　S　渗流*

San xiang gu jie
三向固结   [05E]
Three-dimensional conso-
　lidation
　D　三维固结
　S　固结*

San xiang zhi zuo
三向支座   [08E]
Three-dimensional suppo-
rt
　S　支座*

San zhou qiang du
三轴强度   [05L]
Triaxial strength
　S　强度(力学)*
　C　岩石强度

San zhou shi yan
三轴试验   [05K]
Triaxial test
　F　振动三轴试验
　S　试验*
　C　三轴仪

San zhou yi
三轴仪   [05K]
Triaxial apparatus
　F　动力三轴仪
　　高压三轴仪
　　振动三轴仪

　S　土工测试仪器
　Z　仪器*
　C　三轴试验

San zhou ying li
三轴应力   [05H]
Triaxial stress
　S　应力*

San shi shui lun fa dian
　ji
伞式水轮发电机   [10H]
Umbrella type hydraulic
　generator
　S　水轮发电机*

San zhuang shui ni yun
　shu zhuang zhi
散装水泥运输装置   [14I]
Bulk cement transporter

Sao chuang
扫床   [12C]
Sweeping river bed
　S　治河措施*

Sao gong
埽工   [12C]
Fascine works

Se du
色度   [17C]
Colourity

Se pu fen xi
色谱分析   [18B]
Chromatographic analysis
　S　分析*

Se zhi qiang gan
塞支强干   [12C]
Fork channel blockage
Fork channel closure

  D 堵塞汊道
  S 治河措施*

Sen lin
森林 [19B]
Forest
  C 防护林*
    林区

Sha
砂* [15D]
Sand
  F 粗砂
    粉砂
    人工砂
    细砂
  C 细骨料

Sha bo
砂驳 [14I]
Sand barge

Sha dian ceng
砂垫层 [05P]
Sand cushion

Sha jiang
砂浆* [15E]
Mortar
  D 砌筑砂浆
    水泥砂浆
  F 高强砂浆
    环氧砂浆
    胶乳水泥砂浆
    聚合物砂浆
    聚合物水泥砂浆
  C 水泥*

Sha jing pai shui
砂井排水 [14C]
Sand well drain
Sand pile drain
  S 地基排水

  Z 排水*

Sha li shi
砂砾石 [15D]
Sand gravel
  C 卵石

Sha li shi di ji
砂砾石地基 [05M]
Sand-gravel foundation
  Y 砂卵石地基

Sha luan shi di ji
砂卵石地基 [05M]
Sand-gravel foundation
  D 砂砾石地基
  S 地基*

Sha rang tu
砂壤土 [05B]
Sandy loam
  Y 亚砂土

Sha shi liao diao cha
砂石料调查 [03F]
Sand-gravel investigation
  Y 天然建筑材料调查

Sha shi liao jia gong
  she bei
砂石料加工设备 [14I]
Sand and stone preparation equipment
  S·设备*
  C 洗砂分级设备

Sha shi liao jia gong xi
  tong
砂石料加工系统 [14C]
Aggregate preparation system
  S 系统*

C 骨料加工厂

Sha shi liao kai cai
砂石料开采   [14C]
Sand and gravel exploit-
  ation

Sha tu
砂土   [05B]
Sand soil
  S 无粘性土
  Z 土*
  C 砂土地基
     砂土液化

Sha tu di ji
砂土地基   [05M]
Sand soil foundation
  S 土地基
  Z 地基*
  C 砂土

Sha tu ye hua
砂土液化   [05G]
Liquefaction of sand so-
  il
Sand liquefaction
  C 地震烈度
     砂土
     振动荷载

Sha yan
砂岩   [05L]
Sand rock
  S 碎屑岩
  Z 岩石*

Sha zhuang
砂桩   [05N]
Sand pile
  S 碎石桩
  Z 桩*

Sha bo yun dong
沙波运动   [07A]
Sand-wave movement
  S 泥沙运动*

Sha hua fang zhi
沙化防治   [11G]
Sandification prevention
  and control
  S 防治*
  C 风沙防治

Sha ji
沙棘   [19B]
Hippophae rhamnoide

Sha mo xing shi yan
沙模型试验   [06J]
Sand model test
  S 模型试验*

Sha mo
沙漠   [18D]
Desert

Sha mo hua
沙漠化   [11G]
Desertification
  Y 荒漠化

Sha zhi hai an
沙质海岸   [13A]
Sand coast
  S 海岸*

Sha zhi tu rang
沙质土壤   [11G]
Sand soil
  S 土壤*

Sha zhou
沙洲*   [07B]
Bar

F   江心洲
    拦门沙

Shai fen
筛分*   [14C]
Screen analysis
Screening
  D   分级
  F   水力分级
  C   筛分机*

Shai fen chuan
筛分船   [14I]
Sieving ship
Screening boat
  C   筛分机*

Shai fen ji
筛分机*   [14I]
Sieving machine
Screening machine
  F   水力分级机
      振动筛
  C   筛分*
      筛分船

Shan di zai hai
山地灾害   [04C]
Mountain calamity
  S   灾害*
  C   暴雨洪水
      泥石流

Shan gou
山沟*   [18D]
Gully
Mountain valley
  F   经济沟
      水平沟

Shan hong
山洪   [02C]
Flash flood

Y   暴雨洪水

Shan mai
山脉   [18D]
Mountain range
Mountain chain

Shan qiu qu fang hong
山丘区防洪   [12B]
Hilly region floodproof-
  ing
  S   防洪*

Shan qu
山区   [18D]
Mountainous area
  S   地区*

Shan qu he liu
山区河流   [18D]
Mountainous stream
  S   河流*

Shan yan ya li
山岩压力   [05L]
Rock pressure
  S   压力*

Shan xing zha men
扇形闸门   [09D]
Sector gate
  S   闸门*

Shang bu jie gou
上部结构   [08C]
Superstructure
  S   结构*

Shang chi
上池   [09B]
Upper reservoir
Upper pool
  D   上水库

S 水库*
C 抽水蓄能电站

Shang shui ku
上水库   [09B]
Upper reservoir
Y 上池

Shang you
上游   [02K]
Upstream
Upper reach
Y 上游河段

Shang you he duan
上游河段   [02K]
Upstream
Upper reach
D 上游
S 河段*

Shang you wei yan
上游围堰   [14D]
Upstream cofferdam
S 围堰*

Shang qing
墒情   [11G]
Soil moisture
C 土壤水分

Shang ye
商业   [19J]
Business
Commerce

Shao jin tong
少筋砼   [15F]
Less reinforced concrete
S 加筋砼
Z 砼*

Shao jin tong jie gou

少筋砼结构   [08C]
Less reinforced concrete
  structure
S 砼结构
Z 结构*

Shao shui nian
少水年   [02B]
Low flow year
Y 枯水年

Shao zuan
烧钻   [03G]
Burning of bit
S 孔内事故
Z 事故*

She ban zha men
舌瓣闸门   [09D]
Flap gate
S 闸门*

She bei
设备*   [19H]
Facilities
Equipment
F 测深设备
   成套设备
   电气设备
   附属设备
   辅助设备
   钢筋加工设备
   观测设备
   灌浆设备
   焊接设备
   机电设备
   加沙设备
   控制设备
   量水设备
   排灌设备
   砂石料加工设备
   摄影设备
   试验设备

水力发电设备
提水设备
砼拌制设备
外部设备(计算机)
洗砂分级设备
遥感设备
引进设备
诱鱼设备
装卸设备
C   设备安装
设备管理

She bei an zhuang
设备安装   [14J]
Equipment installation
F   机电设备安装
S   安装*
C   设备*

She bei ding huo
设备订货   [19J]
Order of equipment
S   订货*

She bei guan li
设备管理   [19H]
Equipment management
F   机电设备管理
S   管理*
C   设备*
设备维修

She bei tiao shi
设备调试   [14J]
Equipment modulation

She bei wan hao lü
设备完好率   [19H]
Equipment availability

She bei wei xiu
设备维修   [19H]
Maintenance of equipment

S   维修*
C   设备管理

She ji
设计*   [20B]
Design
F   坝设计
泵站设计
标准设计
程序设计
初步设计
电气设计
定型设计
渡槽设计
防渗设计
工程设计
供水设计
观测设计
灌溉设计
管网设计
基础设计
机电设计
技术设计
计算机辅助设计
加固设计
建筑设计
结构设计
竣工设计
抗震设计
排水设计
渠道设计
施工组织设计
水电站设计
水库设计
水力设计
水轮机设计
隧洞设计
体型设计
系统设计
选型设计
溢洪道设计
鱼道设计
闸设计

站网设计
最优设计

She ji bao gao
设计报告 [19C]
Design report
S 报告*

She ji bao yu
设计暴雨 [02I]
Design storm
F 可能最大暴雨
S 暴雨
Z 降水*
C 暴雨放大
暴雨移置
暴雨组合

She ji biao zhun
设计标准 [19D]
Design standard
S 标准*

She ji cheng xu
设计程序 [19D]
Design program
S 程序*

She ji fang an
设计方案 [19D]
Design program
Design plan
S 方案*

She ji gui fan
设计规范 [19D]
Design specification
S 规范*

She ji he zai
设计荷载 [08A]
Design load
S 荷载*

She ji hong shui
设计洪水 [02I]
Project flood
Design flood
F 可能最大洪水
梯级洪水
S 洪水*

She ji hong shui wei
设计洪水位 [01D]
Design flood level
S 洪水位
Z 水位*

She ji shui wei
设计水位 [01D]
Design water level
Y 正常蓄水位

She hui bao xian
社会保险 [19J]
Social insurance
S 保险*

She hui xiao yi
社会效益 [19A]
Social benefit
S 效益*
C 投资效益

She liu (shui li xue)
射流(水力学) [06E]
Jet
F 平面射流
淹没射流
自由射流
S 水流*
C 高速水流

She liu beng
射流泵 [11F]
Efflux pump
Jet flow pump

S　水泵
　　Z　泵*

She liu ji shu
射流技术　　　　　　　　[19E]
Fluidics
　　S　技术*

She liu shi pen tou
射流式喷头　　　　　　　[11F]
Ejector sprinkle head
Ejector
　　S　喷头*

She shui chen zhuang
射水沉桩　　　　　[14L, 05N]
Piling jetting
　　S　沉桩
　　Z　工程*

She xian tan shang
射线探伤　　　　　　　　[19I]
Ray detection
Ray inspection
　　S　无损探伤
　　Z　探伤*

She lü yan
蛇绿岩　　　　　　　　　[05L]
Ophiolite
　　S　火成岩
　　Z　岩石*

She ying
摄影*　　　　　　　　　[03A]
Photography
　　F　高速摄影
　　　　航空摄影
　　　　航天摄影
　　　　全息摄影
　　C　摄影技术

She ying ce liang

摄影测量　　　　　　　　[03A]
Photogrammetry
Photographic survey
　　F　数字摄影测量
　　S　测量*
　　C　航空测量

She ying ji shu
摄影技术　　　　　　　　[03A]
Photography technique
　　S　技术*
　　C　摄影*

She ying she bei
摄影设备　　　　　　　　[03A]
Photography equipment
　　S　设备*

Shen ceng di ji
深层地基　　　　　　　　[05M]
Deep foundation
　　S　地基*

Shen ceng di xia shui
深层地下水　　　　　　　[04D]
Deep ground water
　　S　地下水
　　Z　水*

Shen ceng qu shui
深层取水　　　　　　　　[09G]
Deep intaking
Deep diversion
　　S　取水*

Shen da duan lie
深大断裂　　　　　　　　[04B]
Abyssal fault
　　S　构造带*

Shen fu gai ceng
深覆盖层　　　　　　　　[05B]
Deep overburden

S 覆盖层*

Shen hong
深泓   [07B]
Thalweg

Shen ji chu
深基础   [05N]
Deep foundation
  D 深埋基础
  S 基础*
  C 浅基础

Shen jing beng
深井泵   [11F]
Deep-well pump
  S 井用泵
  Z 泵*
  C 深水泵

Shen liang
深梁   [08D]
Deep beam
  S 梁*
  C 牛腿

Shen mai ji chu
深埋基础   [05N]
Deep foundation
  Y 深基础

Shen shi jin shui kou
深式进水口   [09G]
Deep intake
  S 进水口*

Shen shi xie shui kong
深式泄水孔   [09F]
Deep outlet
  S 泄水孔*

Shen shui beng
深水泵   [11F]

Deep-water pump
  S 水泵
  Z 泵*
  C 深井泵

Shen shui bo
深水波   [06I]
Deep-water wave
  S 波*

Shen shui gang
深水港   [13B]
Deepwater port
  S 港口*

Shen shui hang dao
深水航道   [12D]
Deep channel
Deep-draft channel
  S 航道*

Shen shui ma tou
深水码头   [13C]
Deepwater quay
  S 码头*

Shen shui qu
深水区   [18D]
Deep water region

Shen shui wei yan
深水围堰   [14D]
Deep water cofferdam
  S 围堰*

Shen shui zha men
深水闸门   [09D]
High pressure gate
  Y 高压闸门

Shen yuan di zhen
深源地震   [04B]
Deep earthquake

S 地震*

Shen guan
渗灌 [11B]
Infiltration irrigation
D 地下灌溉
S 灌溉*

Shen jing
渗径 [06G]
Seepage path

Shen liu
渗流* [06G]
Seepage
F 非恒定渗流
恒定渗流
绕坝渗流
三维渗流
土坝渗流
无压渗流
岩体渗流
有压渗流
C 水流*

Shen liu chang
渗流场 [06G]
Seepage flow field
S 流场*

Shen liu chong shua
渗流冲刷 [06H]
Seepage erosion
S 冲刷*

Shen liu fen xi
渗流分析 [06G]
Seepage flow analysis
S 分析(力学)*
C 渗流计算

Shen liu guan ce
渗流观测 [16B]

Seepage observation
D 渗透观测
F 浸润线观测
绕坝渗流观测
S 观测*

Shen liu ji suan
渗流计算 [06G]
Seepage calculation
S 计算*
C 流网法
渗流分析

Shen liu kong zhi
渗流控制 [06G]
Seepage flow control
S 控制*

Shen liu li
渗流力 [05D]
Seepage force
Y 渗透力

Shen liu liu su
渗流流速 [06G]
Seepage velocity
S 流速*

Shen liu qian shi
渗流潜蚀 [05D]
Piping
Y 管涌

Shen liu shi yan
渗流试验 [06J]
Seepage test
F 管涌试验
S 试验*

Shen liu shui li xue
渗流水力学 [06A]
Seepage hydraulics
S 水力学

Z   力学*

C   临界水力坡降
    渗透力

Shen liu wen ding xing
渗流稳定性   [08B]
Seepage flow stability
S   稳定性*

Shen tou bu ji
渗透补给   [02C]
Infiltration recharge
S   补给*

Shen liu wu ran
渗流污染   [17B]
Seepage pollution
S   污染*

Shen tou gu jie
渗透固结   [05E]
Seepage consolidation
Y   主固结

Shen lou
渗漏*   [06G]
Seepage
Leakage
F   坝基渗漏
    地基渗漏
    水库渗漏
C   防渗*

Shen tou guan ce
渗透观测   [16B]
Seepage observation
Y   渗流观测

Shen tou li
渗透力   [05D]
Seepage force
D   渗流力
S   力*
C   渗透变形

Shen shui jing
渗水井   [04D]
Filter well
Percolation pit
D   机井
    水井
S   井*

Shen tou xi shu
渗透系数   [06G]
Permeability coefficient
S   系数*
C   抽水试验
    渗透性

Shen shui shi yan
渗水试验   [04D]
Infiltration test
S   水文地质试验
Z   试验*
C   水文地质调查

Shen tou xing
渗透性   [15K]
Seepage permeability
D   抗渗性
C   达西定律
    孔隙率
    渗透系数

Shen tou bian xing
渗透变形   [05D]
Deformation due to seep-
    age
F   管涌
    流土
S   变形*

Shen tou xing shi yan
渗透性试验   [15L]
Permeability test

S   试验*

Shen tou ya li
渗透压力   [08A]
Seepage pressure
　　S   压力*
　　C   动水压力

Shen ya ji
渗压计   [16B]
Pore pressure meter
　　Y   测渗仪

Shen suo feng
伸缩缝   [08E]
Expansion and contracti-
　on joint
　　D   膨胀缝
　　　　收缩缝
　　　　温度缝
　　S   结构缝
　　Z   缝*

Shen suo jie
伸缩节   [10D]
Expansion joint
　　C   压力水管*

Sheng bo
声波   [18B]
Sonic wave
Sound wave
　　S   波*

Sheng bo kan tan
声波勘探   [03H]
Sonic exploration
　　S   地球物理勘探
　　Z   地质勘探*

Sheng xue shi yan
声学试验   [15L]
Sonic test

S   无损试验
Z   试验*

Sheng xue yi qi
声学仪器   [19I]
Acoustic instrument
　　S   仪器*

Sheng chan cheng ben
生产成本   [19C]
Cost of production

Sheng chan guan li
生产管理   [19C]
Production management
　　S   管理*

Sheng huo she shi
生活设施   [14A]
Site accomodation

Sheng huo wu shui
生活污水   [17B]
Domestic wastewater
Domestic sewage
　　S   污水
　　Z   水*
　　C   城市污水

Sheng tai huan jing
生态环境   [17A]
Eco-environment
　　S   环境*

Sheng tai ping heng
生态平衡   [17A]
Ecological balance
Ecological equilibrium
　　S   平衡*

Sheng tai xi tong
生态系统   [17A]
Ecological system

S 系统*

Sheng wu fang shi
生物防蚀 [11G]
Biological control of e-
rosion

Sheng wu hao yang liang
生物耗氧量 [17B]
Bio-chemical oxygen dem-
and
D BOD

Sheng wu jing hua
生物净化 [17C]
Biological purification
S 净化*

Sheng wu wu ran
生物污染 [17B]
Biological pollution
S 污染*

Sheng chu xu shui liang
牲畜需水量 [11D]
Water demand for livest-
ock
S 需水量
Z 水量*
C 人畜饮水

Sheng chuan ji
升船机* [09K]
Ship lift
D 举船机
F 垂直升船机
水坡式升船机
斜面升船机
C 卷扬机

Sheng jiang ji
升降机 [14I]
Lifter

Elevator
C 起重机*

Sheng yu ji
升鱼机 [09J]
Fish lift

Shi bian yan shi
蚀变岩石 [05L]
Altered rock
S 变质岩
Z 岩石*

Shi chang jing ji ti zhi
市场经济体制 [19A]
Market ecnomical system
S 经济体制
Z 体制*

Shi du
湿度* [02B]
Humidity
F 大气湿度
C 露点

Shi du ji
湿度计 [02G]
Moisture meter
Humidio meter
Hydrometer

Shi ren guan gai
湿润灌溉 [11B]
Moistening irrigation
S 灌溉*
C 节水灌溉

Shi xian bian xing
湿陷变形 [05I]
Collapse deformation
Collapse settlement
S 变形*
C 湿陷沉降

Shi xian chen jiang
湿陷沉降   [05I]
Slumping-type settlement
Collapse settlement
　S　沉降*
　C　湿陷变形
　　　湿陷性
　　　湿陷性黄土

Shi xian xi shu
湿陷系数   [05C]
Coefficient of Collapse
　S　系数*
　C　湿陷性

Shi xian xing
湿陷性   [05C]
Collapsibility
　C　黄土
　　　湿陷沉降
　　　湿陷系数

Shi xian xing huang tu
湿陷性黄土   [05B]
Collapsible loess
　S　黄土
　Z　土*
　C　湿陷沉降

Shi fan liu yu
示范流域   [02K]
Representative basin
　Y　代表性流域

Shi fan qu
示范区   [19B]
Demonstration area

Shi zong fa
示踪法   [18B]
Tracer method
　S　方法*
　C　同位素法

Shi zong ji
示踪剂   [18C]
Tracer

Shi zong shi yan
示踪试验   [17C]
Tracing test
　S·试验*

Shi fang gong cheng
石方工程   [14C]
Stone works
　S　工程*
　C　土方工程
　　　岩石开挖

Shi gao
石膏   [15H]
Gypsum
　C　胶凝材料

Shi gao mo xing
石膏模型   [06J]
Plaster model
Gypsum model
　S　模型*

Shi gong du cao
石拱渡槽   [11E]
Stone arching flume
　S　拱式渡槽
　Z　渡槽*

Shi hui
石灰   [15H]
Lime
　C　胶凝材料

Shi hui yan
石灰岩   [05L]
Limestone
　S　化学岩
　Z　岩石*

Shi liao
石料   [15H]
Stone
   C 筑坝材料

Shi long
石笼   [12C]
Gabion

Shi mian
石棉   [15H]
Asbestos

Shi mian shui ni zhi pin
石棉水泥制品   [15G]
Asbestos cement product
   S 水泥制品*

Shi you gong ye
石油工业   [19C]
Oil industry
Petroleum industry
   S 工业*
   C 能源工业

Shi fei guan gai
施肥灌溉   [11B]
Fertilizing irrigation
   S 灌溉*

Shi gong
施工*   [14A]
Construction
   D 工程施工
   F 顶进法施工
      冻结法施工
      分期施工
      高空作业
      机械化施工
      快速施工
      明挖法施工
      泥浆固壁法施工
      水电站施工

      水力冲填
      水利工程施工
      水上施工
      水下施工
      隧洞施工
      砼施工
      严寒气候施工
      炎热气候施工
      雨季施工
      真空作业
      装配式施工
   C 施工方法
      筑坝*

Shi gong an quan
施工安全   [14B]
Construction safty
   S 安全*
   C 劳保
      施工防护

Shi gong bao gao
施工报告   [14A]
Construction report
   S 报告*

Shi gong ce liang
施工测量   [03E]
Construction survey
   S 工程测量
   Z 测量*

Shi gong chang di bu zhi
施工场地布置   [14B]
Construction site layout
   S 布置*

Shi gong cheng bao
施工承包   [14A]
Construction contracting
   S 承包*

Shi gong cheng xu

施工程序 [14B]
Construction procedure
　S　程序*

Shi gong dao liu
施工导流 [14D]
Construction diversion
　Y　导流*

Shi gong diao du
施工调度 [14B]
Construction dispatching
　S　调度*

Shi gong ding e
施工定额 [14B]
Construction quota

Shi gong fang an
施工方案 [14B]
Construction plan
Construction scheme
　S　方案*

Shi gong fang chen
施工防尘 [14B]
Construction dust preve-
ntion
　S　防尘*
　　施工防护
　Z　防护*

Shi gong fang fa
施工方法 [14B]
Construction method
　F　套管护壁法
　S　方法*
　C　施工*

Shi gong fang hu
施工防护 [14B]
Construction protection
　F　施工防尘

施工防火
　S　防护*
　C　劳保
　　施工安全

Shi gong fang huo
施工防火 [14B]
Construction fire preve-
ntion
　S　防火*
　　施工防护
　Z　防护*

Shi gong fang yang
施工放样 [14B]
Construction alignment

Shi gong feng
施工缝 [08E]
Construction joint
　D　工作缝
　F　垂直缝
　　水平缝
　S　接缝
　Z　缝*
　C　横缝
　　纵缝

Shi gong fu shu qi ye
施工附属企业 [14A]
Auxiliary factory for c-
onstruction
　Y　施工辅助企业

Shi gong fu zhu qi ye
施工辅助企业 [14A]
Auxiliary factory for c-
onstruction
　D　施工附属企业
　S　施工企业
　Z　企业*

Shi gong gai suan

施工概算   [14A]
Construction cost estim-
    ation
    S 概算
    Z 计算*

Shi gong guan li
施工管理   [14B]
Construction management
    S 管理*
    C 工程管理

Shi gong gui cheng
施工规程   [14A]
Construction code
    Y 施工规范

Shi gong gui fan
施工规范   [14A]
Construction specificat-
    ion
    D 施工规程
    S 规范*

Shi gong he tong
施工合同   [14A]
Construction contract
    S 合同*

Shi gong ji hua
施工计划   [14B]
Construction planning
Construction program
    D 施工进度
    S 计划*
    C 施工网络进度

Shi gong ji shu
施工技术   [14B]
Construction technique
    F 砼施工技术
    S 技术*
    C 筑坝技术

Shi gong ji xie
施工机械   [14I, 19H]
Construction machinery
    S 机械*

Shi gong ji xie hua
施工机械化   [14B]
Construction mechanizat-
    ion
    Y 机械化施工

Shi gong jian li
施工监理   [14A]
Construction supervision
    C 工程监理

Shi gong jiao tong
施工交通   [14B]
Construction traffic
    S 交通*

Shi gong jin du
施工进度   [14B]
Construction schedule
    Y 施工计划

Shi gong qi
施工期   [14A]
Construction period

Shi gong qi fang xun
施工期防汛   [14B]
Flood control in constr-
    uction period
    S 防汛*

Shi gong qi guan ce
施工期观测   [16B]
Construction period ins-
    trumentation
    S 观测*

Shi gong qi tong hang

施工期通航   [14B]
Navigation during const-
　ruction period

Shi gong qi ye
施工企业   [14A]
Construction enterprises
　F　施工辅助企业
　S　企业*

Shi gong wang luo jin du
施工网络进度   [14B]
Construction network sc-
　hedule
　D　网络进度
　S　计划*
　C　施工计划

Shi gong yong di
施工用地   [14B]
Construction yard
Constructional land ten-
　ure

Shi gong yu suan
施工预算   [14A]
Construction budget
　S　预算
　Z　计算*

Shi gong zhi liang
施工质量   [14B]
Construction quality
　S　质量*
　C　工程质量

Shi gong zhun bei
施工准备   [14B]
Construction preparation

Shi gong zong bu zhi tu
施工总布置图   [14B]
Construction general la-

yout
Construction site gener-
　al layout
　D　施工总平面图
　C　工程详图

Shi gong zong jie
施工总结   [14A]
Construction summary
　S　总结*
　C　工程总结

Shi gong zong ping mian
　tu
施工总平面图   [14B]
General arrangement plan
　of construction
Construction general la-
　yout
　Y　施工总布置图

Shi gong zu zhi
施工组织   [14B]
Construction organizati-
　on

Shi gong zu zhi she ji
施工组织设计   [14B]
Construction design
　S　设计*

Shi gu
事故*   [20B]
Mishap
Accident
　F　爆破事故
　　　工程事故
　　　孔内事故
　　　水轮机事故
　C　事故处理
　　　事故调查

Shi gu chu li

事故处理 [20A]
Accident treatment
  S 处理*
  C 事故*

Shi gu diao cha
事故调查 [20A]
Accident surveying
  S 调查*
  C 事故*

Shi gu zha men
事故闸门 [09D]
Emergency gate
  S 闸门*
  C 检修闸门

Shi jian
试件 [15L, 08F]
Specimen
Test sample
  C 取样

Shi xing
试行 [20A]
Try

Shi yan
试验* [19D]
Experiment
Test
  F 爆破试验
     比重试验
     材料试验
     稠度试验
     电气试验
     动力试验
     冻融试验
     冻胀试验
     风洞试验
     固结试验
     骨料试验
     灌溉试验

灌浆试验
光弹试验
含水量试验
荷载试验
化学试验
剪切试验(土力学)
界限含水量试验
快速试验
沥青试验
力学性能试验
脉动试验
摩擦试验
碾压试验
容重试验
三轴试验
渗流试验
渗透性试验
室内试验
示踪试验
收缩试验
水槽试验
水化热试验
水泥试验
水土保持试验
水文地质试验
水压法试验
水压试验
田间试验
砼试验
土工试验
无损试验
效率试验
压水试验
岩石试验
遥感试验
野外试验
应力试验
原型试验

Shi yan bao gao
试验报告 [19D]
Test report
  S 报告*

Shi yan fang fa
试验方法 [19D]
Test method
　S　方法*

Shi yan gui cheng
试验规程 [19D]
Test specification
　S　规程*

Shi yan ji
试验机 [08F]
Testing machine
　C　力学性能试验

Shi yan ji shu
试验技术 [19D]
Test technique
　S　技术*

Shi yan she bei
试验设备 [19H]
Test apparatus
Testing equipment
　S　设备*

Shi yan yan jiu
试验研究 [19D]
Experimental research
　S　研究*

Shi yan yi qi
试验仪器 [19I]
Testing instrument
　S　仪器*

Shi yang
试样 [19I]
Sample

Shi yun xing
试运行 [19A]
Operation test

　S　运行*

Shi zai fa
试载法 [08B]
Trial load method
　S　拱梁法
　Z　结构计算方法*

Shi jian fen bu
时间分布 [20A]
Time distribution
　S　分布*

Shi jian xu lie fen xi
时间序列分析 [18A]
Time series analysis
　S　统计分析
　Z　分析(数学)*

Shi jian yin shu
时间因数 [05E]
Time factor

Shi mian shen qu xian
时面深曲线 [02I]
Time-area-depth curve
　F　点面关系曲线
　S　水文曲线
　Z　曲线*

Shi zhen shi pen guan ji
时针式喷灌机 [11F]
Center pivot sprinkler
　D　圆形喷灌机
　　　中心支轴式喷灌机
　S　旋转式喷灌机
　Z　喷灌机*

Shi li
实例* [20B]
Example
　F　典型实例
　　　工程实例

Shi shi diao du
实时调度 [16A]
Real-time regulation
　S　调度*

Shi shi hong shui yu bao
实时洪水预报 [02J]
Real-time flow forecast-
　ing
　S　洪水预报
　Z　预报*

Shi shi kong zhi
实时控制 [19E]
Real time control
　S　控制*

Shi ti ma tou
实体码头 [13C]
Solid wharf
　S　码头*

Shi ti zhong li ba
实体重力坝 [09C]
Solid gravity dam
　S　重力坝
　Z　坝*

Shi yan liu yu
实验流域 [02F]
Experimental watershed
Experimental catchment
Experimental basin
　S　流域*

Shi yong cheng xu
实用程序 [19F]
Utility routine
Utility program
　S　系统软件
　Z　计算机软件*

Shi yong yan

Shi yong yan
实用堰 [06D]
Ogee weir
　S　堰*

Shi liang fen xi
矢量分析 [18A]
Vector analysis
　Y　向量分析

Shi nei shi yan
室内试验 [20A]
Indoor test
　S　试验*

Shi shi fen xi
失事分析 [16A]
Failure analysis
　S　分析*
　C　大坝失事
　　　溃坝观测

Shi ting wen xian
视听文献 [19M]
Audio-visual document
　S　文献*

Shi zhun yi
视准仪 [16B]
Collimator
　Y　准直仪*

Shi xian fa
适线法 [02H]
Curve-fitting method

Shi yong xing
适用性 [20A]
Applicability
Suitability

Shi yong
使用 [20B]
Use

Y 应用*

Shi yong qi
使用期   [20A]
Service period

Shi zi ban jian qie shi
  yan
十字板剪切试验   [05K]
Cross head shear test
Vane shear test
  S 剪切试验(土力学)
  Z 试验*
  C 十字板剪切仪

Shi zi ban jian qie yi
十字板剪切仪   [05K]
Cross head shear tester
Vane shear apparatus
  C 十字板剪切试验

Shou ce
手册*   [19M]
Manual
Handbook
  F 水文手册

Shou dong shi pen tou
手动式喷头   [11F]
Hand sprinkle head
Portable sprinkle head
  S 喷头*

Shou gong biao yin
手工标引   [19M]
Manual indexing
  S 标引*

Shou gong cao zuo
手工操作   [20A]
Manual operation
  S 操作*
  C 人工控制

Shou gong jian sou
手工检索   [19M]
Manual information retr-
  ieval
  S 检索*

Shou kong
手控   [20A]
Manual control
  Y 人工控制

Shou fei
收费*   [19J]
Collect fees
Charge
  F 堤防维修费
     河道采砂费
     水费
     水土保持费
     水资源费

Shou ji
收集   [19M]
Collection

Shou suo bu chang shui
  ni
收缩补偿水泥   [15B]
Shrinkage compensate ce-
  ment
  S 水泥*

Shou suo bu chang tong
收缩补偿砼   [15F]
Shrinkage-compensuting
  concrete
  S 砼*

Shou suo feng
收缩缝   [08E]
Contraction joint
  Y 伸缩缝

Shou suo shi xiao neng
gong
收缩式消能工   [09I]
Convergence dissipator
 S 消能工*

Shou suo shi yan
收缩试验   [08F]
Contraction test
 S 试验*

Shou suo xi shu
收缩系数   [06A]
Contraction coefficient
 S 系数*

Shou jian gou jian
受剪构件   [08D]
Shear member
 S 结构构件*

Shou la gou jian
受拉构件   [08D]
Tension member
 F 偏心受拉构件
 S 结构构件*

Shou wan gou jian
受弯构件   [08D]
Flexural member
 S 结构构件*
 C 矩形截面构件

Shou ya gou jian
受压构件   [08D]
Compression member
 F 偏心受压构件
 S 结构构件*
 C 矩形截面构件

Shu cai
蔬菜   [19B]
Vegetable

Vegetable crop

Shu chi dao liu
梳齿导流   [14D]
Comb diversion
 S 导流*

Shu feng shi yu dao
竖缝式鱼道   [09J]
Vertical slot fish pass
 S 梯级鱼道
 Z 鱼道*

Shu jing
竖井   [14E]
Shaft
 S 隧洞*

Shu jing kai wa
竖井开挖   [14E]
Shaft excavation
 S 隧洞开挖
 Z 开挖*

Shu jing pai shui
竖井排水   [14C]
Shaft drainage
 S 地基排水
 Z 排水*

Shu jing shi yu zha
竖井式鱼闸   [09J]
Shaft fish lock
 S 鱼闸*

Shu xiang he zai
竖向荷载   [08A]
Vertical load
 S 荷载*

Shu hai
鼠害   [16A]
Mouse disaster

S 动物危害*

Shu ju
数据*   [19M]
Data
  F 地质数据
     遥感数据

Shu ju cai ji
数据采集   [19E]
Data acquisition

Shu ju chu li
数据处理   [19F]
Data processing
  S 处理*
  C 信息处理

Shu ju ku
数据库*   [19F]
Database
  F 水文数据库

Shu ju ku guan li
数据库管理   [19F]
Database management
  S 管理*

Shu ju tong xin
数据通信   [19F]
Data communication

Shu li tong ji
数理统计   [18A]
Mathematical statistics

Shu xue gui hua
数学规划   [18A]
Mathematical programming
  F 非线性规划
     目的规划
     随机规划
     线性规划

     整数规划
  S 规划论*

Shu xue mo xing
数学模型   [18A]
Mathematic model
  F 概率模型
     回归模型
     随机模型
     统计模型
  S 模型*
  C 水文模型

Shu zhi
数值*   [18A]
Value
Numerical value
  F 比值
     极值
     克拉克值
     特征值
     pH 值

Shu zhi fen xi
数值分析   [18A]
Numerical analysis
  Y **计算方法(数学)**

Shu zhi ji suan
数值计算   [18A]
Numerical calculation
  S 计算*

Shu zhi kong zhi
数值控制   [19E]
Numerical control
  Y **数字控制**

Shu zi hua ce tu
数字化测图   [03C]
Digitized mapping
  S 测图*

Shu zi ji shu
数字技术   [1JE]
Digital technique
    S 技术*

Shu zi ji suan ji
数字计算机   [19F]
Digital computer
    S 计算机*

Shu zi kong zhi
数字控制   [19E]
Digital control
    D 数值控制
    S 控制*

Shu zi she ying ce liang
数字摄影测量   [03A]
Digital photogrammetry
    S 摄影测量
    Z 测量*

Shu jun ji shu
疏浚技术   [12C]
Dredging technique
    S 技术*

Shu jun ji xie
疏浚机械   [12C]
Dredge machinery
    S 机械*

Shu niu bu zhi
枢纽布置   [09A]
Project layout
Hydro-junction layout
    S 布置*
    C 工程布置

Shu pei dian xi tong
输配电系统   [19C]
Transmission and distri-
    bution system

    S 电力系统
    Z 系统*

Shu sha
输沙*   [07A]
Sediment transport
    D 泥沙输移
    F 潮流输沙
       风力输沙
       管道输沙
       河流输沙
       横向输沙
       水力输沙
       沿岸漂沙
    C 含沙量
       泥沙*
       泥沙运动*
       输沙量

Shu sha ji suan
输沙计算   [07A]
Sediment transport calc-
    ulation
    S 泥沙计算
    Z 计算*

Shu sha lang dao
输沙廊道   [09C]
Gallery of sediment tra-
nsport
    D 排沙廊道
    S 廊道*

Shu sha liang
输沙量   [07A]
Sediment discharge
Amount of sediment tran-
    sport
    C 输沙*

Shu sha lü
输沙率   [07A]
Rate of sediment discha-

rge
Sediment transport rate
D 挟沙能力

Shu shui
输水*   [01B]
Water conveyance
F 管道输水

Shu shui dao
输水道   [09H]
Conduit

Shu shui han dong
输水涵洞   [09H]
Conveyance culvert
C 输水隧洞

Shu shui jian zhu wu
输水建筑物   [09H]
Conveyance structure
S 水工建筑物*

Shu shui lü
输水率   [01D]
Water conveyance ratio

Shu shui sui dong
输水隧洞   [09H]
Water delivery tunnel
S 水工隧洞
Z 隧洞*
C 输水涵洞

Shu shui xi tong
输水系统   [19C]
Conveyance system
Delivery system
F 船闸输水系统
S 系统*
C 引水系统

Shu song ji

输送机*   [14I]
Conveyor
F 带式输送机
架空索道
C 运输机械

Shu ping
述评   [19M]
Review

Shu xia he cao
束狭河槽   [12C]
Contracting channel
S 治河措施*

Shu zhi tong
树脂砼   [15F]
Resin concrete
D 环氧树脂砼
S 特种砼
Z 砼*
C 环氧树脂

Shuai fu he yun xing
甩负荷运行   [10K]
Load shedding operation
S 水电站运行
Z 运行*

Shuang chan tong
双掺砼   [15F]
Double-admixture concrete
S 砼*

Shuang jiao gong ba
双铰拱坝   [09C]
Double hinged arch dam
S 拱坝
Z 坝*

Shuang qu gong
双曲拱   [08C]

Double curvature arch
  S 拱*
  C 抛物线拱
      无铰拱

Shuang qu gong ba
双曲拱坝   [09C]
Double-curvature arch d-
am
  S 拱坝
  Z 坝*

Shuang qu gong du cao
双曲拱渡槽   [11E]
Double-curvature arch f-
lume
  S 拱式渡槽
  Z 渡槽*

Shuang shi shi tiao ya
  shi
双室式调压室   [10E]
Double chamber surge ta-
nk
  S 调压室*

Shuang xian chuan zha
双线船闸   [09K]
Double way lock
  S 船闸*

Shuang xiang ban
双向板   [08D]
Two-way slab
  S 板*

Shui
水*   [01A]
Water
  F 磁化水
      淡水
      地表水
      地下水

      废水
      灌溉水
      海水
      含氟水
      库水
      冷却水
      泉水
      土壤水
      污水
      咸水
      饮用水
  C 水体

Shui ba
水坝   [09C]
Dam
  Y 坝*

Shui beng
水泵   [11F]
Water pump
  D 抽水机
      农用水泵
  F 风力水泵
      井用泵
      潜水泵
      射流泵
      深水泵
      水锤泵
      水轮泵
      太阳能水泵
  S 泵*

Shui beng an zhuang
水泵安装   [11F]
Pump setting
  S 安装*

Shui beng bi su
水泵比速   [11F]
Pump specific speed
  D 水泵比转速

Shui beng bi zhuan su
水泵比转速   [11F]
Pump specific speed
  Y 水泵比速

Shui beng gong kuang
水泵工况   [10K]
Pumping operating condi-
  tions
  Y 抽水工况

Shui beng gong kuang
  dian
水泵工况点   [11F]
Pump operating point
  Y 水泵工作点

Shui beng gong zuo dian
水泵工作点   [11F]
Pump operating point
  D 水泵工况点
  C 水泵运行

Shui beng ji zu
水泵机组   [11F]
Pumping units

Shui beng shui lun ji
水泵水轮机   [10F]
Pump turbine
  Y 可逆式水轮机

Shui beng xing neng
水泵性能   [11F]
Pump performance
  S 性能*

Shui beng yun xing
水泵运行   [11F]
Pump operation
  S 运行*
  C 水泵工作点

Shui beng zhan
水泵站*   [11E]
Pump station
  D 泵站
      抽水站
      扬水站
  F 泵车
      泵船
      潮汐泵站
      大型泵站
      多级泵站
      灌溉泵站
      排水泵站
      水锤泵站
      水轮泵站
      梯级泵站
      小型泵站
      蓄能泵站
      中型泵站
  C 排灌站

Shui beng zi xi zhuang
  zhi
水泵自吸装置   [11F]
Self-suction apparatus
  of pump
  S 自吸装置
  Z 装置*

Shui bo li
水玻璃   [15H, 14F]
Water glass
Sodium silicate
  Y 硅酸钠

Shui bu ji
水补给   [04D]
Recharge of water
  S 补给*
  C 地下水回灌

Shui cao shi yan
水槽试验   [06J]

Channel model test
　S　试验*

Shui chan yang zhi
水产养殖　　　　　　　　[19B]
Aqui-culture

Shui chan zi yuan
水产资源　　　　　　　　[19B]
Aquatic resources
　S　资源*

Shui chi
水池*　　　　　　　　　[19C]
Water tank
Pond
　F　冷却水池
　　　水窖
　　　蓄水池

Shui chi
水尺　　　　　　　　　　　[02G]
Water level gauge
Depth gauge
　Y　水位标尺

Shui chong fu li yong
水重复利用　　　　　　　[01B]
Water reuse
　S　重复利用
　Z　利用*

Shui chong fu li yong
　lü
水重复利用率　　　　　　[01D]
Water reuse ratio
　C　节水措施

Shui chu li
水处理　　　　　　　　　[17C]
Water treating
Water treatment
　F　污水处理

　S　处理*
　C　复氧
　　　曝气
　　　水净化

Shui chui
水锤　　　　　　　　　　[06B]
Water hammer
　Y　水击*

Shui chui beng
水锤泵　　　　　　　　　[11E]
Hydraulic ram pump
　S　水泵
　Z　泵*

Shui chui beng zhan
水锤泵站　　　　　　　　[11E]
Hydraulic ram pump stat-
ion
　S　水泵站*

Shui dao
水稻　　　　　　　　　　[19B]
Paddy

Shui dao gong cheng
水道工程　　　　　　　　[12C]
Water-way engineering
　S　工程*

Shui dian gong cheng
水电工程　　　　　　　　[10A]
Hydroelectric power eng-
ineering
Waterpower engineering
Waterpower project
　Y　水力发电工程

Shui dian hui yi
水电会议　　　　　　　　[00A]
Hydropower conference
　S　会议*

Shui dian jian she
水电建设   [00A]
Hydropower construction

Shui dian jing ji
水电经济   [00C]
Hydroelectric economics
   Y 动能经济

Shui dian kai fa gui. hua
水电开发规划   [01C]
Waterpower development
  planning
   Y 水电资源开发规划

Shui dian zhan
水电站*   [10B]
Hydropower station
Waterpower station
Hydroelectric power pla-
  nt
   D 水力发电站
   F 波力发电站
      潮汐发电站
      抽水蓄能电站
      大型水电站
      堤坝式水电站
      低水头水电站
      高水头水电站
      河床式水电站
      混合式水电站
      径流式水电站
      渠道电站
      梯级水电站
      小型水电站
      引水式水电站
      闸坝式水电站
      中水头水电站
      中型水电站
   C 装机容量

Shui dian zhan bu zhi
水电站布置   [10B]

Hydropower station arra-
  ngement
   F 水电站厂房布置
   S 布置*

Shui dian zhan chang
  fang
水电站厂房   [10C]
Power house of waterpow-
  er station
   F 坝后式厂房
      坝内式厂房
      河床式厂房
      水电站副厂房
      水电站主厂房
      溢流式厂房
      闸墩式厂房
   S 厂房*

Shui dian zhan chang
  fang bu zhi
水电站厂房布置   [10C]
Arrangement of waterpow-
  er house
   S 水电站布置
   Z 布置*

Shui dian zhan fu chang
  fang
水电站副厂房   [10C]
Hydropower station auxi-
  liary power house
   S 水电站厂房
   Z 厂房*

Shui dian zhan jin shu
  jie gou
水电站金属结构   [10B]
Steel structure of hyd-
  ropower station
   S 金属结构
   Z 结构*

Shui dian zhan jin shui
kou
水电站进水口 [10D]
Intake of hydropower st-
ation
　S　进水口*

Shui dian zhan pai shui
水电站排水 [10B]
Drainage of hydropower
station
　S　排水*

Shui dian zhan she ji
水电站设计 [10B]
Design of waterpower st-
ation
　S　设计*

Shui dian zhan shi gong
水电站施工 [14A]
Hydropower station cons-
truction
　S　施工*

Shui dian zhan yin shui
xi tong
水电站引水系统 [10D]
Diversion system of hyd-
ropower station
Headrace system of hydr-
opower station
　S　引水系统
　Z　系统*

Shui dian zhan yun xing
水电站运行 [10K]
Hydroelectric power sta-
tion operation
　F　低水位运行
　　　甩负荷运行
　　　水轮发电机组运行
　S　运行*

Shui dian zhan zhu chang
fang
水电站主厂房 [10C]
Hydropower station main
power house
　S　水电站厂房
　Z　厂房*

Shui dian zhan zhuang ji
rong liang xuan ze
水电站装机容量选择 [10B]
Selection of capacity of
hydropower station
　S　选择*

Shui dian zhan zi dong
hua
水电站自动化 [10J]
Hydroelectric power sta-
tion automation
　S　自动化*

Shui dian zi yuan
水电资源 [10A, 01A]
Waterpower resources
Hydroelectric power res-
ources
　Y　水能资源

Shui dian zi yuan kai fa
gui hua
水电资源开发规划 [01C]
Waterpower resources pl-
anning
　D　水电开发规划
　　　水能规划
　S　水利规划
　Z　规划*

Shui dong li xue
水动力学 [06A]
Hydrodynamics
　F　地下水动力学

S 水力学
Z 力学*
C 流体动力学

Shui dou shi shui lun ji
水斗式水轮机   [10F]
Pelton turbine
　Y 冲击式水轮机

Shui fa
水法   [00B]
Water laws
　F 地下水法
　S 法律*

Shui fei
水费   [00C]
Water charge
Water cost
　F 灌溉水费
　S 收费*
　C 水费计收

Shui fei ji shou
水费计收   [00C]
Collecting water charge
　water charging
　C 供水管理
　　水费

Shui fen sheng chan han
　shu
水分生产函数   [11C]
Moisture-yeild function

Shui fen xi
水分析   [17C]
Water analysis
　Y 水质分析

Shui fen xun huan
水分循环   [02C]
Water cycle

　Y 水循环

Shui gong jian zhu wu
水工建筑物*   [09A]
Hydraulic structure
　D 水工结构
　F 挡水建筑物
　　过木建筑物
　　过鱼建筑物
　　量水建筑物
　　取水建筑物
　　渠系建筑物
　　输水建筑物
　　通航建筑物
　　泄水建筑物
　　引水建筑物

Shui gong jian zhu wu
　guan li
水工建筑物管理   [16A]
Management of hydraulic
　structures
　S 管理*
　C 水利工程管理

Shui gong jian zhu wu
　she ji
水工建筑物设计   [09A]
Hydraulic structure des-
　ign
　Y 水工设计

Shui gong jie gou
水工结构   [09A]
Hydraulic structure
　Y 水工建筑物*

Shui gong mo xing
水工模型   [06J]
Hydraulic model
　F 变态模型
　　定床模型
　　动床模型

防浪模型
河口模型
泥沙模型
S 模型*

Shui gong mo xing shi
  yan
水工模型试验 [06J]
Hydraulic model test
  D 水流模型试验
  F 港工模型试验
    河工模型试验
    截流模型试验
    溃坝模型试验
  S 模型试验*
  C 测流装置

Shui gong she ji
水工设计 [09A]
Hydraulic structure des-
  ign
  D 水工建筑物设计
    水利工程设计
  S 工程设计
  Z 设计*

Shui gong shi yan shi
水工试验室 [06J]
Hydraulic laboratory

Shui gong shi yan zhuang
  zhi
水工试验装置 [06J]
Hydraulic test equipment
  S 装置*

Shui gong sui dong
水工隧洞 [09E]
Hydraulic tunnel
  F 导流隧洞
    发电隧洞
    输水隧洞
    水下隧洞

尾水隧洞
无衬砌隧洞
无压隧洞
泄洪隧洞
引水隧洞
有压隧洞
  S 隧洞*

Shui gong sui dong she
  ji
水工隧洞设计 [09E]
Design of hydraulic tun-
  nel
  Y 隧洞设计

Shui gong tong
水工砼 [15F]
Concrete in hydraulic s-
  tructure
  S 砼*
  C 大坝砼
    大体积砼

Shui gong ying
水供应 [01B]
Water supply
  Y 供水*

Shui guan dan wei
水管单位 [00B]
Water management units
  D 水利管理单位

Shui guan leng que
水管冷却 [14H]
Pipe cooling

Shui he zai
水荷载 [08A]
Water load
  S 荷载*
  C 水压力

Shui hua
水化   [15B]
Hydration

Shui hua re
水化热   [15K]
Heat of hydration
  C 大体积砼
     砼温度应力

Shui hua re shi yan
水化热试验   [15L]
Heat of hydration test
  S 试验*

Shui hua xue
水化学   [17C, 18C]
Hydrochemistry
  D 水文化学
  S 化学*

Shui hua xue ce yan
水化学测验   [02E]
Hydrochemical observati-
on
  S 水文测验
  Z 观测*

Shui hua xue fen dai
水化学分带   [04A]
Hydrochemical zoning

Shui hua xue xing zhi
水化学性质   [17C]
Chemical property of wa-
ter
  S 化学性质*

Shui huan jing
水环境   [17A]
Water environment
  S 环境*

Shui hui bi
水灰比   [15F]
Water-cement ratio
  C 砼配合比

Shui hui gong cheng
水毁工程   [09A]
Water-destroyed project
  S 工程*

Shui ji
水击*   [06B]
Water hammer
  D 水锤
  F 间接水击
     直接水击
  C 压力水管*
     涌浪

Shui jia
水价   [00C]
Water price
  S 价格*

Shui jiao
水窖   [19C]
Water cellar
  S 水池*

Shui jing
水井   [04D]
Well
  Y 渗水井

Shui jing hua
水净化   [17C]
Water purification
  S 净化*
  C 复氧
     曝气
     水处理

Shui jing li xue

水静力学   [06A]
Hydrostatics
  S 水力学
  Z 力学*
  C 流体静力学

Shui ku
水库*   [09B]
Reservoir
  F 并联水库
     病险水库
     大型水库
     地热水库
     地下水库
     防洪水库
     龙头水库
     平原水库
     上池
     梯级水库
     调节水库
     下池
     小型水库
     滞洪水库
     中型水库
     综合利用水库
  C 坝*
     库岸
     库区

Shui ku ce liang
水库测量   [03E]
Reservoir survey
  S 水利工程测量
  Z 测量*
  C 库区地质调查

Shui ku chong sha
水库冲沙   [16A]
Reservoir sediment wash-
  out
  C 水库清淤
     蓄清排浑

Shui ku di zhen
水库地震   [04C]
Reservoir earthquake
  S 地震*

Shui ku diao cha
水库调查   [01C, 02D]
Reservoir survey
  S 调查*
  C 库区调查
     水库淹没
     水库移民
     水库征地

Shui ku diao du
水库调度   [16A]
Reservoir regulation
  F 水库汛期调度
     水库综合调度
     蓄清排浑
  S 调度*
  C 水库运用

Shui ku fang hong
水库防洪   [12B]
Reservoir flood control
  S 湖库防洪
  Z 防洪*

Shui ku fang hong biao
  zhun
水库防洪标准   [01D, 12B]
Design standard for res-
  ervoir flood control
  S 防洪标准
  Z 标准*

Shui ku fang hu lin
水库防护林   [19B]
Reservoir protection fo-
  rest
  S 防护林*

Shui ku fang kong
水库放空   [16A]
Reservoir emptying

Shui ku gang
水库港   [13B]
Reservoir port
  S　港口*

Shui ku gong shui
水库供水   [16A]
Reservoir supply water
  C　供水管理

Shui ku guan li
水库管理   [16A]
Management of reservoir
  D　库区管理
  S　管理*
  C　库区绿化
    库区水土保持
    水利工程管理

Shui ku hui shui
水库回水   [01D]
Backwater of reservoir

Shui ku ji suan
水库计算   [01D]
Reservoir calculation
  S　计算*

Shui ku kong zhi yun
  yong
水库控制运用   [16A]
Reservoir operation
  Y　水库运用

Shui ku lai shui
水库来水   [01D]
Reservoir inflow

Shui ku lü you

Shui ku lü you
水库旅游   [16A]
Reservoir recreation
  C　综合经营

Shui ku ni sha
水库泥沙   [07A]
Reservoir sediment
  S　泥沙*
  C　水库淤积

Shui ku qing yu
水库清淤   [07C, 16A]
Reservoir desilting
  S　清淤*
  C　水库冲沙
    水库淤积

Shui ku qu shui
水库取水   [11B]
Reservoir diversion
  S　取水*

Shui ku qun lian he diao
  du
水库群联合调度   [16A]
Reservoirs jointly operation
  S　联合调度
  Z　调度*

Shui ku she ji
水库设计   [09B]
Design of reservoir
  S　设计*

Shui ku shen lou
水库渗漏   [04C, 16A]
Reservoir seepage
Reservoir leakage
  S　渗漏*
  C　坝基渗漏
    地基渗漏

Shui ku shui liang fen
  pei
水库水量分配   [01D]
Reservoir water distrib-
ution
  S 水量分配
  Z 分配*

Shui ku shui zhi
水库水质   .   [16A, 17C]
Reservoir water quality
  S 水质
  Z 质量*

Shui ku ta an
水库塌岸   [04C]
Reservoir bank failure
Reservoir bank caving
  Y **水库坍岸**

Shui ku tan an
水库坍岸   [16A]
Reservoir bank caving
  D 水库塌岸
  S 坍岸*
  C 滑坡监测
     重力滑坡

Shui ku wu ran
水库污染   [17B]
Reservoir pollution
  S 环境污染
  Z 污染*

Shui ku xiao yi
水库效益   [00C]
Reservoir benefit
  S 水利工程效益
  Z 效益*

Shui ku xun qi diao du
水库汛期调度   [16A]
Reservoir regulation du-

ring flood season
  S 水库调度
  Z 调度*

Shui ku yan mo
水库淹没   [01C]
Reservoir inundation
  D 库区淹没损失
  C 库区调查
     水库调查

Shui ku yang yu
水库养鱼   [19B, 16A]
Reservoir fish culture
  S 养鱼*
  C 水库综合利用
     综合经营

Shui ku yi min
水库移民   [01C]
Migration of reservoir
  region
  C 库区调查
     水库调查
     移民区

Shui ku yu ji
水库淤积   [07C]
Reservoir sedimentation
  S 淤积*
  C 水库泥沙
     水库清淤
     淤沙库容

Shui ku yun yong
水库运用   [16A]
Reservoir operation
  D 水库控制运用
  S 运用*
  C 水库调度

Shui ku zheng di
水库征地   [01C]

Land confiscation on re-
  servoir area
  C 库区调查
     水库调查

Shui ku zheng fa
水库蒸发   [02C]
Reservoir evaporation
  S 水面蒸发
  Z 蒸发*

Shui ku zong he diao du
水库综合调度   [16A]
Reservoir integrated re-
  gulation
  S 水库调度
  Z 调度*

Shui ku zong he li yong
水库综合利用   [16A]
Reservoir comprehensive
  utilization
  S 综合利用
  Z 利用*
  C 水库养鱼
     综合经营

Shui leng que
水冷却   [19C]
Water cooling
  S 冷却*

Shui li
水利*   [00A]
Water conservancy
Water industry
  F 城市水利
     环境水利
     牧区水利
     农田水利
     乡镇水利

Shui li chan ye

水利产业   [00A]
Water industry
Water conservancy indus-
  try
  S 产业*
  C 水利行业

Shui li diao cha
水利调查   [01C]
Water resources investi-
  gation
  D 水利勘察
  S 调查*
  C 水利规划

Shui li fa gui
水利法规   [00B]
Water conservancy laws
  and regulations
  F 防洪法规
     水资源法规
  S 法规*

Shui li gong cheng
水利工程*   [09A]
Hydraulic project
  F 大型水利工程
     小型水利工程
     中型水利工程
  C 调水工程
     水利枢纽
     引水工程

Shui li gong cheng ce
  liang
水利工程测量   [03E]
Hydraulic engineering s-
  urvey
  F 船闸工程测量
     港口工程测量
     航道测量
     渠道测量
     水库测量

S 工程测量
Z 测量*

Shui li gong cheng guan li
水利工程管理 [16A]
Hydraulic engineering management
S 工程管理
　　水利管理
Z 管理*
C 坝管理
　　堤防管理
　　水工建筑物管理
　　水库管理

Shui li gong cheng huan jing ying xiang
水利工程环境影响 [17A]
Environment impact by hydroproject
S 环境影响*

Shui li gong cheng ping jia
水利工程评价 [09A]
Evaluation of hydraulic engineering
S 评价*
C 环境效益

Shui li gong cheng she ji
水利工程设计 [09A]
Water conservation project design
Y 水工设计

Shui li gong cheng shi gong
水利工程施工 [14A]
Construction of hydraulic project

S 施工*

Shui li gong cheng xiao yi
水利工程效益 [00C]
Benefit of hydraulic engineering
F 水库效益
S 工程效益
Z 效益*

Shui li guan li
水利管理 [16A]
Water conservancy management
F 水利工程管理
S 管理*
C 水利规划

Shui li guan li dan wei
水利管理单位 [00B]
Water management units
Y 水管单位

Shui li gui hua
水利规划 [01C]
Water resources planning
D 水资源规划
F 防洪规划
　　供水规划
　　灌溉规划
　　灌区规划
　　航运规划
　　河网化规划
　　跨流域规划
　　流域规划
　　水电资源开发规划
　　水土保持规划
　　治河规划
　　治涝规划
S 规划*
C 水利调查
　　水利管理

Shui li hang ye
水利行业 [00A]
Water conservancy indus-
try
  C　水利产业

Shui li hua qu hua
水利化区划 [01C]
Regionization of water
resources
  Y　**水利区划**

Shui li hui yi
水利会议 [00A]
Water conservancy confe-
rence
  S　会议*

Shui li ji suan
水利计算 [01D]
Water resources calcula-
tion
  F　防洪计算
     水能计算
     调节计算
     兴利计算
  S　计算*
  C　水文水利计算

Shui li jian cha
水利监察 [00B]
Water conservation surp-
ervising

Shui li jian she
水利建设 [00A]
Water conservancy const-
ruction

Shui li jian she ji jin
水利建设基金 [00C]
Water conservation cons-
truction fund

  S　基金*

Shui li jian she tou zi
水利建设投资 [00C]
Investment in water pro-
ject
  S　投资*

Shui li jing ji
水利经济 [00C]
Economics in water cons-
ervancy
Water economics
Water economy
  S　经济*

Shui li jiu fen
水利纠纷 [00B]
Water dispute
  Y　**水事纠纷**

Shui li kan cha
水利勘察 [01C]
Water resources explora-
tion
  Y　**水利调查**

Shui li qi ye
水利企业 [00A]
Water enterprise
  S　企业*

Shui li qu hua
水利区划 [01C]
Regionization of water
resources
  D　水利化区划
  S　区域规划
  Z　规划*

Shui li shi
水利史 [00A]
Water conservancy histo-

ry
S 历史*
C 水利志

Shui li shui dian ji shu
水利水电技术   [00A]
Water resources and hyd-
  ropower technique

Shui li shu niu
水利枢纽   [09A]
Hydro-junction
  C 水利工程*

Shui li xi tong
水利系统   [00A]
Water conservancy system
Water system
  S 系统*

Shui li xing zheng
水利行政   [00B]
Water conservation admi-
  nistration
  Y 水政

Shui li yong lü
水利用率   [01D]
Water utilizing ratio
  Y 水利用系数

Shui li yong xi shu
水利用系数   [01D]
Water utilizing coeffic-
  ient
  D 水利用率
  F 灌溉水利用系数
  S 利用系数
  Z 系数*

Shui li zheng ce
水利政策   [00B]
Water policy

F 防洪政策
S 政策*

Shui li zhi
水利志   [00A]
Water conservancy annals
  S 资料*
  C 水利史

Shui li zhi fa
水利执法   [00B]
Water conservation law
  executing
  S 执法*

Shui li zi yuan
水利资源   [01A]
Water resources
  Y 水资源*

Shui li zong he kai fa
水利综合开发   [00C]
Comprehensive developme-
  nt of water resources
  S 综合开发
  Z 开发*

Shui li cao lü
水力糙率   [06A]
Hydraulic roughness
  Y 糙率*

Shui li chong shua
水力冲刷   [06H]
Hydraulic scour
  S 冲刷*

Shui li chong tian
水力冲填   [14C]
Hydraulic fill
  S 施工*

Shui li chong tian ba

水力冲填坝   [09C]
Pond filling dam
Hydraulic fill dam
  D 水坠坝
  F 尾矿坝
  S 土石坝
  Z 坝*
  C 水中填土坝
     土坝

Shui li fa dian
水力发电   [10A]
Water power
Hydroelectric power
  C 水能利用

Shui li fa dian gong
  cheng
水力发电工程   [10A]
Hydroelectric power eng-
  ineering
Water power engineering
  D 水电工程
  S 工程*

Shui li fa dian ji suan
水力发电计算   [01D]
Water power calculation
  S 水能计算
  Z 计算*

Shui li fa dian liang
水力发电量   [10A]
Hydroelectric power pro-
  duction
  S 发电量*

Shui li fa dian she bei
水力发电设备   [10H]
Hydropower equipment
Water power equipment
  S 设备*
  C 水轮发电机*

Shui li fa dian zhan
水力发电站   [10B]
Water power station
Hydropower station
Hydroelectric power pla-
  nt
  Y 水电站*

Shui li fen ji
水力分级   [14C]
Hydraulic classification
  S 筛分*
  C 水力分级机

Shui li fen ji ji
水力分级机   [14I]
Hydraulic classifier
  S 筛分机*
  C 水力分级

Shui li guo du guo cheng
水力过渡过程   [06A]
Hydraulic transient pro-
  cess
  Y 过渡过程

Shui li ji suan
水力计算   [06A]
Hydraulic computation
  F 冲刷计算
     消能计算
  S 计算*

Shui li ji xie
水力机械   [19H]
Hydraulic machinery
  S 机械*

Shui li jian ce xi tong
水力监测系统   [10G]
Hydraulic monitoring me-
  asuring system
  S 监测系统

Z 系统*

水力蕴藏量   [01D]
Water power potential
  Y 水能资源

Shui li zi kong zha men
水力自控闸门   [09D]
Automatic hydraulic con-
trol gate
  S 自动闸门
  Z 闸门*

Shui li zi yuan
水力资源   [01A]
Water power resources
  Y 水能资源

Shui li zui jia duan
mian
水力最佳断面   [06A]
Optimum hydraulic secti-
on
  S 过水断面
      最佳断面
  Z 断面*

Shui liang
水量*   [01D]
Water volume
  F 出水量
      供水量
      含水量
      降水量
      需水量
      蓄水量
      用水量

Shui liang bian hua
水量变化   [02C]
Water amount fluctuation
  F 流域水量变化
  S 变化*
  C 水量平衡

Shui liang fen pei
水量分配   [01D]
Water quantity distribu-
tion
  F 河流分水
      水库水量分配
  S 分配*

Shui liang ping heng
水量平衡   [02C]
Water balance
  D 水平衡
  F 大气水分平衡
      流域水量平衡
      年水量平衡
      区域水量平衡
  S 平衡*
  C 水量变化

Shui liang ping heng fa
水量平衡法   [02I]
Water balance method
  S 方法*

Shui liang sun shi
水量损失   [01B]
Water loss
  S 损失*

Shui liu
水流*   [06A]
Water flow
  F 层流
      超临界流
      潮汐水流
      单相流
      多相流
      二维流
      非恒定流
      非均匀流
      高速水流
      过渡流
      海流

含沙水流
恒定流
横向流
缓变流
环流
缓流
混合流
急变流
急流
剪切流
均匀流
孔口出流
口门水流
连续流
临界流
漫滩水流
面流
明槽水流
三维流
射流(水力学)
突扩水流
弯道水流
紊流
无旋流
压力流
堰流
一维流
异重流
闸孔出流
折冲水流
C　流动
　　渗流*

Shui liu guan ce
水流观测　　　　　　　[16B]
Water current observati-
on
F　空蚀观测
　　流速观测
　　流态观测
　　流向观测
　　水位观测
S　观测*

Shui liu kuo san
水流扩散　　　　　　　[06A]
Flow diffusion
　　S　扩散*

Shui liu mo ni
水流模拟　　　　　　　[06J]
Water flow simulation
Flow modelling
　　S　模拟*

Shui liu mo xing shi yan
水流模型试验　　　　　[06J]
Hydraulic model test
　　Y　水工模型试验

Shui liu tiao jian
水流条件　　　　　　　[06A]
Flow condition
　　S　条件*

Shui liu xian xing ji
　　shu
水流显形技术　　　　　[06J]
Flow visualization
　　S　技术*

Shui liu zu li
水流阻力　　　　　　　[06A]
Flow resistance
　　S　阻力
　　Z　力*

Shui lun beng
水轮泵　　　　　　　　[11F]
Water-wheel pump
　　S　水泵
　　Z　泵*

Shui lun beng zhan
水轮泵站　　　　　　　[11E]
Water-wheel pump station
　　S　水泵站*

Shui lun fa dian ji
水轮发电机*   [10H]
Hydraulic generator
  F 灯泡式水轮发电机
     伞式水轮发电机
     水内冷水轮发电机
     悬吊式水轮发电机
  C 水力发电设备
     装机容量

Shui lun fa dian ji zu
水轮发电机组   [10A]
Turbine generator set

Shui lun fa dian ji zu
  an zhuang
水轮发电机组安装   [14J]
Turbo-generator set ins-
tallation
  S 安装*

Shui lun fa dian ji zu
  bao hu
水轮发电机组保护   [10J]
Hydraulic generator pro-
tection

Shui lun fa dian ji zu
  yun xing
水轮发电机组运行   [10K]
Hydraulic generator ope-
ration
  S 水电站运行
  Z 运行*
  C 调峰
     调相
     动水关闭

Shui lun ji
水轮机*   [10F]
Hydraulic turbine
  F 冲击式水轮机
     大型水轮机

     低水头水轮机
     反击式水轮机
     高水头水轮机
     可逆式水轮机
     模型水轮机
     微型水轮机
     小型水轮机
     中水头水轮机
  C 比转速
     尾水管
     转轮
     座环

Shui lun ji bu qi
水轮机补气   [10F]
Turbine venting

Shui lun ji can shu
水轮机参数   [10F]
Parameter of hydraulic
  turbine
  S 参数*

Shui lun ji dao shui ji
  gou
水轮机导水机构   [10F]
Guide vane of turbine

Shui lun ji ding gai
水轮机顶盖   [10F]
Turbine cap

Shui lun ji guo du guo
  cheng
水轮机过渡过程   [10G]
Transition process of w-
ater turbine
  S 过渡过程
  Z 过程*

Shui lun ji guo liu bu
  jian
水轮机过流部件   [10F]

Water passing parts of
  turbine

Shui lun ji han jie
水轮机焊接   [14J]
Welding of turbine
  S 焊接
  Z 连接*

Shui lun ji kong shi
水轮机空蚀   [10F]
Cavitation of hydraulic
  turbine
  S 空蚀*

Shui lun ji mo sun
水轮机磨损   [10F]
Abrasion of water turbi-
ne

Shui lun ji she ji
水轮机设计   [10F]
Design of hydraulic tur-
  bine
  S 设计*

Shui lun ji shi gu
水轮机事故   [10K]
Accident of turbine
  S 事故*

Shui lun ji te xing
水轮机特性   [10F]
Characteristic of hydra-
  ulic turbine

**Shui lun ji te xing qu
  xian**
水轮机特性曲线   [10F]
Performance diagram of
  hydraulic turbine
  S 特性曲线
  Z 曲线*

Shui lun ji tiao jie
水轮机调节   [10G]
Water turbine regulation
  S 调节*

**Shui lun ji tiao jie xi
  tong**
水轮机调节系统   [10G]
Water turbine regulation
  system
  D 水轮机调速系统
  S 调节系统
  Z 系统*

**Shui lun ji tiao su xi
  tong**
水轮机调速系统   [10G]
Water turbine regulation
  system
  Y 水轮机调节系统

Shui lun ji xiao lü
水轮机效率   [10F]
Turbine efficiency
  S 效率*

Shui lun ji xuan xing
水轮机选型   [10F]
Turbine type selection
  S 选型
  Z 选择*

Shui lun ji zhen dong
水轮机振动   [10F]
Vibration of hydraulic
  turbine
  S 振动*

Shui lun ji zhu zhou
水轮机主轴   [10F]
Turbine major axis

Shui mian qu xian

水面曲线   [06C]
Water surface profile
  F   河流水面线
       落水曲线
       壅水曲线
  S   曲线*

Shui mian zheng fa
水面蒸发   [02C]
Water surface evaporati-
on
  F   水库蒸发
  S   蒸发*

Shui nei leng shui lun
   fa dian ji
水内冷水轮发电机   [10H]
Water internal cooling
   hydraulic generator
  S   水轮发电机*

Shui neng gui hua
水能规划   [01C]
Waterpower planning
  Y   水电资源开发规划

Shui neng ji suan
水能计算   [01D]
Hydropower calculation
  F   水力发电计算
  S   水利计算
  Z   计算*

Shui neng li yong
水能利用   [10A, 01B]
Water power development
Hydropower development
  S   水资源利用
  Z   利用*
  C   水力发电

Shui neng zi yuan
水能资源   [10A, 01A]
Waterpower resources
Hydroelectric power res-
   ources
  D   水电资源
       水力蕴藏量
       水力资源
  F   潮汐能资源
  S   水资源*

Shui ni
水泥*   [15B]
Cement
  F   超细水泥
       矾土水泥
       硅酸盐水泥
       硫酸盐水泥
       膨胀水泥
       收缩补偿水泥
       无熟料水泥
       纤维水泥
  C   胶凝材料
       砂浆*
       砼*

Shui ni biao hao
水泥标号   [15K]
Cement grade
Cement mark
  D   水泥强度

Shui ni biao zhun
水泥标准   [15B]
Cement standard
  S   标准*

Shui ni gu liao fan ying
水泥骨料反应   [15D]
Cement-aggregate reacti-
on
  Y   碱骨料反应

Shui ni guan
水泥管   [15G]

Cement pipe
    F 钢筋砼管
        预应力砼管
    S 管*

Shui ni guan jiang
水泥灌浆　　　　　　[14F]
Cement grouting
    S 灌浆*

Shui ni guo sha tong
水泥裹砂砼　　　　　[15F]
Cement enveloped sand
    S 特种砼
    Z 砼*

Shui ni jiang
水泥浆　，　　　　　[15B]
Cement paste

Shui ni pin zhong
水泥品种　　　　　　[15B]
Cement type

Shui ni qiang du
水泥强度　　　　　　[15K]
Cement strength
    Y 水泥标号

Shui ni sha jiang
水泥砂浆　　　　　　[15E]
Cement mortar
    Y 砂浆*

Shui ni shi yan
水泥试验　　　　　　[15L]
Cement test
    S 试验*

Shui ni shu liao
水泥熟料　　　　　　[15B]
Clinker

Shui ni tong
水泥砼　　　　　　　[15F]
Cement concrete
    Y 砼*

Shui ni tu
水泥土　　　　　　　[15H]
Soil-cement

Shui ni tu guan
水泥土管　　　　　　[15G]
Soil-cement pipe
    S 管*

Shui ni wei mu
水泥帷幕　　　　　　[05Q]
Cement curtain
    S 帷幕*

Shui ni xing neng
水泥性能　　　　　　[15K]
Properties of cement
    S 性能*
    C 侵蚀*

Shui ni yong liang
水泥用量　　　　　　[15F]
Cement content
    C 贫砼
        砼配合比

Shui ni zhi liang
水泥质量　　　　　　[15B]
Cement quality
    S 质量*

Shui ni zhi pin
水泥制品*　　　　　[15G]
Cement product
    F 钢丝网水泥制品
        钢纤维水泥制品
        石棉水泥制品
        砼制品

Shui ping fang shen
水平防渗   [09L, 05Q]
Horizontal seepage proof
  S 防渗*

Shui ping feng
水平缝   [08E]
Horizontal joint
  S 施工缝
  Z 缝*

Shui ping gou
水平沟   [19B]
Horizontal gully
  S 山沟*

Shui ping heng
水平衡   [02C]
Water balance
  Y 水量平衡

Shui ping li
水平力   [08A]
Horizontal force
  S 力*
  C 侧压力

Shui ping pai shui
水平排水   [09L]
Horizontal drain
  S 排水*

Shui ping wei yi guan ce
水平位移观测   [16B]
Horizontal movement obs-
  ervation
  S 位移观测
  Z 观测*

Shui ping yi
水平仪   [03D]
Level instrument
  Y 水准仪

Shui po shi sheng chuan
  ji
水坡式升船机   [09K]
Water wedge shiplift
  S 升船机*

Shui qi shu song
水汽输送   [02B]
Vapor transport
Water vapor transport

Shui qiang
水枪   [14I]
Hydraulic gun

Shui qu
水渠   [11E]
Water channel
  Y 渠道*

Shui qu yang qi
水取样器   [02G]
Water sampler
  S 取样器*

Shui quan
水权   [00B]
Water right

Shui sha bian hua
水沙变化   [07A]
Weter-silt variation
  S 变化*

Shui sha diao du
水沙调度   [16A]
Water-silt regulation
  S 调度*

Shui sha tiao jian
水沙条件   [07A]
Water-silt condition
  S 条件*

Shui sha zi yuan
水沙资源   [01A]
Water-sand resources
  S 资源*
  C 水土资源
     水资源*

Shui shang ce liang
水上测量   [03A]
Above water survey
  S 测量*

Shui shang shi gong
水上施工   [14B]
Above water construction
  D 水上作业
  S 施工*

Shui shang zuan jin
水上钻进   [03G]
Drilling on waterways
  S 钻进*

Shui shang zuo ye
水上作业   [14B]
Above water operation
  Y **水上施工**

Shui she
水舌   [06D]
Nappe

Shui shen
水深*   [06A]
Water depth
  F 掺气水深
     共轭水深
     临界水深
     通航水深
     淹没水深
     正常水深
  C 水头*

Shui sheng xue
水声学   [18B]
Acoustics of waterbody
Hydro-acoustics
Underwater acoustics
  S 水文物理学
  Z 物理学*

Shui sheng sheng wu
水生生物   [19B]
Aquatic organism

Shui shi
水事   [00B]
Water affairs

Shui shi jiu fen
水事纠纷   [00B]
Water affairs dispute
  D 水利纠纷

Shui ta
水塔*   [19C]
Water tower
  F 冷却水塔
     自来水塔

Shui ti
水体   [02C]
Water body
  C 水*

Shui ti wu ran
水体污染   [17B]
Water body pollution
  Y **水污染**

Shui tian
水田   [19B]
Rice field
Paddy field
  S 农田*
  C 稻田

Shui tou
水头*   [06A]
Water head
  F 低水头
      高水头
      流速水头
      压力水头
      堰上水头
  C 水深*

Shui tou sun shi
水头损失   [06A]
Head loss
  F 局部水头损失
      沿程水头损失
  S 损失*
  C 能量损失

Shui tu bao chi
水土保持*   [11G]
Soil and water conserva-
tion
  F 库区水土保持
  C 荒漠化
      水土保持措施
      水土保持规划

Shui tu bao chi cuo shi
水土保持措施   [11G]
Soil and water conserva-
tion measure
  F 固沙措施
  S 措施*
  C 耕作措施
      减蚀措施
      水土保持*
      植物措施

Shui tu bao chi diao cha
水土保持调查   [11G]
Investigation of soil a-
nd water conservation
Survey of soil and water
conservation
  S 调查*

Shui tu bao chi fa
水土保持法   [00B]
Soil and water conserva-
ncy law
  S 法律*

Shui tu bao chi fei
水土保持费   [00C]
Soil and water conserva-
tion funds
  S 收费*

Shui tu bao chi gui hua
水土保持规划   [11G, 01C]
Planning of soil and wa-
ter conservation
  S 水利规划
  Z 规划*
  C 水土保持*

Shui tu bao chi lin
水土保持林   [11G]
Soil-water conservation
  forest
  S 防护林*

Shui tu bao chi shi yan
水土保持试验   [11G]
Experiment of soil and
water conservation
  S 试验*

Shui tu bao chi xiao yi
水土保持效益   [00C]
Soil-water conservation
  benefit
  S 效益*

Shui tu liu shi
水土流失   [11G]

Water and soil loss
Soil erosion
　C　过量采伐

Shui tu liu shi qu
水土流失区　　　　　　[11G]
Soil-water lossing regi-
　on
　S　地区*

Shui tu zi yuan
水土资源　　　　　　[01A]
Soil-water resources
　S　资源*
　C　水沙资源
　　　水资源*
　　　土壤资源

Shui tu zi yuan ping
　heng
水土资源平衡　　　　　[01C]
Balance of water and la-
　nd resources
　S　平衡*

Shui wei
水位*　　　　　　　[01D]
Water level
Water stage
　F　潮水位
　　　地下水位
　　　防洪限制水位
　　　灌溉水位
　　　洪水位
　　　枯水位
　　　库水位
　　　历史最低水位
　　　历史最高水位
　　　死水位
　　　通航水位
　　　正常蓄水位

Shui wei bian hua

水位变化　　　　　　　[01D]
Change of water level
Water level fluctuation
Variation in stage
　S　变化*
　C　地下水位
　　　库水位骤降

Shui wei biao chi
水位标尺　　　　　　[02G]
Water level gauge
Depth gauge
　D　水尺

Shui wei guan ce
水位观测　　　　　[16B, 02E]
Water level observation
Gauge observation
Stage observation
　S　水流观测
　　　水文测验
　Z　观测*
　C　潮汐观测

Shui wei guan ce yi qi
水位观测仪器　　　　　[02G]
Water level observation
　apparatus
　S　观测仪器
　Z　仪器*

Shui wei guo cheng xian
水位过程线　　　　　[02I]
Stage hydrograph
　S　水文曲线
　Z　曲线*

Shui wei ji
水位计*　　　　　　[02G]
Water level gauge
　F　远传水位计
　　　自记水位计

Shui wei kong zhi
水位控制   [19E]
Water level control
  S 控制*
  C 水位调节

Shui wei liu liang guan
  xi qu xian
水位流量关系曲线   [02I]
Discharge rating curve
  S 曲线*

Shui wei tiao jie
水位调节   [19E]
Water level regulation
  S 调节*
  C 水位控制

Shui wei yu bao
水位预报   [02J]
Stage forecasting
  S 水文预报
  Z 预报*

Shui wei zhan
水位站   [02E]
Gauge station
Stage station
  S 水文站*

Shui wen
水温   [17C]
Water temperature
  F 地下水温
     灌溉水温
     河流水温
  S 温度*

Shui wen guan ce
水温观测   [02E]
Water temperature obser-
  vation
  S 水文测验

  Z 观测*

Shui wen
水文*   [02A]
Hydrology
  F 都市水文
     海洋水文
     环境水文
     流域水文
     陆地水文
     区域水文

Shui wen bi ni
水文比拟   [02I]
Hydrologic analogy
  D 水文模拟
  S 水文分析
  Z 分析*

Shui wen ce jing
水文测井   [03H]
Hydrogeological logging
  S 地球物理测井*

Shui wen ce yan
水文测验   [02E]
Hydrometry
  F 潮汐观测
     降水观测
     流量测验
     泥沙测验
     水化学测验
     水位观测
     水温观测
     蒸发观测
  S 观测*

Shui wen ce yan cheng
  guo biao
水文测验成果表   [02E]
Table of hydrological m-
  easurement data
  S 表*

Shui wen di li
水文地理* [02K]
Hydrogeography
　F　流域水文地理

Shui wen di zhi
水文地质* [04D]
Geohydrology
　F　区域水文地质
　C　水文地质学

Shui wen di zhi dan yuan
水文地质单元 [04D]
Geohydrologic unit

Shui wen di zhi diao cha
水文地质调查 [04D]
Hydrogeologic investiga-
tion
　D　找水
　S　调查*
　C　抽水试验
　　　渗水试验
　　　注水试验

Shui wen di zhi kan tan
水文地质勘探 [04D]
Hydrogeologic prospecti-
ng
　S　地质勘探*

Shui wen di zhi mo ni
水文地质模拟 [04D]
Geohydrology simulation
　S　模拟*

Shui wen di zhi ping jia
水文地质评价 [04D]
Hydrogeologic evaluation
　S　地质评价*
　Z　评价*

Shui wen di zhi shi yan

水文地质试验 [04D]
Hydrogeologic test
　F　抽水试验
　　　渗水试验
　　　注水试验
　S　试验*

Shui wen di zhi tu
水文地质图 [04D]
Hydrogeologic map
　S　地质图
　Z　图*

Shui wen di zhi xue
水文地质学 [04D]
Hydrogeology
Geohydrology
　D　地下水水文学
　S　地质学*
　C　水文地质*

Shui wen diao cha
水文调查 [02D]
Hydrological survey
Hydrological investigat-
ion
　D　水文特征调查
　F　暴雨调查
　　　冰川水文调查
　　　洪水调查
　　　湖泊水文调查
　　　枯水调查
　　　流域水文调查
　S　调查*

Shui wen fen xi
水文分析 [02I]
Hydrologic analysis
Hydrograph analysis
　F　水文比拟
　S　分析*
　C　水文情势

Shui wen gong zuo
水文工作 [02A]
Hydrological work

Shui wen guan li
水文管理 [02A]
Hydrologic management
　S　管理*

Shui wen guo cheng xian
水文过程线 [02I]
Hydrograph
　Y　水文曲线

Shui wen hua
水文化 [00A]
Hydrologic popularizati-
on

Shui wen hua xue
水文化学 [17C]
Hydrochemistry
　Y　水化学

Shui wen ji suan
水文计算 [02I]
Hydrological computation
　F　洪水计算
　　降水计算
　　径流计算
　S　计算*
　C　变差系数
　　单位线
　　偏态系数
　　水文水利计算

Shui wen jiao che
水文绞车 [02G]
Hydrometric winch

Shui wen lan dao
水文缆道 [02G]
Hydrometric cableway

Measuring cableway

Shui wen mo ni
水文模拟 [02I]
Hydrologic simulation
　Y　水文比拟

Shui wen mo ni ji shu
水文模拟技术 [02F]
Hydrologic simulation t-
echnique
　S　模拟技术
　Z　技术*

Shui wen mo xing
水文模型 [02I]
Hydrologic model
　F　产流模型
　　洪水模型
　　降水模型
　　径流模型
　S　模型*
　C　数学模型

Shui wen nian
水文年 [02B]
Water year
Hydrologic year
　D　水文年度

Shui wen nian du
水文年度 [02B]
Hydrologic year
　Y　水文年

Shui wen nian jian
水文年鉴 [02E]
Hydrologic yearbook
Hydrologic almanac
　S　年鉴*

Shui wen qi xiang xue
水文气象学 [02B]

Hydrometeorology
  S　气象学*

Shui wen qing shi
水文情势　　　　　　　[02B]
Hydrologic regime
  C　水文分析

Shui wen qu xian
水文曲线　　　　　　　[02I]
Hydrograph
  D　水文过程线
  F　单位线
    洪水过程线
    汇流曲线
    流量过程线
    时面深曲线
    水位过程线
    退水过程线
  S　曲线*

Shui wen shi
水文史　　　　　　　　[02A]
Hydrologic history
  S　历史*

Shui wen shi yan
水文实验*　　　　　　[02F]
Hydrological experiment
  F　河流泥沙实验
    降水实验
    径流实验
    下渗实验
    蒸发实验

Shui wen shi yan zhan
水文实验站*　　　　　[02F]
Hydrologic experiment s-
  tation
  F　河床实验站
    径流实验站

Shui wen shou ce

Shui wen shou ce（续）

水文手册　　　　　　　[02E]
Hydrologic manual
  S　手册*

Shui wen shu ju ku
水文数据库　　　　　　[02A]
Hydrologic data base
  S　数据库*

Shui wen shu xue mo ni
水文数学模拟　　　　　[02F]
Mathematic simulation of
  hydrology
  S　模拟*

Shui wen shui li ji suan
水文水利计算　　　　　[01D]
Hydrology and water res-
  ources calculation
  F　泥沙计算
    治涝计算
  S　计算*
  C　水利计算
    水文计算

Shui wen te xing
水文特性　　　　　　　[02C]
Hydrological characteri-
  stic
  S　特性*

Shui wen te zheng diao
  cha
水文特征调查　　　　　[02D]
Hydrologic characterist-
  ic survey
  Y　水文调查

Shui wen te zheng zhi
水文特征值　　　　　　[02E]
Hydrologic characterist-
  ics
  S　特征值

Z 数值*
C 流域水文特征

Shui wen tong ji
水文统计   [02H]
Hydrologic statistics
　S 统计*

Shui wen tu ji
水文图集   [02E]
Hydrologic atlas
　S 图集*

Shui wen wen xian
水文文献   [02E]
Hydrologic literature
　Y 水文资料

Shui wen wu li xue
水文物理学   [02A]
Hydrophysics
　F 水声学
　S 物理学*

Shui wen xi tong
水文系统   [02A]
Hydrologic system
　S 系统*

Shui wen xiao ying
水文效应   [02C]
Hydrological effect

Shui wen xue
水文学*   [02A]
Hydrology
　F 都市水文学
　　海洋水文学
　　环境水文学
　　陆地水文学
　　区域水文学
　　随机水文学
　　应用水文学

Shui wen xun huan
水文循环   [02C]
Hydrologic cycle
　Y 水循环

Shui wen yao ce ji shu
水文遥测技术   [02F]
Hydrologic remote sensi-
　ng technique
Remote sensing technique
　in hydrology
　S 遥测技术
　Z 技术*

Shui wen yao su
水文要素   [02C]
Hydrologic element

Shui wen yi qi
水文仪器   [02G]
Hydrometric instrument
　F 流量计
　　流速仪
　S 仪器*

Shui wen yu bao
水文预报   [02J]
Hydrological prediction
Hydrological forecasting
　F 冰情预报
　　超长期水文预报
　　春汛预报
　　旱情预报
　　洪水预报
　　降水预报
　　径流预报
　　枯水预报
　　泥沙预报
　　水位预报
　　退水预报
　　中长期水文预报
　S 预报*

Shui wen zhan
水文站*   [02E]
Hydrologic station
Hydrometric station
   F 地下水观测站
      水位站
      无人测站
      雨量站
      蒸发站
   C 水文站网

Shui wen zhan wang
水文站网   [02E]
Hydrologic network
   C 水文站*

Shui wen zi liao
水文资料   [02E]
Hydrological data
   D 水文文献
   S 资料*

Shui wen zi liao cha bu
   yan chang
水文资料插补延长   [02E]
Interpolation and exten-
   ding of hydrological data

Shui wen zi liao xi lie
水文资料系列*   [02H]
Series of hydrologic da-
   ta
   F 径流资料系列

Shui wen zi liao xuan
   yang
水文资料选样   [02H]
Hydrological data sampl-
   ing
   S 选择*

Shui wen zi liao zheng
   bian

水文资料整编   [02E]
Hydrological data proce-
   ssing
Compilation of hydrolog-
   ical data

Shui wu ran
水污染   [17B]
Water pollution
   D 水体污染
      水质污染
   S 污染*
   C 定量分析
      定性分析
      水质

Shui wu ran fang zhi
水污染防治   [17C]
Water pollution prevent-
   ion
   S 污染防治
   Z 防治*

Shui wu ran fang zhi fa
水污染防治法   [17C]
Law of water pollution
   prevention
   S 法律*

Shui wu li xing zhi
水物理性质   [17C]
Physical property of wa-
   ter
   S 物理性质*

Shui xi
水系   [02K]
River system
Water system
   D 河系
   C 河网

Shui xi diao cha

水系调查   [02D]
Water system survey
   Y 河系调查

Shui xia bao po
水下爆破   [14L, 14K]
Underwater blasting
Underwater explosion
   S 爆破*
   C 水下开挖

Shui xia ce liang
水下测量   [03E]
Underwater survey
   S 工程测量
   Z 测量*

Shui xia han jie
水下焊接   [14L]
Underwater welding
   S 焊接
   Z 连接*

Shui xia ji chu
水下基础   [05N]
Underwater foundation
   S 基础*

Shui xia jie gou
水下结构   [08C]
Underwater structure
   S 结构*

Shui xia kai wa
水下开挖   [14L]
Underwater excavation
   S 开挖*
   C 水下爆破

Shui xia li mo
水下立模   [14L]
Underwater formwork

Shui xia shi gong
水下施工   [14L]
Underwater construction
   D 潜水作业
      水下作业
   S 施工*
   C 沉箱

Shui xia sui dong
水下隧洞   [09E]
Underwater tunnel
   S 水工隧洞
   Z 隧洞*

Shui xia sui dong fang
   shen
水下隧洞防渗   [09L]
Waterproof of underwater
   tunnel
   S 隧洞防渗
   Z 防渗*

Shui xia tong
水下砼   [15F]
Subaqueous concrete
Underwater concrete
   S 砼*
   C 抗分散性

Shui xia tong jiao zhu
水下砼浇筑   [14L]
Underwater concreting
   S 砼浇筑*

Shui xia zuo ye
水下作业   [14L]
Underwater work
Underwater operation
   Y 水下施工

Shui xing zheng
水行政   [00B]
Water administration

Y　水政

Shui xun huan
水循环　　　　　　　　[02C]
Water cycle
　　D　水分循环
　　　　水文循环
　　F　流域水循环
　　　　区域水循环
　　S　循环*

Shui xun huan xi tong
水循环系统　　　　　　[06J]
Water cycle system
　　S　循环系统
　　Z　系统*

Shui ya fa shi yan
水压法试验　　　　　　[05L]
Water pressure test
　　S　试验*

Shui ya li
水压力　　　　　　[06A, 08A]
Water pressure
　　F　超静水压力
　　　　动水压力
　　　　静水压力
　　　　均匀水压力
　　　　孔隙水压力
　　　　内水压力
　　　　外水压力
　　S　压力*
　　C　水荷载

Shui ya shi chui zhi
　sheng chuan ji
水压式垂直升船机　　　[09K]
Hydraulic vertical ship-
　lift
　　S　垂直升船机
　　Z　升船机*

Shui ya shi yan
水压试验　　　　　　　[10D]
Hydraulic pressure test
　　S　试验*
　　C　压力水管*

Shui yan bian hua
水盐变化　　　　　　　[11G]
Water-salt variation
　　S　变化*
　　C　土壤脱盐
　　　　盐分迁移

Shui yang
水样　　　　　　　　　[17C]
Water sample

Shui yu
水域　　　　　　　　　[18D]
Water area

Shui yuan
水源*　　　　　　　　[01A]
Water source
　　F　地下水源
　　　　灌溉水源
　　C　水资源*

Shui yuan bao hu
水源保护　　　　　　　[17C]
Water source protection
　　S　环境保护*
　　C　水源保护区
　　　　水资源保护

Shui yuan bao hu qu
水源保护区　　　　　　[17C]
Protection area of water
　resources
　　S　自然保护区
　　Z　地区
　　C　水源保护

Shui yuan diao cha
水源调查   [02D]
Water source survey
   D 水源勘探
   S 调查*
   C 水资源调查

Shui yuan guan li
水源管理   [01B]
Water source management
   S 管理*
   C 水资源管理

Shui yuan han yang lin
水源涵养林   [19B]
Water conservation fore-
st
   S 防护林*

Shui yuan kai fa
水源开发   [01B]
Water source development
   Y 水资源开发

Shui yuan kan tan
水源勘探   [02D]
Water source prospecting
   Y 水源调查

Shui yuan li yong
水源利用   [01B]
Water source utilization
   Y 水资源利用

Shui yue
水跃*   [06C]
Hydraulic jump
   F 摆动水跃
      波状水跃
      扩散水跃
      临界水跃
      完全水跃
      稳定水跃

      斜水跃
      淹没水跃
      有压水跃
   C 共轭水深

Shui yue han shu
水跃函数   [06C]
Function of hydraulic j-
ump
   S 函数*

Shui zai
水灾   [02B]
Flood disaster
   D 洪水灾害
      洪灾
      涝灾
   F 渍害
   S 气象灾害
   Z 灾害*

Shui zha
水闸*   [09D]
Sluice
   F 冲沙闸
      挡潮闸
      分洪闸
      节制闸
      进水闸
      泄水闸
   C 闸坝
      闸门*

Shui zheng fa
水蒸发   [02C]
Water vaporization
Water evaporation
   Y 蒸发*

Shui zheng
水政   [00B]
Water administration
   D 水利行政

水行政

Shui zhi
水质 [17C]
Water quality
  F 灌溉水质
     河流水质
     湖泊水质
     牧区水质
     水库水质
     饮用水质
  S 质量*
  C 水污染
     水质标准
     水质管理
     水质监测

Shui zhi ben di zhi
水质本底值 [17A]
Background value of wat-
  er quality

Shui zhi biao zhun
水质标准 [17C]
Water quality criterion
Water quality standard
  S 标准*
  C 水质

Shui zhi diao cha
水质调查 [17C]
Water quality survy
  S 调查*

Shui zhi dong tai
水质动态 [17A]
Dynamics of water quali-
  ty
  C 水质监测

Shui zhi fen xi
水质分析 [17C]
Water quality analysis
  D 水分析
  S 分析(化学)*
  C 定量分析
     定性分析
     水质监测

Shui zhi fen xi yi qi
水质分析仪器 [02G]
Water quality analysis
  instrument
  S 分析仪器
  Z 仪器*

Shui zhi guan li
水质管理 [17C]
Water quality management
  S 管理*
  C 水质

Shui zhi jian ce
水质监测 [17C]
Water quality monitoring
  S 环境监测
  Z 监测*
  C 水质
     水质动态
     水质分析

Shui zhi jian ding
水质鉴定 [17C]
Water quality appraisal
  Y **水质评价**

Shui zhi mo xing
水质模型 [17C]
Water quality model
  S 模型*

Shui zhi ping jia
水质评价 [17C]
Water quality assessment
  D 水质鉴定
  S 评价*

Shui zhi wu ran
水质污染   [17B]
Water quality pollution
　Y　水污染

Shui zhi yu ce
水质预测   [17C]
Water quality prediction
　S　预测*

Shui zhong tian tu ba
水中填土坝   [09C]
Hydraulic fill dam
　C　水力冲填坝

Shui zhui ba
水坠坝   [09C]
Slurry fill dam
　Y　水力冲填坝

Shui zhun ce liang
水准测量   [03A]
Level survey
　S　测量*

Shui zhun dian
水准点   [03A]
Leveling point
　S　测量控制点*

Shui zhun wang
水准网   [03A]
Level net
Leveling network
　S　测量控制网*

Shui zhun yi
水准仪   [03D]
Level instrument
　D　水平仪
　S　测绘仪器
　Z　仪器*

Shui zi yuan
水资源*   [01A]
Water resources
　D　水利资源
　F　城市水资源
　　　地表水资源
　　　地下水资源
　　　流域水资源
　　　农业水资源
　　　区域水资源
　　　热水资源
　　　水能资源
　　　雨水资源
　C　水沙资源
　　　水土资源
　　　水源*

Shui zi yuan bao hu
水资源保护   [17C]
Water resources protect-
　ion
　S　环境保护*
　C　水源保护

Shui zi yuan diao cha
水资源调查   [01C]
Water resources investi-
　gation
　S　调查*
　C　水源调查

Shui zi yuan fa gui
水资源法规   [00B]
Water resources laws and
　regulations
　S　水利法规
　Z　法规*

Shui zi yuan fei
水资源费   [00C]
Water resourses charge
　S　收费*

Shui zi yuan fen bu
水资源分布 [01B]
Water resources distribution
  S 分布*

Shui zi yuan gong xu ping heng
水资源供需平衡 [01B]
Budget of water-demand and water-supply

Shui zi yuan guan li
水资源管理 [01B]
Water resources management
  S 管理*
  C 水源管理

Shui zi yuan gui hua
水资源规划 [01C]
Water resources planning
  Y 水利规划

Shui zi yuan kai fa
水资源开发 [01B]
Water resources development
  D 水源开发
  S 开发*
  C 流域开发

Shui zi yuan li yong
水资源利用 [01B]
Water resources utilization
  D 水源利用
  F 废水利用
    水能利用
    水资源联合运用
    雨水利用
  S 利用*

Shui zi yuan lian he yun yong
水资源联合运用 [01B]
Water resources combined utilization
  S 联合运用
    水资源利用
  Z 运用*

Shui zi yuan liang
水资源量 [01D]
Water resources volume

Shui zi yuan ping jia
水资源评价 [01B]
Assessment of water resources
  S 评价*

Shui zi yuan xi tong
水资源系统 [01A]
Water resources systems
  S 系统*

Shui
税 [19J]
Tax

Shui jin
税金 [19J]
Tax

Shui lu
税率 [19J]
Tax rate
Tax ratio

Shun an ma tou
顺岸码头 [13C]
Quay
  S 码头*

Shun ba

顺坝 [12C, 09C]
Longitudinal dam
Training dike
　S　坝*

Shun xu kong zhi
顺序控制 [19E]
Sequence control
　S　控制*

Shun zhi xing he duan
顺直型河段 [07B]
Straight river reach
　S　河段*

Shun bian liu
瞬变流 [06C]
Transient flow
　C　非恒定流

Shun shi chen jiang
瞬时沉降 [05I]
Immediate settlement
　Y　初始沉降

Shun shi chen jiang
liang
瞬时沉降量 [05I]
Immediate settlement
　S　沉降量*

Shun shi he zai
瞬时荷载 [08A]
Transient load
Instantaneous load
　S　荷载*

Shun shi qiang du
瞬时强度 [08B]
Instantaneous strength
　S　强度(力学)*

Shuo ming shu

说明书 [19M]
Specification

Si ku rong
死库容 [01D]
Dead storage capacity
Dead storage
　S　库容*

Si shui wei
死水位 [01D]
Dead water level
　S　水位*

Si shui zhuan hua
四水转化 [02C]
Water four phases trans-
　formation

Song dong bao po
松动爆破 [14K]
Loosening blasting
　S　爆破*

Song tu qi
松土器 [14I]
Ripper

Su du tiao jie
速度调节 [19E]
Speed regulation
　Y　调速

Su ning ji
速凝剂 [15C]
Set-accelerator
　D　促凝剂
　S　外加剂*
　C　凝结时间

Su hua ji
塑化剂 [15C]
Plasticizer

Y 减水剂

Su liao
塑料* [15J]
Plastics
F 玻璃纤维增强塑料
泡沫塑料
C 塑料板
塑料薄膜

Su liao ban
塑料板 [15J]
Plastic plate
C 塑料*

Su liao bo mo
塑料薄膜 [15J]
Plastic membrane
C 防水材料
塑料*
土工薄膜

Su liao du cao
塑料渡槽 [11E]
Plastic flume
S 渡槽*

Su liao guan
塑料管 [15J]
Plastic pipe
S 管*

Su liao pen tou
塑料喷头 [11F]
Plastic sprinkle head
S 喷头*

Su liao zha men
塑料闸门 [09D]
Plastic gate
S 闸门*

Su xian

塑限 [05C]
Plastic limit
D 塑性界限
S 阿太堡界限*
C 塑限试验

Su xian shi yan
塑限试验 [05K]
Plastic limit test
S 界限含水量试验
Z 试验*
C 塑限

Su xing bian xing
塑性变形 [08B]
Plastic deformation
S 变形*
C 弹性变形
应力状态

Su xing jiao
塑性铰 [08E]
Plastic hinge

Su xing jiao xian fa
塑性铰线法 [08B]
Yield line method
S 结构计算方法*

Su xing jie xian
塑性界限 [05C]
Plastic limit
Y 塑限

Su xing li xue
塑性力学 [08B]
Mechanics of plasticity
S 力学*

Su xing tong
塑性砼 [15F]
Plastic concrete
S 砼*

Su xing zhi shu
塑性指数   [05C]
Plasticity index
　　S　阿太堡界限*

Su tong
素砼   [15F]
Plain concrete
　　D　无筋砼
　　S　砼*

Su tong jie gou
素砼结构   [08C]
Plain concrete structure
　　Y　砼结构

Su yuan chong shua
溯源冲刷   [11G]
Backward erosion
Retrogressive erosion
　　S　冲刷*
　　C　土壤侵蚀

Suan
酸*   [18C]
Acid
　　F　无机酸
　　　　有机酸

Suan du
酸度   [18C]
Acidity
　　D　酸性
　　C　pH 值

Suan xing
酸性   [18C]
Acidity
　　Y　酸度

Suan xing gu liao
酸性骨料   [15D]
Acidic aggregate

　　S　骨料*

Suan xing tu rang
酸性土壤   [11G]
Acidic soil
　　S　土壤*

Suan xing yan
酸性岩   [05L]
Acidic rock
Acid rock
　　F　花岗岩
　　　　流纹岩
　　S　火成岩
　　Z　岩石*

Suan yu
酸雨   [17B]
Acid precipitation
Acid rain
　　S　降雨
　　Z　降水*
　　C　降水污染

Sui dao
隧道   [09E]
Tunnel
　　Y　隧洞*

Sui dao ce liang
隧道测量   [03E]
Tunnel survey
　　Y　隧洞测量

Sui dong
隧洞*   [09E]
Tunnel
　　D　隧道
　　F　排沙洞
　　　　竖井
　　　　水工隧洞
　　　　斜洞
　　　　支洞

Sui dong ce liang
隧洞测量   [03E]
Tunnel survey
  D 隧道测量
  S 工程测量
  Z 测量*
  C 地下工程测量

Sui dong chen qi
隧洞衬砌   [14E]
Tunnel lining
  S 衬砌*

Sui dong dao liu
隧洞导流   [14D]
Tunnel diversion
  S 导流*

Sui dong duan mian
隧洞断面   [09E]
Cross section of tunnel
  S 断面*

Sui dong fang shen
隧洞防渗   [14E]
Tunnel sealing
  F 水下隧洞防渗
  S 防渗*

Sui dong fen cha duan
隧洞分岔段   [09E]
Tunnel fork

Sui dong gong cheng
隧洞工程   [14E]
Tunnel engineering
  S 工程*

Sui dong jian bian duan
隧洞渐变段   [09E]
Tunnel transition

Sui dong jue jin

隧洞掘进   [14E]
Tunnelling
  Y 隧洞开挖

Sui dong jue jin ji
隧洞掘进机   [14I]
Tunnel boring machine
  Y 掘进机

Sui dong kai wa
隧洞开挖   [14E]
Tunnel excavation
  D 隧洞掘进
  F 竖井开挖
  S 开挖*
  C 基坑开挖
     岩爆
     岩石开挖

Sui dong kai wa fang fa
隧洞开挖方法   [14E]
Tunnel excavation method
  F 盾构法
     新奥法
     钻爆法
  S 方法*

Sui dong lie feng
隧洞裂缝   [09E]
Cracks of tunnel
  S 裂缝
  Z 缝*

Sui dong she ji
隧洞设计   [09E]
Tunnel design
  D 水工隧洞设计
  S 设计*

Sui dong shi gong
隧洞施工   [14E]
Tunnel construction
  S 施工*

Sui dong zhi cheng
隧洞支撑   [14E]
Tunnel support
　Y　隧洞支护

Sui dong zhi hu
隧洞支护   [14E]
Tunnel support
　D　隧洞支撑
　S　支护*

Sui ji bian liang
随机变量   [18A]
Stochastic variable
Random variable
　S　变量*

Sui ji fa
随机法   [02H]
Stochastic method
　S　方法*

Sui ji gui hua
随机规划   [18A]
Stochastic programming
　S　数学规划
　Z　规划论*

Sui ji guo cheng
随机过程   [18A]
Stochastic process
Random process
　S　过程*

Sui ji he zai
随机荷载   [08A]
Random load
　S　荷载*

Sui ji mo xing
随机模型   [18A]
Stochastic model
　S　数学模型

　Z　模型*

Sui ji shui wen xue
随机水文学   [02A]
Stochastic hydrology
　S　水文学*

Sui ji zhen dong
随机振动   [08B]
Random vibration
　S　振动*

Sui shi
碎石   [15D]
Crushed stone
　C　粗骨料

Sui shi chang
碎石厂   [14A]
Crushing plant
　Y　骨料加工厂

Sui shi ji
碎石机   [14I]
Crusher
　Y　破碎机

Sui shi tu
碎石土   [05B]
Gravelly soil
　S　无粘性土
　Z　土*

Sui shi zhuang
碎石桩   [05N]
Stone pile
Stone column
　F　挤密砂桩
　　　砂桩
　　　振动碎石桩
　S　桩*

Sui xie yan

碎屑岩 [05L]
Detrital rock
Clastic rock
  F 砾岩
    砂岩
  S 沉积岩
  Z 岩石*

Sun huai
损坏 [20B]
Damage

Sun shi
损失* [20B]
Loss
  F 径流损失
    能量损失
    水量损失
    水头损失
    预应力损失

Suo ba
锁坝 [12C, 09C]
Blocking dam
  S 坝*

Suo bi zhuang zhi
锁闭装置 [09D]
Locking device
  Y 锁定装置

Suo ding zhuang zhi
锁定装置 [09D]
Locking device
  D 锁闭装置
  S 装置*
  C 闸门*

Suo chi ying xiang
缩尺影响 [06J]
Scale effect

Suo wei wen xian
缩微文献 [19M]
Microdocument
  S 文献*

Suo xian
缩限 [05C]
Shrinkage limit
  C 含水量
    缩限试验

Suo xian shi yan
缩限试验 [05K]
Shrinkage limit test
  S 界限含水量试验
  Z 试验*
  C 缩限

Suo dao
索道 [09J]
Cable way
  C 过木建筑物

Suo pei
索赔 [19A]
Claime indemnity

Suo yin wen xian
索引文献 [19M]
Index document
  S 文献*

T

T xing liang
T形梁   [08D]
T-beam
　　S　梁*

Ta fang chu li
塌方处理   [14E]
Collapse treatmetnt
　　S　处理*

Ta shi qi zhong ji
塔式起重机   [14I]
Tower crane
　　S　起重机*
　　C　轨道式起重机

Ta shi tiao ya shi
塔式调压室   [10E]
Surge tower
　　Y　调压塔

Tai di
台地   [04B]
Platform
　　Y　地台

Tai feng
台风   [02B]
Typhoon
　　D　飓风

Tai feng yu bao
台风预报   [02B]
Typhoon forecasting
　　S　气象预报
　　Z　预报*

Tai jie ba
台阶坝   [09C]
Stepped dam

　　S　坝*

Tai hu zhi li
太湖治理   [00A]
Taihu regulation
　　Y　治太

Tai yang neng
太阳能   [19C]
Solar energy
　　S　能源*
　　C　太阳能水泵

Tai yang neng shui beng
太阳能水泵   [11F]
Solar water pump
　　S　水泵
　　Z　泵*
　　C　太阳能

Tan an
坍岸*   [07B]
Bank caving
　　F　水库坍岸
　　C　河岸冲刷
　　　　库岸演变

Tan luo du
坍落度   [15K]
Slump

Tan an qin shi
滩岸侵蚀   [13A]
Beach strand erosion
　　S　侵蚀*

Tan di
滩地   [07B]
Overbank
　　C　河漫滩

Tan qu
滩区   [07B]
Overbank region
　S　地区*

Tan tu
滩涂   [07B, 13A]
Tidal beach
Beach plain
Low land

Tan tu kai fa
滩涂开发   [19B]
Beach reclamation
　S　开发*

Tan hua
谈话   [19M]
Conversation

Tan hua
碳化   [15F]
Carbonization

Tan su gang
碳素钢   [15I]
Carbon steel
　S　钢*

Tan suan yan gu liao
碳酸盐骨料   [15D]
Carbonate aggregate
　S　骨料*
　C　碱骨料反应

Tan nian su xing
弹粘塑性   [05C]
Elastic viscous plastic-
　　ity

Tan su xing
弹塑性   [15K]
Elastic plasticity

Tan xing bian xing
弹性变形   [08B]
Elastic deformation
　S　变形*
　C　塑性变形

Tan xing di ji
弹性地基   [05M]
Elastic foundation
　S　地基*

Tan xing gou jian
弹性构件   [08D]
Elastic component
　S　结构构件*

Tan xing li xue
弹性力学   [08B]
Mechanics of elasticity
　S　力学*

Tan xing mo liang
弹性模量   [08B]
Modulus of elasticity
　F　动弹性模量
　S　模量*

Tan xing ping heng
弹性平衡   [05E]
Elastic equilibrium
　S　平衡*

Tan xing zhi zuo
弹性支座   [08E]
Elastic support
　S　支座*

Tan shang
探伤*   [19I]
Detection
Inspection
Flaw detection
　F　金属探伤

无损探伤

Tao ci
陶瓷   [15H]
Ceramics

Tao li
陶粒   [15D]
Ceramsite
　　C　轻骨料

Tao guan hu bi fa
套管护壁法   [14F]
Sleeve wall protection
　method
Casing pipe shield meth-
　od
　　S　施工方法
　　Z　方法*
　　C　灌浆*

Tao hua xun
桃花汛   [02B]
Spring flood
　　Y　春汛

Tao lun hui
讨论会   [19M]
Seminar
Conference
　　S　会议*

Te da bao yu
特大暴雨   [02C]
Extraordinary storm
　　S　暴雨
　　Z　降水*

Te da hong shui
特大洪水   [02C]
Extraordinary flood
　　S　洪水*

Te da jiang shui
特大降水   [02C]
Extraordinary rainfall
　　S　降水*

Te xing
特性*   [20A]
Characteristic
　　F　冲淤特性
　　　　动力特性
　　　　工程特性
　　　　洪水特性
　　　　泥沙特性
　　　　强度特性
　　　　水力特性
　　　　水文特性
　　　　紊动特性

Te xing qu xian
特性曲线   [18A]
Characteristic curve
　　F　水轮机特性曲线
　　S　曲线*

Te zheng
特征*   [20A]
Characteristic
　　F　地质特征
　　　　流域水文特征

Te zheng zhi
特征值   [18A]
Eigenvalue
Characteristic value
　　F　水文特征值
　　S　数值*

Te zhong tong
特种砼   [15F]
Special concrete
　　F　硅粉砼
　　　　浸渍砼
　　　　聚合物水泥砼

Ti xing ba
梯形坝   [09C]
Trapezoidal buttress dam
  S 支墩坝
  Z 坝*
  C 大头坝
      宽缝重力坝

Ti xing duan mian
梯形断面   [08B]
Trapezoidal section
  S 断面*

Ti xing yan
梯形堰   [06D]
Trapezoidal weir
  S 堰*

Ti shui
提水   [11B]
Lifting water
  F 风力提水
  S 取水*
  C 抽水

Ti shui guan gai
提水灌溉   [11B]
Lift irrigation
Pumping irrigation
  Y 抽水灌溉

Ti shui she bei
提水设备   [11B]
Water lifting device
  S 设备*
  C 排灌设备

Tian cai
甜菜   [19B]
Beet
Sugarbeet

Tian feng cai liao

Tian
填缝材料   [15A]
Joint filler
  S 材料*

Tian tu
填土   [05B]
Filled soil
  S 特种土
  Z 土*
  C 压实土

Tian zhu
填筑*   [14C]
Fill
  F 堆石
      回填
  C 填筑强度

Tian zhu ba
填筑坝   [09C]
Embankment dam
  Y 土石坝

Tian zhu qiang du
填筑强度   [14H]
Fill intensity
  S 强度*
  C 填筑*

Tian jian chi shui liang
田间持水量   [11C]
Field capacity

Tian jian gong cheng
田间工程   [11E]
Field project
  S 工程*
  C 灌溉工程

Tian jian hao shui liang
田间耗水量   [11C]
Consumptive use of crop
Water consumption in fi-

eld
Farm duty of water

Tian jian shi yan
田间试验   [11B]
Field experiment
  S 试验*

Tian jian xu shui liang
田间需水量   [11C]
Irrigation water require-
  ement
  Y 灌溉需水量

Tian jian zhi qu
田间支渠   [11E]
Farm lateral
  Y 农渠

Tian qi
天气   [02B]
Weather

Tian qi yu bao
天气预报   [02B]
Weather forecasting
  Y 气象预报

Tian ran bu ji
天然补给   [20A]
Natural recharge
  S 补给*

Tian ran cao chang
天然草场   [11D]
Natural grassland
  S 草场*
  C 天然牧场

Tian ran di ji
天然地基   [05M]
Natural foundation
  S 地基*

  C 人工地基

Tian ran he dao
天然河道   [07B]
Natural channel
  S 河道*

Tian ran jian zhu cai
  liao
天然建筑材料   [15A]
Natural building materi-
  al
  S 建筑材料
  Z 材料*

Tian ran jian zhu cai
  liao diao cha
天然建筑材料调查   [03F]
Natural building materi-
  al investigation
  D 砂石料调查
  S 调查*

Tian ran mu chang
天然牧场   [11D]
Natural pasture
  S 牧场*
  C 天然草场

Tiao feng
调峰   [10K]
Peak regulation
  C 水轮发电机组运行

Tiao hong ku rong
调洪库容   [01D]
Flood storage capacity
  S 库容*

Tiao hong yan suan
调洪演算   [01D, 02I]
Flood routing
  S 防洪计算

Z　计算*

Tiao jie
调节*　　　　　　　　　　[20B]
Regulation
　F　补偿调节
　　多年调节
　　反调节
　　功率调节
　　径流调节
　　流量调节
　　年调节
　　水轮机调节
　　水位调节
　　调频
　　调速
　　压力调节
　　自动调节

Tiao jie bao zheng ji
suan
调节保证计算　　　　　　[01D]
Regulating assurance cal-
lculation
　S　计算*

Tiao jie chi
调节池　　　　　　　　　　[10D]
Regulation pond
Regulating pond

Tiao jie fa
调节阀　　　　　　　　　　[19H]
Regulating valve
　D　节流阀
　　控制阀
　S　阀门*

Tiao jie ji suan
调节计算　　　　　　　　　[01D]
Regulation calcuation
　S　水利计算
　Z　计算*

Tiao jie ku rong
调节库容　　　　　　　　　[01D]
Regulative capacity
　Y　兴利库容

Tiao jie shui ku
调节水库　　　　　　　　　[09B]
Regulating reservoir
　F　多年调节水库
　　反调节水库
　　季调节水库
　　年调节水库
　　日调节水库
　　月调节水库
　S　水库*

Tiao jie xi tong
调节系统　　　　　　　　　[19E]
Regulation system
　F　空气调节系统
　　水轮机调节系统
　S　系统*

Tiao pin
调频　　　　　　　　　　　[19E]
Frequency regulation
　D　频率调节
　S　调节*

Tiao su
调速　　　　　　　　　　　[19E]
Speed regulation
　D　速度调节
　S　调节*

Tiao su qi
调速器*　　　　　　　　　[10G]
Governor
　F　电液调速器
　　微机调速器
　　液压调速器

Tiao xiang

调相 [10K]
Phase modulation
 C 水轮发电机组运行

Tiao ya jing
调压井 [10E]
Surge shaft
 D 井式调压室
 S 调压室*

Tiao ya shi
调压室* [10E]
Surge chamber
 F 差动式调压室
  气垫式调压室
  双室式调压室
  调压井
  调压塔
  溢流式调压室
  圆筒式调压室
  阻抗式调压室

Tiao ya ta
调压塔 [10E]
Surge tower
 D 塔式调压室
 S 调压室*

Tiao jian
条件* [20B]
Condition
 F 边界条件
  地质条件
  水流条件
  水沙条件
  通航条件

Tiao li
条例 [19M]
Regulations
Rules

Tiao liu bi kan

挑流鼻坎 [09I]
Bucket
Flip bucket
 D 鼻坎

Tiao liu chong shua
挑流冲刷 [06H]
Jet scour
 S 冲刷*

Tiao liu shi yi hong dao
挑流式溢洪道 [09F]
Ski-jump spillway
 Y 滑雪道式溢洪道

Tiao liu xiao neng
挑流消能 [06H]
Energy dissipation of s-
 ki-jump type
 S 消能*
 C 雾化水流

Tiao shui ba
挑水坝 [12C]
Spur dike
 Y 丁坝

Tie lu
铁路 [19C]
Railway
Railroad

Tong
砼* [15F]
Concrete
 D 混凝土
  水泥砼
 F 泵送砼
  大坝砼
  大体积砼
  防渗砼
  粉煤灰砼
  富砼

干硬性砼
高强度砼
加筋砼
块石砼
冷砼
沥青砼
流动砼
蛮石砼
模袋砼
碾压砼
喷砼
膨胀砼
贫砼
轻砼
全级配砼
收缩补偿砼
双掺砼
水工砼
水下砼
素砼
塑性砼
特种砼
无砂砼
细砂砼
引气砼
预拌砼
预填骨料砼
预应力砼
真空作业砼
重砼
自应力砼
  C 骨料*
     水泥*

Tong ba
砼坝   [09C]
Concrete dam
  F 钢筋砼坝
     碾压砼坝
     砼重力坝
     预应力砼坝
     装配式砼坝
  S 坝*

Tong ba guan ce
砼坝观测   [16B]
Concrete dam observation
  S 大坝观测
  Z 观测*

Tong ba jiao zhu
砼坝浇筑   [14H]
Pouring of concrete dam
Concrete dam pouring
Concrete dam placement
  S 筑坝*

Tong ba pai shui
砼坝排水   [09L]
Drainage of concrete dam
  S 排水*

Tong ban he
砼拌和   [14G]
Concrete mixing
  D 砼搅拌

Tong ban he lou
砼拌和楼   [14I]
Concrete mixing plant

Tong ban he wu
砼拌和物   [15F]
Mix of concrete
Concrete mixture
  D 新拌砼
  C 拌和时间

Tong ban he xi tong
砼拌和系统   [14G]
Concrete mixing plant
  S 系统*

Tong ban zhi she bei
砼拌制设备   [14I]
Concrete mixing install-
  ation

Concrete mixing equipment
  S 设备*

Tong beng
砼泵 [14I]
Concrete pump
  S 杂质泵
  Z 泵*
  C 泵送砼

Tong biao hao
砼标号 [15K]
Concrete grade
Concrete mark
  C 砼强度

Tong chen qi
砼衬砌 [14G]
Concrete lining
  S 衬砌*

Tong da mao ji
砼打毛机 [14I]
Chipping machine
  S 砼机械
  Z 机械*

Tong diao guan
砼吊罐 [14I]
Concrete bucket

Tong gai ban
砼盖板 [15G]
Concrete cover plate

Tong gong cheng
砼工程 [14G]
Concrete engineering
  S 工程*

Tong gou jian
砼构件 [08D]

Concrete members
  S 结构构件*

Tong guan
砼管 [15G]
Concrete pipe
  S 管*

Tong ji xie
砼机械 [14I, 19H]
Concrete machinery
  F 砼打毛机
    砼搅拌机
    砼喷射机
    砼振捣器
  S 机械*
  C 砼施工

Tong ji xian la shen
砼极限拉伸 [15K]
Extensibility of concrete
  C 抗拉强度

Tong jiao zhu
砼浇筑* [14G]
Concrete placing
  F 薄层浇筑
    高块浇筑
    水下砼浇筑
    通仓浇筑
    斜缝浇筑
    柱状浇筑

Tong jiao zhu fen feng
    fen kuai
砼浇筑分缝分块 [14G]
Blocking of concrete placement
  Y 坝体分缝分块

Tong jiao ban
砼搅拌 [14G]

Concrete mixing
  Y 砼拌和

Tong jiao ban ji
砼搅拌机   [14I]
Concrete mixer
  F 汽车式搅拌机
  S 砼机械
  Z 机械*

Tong jie feng
砼接缝   [08E]
Concrete joint
  S 接缝
  Z 缝*

Tong jie shui qiang
砼截水墙   [05Q]
Concrete cut-off wall
  S 截水墙*

Tong jie gou
砼结构   [08C]
Concrete structure
  D 素砼结构
  F 钢筋砼结构
      钢丝网水泥结构
      少筋砼结构
      预应力砼结构
      装配式砼结构
  S 工程结构
  Z 结构*

Tong kong jie gou
砼孔结构   [15K]
Concrete pore structure
  C 含气量

Tong kuai hu po
砼块护坡   [09A]
Concrete block pitching
Concrete block protecti-
on

  S 护坡*

Tong leng que
砼冷却   [14G]
Concrete cooling
  C 砼温度控制

Tong lie feng
砼裂缝   [08B]
Concrete crack
  S 裂缝
  Z 缝*

Tong mian ban
砼面板   [09C]
Concrete facing
  F 沥青砼面板
      碾压砼面板
  S 面板*
  C 防渗面板
      面板坝

Tong mian ban dui shi ba
砼面板堆石坝   [09C]
Reinforced concrete fac-
ing dam
  S 堆石坝
  Z 坝*

Tong mo ban
砼模板   [14G]
Concrete form
  D 预制砼模板
  S 模板*

Tong ning gu
砼凝固   [14G]
Setting of concrete

Tong pei he bi
砼配合比   [15F]
Concrete mix proportion
  C 骨灰比

含砂率
水灰比
水泥用量

砼强度

Tong pen she ji
砼喷射机 [14I]
Concrete sprayer
 S 砼机械
 Z 机械*

Tong sai
砼塞 [14E]
Concrete plug

Tong pen she shi gong
砼喷射施工 [14G]
Shotcrete construction
 S 砼施工
 Z 施工*

Tong shi gong
砼施工 [14G]
Concrete construction
 F 大体积砼施工
  导管浇筑砼
  砼喷射施工
  现浇钢筋砼施工
 S 施工*
 C 模板*
  新老砼结合
  砼机械

Tong ping cang
砼平仓 [14G]
Concrete spreading
 D 平仓

Tong shi gong ji shu
砼施工技术 [14G]
Concrete construction t-
echnology
 S 施工技术
 Z 技术*

Tong pu gai
砼铺盖 [05Q]
Concrete blanket
 S 铺盖*

Tong qiang du
砼强度 [15K]
Concrete strength
 S 强度(力学)*
 C 砼标号
  砼强度龄期关系

Tong shi yan
砼试验 [15L]
Concrete test
 F 沥青砼试验
 S 试验*

Tong wei yan
砼围堰 [14D]
Concrete cofferdam
 S 围堰*

Tong qiang du ce ding
砼强度测定 [08F]
Concrete strength measu-
erment

Tong wen du kong zhi
砼温度控制 [14G]
Concrete temperature co-
ntrol
 S 温度控制
 Z 控制*
 C 大坝砼

Tong qiang du ling qi
guan xi
砼强度龄期关系 [15K]
Strength-age relation
 C 龄期

大体积砼
入仓温度
砼冷却

Tong wen du ying li
砼温度应力   [08B]
Concrete thermal stress
　S　温度应力
　Z　应力*
　C　绝热温升
　　　水化热

Tong wo qiao
砼蜗壳   [10F]
Concrete scroll case
Concrete spiral case
　D　钢筋砼蜗壳
　S　蜗壳*

Tong xie qiang
砼斜墙   [09C]
Concrete sloping core
　S　斜墙*

Tong xin qiang
砼心墙   [09C]
Concrete core
　S　心墙*

Tong xing neng
砼性能   [15K]
Concrete property
　F　沥青砼性能
　S　性能*

Tong xiu bu
砼修补   [14G]
Concrete repair
　S　维修*

Tong yang hu
砼养护   [14G]
Concrete curing

Y　养护*

Tong yu yan shi lian jie
砼与岩石连接   [08E]
Concrete-rock bond
　S　连接*

Tong zhen dao
砼振捣   [14G]
Concrete vibrating

Tong zhen dao qi
砼振捣器   [14I]
Concrete vibrator
　F　插入式振捣器
　　　平板振捣器
　　　振动台
　S　砼机械
　Z　机械*

Tong zhi pin
砼制品   [15G]
Concrete product
　S　水泥制品*

Tong zhi liang
砼质量   [15K]
Concrete quality
　S　质量*

Tong zhong li ba
砼重力坝   [09C]
Concrete gravity dam
　S　重力坝
　　　砼坝
　Z　坝*

Tong zhuang
砼桩   [05N]
Concrete pile
　S　桩*

Tong zi shen ti ji bian

hua
砼自身体积变化 [15K]
Autogenous volume change
  of concrete

Tong cang jiao zhu
通仓浇筑 [14H]
Pouring without longitu-
  dinal joint
  S 砼浇筑*

Tong feng
通风 [19C]
Ventilation

Tong feng ji
通风机 [19H]
Ventilator
  C 空气压缩机

Tong feng xi tong
通风系统 [19C]
Ventilation system
  S 系统*
  C 空气调节系统

Tong hang jian zhu wu
通航建筑物 [09K]
Navigation structure
  S 水工建筑物*

Tong hang shui shen
通航水深 [12D]
Navigable depth
  S 水深*
  C 通航水位
    通航条件

Tong hang shui wei
通航水位 [12D, 01D]
Navigable stage
Navigable water level
  S 水位*

  C 通航水深
    通航条件

Tong hang tiao jian
通航条件 [12D]
Navigation condition
  S 条件*
  C 通航水深
    通航水位

Tong hang yun he
通航运河 [12D]
Navigation canal
  S 运河
  Z 河流*

Tong xin
通信* [19F]
Communication
  D 通讯
  F 无线通信

Tong xin ji shu
通信技术 [19F]
Communication technique
  S 技术*

Tong xin wang luo
通信网络 [19F]
Communication network
  S 网络*

Tong xin xi tong
通信系统 [19F]
Communication system
  S 系统*

Tong xun
通讯 [19F]
Communication
  Y 通信*

Tong xun wei xing

通讯卫星   [19G]
Communication satellite
  S 卫星*

Tong yong xing
通用性   [20A]
Generality

Tong zhi
通知   [19M]
Notice

Tong chou fa
统筹法   [19A]
Critical path method
  S 方法*

Tong ji
统计*   [19A]
Statistics
  F 水文统计

Tong ji can shu
统计参数   [02H]
Statistical parameter
  S 参数*

Tong ji fen xi
统计分析   [18A]
Statistical analysis
  F 方差分析
    回归分析
    时间序列分析
    相关分析
  S 分析(数学)*

Tong ji mo xing
统计模型   [02H]
Statistic model
  S 数学模型
  Z 模型*

Tong ji zi liao

统计资料   [19A]
Statistical data
  S 资料*

Tong wei su ce sha yi
同位素测沙仪   [02G]
Radioisotope sediment p-
  robe

Tong wei su fa
同位素法   [18B]
Isotope method
  S 方法*
  C 示踪法

Tou biao
投标*   [19A]
Bid
Tender
  F 工程投标
  C 招标*

Tou ru chan chu fen xi
投入产出分析   [19A]
Input-output analysis
  S 经济分析
  Z 分析*

Tou zi
投资*   [19A]
Investement
  F 动态投资
    工程投资
    静态投资
    水利建设投资

Tou zi fen tan
投资分摊   [19A]
Investement allocation
  S 分摊*
  C 工程投资

Tou zi guan li

投资管理   [19A]
Investment management
　　S　管理*

Tou zi xiao yi
投资效益   [19A]
Investement benefit
　　S　效益*
　　C　经济效益
　　　　社会效益

Tou ming du
透明度   [17C]
Transparency

Tou shui ceng
透水层   [04D]
Pervious blanket
　　C　含水层*

Tou shui di ji
透水地基   [05M]
Pervious foundation
　　S　地基*
　　C　不透水地基

Tou shui duan ceng
透水断层   [04B]
Pervious fault
　　S　断层(地质)*
　　C　不透水断层

Tu
图*   [19M]
Map
Chart
Picture
　　F　等值线图
　　　　地图
　　　　地形图
　　　　地质图
　　　　调度图
　　　　工程详图

　　　　径流图

Tu gen dian
图根点   [03A]
Mapping control point
　　S　测量控制点*

Tu ji
图集*   [19M]
Collection of pictures
　　F　气候图集
　　　　水文图集

Tu jie fa
图解法   [18A]
Diagramming method
Graphic method

Tu shu
图书   [19M]
Book

Tu xiang chu li
图像处理   [19F]
Image processing
　　S　处理*

Tu xiang pan du
图像判读   [19G]
Image interpretation

Tu
土*   [05B]
Soil
　　F　饱和土
　　　　层状土
　　　　非饱和土
　　　　非均质土
　　　　红土
　　　　黄土
　　　　均质土
　　　　粘性土
　　　　扰动土

特种土
无粘性土
压实土
淤积土
原状土

Tu ba
土坝   [09C]
Earth dam
  F   冻土坝
       分区土坝
       过水土坝
       灰坝
       加筋土坝
       均质土坝
       碾压土坝
       斜墙土坝
       心墙土坝
       淤地坝
       自溃坝
  S   土石坝
  Z   坝*
  C   水力冲填坝

Tu ba guan ce
土坝观测   [16B]
Earth dam observation
  Y   **土石坝观测**

Tu ba pai shui
土坝排水   [09L]
Drainage of earth dam
  Y   **土石坝排水**

Tu ba shen liu
土坝渗流   [06G]
Seepage of earth dam
  S   渗流*

Tu ba ya shi
土坝压实   [14H]
Earth dam compaction
Compaction of earth dam

  S   筑坝*
  C   压实机械

Tu ceng
土层   [05B]
Stratum
  Y   覆盖层*

Tu di
土地   [19B]
Land
  C   农田*

Tu di ji
土地基   [05M]
Soil foundation
  F   砂土地基
  S   地基*

Tu di li yong
土地利用   [19B]
Land utilization
  F   库区土地利用
  S   利用*
  C   平整土地
       坡地整治
       复垦

Tu dong li wen ding xing
土动力稳定性   [05G]
Dynamic stability of so-
  il
  S   动力稳定性
  Z   稳定性*

Tu dong li xue
土动力学   [05A]
Soil dynamics
  S   土力学
  Z   力学*

Tu fang gong cheng
土方工程   [14C]

Earthworks
  S 工程*
  C 石方工程
      土方开挖

Tu fang ji suan
土方计算   [14C]
Earthwork calculation
  S 计算*

Tu fang kai wa
土方开挖   [14C]
Earth excavation
  S 开挖*
  C 基坑开挖
      土方工程

Tu fang ping heng
土方平衡   [14C]
Earthwork balance
  D 挖填平衡
  S 平衡*

Tu gong bo mo
土工薄膜   [15J]
Geomembrane
  C 复合土工膜
      塑料薄膜
      土工织物

Tu gong ce shi yi qi
土工测试仪器   [05K]
Soil testing instrument
  F 沉降仪
      触探仪
      冻胀仪
      固结仪
      管涌仪
      三轴仪
  S 观测仪器
  Z 仪器*
  C 土工试验

Tu gong mo xing shi yan
土工模型试验   [05K]
Soil model test
  F 离心模型试验
  S 模型试验*

Tu gong shi yan
土工试验   [05K]
Soil test
  S 试验*
  C 力学性能试验
      土工测试仪器

Tu gong zhi wu
土工织物   [15J]
Geotextile
  D 无纺布
  C 土工薄膜

Tu gu jia
土骨架   [05E]
Soil grain skeleton
  C 次固结

Tu he tong jian zhu wu
lian jie
土和砼建筑物连接   [08E]
Conjunction of earth and
  concrete works
  S 连接*

Tu ji shi
土击实   [05F]
Soil compaction
  Y 土压实

Tu jie gou
土结构   [05B]
Soil structure
  F 单粒结构
      蜂窝结构(土力学)
      絮状结构(土力学)
  S 结构*

Tu li xue
土力学 [05A]
Soil mechanics
  F 土动力学
  S 力学*
  C 土质学

Tu liao
土料 [15H]
Soils
  C 筑坝材料

Tu liao chang
土料场 [14C]
Borrow pit
Borrow area

Tu liao yun shu
土料运输 [14C]
Earth moving
  Y 运土

Tu mu gong cheng xue
土木工程学 [19C]
Civil engineering

Tu po
土坡 [04C]
Soil slope

Tu rang
土壤* [11G]
Soil
  F 碱性土壤
     农业土壤
     沙质土壤
     酸性土壤
  C 土壤分类
     土壤学

Tu rang diao cha
土壤调查 [11G]
Soil survey
  S 调查*
  C 土壤普查

Tu rang fei li
土壤肥力 [11G]
Soil fertility

Tu rang fen lei
土壤分类 [11G]
Soil classification
  S 分类*
  C 土壤*

Tu rang gai liang
土壤改良* [11G]
Improvement of soil
Soil amelioration
Reclamation
  F 红壤改良
     化学土壤改良
     盐碱土改良
     沼泽土改良
     中低产田改良
     渍田改良

Tu rang gai liang qu
土壤改良区 [11G]
Soil improvement district
  S 地区*

Tu rang han shui liang
土壤含水量 [11G]
Soil water content
  S 含水量
  Z 水量*
  C 土壤湿度

Tu rang hua xue
土壤化学 [11G]
Soil chemistry
  S 化学*

Tu rang jie gou
土壤结构   [11G]
Soil structure
  S 结构*

Tu rang mo xing
土壤模型   [11G]
Soil model
  S 模型*

Tu rang pu cha
土壤普查   [11G]
Soil census
  C 土壤调查

Tu rang qin shi
土壤侵蚀   [11G]
Soil-erosion
  S 侵蚀*
  C 溯源冲刷

Tu rang shi du
土壤湿度   [11G]
Soil humidity
  C 土壤含水量

Tu rang shui
土壤水   [11G]
Soil water
  F 包气带水
     薄膜水
     毛管水
     重力水
  S 水*

Tu rang shui fen
土壤水分   [11G]
Soil moisture
  C 墒情

Tu rang shui ping heng
土壤水平衡   [11G]
Soil water balance

  S 平衡*

Tu rang shui shi
土壤水势   [11G]
Soil water potential

Tu rang shui yun dong
土壤水运动   [11G]
Soil-water movement

Tu rang tui hua
土壤退化   [11G]
Soil degradation

Tu rang tuo yan
土壤脱盐   [11G]
Soil desalination
  C 水盐变化
     盐分迁移

Tu rang wen du
土壤温度   [11G]
Soil temperature
  S 温度*

Tu rang wu ran
土壤污染   [17B]
Soil pollution
  S 环境污染
  Z 污染*
  C 农药

Tu rang xi fu
土壤吸附   [11G]
Soil absorption
  S 吸附*

Tu rang xue
土壤学   [11G]
Pedology
Edaphology
  C 土壤*

Tu rang yan fen
土壤盐分   [11G]
Soil salinity
　C　盐分迁移

Tu rang yan jian hua
土壤盐碱化   [11G]
Alkalization of soil
　D　土壤盐渍化

Tu rang yan zi hua
土壤盐渍化   [11G]
Salinisation of soil
　Y　土壤盐碱化

Tu rang zheng fa
土壤蒸发   [02C]
Soil evaporation
　D　陆面蒸发
　S　蒸发*

Tu rang zi yuan
土壤资源   [11G]
Soil resources
　S　资源*
　C　水土资源

Tu rong zhong
土容重   [05C]
Soil bulk density
Soil unit weight
　S　容重*
　C　容重试验

Tu shi ba
土石坝   [09C]
Earth-rockfill dam
　D　当地材料坝
　　填筑坝
　　土石混合坝
　F　堆石坝
　　面板坝
　　水力冲填坝

　　土坝
　　斜墙坝
　　心墙坝
　S　坝*

Tu shi ba guan ce
土石坝观测   [16B]
Earth-rock dam observat-
ion
Earth and rockfill dam
observation
　D　土坝观测
　S　大坝观测
　Z　观测*

Tu shi ba hu po
土石坝护坡   [09C]
Slope protection of ear-
th-rock dam
　S　坝护坡
　Z　护坡*

Tu shi ba pai shui
土石坝排水   [09L]
Drainage of earth-rock
dam
　D　土坝排水
　S　排水*

Tu shi hun he ba
土石混合坝   [09C]
Earth and rock dam
　Y　土石坝

Tu shi liao
土石料   [15H]
Soils and rocks
Earth and rock material
　C　风化料
　　筑坝材料

Tu shi wei yan
土石围堰   [14D]

Earth-rock fill cofferd-
am
  S 围堰*

Tu ti
土体   [05B]
Solum
Soil mass

Tu wu li xing zhi
土物理性质   [05C]
Soil physical property
  S 物理性质*

Tu ya li
土压力   [05J, 08A]
Soil pressure
Earth pressure
  F 被动土压力
      侧向土压力
      地震土压力
      静止土压力
      膨胀土压力
      主动土压力
  S 压力*
  C 土压力系数

Tu ya li he
土压力盒   [16B, 05K]
Soil pressure cell
  C 土压力量测

Tu ya li li lun
土压力理论   [05J]
Earth pressure theory
  F 库仑土压力理论
      朗肯土压力理论
  S 理论*

Tu ya li liang ce
土压力量测   [05K]
Soil pressure measureme-
nt

  C 土压力盒

Tu ya li xi shu
土压力系数   [05J]
Coefficient of earth pr-
essure
  F 静止土压力系数
  S 系数*
  C 土压力

Tu ya shi
土压实   [05F]
Soil compaction
  D 土击实

Tu ying li
土应力   [05H]
Soil stress
  F 地震应力
      自重应力
  S 应力*

Tu zhi hua po
土质滑坡   [04C]
Soil landslide
  S 滑坡*
  C 重力滑坡

Tu zhi xue
土质学   [04C]
Soil science
Soil tectonics
  C 土力学

Tu di
突堤   [13B]
Projecting pier
  S 海堤*

Tu di ma tou
突堤码头   [13C]
Quay pier
  S 码头*

Tu kuo shui liu
突扩水流   [06A]
Abrupt divergent flow
  S 水流*

Tu liao
涂料   [15J]
Paint

Tuan liu
湍流   [06A]
Turbulence
Turbulent flow
  Y 紊流

Tui chu shi gang chi
推出式港池   [13B]
Sending harbor basin
  S 港池*

Tui jin bo
推进波   [06I]
Progressive wave
  S 波*
  C 船行波
      风成波

Tui li dun
推力墩   [09C]
Thrust block

Tui li zhou cheng
推力轴承   [19H]
Thrust bearing
  S 轴承*

Tui tu ji
推土机   [14I]
Dozer
Bulldozer
  S 机械*

Tui yi zhi

推移质   [07A]
Bed load
  D 底沙
  S 泥沙*

Tui yi zhi cai yang qi
推移质采样器   [02G]
Bed-load sampler
  S 泥沙采样器
  Z 采样器*

Tui yi zhi ce yan
推移质测验   [02E]
Bed load measurement
  S 泥沙测验
  Z 观测*

Tui hu huan tian
退湖还田   [19B]
Returning lake to land

Tui shui guo cheng xian
退水过程线   [02I]
Depletion curve
Regression curve
  S 水文曲线
  Z 曲线*

Tui shui yu bao
退水预报   [02J]
Forecast of recession
  S 水文预报
  Z 预报*

Tui xiu
退休   [19K]
Retirement

Tuo ji kong zhi
脱机控制   [19E]
Off-line control
  D 离线控制
  S 控制*

Tuo pu xue
拓扑学 [18A]
Topology

Tuo yu
拖淤 [07C]
Drag silt

U

U xing du cao
U形渡槽   [11E]
U-flume
  S　渡槽*

U xing duan mian
U形断面   [08B]
U-section
  S　断面*

W

Wa di
洼地   [18D]
Depression
Depressed area

Wa di gai zao
洼地改造   [11G]
Improvement of polder
Improvement of low land

Wa gou ji
挖沟机   [14I]
Ditcher
Trench digger
Trencher
   D 开沟机
   S 挖掘机械
   Z 机械*

Wa jue
挖掘   [14C]
Excavation
   Y 开挖*

Wa jue ji
挖掘机   [14I]
Excavator
   D 电铲
      挖土机
   F 凿岩机
   S 挖掘机械
   Z 机械*

Wa jue ji xie
挖掘机械   [14I, 19H]
Excavating machinery
   F 掘进机
      挖沟机
      挖掘机
   S 机械*

Wa ni chuan
挖泥船   [12C]
Dredger
   F 绞吸式挖泥船
      链斗式挖泥船
      吸扬式挖泥船
   S 船*

Wa ru shi gang chi
挖入式港池   [13B]
Excavated harbor basin
   S 港池*

Wa tian ping heng
挖填平衡   [14C]
Balance of cut and fill
   Y 土方平衡

Wa tu ji
挖土机   [14I]
Excavator
   Y 挖掘机

Wa yu
挖淤   [07C]
Dredging
   S 清淤*

Wa guan
瓦管   [15H]
Tile pipe
   S 管*

Wai bu jian cha
外部检查   [20A]
External check
   S 检查*

Wai bu she bei(ji suan
   ji)

外部设备(计算机)   [19F]
External device
　S　设备*

Wai di
外堤   [13B]
External dike
External breakwater
　S　海堤*

Wai jia ji
外加剂*   [15C]
Chemical admixture
Admixture
Additive
　F　防冻剂
　　　防水剂
　　　复合外加剂
　　　缓凝剂
　　　减水剂
　　　膨胀剂
　　　速凝剂
　　　消泡剂
　　　引气剂
　　　阻锈剂

Wai li
外力   [08A]
External force
　S　力*

Wai shui ya li
外水压力   [06A]
External water pressure
　S　水压力
　Z　压力*

Wai zi
外资   [19J]
Foreign capital

Wan dao
弯道   [07B]

Bend

Wan dao shui liu
弯道水流   [06C]
Water flow in river bend
Bend flow
　S　水流*

Wan ju
弯矩   [08B]
Bending moment
　S　力矩*
　C　正应力

Wan ju fen pei fa
弯矩分配法   [08B]
Moment distribution met-
hod
　D　力矩分配法
　S　结构计算方法*

Wan niu gou jian
弯扭构件   [08D]
Flexural-torsion member
　S　结构构件*

Wan qu
弯曲   [08B]
Bending
　F　纯弯曲
　　　斜弯曲
　S　变形*

Wan qu po huai
弯曲破坏   [08B]
Bending failure
　S　破坏*
　C　抗弯强度
　　　弯曲应力

Wan qu shi yan
弯曲试验   [08F]
Bending test

S 强度试验
Z 试验*

Wan qu xing he duan
弯曲型河段   [07B]
Meandering reach
    S 河段*

Wan qu ying li
弯曲应力   [08B]
Bending stress
    S 应力*
    C 抗弯强度
       弯曲破坏

Wan quan shui yue
完全水跃   [06C]
Complete hydraulic jump
    S 水跃*

Wang ge fa
网格法   [18A]
Grid method

Wang luo
网络*   [20B]
Network
    F 分布式网络
       广域网
       国际互联网络
       计算机网络
       局域网
       通信网络
       信息网络

Wang luo guan li
网络管理   [19F]
Network management
    S 管理*

Wang luo ji hua ji shu
网络计划技术   [19A]
Network planning techni-

que
    S 技术*

Wang luo ji shu
网络技术   [19F]
Network technique
    S 技术*

Wang luo jin du
网络进度   [14B]
Network schedule
    Y 施工网络进度

Wang xiang yang yu
网箱养鱼   [19B]
Cage fish culture
    S 养鱼*

Wei bo ce ju
微波测距   [03A]
Microwave distance meas-
    urement
    S 测距
    Z 测量*

Wei cha bao po
微差爆破   [14K]
Millisecond blast
    Y 毫秒爆破

Wei guan
微灌   [11B]
Micro irrigation
    S 灌溉*

Wei ji tiao su qi
微机调速器   [10G]
Microcomputer-based gov-
    ernor
    S 调速器*

Wei liang fen xi
微量分析   [18C]

Micro-analysis
  S 定量分析
  Z 分析(化学)*

Wei peng zhang shui ni
微膨胀水泥   [15B]
Slight expansive cement
  S 膨胀水泥
  Z 水泥*

Wei peng zhang tong
微膨胀砼   [15F]
Slight expansive concre-
te
  S 膨胀砼
  Z 砼*

Wei xing ji suan ji
微型计算机   [19F]
Micro computer
  F 超级微型机
  S 计算机*

Wei xing ji ying yong
微型机应用   [19F]
Microcomputer applicati-
on
  S 计算机应用
  Z 应用*

Wei xing pen guan ji
微型喷灌机   [11F]
(动力机功率<1.1千瓦)
Miniature sprinkler
  S 喷灌机*

Wei xing pen tou
微型喷头   [11F]
Micro sprinkle head
  S 喷头*

Wei xing shui lun ji
微型水轮机   [10F]

(单机容量<1000千瓦)
Micro hydraulic turbine
  S 水轮机*

Wei hai zao lu
围海造陆   [13A]
Sea reclamation
  D 海涂围垦

Wei hai zao tian
围海造田   [19B]
Marine reclamation land

Wei ken
围垦   [19B]
Reclamation
Polder

Wei yan
围岩*   [05L]
Surrounding rock
  F 洞室围岩
  C 岩体*

Wei yan bian xing
围岩变形   [05L]
Surrounding rock deform-
ation
  S 岩体变形
  Z 变形*

Wei yan po huai
围岩破坏   [05L]
Surrounding rock failure
  Y 岩体破坏

Wei yan wen ding xing
围岩稳定性   [05L]
Stability of surrounding
rock
  S 稳定性*
  C 边坡稳定性

Wei yan ying li
围岩应力 [05L]
Surrounding rock stress
   S   岩体应力
   Z   应力*

Wei yan
围堰* [14D]
Cofferdam
   F   板桩围堰
       草土围堰
       钢围堰
       过水围堰
       笼网围堰
       上游围堰
       深水围堰
       砼围堰
       土石围堰
       下游围堰
       纵向围堰

Wei yan chai chu
围堰拆除 [14D]
Cofferdam demolition
Cofferdam remove
   S   拆除*

Wei yan fang chong
围堰防冲 [14D]
Erosion control of coff-
   erdam
   S   防冲*

Wei yan fang shen
围堰防渗 [09L, 14D]
Leakproof of cofferdam
Seepage control of coff-
   erdam
   S   防渗*

Wei hu
维护 [19C]
Maintenance

   Y   维修*

Wei xiu
维修* [19C]
Maintenance
   D   检修
       维护
   F   坝修补
       堤防维修
       工程维修
       建筑物维修
       设备维修
       砼修补

Wei kuang ba
尾矿坝 [09C]
Tailings dam
   S   水力冲填坝
   Z   坝*

Wei kuang ku
尾矿库 [19B]
Tailings reservoir

Wei shui guan
尾水管 [10F]
Draft tube
   S   管*
   C   水轮机*

Wei shui qu
尾水渠 [10I]
Tailwater channel
Tailwater canal
Tailrace
   S   渠道*

Wei shui sui dong
尾水隧洞 [10I, 09E]
Tail race tunnel
   S   水工隧洞
   Z   隧洞*
   C   发电隧洞

Wei shui xi tong
尾水系统 [10I]
Tailrace system
　S　系统*

Wei shui zha men
尾水闸门 [10I]
Tailgate
　S　闸门*

Wei liao ji
喂料机 [14I]
Feeder
　Y　给料机

Wei mu
帷幕* [05Q]
Curtain
　D　防渗帷幕
　F　水泥帷幕
　　　悬挂式帷幕

Wei mu guan jiang
帷幕灌浆 [14F]
Curtain grouting
　S　灌浆*

Wei pian
卫片 [19G]
Satellite photograph
　Y　卫星像片

Wei xing
卫星* [19G]
Satellite
　D　人造卫星
　F　地球资源卫星
　　　技术卫星
　　　陆地卫星
　　　气象卫星
　　　通讯卫星

Wei xing tu pian

卫星图片 [19G]
Satellite photograph
　Y　卫星像片

Wei xing xiang pian
卫星像片 [19G]
Satellite photograp
Photograph of satellite
　D　卫片
　　　卫星图片

Wei xing yao gan
卫星遥感 [19G]
Satellite remote sensing
　Y　航天遥感

Wei rao dong tu
未扰动土 [05B]
Undisturbed soil
　Y　原状土

Wei shi kan tan
位势勘探 [03H]
Potential prospecting
　S　电法勘探
　Z　地质勘探*

Wei yi
位移* [08B]
Displacement
　F　节点位移

Wei yi fa
位移法 [08B]
Displacement method
　D　刚度法
　S　结构计算方法*

Wei yi guan ce
位移观测 [16B]
Movement observation
　F　垂直位移观测
　　　水平位移观测

S 观测*

Wei yuan
圩垸   [12C]
Levee
  Y 堤防

Wei yue
违约   [19A]
Violation of contract

Wen cha yi zhong liu
温差异重流   [06F]
Thermal density current
  S 异重流
  Z 水流*

Wen du
温度*   [18B]
Temperature
  F 冰点
     低温
     沸点
     高温
     临界温度
     流动温度
     凝固点
     气温
     入仓温度
     水温
     土壤温度

Wen du bian hua
温度变化   [18B]
Temperature change
Temperature variation
  S 变化*

Wen du ce liang yi biao
温度测量仪表   [19I]
Temperature measurement
  gauge
  S 仪表*

Wen du chang
温度场   [18B]
Temperature field

Wen du feng
温度缝   [08E]
Expansion joint
Contraction joint
  Y 伸缩缝

Wen du guan ce
温度观测   [16B]
Temperature observation
  S 观测*

Wen du he zai
温度荷载   [08A]
Thermal load
  S 荷载*
  C 温度应力

Wen du kong zhi
温度控制   [19E]
Temperature control
  F 砼温度控制
  S 控制*
  C 保温层

Wen du lie feng
温度裂缝   [08B]
Temperature crack
  S 裂缝
  Z 缝*
  C 温度应力

Wen du ying li
温度应力   [08B]
Thermal stress
  D 热应力
  F 砼温度应力
  S 应力*
  C 温度荷载
     温度裂缝

Wen sheng
温升*   [15K]
Temperature rise
　F　绝热温升

Wen ding an quan xi shu
稳定安全系数   [08B]
Stability safety coeffi-
　cient
　S　安全系数
　Z　系数*
　C　边坡稳定性
　　　滑坡*

Wen ding fen xi
稳定分析   [08B]
Stability analysis
　F　河床稳定分析
　S　分析(力学)*
　C　抗倾覆性

Wen ding he cao
稳定河槽   [12C]
Stable channel
　S　治河措施*

Wen ding ji suan
稳定计算   [08B]
Stability calculation
　S　计算*

Wen ding liu
稳定流   [06C]
Steady flow
　Y　恒定流

Wen ding shen liu
稳定渗流   [06G]
Steady seepage flow
　Y　恒定渗流

Wen ding shui yue
稳定水跃   [06C]

Steady jump
　S　水跃*

Wen ding xing
稳定性*   [20A]
Stability
　F　边坡稳定性
　　　地基稳定性
　　　动力稳定性
　　　结构稳定性
　　　渠床稳定性
　　　热稳定性
　　　渗流稳定性
　　　围岩稳定性
　C　抗倾覆性

Wen dong
紊动   [06A]
Turbulent motion
Turbulent fluctuation
　C　紊动特性

Wen dong kuo san
紊动扩散   [06A]
Turbulent diffusion
　S　扩散*

Wen dong liang ce yi
紊动量测仪   [06J]
Turbulence meter

Wen dong te xing
紊动特性   [06A]
Turbulent performance
　S　特性*
　C　紊动

Wen liu
紊流   [06A]
Turbulent flow
Turbulence
　D　湍流
　　　涡流

S 水流*
C 紊流计算
  紊流量测

Wen liu bian jie ceng
紊流边界层 [06A]
Turbulent boundary layer

Wen liu ji suan
紊流计算 [06A]
Turbulent computation
  S 计算*
  C 紊流

Wen liu liang ce
紊流量测 [06J]
Turbulent measurement
  C 紊流

Wen jian
文件 [19M]
Document

Wen mi gong zuo
文秘工作 [19M]
Secretary work

Wen qu li guan
文丘里管 [06J]
Venturi tube

Wen xian
文献* [19M]
Document
  F 标准文献
    论文
    目录文献
    视听文献
    缩微文献
    索引文献
    文摘文献
    专利文献

Wen xian cai gou
文献采购 [19M]
Document purchasing

Wen xian gong zuo
文献工作 [19M]
Document work

Wen zhai wen xian
文摘文献 [19M]
Abstract document
  S 文献*

Wen zi chu li
文字处理 [19F]
Character processing
  S 处理*

Wo liu
涡流 [06A]
Eddy flow
Eddy current
  Y 紊流

Wo lun shi pen tou
涡轮式喷头 [11F]
Turbosprinkle head
Whirling sprinkle head
  S 喷头*

Wo qiao
蜗壳* [10F]
Scroll case
Spiral case
  F 钢蜗壳
    砼蜗壳

Wu ba qu shui
无坝取水 [09G]
Damless intaking
Intaking without dam
  S 取水*

Wu chen qi sui dong
无衬砌隧洞 [09E]
Unlined tunnel
  D 不衬砌隧洞
  S 水工隧洞
  Z 隧洞*

Wu fang bu
无纺布 [15J]
Non-woven cloth
  Y 土工织物

Wu feng gang guan
无缝钢管 [15I]
Seamless steel tube
  S 钢管
  Z 管*

Wu ji hua he wu
无机化合物 [18C]
Mineral compound
Inorganic compound
  S 化合物*

Wu ji suan
无机酸 [18C]
Inorganic acid
  F 硫酸
     硝酸
     盐酸
  S 酸*

Wu ji yan
无机盐 [18C]
Inorganic salt

Wu jiao gong
无铰拱 [08C]
Fixed arch
  S 拱*
  C 抛物线拱
     双曲拱

Wu jin tong
无筋砼 [15F]
Unreinforced concrete
  Y 素砼

Wu liang ping ban
无梁平板 [08D]
Flat slab
  S 板*

Wu liang gang can shu
无量纲参数 [18A]
Dimensionless parameter
  S 参数*

Wu nian xing tu
无粘性土 [05B]
Non-cohesive soil
Cohesionless soil
  F 砂土
     碎石土
  S 土*
  C 粘性土

Wu ren ce zhan
无人测站 [02E]
Unmanned station
No-man station
  S 水文站*

Wu ren zhi shou yun xing
无人值守运行 [19E]
Unattended operation
  S 运行*
  C 遥控

Wu sha tong
无砂砼 [15F]
No-fine concrete
  S 砼*

Wu shu liao shui ni
无熟料水泥 [15B]

Clinkerless cement
S 水泥*

Wu sun jian yan
无损检验 [19I]
Non-destructive test
  S 检验*
  C 无损试验
    无损探伤

Wu sun shi yan
无损试验 [15L]
Non-destructive test
  D 非破坏试验
  F 超声试验
    声学试验
  S 试验*
  C 无损检验
    无损探伤

Wu sun tan shang
无损探伤 [19I]
Non-destructive detection
Non-destructive inspect-
  ion
  F 超声波探伤
    射线探伤
  S 探伤*
  C 无损检验
    无损试验

Wu tan luo du tong
无坍落度砼 [15F]
No-slump concrete
  Y 干硬性砼

Wu xian tong xin
无线通信 [19F]
Radio communication
Wireless communication
  S 通信*

Wu xuan liu

无旋流 [06A]
Irrotational flow
  S 水流*

Wu ya shen liu
无压渗流 [06G]
Unconfined seepage
Free surface seepage
  S 渗流*

Wu ya sui dong
无压隧洞 [09E]
Free flow tunnel
Non-pressure tunnel
  S 水工隧洞
  Z 隧洞*

Wu cha
误差* [18B]
Error
  F 测量误差
    系统误差
    仪器误差

Wu cha fen xi
误差分析 [18A]
Error analysis
  S 分析(数学)*

Wu cha jiao zheng
误差校正 [18B]
Error correction

Wu cha li lun
误差理论 [18A]
Error theory
  S 理论*

Wu da ti xi jian she
五大体系建设 [00A]
(水利价格和收费/水利投资
 /水利服务/水利法制/水
 利资产经营管理)

Five large systems esta-
blishing

Wu gong ba
坞工坝   [09C]
Masonry dam
    Y   砌石坝

Wu guan
雾灌   [11B]
Fine spray irrigation
    S   喷灌
    Z   灌溉*

Wu hua shui liu
雾化水流   [06E]
Fogging flow
    S   高速水流
    Z   水流*
    C   挑流消能

Wu li mo xing
物理模型   [18B]
Physical model
    S   模型*

Wu li xing zhi
物理性质*   [18B]
Physical properties
    F   热学性质
         水物理性质
         土物理性质

Wu li xue
物理学*   [18B]
Physics
    F   地球物理学
         水文物理学

Wu tan
物探   [03H]
Geophysical prospecting
    Y   地球物理勘探

Wu tan yi qi
物探仪器   [03H]
Geophysical prospecting
    apparatus
    S   仪器*

Wu zi guan li
物资管理   [14B]
Material management
    D   材料管理
    S   管理*

Wu mian ban
屋面板   [08D]
Roof plate
    S   板*

Wu mian ji shui
屋面集水   [01B]
Roof collected water
Roof reclaimed water
    S   集水*

Wu ni
污泥   [17B]
Sludge

Wu ran
污染*   [17B]
Contamination
Pollution
    F   点污染
         毒物污染
         放射性污染
         肥料污染
         环境污染
         降水污染
         垃圾污染
         面污染
         热污染
         渗流污染
         生物污染
         水污染

有机污染
油污染
重金属污染
C 污染防治
污染研究

Wu ran dai
污染带   [17B]
Pollution zone

Wu ran diao cha
污染调查   [17C]
Pollution survey
  Y 污染研究

Wu ran fang zhi
污染防治 ·   [17C]
Pollution prevention and
  control
  F 水污染防治
  S 防治*
  C 污染*
    综合治理*

Wu ran ji zhi
污染机制   [17B]
Pollution mechanism
  S 机理*

Wu ran kong zhi
污染控制   [17C]
Pollution control
  S 控制*

Wu ran wu
污染物   [17B]
Pollutant
  C 废水
    污染源*
    污水

Wu ran wu qian yi
污染物迁移   [17B]

Pollutant migration
  S 迁移*
  C 泥沙吸附

Wu ran yan jiu
污染研究   [17C]
Pollution research
  D 污染调查
  S 研究*
  C 污染*

Wu ran yu ce
污染预测   [17C]
Pollution forecast
  S 预测*

Wu ran yuan
污染源*   [17B]
Pollutant source
Pollution source
  F 点污染源
    面污染源
  C 污染物

Wu shui
污水   [17B]
Sewage
  F 城市污水
    生活污水
  S 水*
  C 污染物

Wu shui chu li
污水处理   [17C]
Sewage treatment
  S 水处理
  Z 处理*

Wu shui chu li chang
污水处理场   [19C]
Sewage treatment site

Wu shui guan gai

污水灌溉   [11B]
Sewage irrigation
  S 灌溉*
  C 灌溉水质

Wu shui pai fang liang
污水排放量   [17B]
Discharge of sewage

X

Xi chu gao du
吸出高度   [10F]
Suction height
　D　安装高程
　S　高度*

Xi fu
吸附*   [18B]
Adsorption
Sorption
　F　泥沙吸附
　　　土壤吸附

Xi shui guan
吸水管   [11E]
Suction pipe
　S　管*

Xi shui mo ban
吸水模板   [14G]
Water absorbing form
　S　模板*

Xi yang shi wa ni chuan
吸扬式挖泥船   [12C]
Suction dredger
　S　挖泥船
　Z　船*

Xi du
细度   [15K]
Fineness
　C　比表面积

Xi du mo shu
细度模数   [15D]
Fineness modulus
　S　模数*

Xi gu liao

细骨料   [15D]
Fine aggregate
　S　骨料*
　C　砂*

Xi sha
细砂   [15D]
Fine sand
　S　砂*

Xi sha tong
细砂砼   [15F]
Fine sand concrete
　S　砼*

Xi jing
洗井   [03G]
Hole flushing
　Y　洗孔

Xi kong
洗孔   [03G]
Hole flushing
　D　洗井
　C　钻井泥浆

Xi sha fen ji she bei
洗砂分级设备   [14I]
Sand washing and classi-
　fying equipment
　S　设备*
　C　砂石料加工设备

Xi yan
洗盐   [11G]
Salt-leaching
　C　盐碱土改良

Xi shu
系数*   [18A]

Coefficient
Factor
  F 安全系数
      变差系数
      不均匀系数
      传热系数
      导热系数
      分摊系数
      固结系数
      耗氧系数
      回弹指数
      扩散系数
      利用系数
      流量系数
      流速系数
      摩擦系数
      粘滞系数
      偏态系数
      曲率系数
      热膨胀系数
      软化系数
      渗透系数
      湿陷系数
      收缩系数
      土压力系数
      蓄水系数
      薛齐系数
      压缩指数
      岩石坚固系数
      蒸发系数
      阻尼系数

Xi tong
系统*   [20B]
System
  F 报警系统
      采暖系统
      电力系统
      二次系统
      供电系统
      供水系统
      灌溉系统
      管理系统

计算机系统
监测系统
控制系统
冷却系统
灭磁系统
排水系统
全球定位系统
热力系统
砂石料加工系统
生态系统
输水系统
水利系统
水文系统
水资源系统
调节系统
砼拌和系统
通风系统
通信系统
尾水系统
信息系统
循环系统
压缩空气系统
遥感系统
一次系统
引水系统
油压系统
预报系统
照明系统
制冷系统
自动化系统

Xi tong fen xi
系统分析   [19E]
System analysis
  S 分析(数学)*
  C 系统设计

Xi tong ruan jian
系统软件   [19F]
System software
  F 编译程序
      操作系统
      库存程序

实用程序
诊断程序
S 计算机软件*

Xi tong she ji
系统设计   [19E]
System design
  S 设计*
  C 系统分析

Xi tong wu cha
系统误差   [19I]
System error
  S 误差*
  C 仪器误差

Xia bu jie gou
下部结构   [08C]
Substructure
  S 结构*

Xia chi
下池   [09B]
Lower reservoir
  D 下水库
  S 水库*
  C 抽水蓄能电站

Xia shen
下渗   [02C]
Infiltration
  D 入渗
  C 下渗强度

Xia shen mo ni
下渗模拟   [02I]
Infiltration simulation
  S 模拟*

Xia shen qiang du
下渗强度   [02I]
Infiltration intensity
  S 强度*

C 下渗

Xia shen shi yan
下渗实验   [02F]
Infiltration experiment
  S 水文实验*

Xia shen zhi shu
下渗指数   [02I]
Infiltration index

Xia shui dao xi tong
下水道系统   [19C]
Sewer system
  Y 城市排水系统

Xia shui ku
下水库   [09B]
Lower reservoir
Lower pool
  Y 下池

Xia you
下游   [02K]
Lower reach
Downstream
  Y 下游河段

Xia you he duan
下游河段   [02K]
Lower reach
Downstream
  D 下游
  S 河段*

Xia you wei yan
下游围堰   [14D]
Downstream cofferdam
  S 围堰*

Xia gu
峡谷   [18D]
Canyon

Gorge

Xia ji shi gong
夏季施工   [14B]
Summer construction
  Y 炎热气候施工

Xian chang diao cha
现场调查   [19A]
Site investigation
  S 调查*

Xian chang jian cha
现场检查   [20A]
Field check
  S 检查*

Xian jiao gang jin tong
    shi gong
现浇钢筋砼施工   [14G]
Cast-in-place concrete
    construction
Cast-in-situ concrete c-
    onstruction
  S 砼施工
  Z 施工*

Xian jiao tong zhuang
现浇砼桩   [05N]
Cast-in-situ concrete p-
    ile
  Y 灌注桩

Xian xiang
现象   [20B]
Phenomena

Xian zhuang
现状   [20A]
Present situation
Status

Xian cheng he

先成河   [02K]
Antecedent stream
Antecedent river
  S 河流*

Xian qi gu jie
先期固结   [05E]
Preconsolidation
  S 固结*

Xian zhang fa
先张法   [14G]
Pretensioning
Pretension
  S 预加应力方法
  Z 方法*
  C 预应力砼

Xian gong
险工   [12A]
Dangerous works
  S 河道工程
  Z 工程*

Xian tan zheng zhi
险滩整治   [12C]
Dangerous beach regulat-
    ion
  S 河道整治*

Xian lu ce liang
线路测量   [03E]
Route survey
  S 工程测量
  Z 测量*

Xian xing gui hua
线性规划   [18A]
Linear programming
  S 数学规划
  Z 规划论*

Xian shi yi biao

显示仪表   [19I]
Display gauge
　S　仪表*

Xian wei jian yan
显微检验   [15L]
Microscopic examination

Xian shui
咸水   [01A]
Saline water
　S　水*

Xian shui guan gai
咸水灌溉   [11B]
Salty water irrigation
　S　灌溉*

Xian shui hu
咸水湖   [18D]
Salt water lake
　Y　盐湖

Xian wei shui ni
纤维水泥   [15B]
Fibre cement
　S　水泥*

Xian wei tong
纤维砼   [15F]
Fibre concrete
　D　钢纤维砼
　　纤维增强砼
　S　加筋砼
　Z　砼*
　C　钢纤维

Xian wei zeng qiang tong
纤维增强砼   [15F]
Fibre reinforced concre-
te
　Y　纤维砼

Xiang dui mi du
相对密度   [05C]
Relative density
　S　密度*

Xiang guan fa
相关法   [02H]
Correlation method
　S　方法*

Xiang guan fen xi
相关分析   [18A]
Correlation analysis
　S　统计分析
　Z　分析(数学)*

Xiang guan han shu
相关函数   [18A]
Correlation function
　S　函数*

Xiang si can shu
相似参数   [18A]
Similarity parameter
　S　参数*

Xiang si li lun
相似理论   [18A]
Theory of similarity
　S　理论*
　C　模型律

Xiang jiao
橡胶   [15J]
Rubber
　C　防水材料

Xiang jiao ba
橡胶坝   [09C]
Flexible dam
Rubber dam
　S　软材料坝
　Z　坝*

Xiang jiao zhi zuo
橡胶支座   [08E]
Rubber support
　S　支座*
　C　柔性支座

Xiang liang fen xi
向量分析   [18A]
Vector analysis
　D　矢量分析
　S　分析(数学)*

Xiang mu ren wu shu
项目任务书   [19A]
Project prospectus

Xiang xing jie gou
箱形结构   [08C]
Box structure
　S　工程结构
　Z　结构*

Xiang xing liang
箱形梁   [08D]
Box beam
Cased beam
　S　梁*

Xiang zhen gong shui
乡镇供水   [19C]
Rural water supply
　S　供水*

Xiang zhen jian she
乡镇建设   [19C]
Rural construction

Xiang zhen qi ye
乡镇企业   [19B]
Rural enterprise
　S　企业*

Xiang zhen shui li

乡镇水利   [19B]
Rural water conservancy
　S　水利*

Xiao ba
小坝   [09C]
(坝高＜15米)
Small dam
　S　坝*

Xiao hui shui qu
小汇水区   [02K]
Small catchment area
　Y　小流域

Xiao kong jing zuan jin
小孔径钻进   [03G]
Small diameter boring
　S　钻进*

Xiao kou jing jing
小口径井   [04D]
Small diameter well
　S　井*

Xiao liu yu
小流域   [02K]
Small watershed
　D　小汇水区
　S　流域*

Xiao mai
小麦   [19B]
Wheat

Xiao shui dian
小水电   [10L]
Small hydroelectric power-
er
　C　小型水电站

Xiao xing beng zhan
小型泵站   [11E]

(装机容量<75千瓦，受益面
  积≤667公顷)
Small pumping station
  S 水泵站*

Xiao xing ji suan ji
小型计算机   [19F]
Small-size computer
Small capacity computer
  S 计算机*

Xiao xing ji xie
小型机械   [19H]
Small machinery
  S 机械*

Xiao xing pen guan ji
小型喷灌机   [11F]
(动力机功率7千瓦~11千
  瓦)
Small sprinkler
  S 喷灌机*

Xiao xing shui dian zhan
小型水电站   [10B]
(装机容量<2.5万千瓦)
Small waterpower station
Small hydropower station
Small hydroelectric pow-
  er plant
  S 水电站*
  C 小水电

Xiao xing shui ku
小型水库   [09B]
(库容<1千万立方米)
Small reservoir
  S 水库*
  C 小型水利工程

Xiao xing shui li gong
  cheng
小型水利工程   [09A]

Small hydraulic project
  S 水利工程*
  C 小型水库

Xiao xing shui lun ji
小型水轮机   [10F]
(单机容量<6000千瓦)
Small hydraulic turbine
  S 水轮机*

Xiao hao ding e
消耗定额   [19A]
Norm quota of consumpti-
  on

Xiao lang cuo shi
消浪措施   [13B]
Wave breaking measure
  S 措施*
  C 防浪措施

Xiao li chi
消力池   [09I]
Stilling pool
Stilling basin
  D 静水池
  S 消能工*

Xiao li dun
消力墩   [09I]
Baffle block
  S 消能工*

Xiao li hu
消力戽   [09I]
Bucket
Bucket-type energy diss-
  ipator
  S 消能工*

Xiao li hu xiao neng
消力戽消能   [06H]
Energy dissipation of r-

oller-bucket
S 消能*

C 泄洪隧洞
　溢洪道*

Xiao li jing
消力井   [09I]
Energy-dissipating well
S 消能工*

Xiao neng ji suan
消能计算   [06H]
Energy dissipation calc-
ulation
S 水力计算
Z 计算*

Xiao li kan
消力槛   [09I]
Baffle sill
Baffle threshold
S 消能工*

Xiao neng jian zhu wu
消能建筑物   [09I]
Energy dissipation stru-
cture
Y 消能工*

Xiao neng
消能*   [06H]
Energy dissipation
F 底流消能
井流消能
联合消能
面流消能
挑流消能
消力戽消能
压力消能

Xiao neng jie gou
消能结构   [09I]
Energy dissipator
Y 消能工*

Xiao neng lü
消能率   [06H]
Percentage of energy di-
ssipation

Xiao neng gong
消能工*   [09I]
Dissipator
D 消能建筑物
消能结构
消能设施
F 辅助消能工
孔板消能工
扩散式消能工
联合消能工
裙板消能工
收缩式消能工
消力池
消力墩
消力戽
消力井
消力槛
窄缝式消能工

Xiao neng she shi
消能设施   [09I]
Energy dissipation faci-
lities
Y 消能工*

Xiao pao ji
消泡剂   [15C]
Air detraining agent
S 外加剂*

Xiao lü
效率*   [19A]
Efficiency
F 水轮机效率

Xiao lü shi yan

效率试验 [19D]
Efficiency test
　S　试验*

Xiao yi
效益* [19A]
Benefit
　F　发电效益
　　防洪效益
　　工程效益
　　供水效益
　　灌溉效益
　　航运效益
　　环境效益
　　减沙效益
　　节水效益
　　经济效益
　　净效益
　　社会效益
　　水土保持效益
　　投资效益
　　综合利用效益

Xiao yi fen tan
效益分摊 [19J]
Benifit sharing
　S　分摊*

Xiao yi cheng ben bi
效益一成本比 [19A]
Benefit-cost ratio

Xiao suan
硝酸 [18C]
Nitric acid
　S　无机酸
　Z　酸*

Xie cai xi shu
谢才系数 [06A]
Chezy coefficient
　Y　薛齐系数

Xie cao shi yi hong dao
斜槽式溢洪道 [09F]
Chute spillway
　Y　陡槽式溢洪道

Xie cao shi yu dao
斜槽式鱼道 [09J]
Graded-channel fish pass
　S　鱼道*

Xie dong
斜洞 [14E]
Inclined tunnel
　S　隧洞*

Xie feng jiao zhu
斜缝浇筑 [14H]
Inclined joint pouring
Inclined joint placing
　S　砼浇筑*

Xie jie mian qiang du
斜截面强度 [08B]
Strength of oblique sec-
tion
　S　抗弯强度
　Z　强度(力学)*

Xie jing shi yu zha
斜井式鱼闸 [09J]
Inclined shaft fish lock
　S　鱼闸*

Xie kong zuan jin
斜孔钻进 [03G]
Off-angle drilling
　S　钻进*

Xie la du cao
斜拉渡槽 [11E]
Incline stringed flume
　S　渡槽*

Xie la jie gou
斜拉结构   [08C]
Diagonal pulled structu-
re
Incline pulled structure
  S 结构*
  C 桥梁结构

Xie liu shi shui lun ji
斜流式水轮机   [10F]
Diagonal flow water tur-
bine
  S 反击式水轮机
  Z 水轮机*

Xie mian sheng chuan ji
斜面升船机   [09K]
Inclined ship lift
  F 横向斜面升船机
    纵向斜面升船机
  S 升船机*

Xie po pu mian ji
斜坡铺面机   [14I]
Slope facing machine

Xie po shi fang bo di
斜坡式防波堤   [13B]
Sloping breakwater
Mound type breakwater
  S 防波堤*

Xie po wen ding xing
斜坡稳定性   [04C]
Slope Stability
  Y 边坡稳定性

Xie qiang
斜墙*   [09C]
Sloping core
  F 粘土斜墙
    砼斜墙
  C 斜墙坝

    心墙*

Xie qiang ba
斜墙坝   [09C]
Sloping core type dam
  F 斜墙土坝
  S 土石坝
  Z 坝*
  C 斜墙*

Xie qiang tu ba
斜墙土坝   [09C]
Inclined core earth dam
  S 土坝
    斜墙坝
  Z 坝*

Xie shui yue
斜水跃   [06C]
Oblique jump
  S 水跃*

Xie wan qu
斜弯曲   [08B]
Unsymmetrical bending
  S 弯曲
  Z 变形*

Xie cao shi yi hong dao
泻槽式溢洪道   [09F]
Chute spillway
  Y 陡槽式溢洪道

Xie mu cao
泻木槽   [09J]
Log chute
  Y 漂木道

Xie hong
泄洪   [09F]
Flood discharge
  S 泄水*

Xie hong di kong
泄洪底孔   [09F]
Bottom outlet
   D　泄水底孔
   S　底孔*

Xie hong shui li xue
泄洪水力学   [06A]
Spilling hydraulics
   S　水力学
   Z　力学*

Xie hong sui dong
泄洪隧洞   [09E]
Spillway tunnel
   D　泄水隧洞
   S　水工隧洞
   Z　隧洞*
   C　消能工*
      泄水建筑物
      溢洪道*

Xie hong zha
泄洪闸   [09D]
Flood diversion sluice
   Y　分洪闸

Xie liang
泄量   [09F]
Discharge capacity
   D　泄水量

Xie liu ba duan
泄流坝段   [09C]
Discharging dam section
   S　坝段*

Xie shui
泄水*   [09F]
Discharging
   F　大孔口泄流
      联合泄流
      泄洪

Xie shui di kong
泄水底孔   [09F]
Bottom sluice
Bottom outlet
   Y　泄洪底孔

Xie shui guan dao
泄水管道   [09F]
Sluice pipes
   S　管道*

Xie shui jian zhu wu
泄水建筑物   [09F]
Outlet structure
   S　水工建筑物*
   C　跌水
      分洪闸
      泄洪隧洞
      溢洪道*

Xie shui kong
泄水孔*   [09F]
Sluice opening
   F　表孔
      深式泄水孔
      中孔
   C　底孔*

Xie shui liang
泄水量   [09F]
Discharge capacity
   Y　泄量

Xie shui neng li
泄水能力   [06A]
Discharge capacity
   D　过水能力

Xie shui sui dong
泄水隧洞   [09E]
Spillway tunnel
   Y　泄洪隧洞

Xie shui zha
泄水闸   [09D]
Sluice
  S 水闸*

Xie hui
协会   [19L]
Association
Society

Xie yi
协议   [19A]
Agreement

Xie sha neng li
挟沙能力   [07A]
Sediment-carrying capac-
  ity
  Y 输沙率

Xie sha shui liu
挟沙水流   [07A]
Sediment-laden flow
  Y 含沙水流

Xin ao fa
新奥法   [14E]
New Austrian method
  S 隧洞开挖方法
  Z 方法*

Xin ban tong
新拌砼   [15F]
Fresh concrete
  Y 砼拌和物

Xin fang fa
新方法   [20A]
New method
  S 方法*

Xin ji shu
新技术   [19D]

New technique
  S 技术*

Xin lao tong jie he
新老砼结合   [14G]
Bond between fresh and
  hardened concrete
  C 砼施工

Xin neng yuan
新能源   [19C]
New energy sources
  S 能源*

Xin xing jian zhu cai
  liao
新型建筑材料   [15A]
New building material
  S 建筑材料
  Z 材料*

Xin xing shi
新型式   [20A]
New type
  S 型式*

Xin dai
信贷   [19J]
Credit

Xin xi
信息   [19M]
Information

Xin xi chan ye
信息产业   [19M]
Information industry
  S 产业*

Xin xi chu li
信息处理   [19F]
Information processing
  S 处理*

C 数据处理

Xin xi chuan shu
信息传输　　　　　　　[19F]
Information transmission

Xin xi diao yan
信息调研　　　　　　　[19M]
Information investigati-
　on and study
　D 情报调研

Xin xi fu wu
信息服务　　　　　　　[19M]
Information service
　D 情报服务
　C 信息检索

Xin xi guan li
信息管理　　　　　　　[19F]
Information management
　D 情报管理
　S 管理*

Xin xi jia gong
信息加工　　　　　　　[19M]
Information processing
　D 情报加工
　S 加工*

Xin xi jian suo
信息检索　　　　　　　[19M]
Information retrieval
　D 情报检索
　S 检索*
　C 信息服务

Xin xi wang luo
信息网络　　　　　　　[19F]
Information network
　D 情报网络
　S 网络*

Xin xi xi tong
信息系统　　　　　　　[19F]
Information system
　F 地理信息系统
　　防汛信息系统
　S 系统*

Xin xi yuan
信息源　　　　　　　　[19M]
Information resource

Xin qiang
心墙*　　　　　　　　　[09C]
Core
　F 沥青砼心墙
　　粘土心墙
　　砼心墙
　C 斜墙*
　　心墙坝

Xin qiang ba
心墙坝　　　　　　　　[09C]
Core type dam
　F 沥青砼心墙坝
　　心墙土坝
　S 土石坝
　Z 坝*
　C 心墙*

Xin qiang tu ba
心墙土坝　　　　　　　[09C]
Core earth dam
　S 土坝
　　心墙坝
　Z 坝*

Xin tan lin
薪炭林　　　　　　　　[19B]
Fuel forest

Xin yang
芯样　　　　　　　　　[15L]
Core

Core sample
　C　取样

Xing gang
型钢　　　　　　　　　　[15I]
Section steel
　C　结构材料

Xing shi
型式*　　　　　　　　　[20B]
Type
　F　新型式

Xing hong qu
行洪区　　　　　　　　　[12A]
Floodway district
　S　地区*
　C　分洪区
　　　滞洪区

Xing pen shi pen guan ji
行喷式喷灌机　　　　　　[11F]
Traveller sprinkler
　Y　移动式喷灌机

Xing zheng te qu
行政特区　　　　　　　　[19A]
Special Administrative
　District
　S　地区*

Xing li diao du
兴利调度　　　　　　　　[16A]
Utilizable regulation
　S　调度*

Xing li ji suan
兴利计算　　　　　　　　[01D]
Beneficial purpose calc-
　ulation
　F　灌溉计算
　　　航运计算
　S　水利计算

　Z　计算*

Xing li ku rong
兴利库容　　　　　　　　[01D]
Utilizable capacity
Conservation storage
　D　调节库容
　　　工作库容
　　　有效库容
　S　库容*

Xing neng
性能*　　　　　　　　　[19A]
Property
　D　性质
　　　性状
　F　材料性能
　　　骨料性能
　　　抗震性能
　　　沥青性能
　　　水泵性能
　　　水泥性能
　　　砼性能
　C　功能

Xing neng bian hua
性能变化　　　　　　　　[18B]
Property variation
　S　变化*

Xing zhi
性质　　　　　　　　　　[19A]
Property
　Y　性能*

Xing zhuang
性状　　　　　　　　　　[19A]
Property
Behavior
　Y　性能*

Xing zhuang
形状　　　　　　　　　　[20B]

Shape
Form

Xiong qiang
胸墙   [09D]
Breast wall
　S   墙*
　C   孔口式溢洪道

Xiu zhi jiao
休止角   [05E]
Angle of repose

Xu bian
徐变   [08B]
Creep

Xu bian shi yan
徐变试验   [08F]
Creep test
　S   力学性能试验
　Z   试验*

Xu hong
蓄洪   [12A]
Flood storage

Xu hong gong cheng
蓄洪工程   [12B]
Flood storage works
　S   防洪工程
　Z   工程*

Xu hong qu
蓄洪区   [12A]
Flood storage region
　C   分洪区
　　　洪泛区
　　　滞洪区

Xu lao rong ji
蓄涝容积   [01D]
Impounding capacity

Xu neng beng zhan
蓄能泵站   [11E]
Storage pumping station
　D   抽水蓄能泵站
　S   水泵站*

Xu qing pai hun
蓄清排浑   [16A]
Store clear water and d-
　ischarge silty water
　S   水库调度
　Z   调度*
　C   水库冲沙

Xu shui
蓄水*   [01B]
Impoundment
Pondage
　F   初次蓄水
　　　河道蓄水

Xu shui chi
蓄水池   [19C]
Water storage tank
　D   集水池
　S   水池*

Xu shui gong cheng
蓄水工程   [09A]
Water storage project
　S   工程*

Xu shui lei ji qu xian
蓄水累积曲线   [01D]
Cumulative curve of sto-
　rage
Mass curve of storage
　S   累积曲线
　Z   曲线*

Xu shui liang

蓄水量 [01D]
Storage water
 S 水量*

Xu shui xi shu
蓄水系数 [01D]
Storage coefficient
 S 系数*

Xu mu ye
畜牧业 [19B]
Animal husbandry

Xu shui liang
需水量 [01D]
Water demand
 F 城市需水量
   工业需水量
   灌溉需水量
   居民需水量
   牧草需水量
   牲畜需水量
   作物需水量
 S 水量*

Xu zhuang jie gou(tu li
   xue)
絮状结构(土力学) [05B]
Flocculated structure
 D 架叠结构
 S 土结构
 Z 结构*
 C 蜂窝结构(土力学)

Xuan bi ban
悬臂板 [08D]
Cantilever plate
 S 板*

Xuan bi liang
悬臂梁 [08D]
Cantilever beam
 S 梁*

 C 牛腿

Xuan bi mo ban
悬臂模板 [14G]
Cantilever form
 S 模板*

Xuan diao shi shui lun
   fa dian ji
悬吊式水轮发电机 [10H]
Suspension hydraulic ge-
   nerator
 S 水轮发电机*

Xuan gua shi wei mu
悬挂式帷幕 [05Q]
Hanging curtain
 S 帷幕*

Xuan yi zhi
悬移质 [07A]
Suspended load
 S 泥沙*
 C 冲泻质

Xuan yi zhi cai yang qi
悬移质采样器 [02G]
Suspended load sampler
 S 泥沙采样器
 Z 取样器*

Xuan yi zhi ce yan
悬移质测验 [02E]
Suspended load measurem-
   ent
 S 泥沙测验
 Z 观测*

Xuan wu yan
玄武岩 [05L]
Basalt
 S 基性岩
 Z 岩石*

Xuan xing
选型   [19H]
Model selection
　F　水轮机选型
　S　选择*

Xuan xing she ji
选型设计   [19H]
Model selective design
　S　设计*

Xuan ze
选择*   [20B]
Selection
　F　坝型选择
　　　方案选择
　　　机型选择
　　　料场选择
　　　水电站装机容量选择
　　　水文资料选样
　　　选型
　　　选址(工程地质)

Xuan zhi(gong cheng di
　zhi)
选址(工程地质)   [03F]
Site selection
　F　坝址选择
　　　港址选择
　S　选择*
　C　坝址
　　　坝址踏勘

Xuan zhuan mo xing
旋转模型   [06J]
Rotatory model
　S　模型*

Xuan zhuan shi pen guan
　ji
旋转式喷灌机   [11F]
Rotating sprinkler
　F　时针式喷灌机

　　　转臂式喷灌机
　S　喷灌机*

Xuan zhuan shi pen tou
旋转式喷头   [11F]
Rotating sprinkle head
　S　喷头*

Xue guan
穴灌   [11B]
Cavity irrigation
　D　坐水种
　S　灌溉*

Xue he zai
雪荷载   [08A]
Snow load
　S　荷载*

Xue mian zheng fa
雪面蒸发   [02C]
Snow evaporation
　S　蒸发*

Xue hui
学会   [19L]
Institute
Association society

Xue shu hui yi
学术会议   [19M]
Academic conference
　S　会议*

Xue shu jiao liu
学术交流   [19D]
Academic exchange

Xue qi gong shi
薛齐公式   [06A]
Chezy formula
　S　公式*

Xue qi xi shu
薛齐系数   [06A]
Chezy coefficient
  D 谢才系数
  S 系数*

Xun huan
循环*   [18B]
Cycle
  F 冻融循环
     水循环

Xun huan shui chang
循环水场   [19C]
Recirculating water fac-
  tory
  C 冷却水

Xun huan shui dong

循环水洞   [06J]
Circulation water tunnel

Xun huan xi tong
循环系统   [19C]
Circulating system
  F 水循环系统
  S 系统*

Xun qi
汛期   [02B]
Flood period

Xun qi diao du
汛期调度   [16A]
Flood period regulation
  S 调度*
  C 防洪调度

Y

Ya li
压力* [18B]
Pressure
  F 冰压力
      侧压力
      大气压力
      固结压力
      灌浆压力
      临界压力
      脉动压力
      泥沙压力
      山岩压力
      渗透压力
      水压力
      土压力
      扬压力

Ya li bian hua
压力变化 [18B]
Pressure change
Pressure variation
  S 变化*

Ya li gang guan
压力钢管 [10D]
Steel penstock
  S 钢管
      压力水管*
  Z 管*

Ya li guan ce
压力观测 [16B]
Pressure observation
  F 孔隙水压力观测
      扬压力观测
  S 观测*

Ya li guan dao
压力管道 [10D]
Penstock

Y 压力水管*

Ya li guan jiang
压力灌浆 [14F]
Injection grouting
Pressure grouting
  S 灌浆*

Ya li kong zhi
压力控制 [19E]
Pressure control
  S 控制*
  C 压力调节

Ya li liu
压力流 [06B]
Pressure flow
  D 管流
      管系水流
  F 螺旋流
  S 水流*

Ya li shi yu zha
压力式鱼闸 [09J]
Pressure fishlock
  S 鱼闸*

Ya li shui guan
压力水管* [10D]
Penstock
  D 压力管道
  F 坝后背管
      坝内埋管
      岔管
      钢衬钢筋砼管
      露天压力水管
      埋藏式压力水管
      压力钢管
      压力弯管
  C 伸缩节

水击*
水压试验

Ya li shui tou
压力水头   [06A]
Pressure head
  S 水头*

Ya li sui dong
压力隧洞   [09E]
Pressure tunnel
  Y 有压隧洞

Ya li tiao jie
压力调节   [19E]
Pressure regulation
  S 调节*
  C 压力控制

Ya li wan guan
压力弯管   [10D]
Penstock bend
  S 压力水管*

Ya li xiao neng
压力消能   [06H]
Dissipation by chamber
    expansion
  S 消能*

Ya li yi biao
压力仪表   [19I]
Pressure gauge
Pressure meter
  S 仪表*

Ya li zhen dang
压力振荡   [10D]
Pressure oscillation

Ya mi
压密   [05I]
Consolidation

Y 固结*

Ya mi chen jiang
压密沉降   [05E]
Consolidation settlement
  Y 固结沉降

Ya mi shi yan
压密试验   [05K]
Consolidation test
  Y 固结试验

Ya shi du
压实度   [05F]
Degree of compaction
  D 击实度

Ya shi gong
压实功   [05F]
Compactive effort
  D 击实功

Ya shi ji xie
压实机械   [14I, 19H]
Compacting machinery
Compactor
  S 机械*
  C 土坝压实

Ya shi jia gu
压实加固   [05P]
Stabilization by compac-
tion
  Y 夯实加固

Ya shi tu
压实土   [05B]
Compacted soil
  S 土*
  C 填土

Ya shui shi yan
压水试验   [14F]

Water pressure test
  S 试验*

Ya suo
压缩   [05E]
Compression
  C 压缩变形

Ya suo bian xing
压缩变形   [05E]
Compression deformation
  S 变形*
  C 压缩

Ya suo bo
压缩波   [18B]
Compression wave
  Y 横波

Ya suo ji
压缩机*   [19H]
Compressor
  F 空气压缩机

Ya suo kong qi xi tong
压缩空气系统   [19H]
Compress air system
Compressed air system
  S 系统*

Ya suo mo liang
压缩模量   [05E]
Compression modulus
  S 模量*

Ya suo zhi shu
压缩指数   [05E]
Compression index
  S 系数*

Ya ying li
压应力   [08B]
Compressive stress

  S 应力*

Ya zheng
压蒸   [14G]
Autoclave
  S 养护*

Ya nian tu
亚粘土   [05B]
Loam
  D 壤土
       泸姆
  S 粘性土
  Z 土*
  C 亚砂土
       粘土

Ya re dai zuo wu
亚热带作物   [19B]
Subtropical crop
  S 作物*

Ya sha tu
亚砂土   [05B]
Sandy loam
  D 砂壤土
  S 粘性土
  Z 土*
  C 亚粘土
       粘土

Yan
堰*   [06D]
Weir
  F 薄壁堰
       侧堰
       低堰
       矩形堰
       宽顶堰
       量水堰
       迷宫堰
       潜堰
       锐缘堰

　　三角堰
　　实用堰
　　梯形堰
　　溢流堰

Yan ding
堰顶　　　　　　　　　　[06D]
Weir crest

Yan ding shui shen
堰顶水深　　　　　　　　[06D]
Weir crest depth
　C　堰上水头

Yan liu
堰流　　　　　　　　　　[06D]
Flow over weir
　F　淹没溢流
　　　自由溢流
　S　水流*

Yan mian qu xian
堰面曲线　　　　　　　　[06D]
Crest curve
　S　曲线*

Yan shang shui tou
堰上水头　　　　　　　　[06D]
Head above crest
　S　水头*
　C　堰顶水深

Yan shi yu dao
堰式鱼道　　　　　　　　[09J]
Weir fish pass
　S　梯级鱼道
　Z　鱼道*

Yan an liu
沿岸流　　　　　　　　　[02L]
Coastal current
Littoral current
　S　海流

　Z　水流*

Yan an piao sha
沿岸漂沙　　　　　　　　[07A]
Littoral drift sand
　D　海岸漂沙
　　　漂沙
　S　输沙*

Yan cheng bian hua
沿程变化　　　　　　　　[20A]
Linear variation
Spatially variation
　S　变化*

Yan cheng shui tou sun
shi
沿程水头损失　　　　　　[06A]
Friction loss of head
　S　水头损失
　Z　损失*

Yan hai cheng shi
沿海城市　　　　　　　　[18D]
Coastal city
　S　城市*

Yan hai di qu
沿海地区　　　　　　　　[18D]
Coastal region
　S　地区*

Yan bao
岩爆　　　　　　　　　　[04C]
Rock burst
　C　地下洞室
　　　隧洞开挖

Yan ji
岩基　　　　　　　　　　[05M]
Rock foundation
　Y　岩石地基

Yan ji guan jiang
岩基灌浆 [14F]
Rock foundation grouting
S 基础灌浆
Z 灌浆*

Yan jiang yan
岩浆岩 [04C]
Magmatic rock
Y 火成岩

Yan po
岩坡 [05L]
Rock slope

Yan rong
岩溶 [04D]
Karst
D 喀斯特
C 岩溶水

Yan rong di mao
岩溶地貌 [18D]
Karst geomorphy
D 喀斯特地形
S 地貌*

Yan rong di qu
岩溶地区 [18D]
Karst region
S 地区*

Yan rong shui
岩溶水 [04D]
Karst water
D 喀斯特水
S 地下水
Z 水*
C 孔隙水
裂隙水
岩溶

Yan sai bao po

岩塞爆破 [14K]
Rock plug blasting
S 爆破*

Yan shi
岩石* [05L]
Rock
F 变质岩
沉积岩
风化岩
火成岩
坚硬岩石
软弱岩石

Yan shi bao po
岩石爆破 [14K]
Rock blasting
S 爆破*

Yan shi di ji
岩石地基 [05M]
Rock foundation
D 岩基
S 地基*
C 非岩石地基

Yan shi fen lei
岩石分类 [05L]
Rock classification
S 分类*

Yan shi jian gu xi shu
岩石坚固系数 [05L]
Strength factor of rock
D 普氏系数
S 系数*
C 岩石强度

Yan shi kai wa
岩石开挖 [14C]
Rock excavation
S 开挖*
C 爆破开挖

基坑开挖
石方工程
隧洞开挖

Yan shi li xue
岩石力学   [05A]
Rock mechanics
  D　岩体力学
  F　岩体动力学
  S　力学*

Yan shi li xue shi yan
岩石力学试验   [05L]
Rock mechanics test
  Y　岩石试验

Yan shi po huai
岩石破坏   [05L]
Rock failure
  Y　岩体破坏

Yan shi qiang du
岩石强度   [05L]
Rock strength
  D　岩体强度
  S　强度(力学)*
  C　三轴强度
    岩石坚固系数
    岩石性质

Yan shi shi yan
岩石试验   [05L]
Rock test
  D　岩石力学试验
    岩体试验
  S　试验*

Yan shi xing zhi
岩石性质   [05L]
Rock property
  C　岩石强度

Yan shuan jia gu

岩栓加固   [14E]
Rock bolting
  S　加固*

Yan ti
岩体*   [05L]
Rock body
Rock mass
  F　不连续岩体
    连续岩体
  C　围岩*

Yan ti bian wei
岩体变位   [05L]
Rock deformation
  C　滑坡监测

Yan ti bian wei ji
岩体变位计   [16B]
Rock deformeter
  D　多点变位计

Yan ti bian xing
岩体变形   [05L]
Deformation of rock mass
  F　围岩变形
  S　变形*

Yan ti dong li xue
岩体动力学   [05A]
Rock mass dynamics
  S　岩石力学
  Z　力学*

Yan ti fen dai
岩体分带   [05L]
Rock mass belt dividing

Yan ti jia gu
岩体加固   [05L]
Rock mass consolidation
  S　加固*

Yan ti jie gou
岩体结构   [05L]
Rock mass structure
  S 结构*

Yan ti li xue
岩体力学   [05A]
Rock mass mechanics
  Y 岩石力学

Yan ti po huai
岩体破坏   [05L]
Failure of rock mass
  D 围岩破坏
     岩石破坏
  S 破坏*

Yan ti qiang du
岩体强度   [05L]
Rock mass strength
  Y 岩石强度

Yan ti ru bian
岩体蠕变   [05L]
Rock mass creep
  S 蠕变*

Yan ti shen liu
岩体渗流   [06G]
Rock mass seepage flow
  S 渗流*

Yan ti shi yan
岩体试验   [05L]
Rock mass test
  Y 岩石试验

Yan ti sun shang
岩体损伤   [05L]
Rock mass damage

Yan ti ying li
岩体应力   [05L]

Rock stress
Rock-mass stress
  F 围岩应力
  S 应力*

Yan tu gong cheng
岩土工程   [05A]
Geotechnical engineering
  S 工程*

Yan tu li xue mo xing
岩土力学模型   [05K]
Geotechnical model
Mechanical model for so-
   il and rock
  S 力学模型
  Z 模型*

Yan xiang fen xi
岩相分析   [15L]
Petrographic analysis
  S 分析*

Yan xin zuan jin
岩芯钻进   [03G]
Core drilling
  Y 取芯钻进

Yan zhi hai an
岩质海岸   [13A]
Rocky coast
  S 海岸*

Yan zhi hua po
岩质滑坡   [04C]
Rockslide
  S 滑坡*
  C 重力滑坡

Yan cong
烟囱   [19C]
Chimney

Yan fen qian yi
盐分迁移   [11G]
Salt migration
  S 迁移*
  C 水盐变化
      土壤脱盐
      土壤盐分

Yan hu
盐湖   [18D]
Salt lake
  D 咸水湖
  S 湖泊*

Yan jian di
盐碱地   [11G]
Saline land
  Y **盐碱土**

Yan jian tu
盐碱土   [11G]
Saline-alkali soil
  D 盐碱地

Yan jian tu gai liang
盐碱土改良   [11G]
Improvement of saline a-
  nd alkali soil
  D 治碱
  S 土壤改良*
  C 洗盐

Yan shui ru qin
盐水入侵   [17B]
Salt-water intrusion
  Y **海水入侵**

Yan shui yi zhong liu
盐水异重流   [06F]
Saline density current
  S 异重流
  Z 水流*

Yan suan
盐酸   [18C]
Hydrochloric acid
  S 无机酸
  Z 酸*

Yan zi tu
盐渍土   [11G, 05B]
Salted soil
  S 特种土
  Z 土*

Yan guan
淹灌   [11B]
Submersion irrigation
  S 地面灌溉
  Z 灌溉*

Yan mo kong kou shi yu
  dao
淹没孔口式鱼道   [09J]
Submerged orifice fish
  pass
  S 梯级鱼道
  Z 鱼道*

Yan mo she liu
淹没射流   [06E]
Submerged jet
  S 射流(水力学)
  Z 水流*

Yan mo shui shen
淹没水深   [06C]
Inundation depth
  S 水深*

Yan mo shui yue
淹没水跃   [06C]
Submerged jump
  S 水跃*

Yan mo yi liu

淹没溢流 [06D]
Submerged overflow
  S 堰流
  Z 水流*

Yan han qi hou shi gong
严寒气候施工 [14B]
Cold weather construction
  D 冬季施工
  S 施工*
  C 冻土开挖

Yan jiu
研究* [20B]
Research
Study
  D 研制
  F 可行性研究
      科研
      理论研究
      泥沙研究
      试验研究
      污染研究
      应用研究

Yan jiu fang fa
研究方法 [20A]
Research method
  S 方法*

Yan zhi
研制 [19D]
Research
Development
  Y 研究*

Yan liao
颜料 [18C]
Pigment

Yan re qi hou shi gong
炎热气候施工 [14B]
Hot weather construction
  D 夏季施工
  S 施工*

Yan shou
验收* [19A]
Acceptance
  F 工程验收

Yan zheng
验证 [19D]
Verification

Yang
氧 [18C]
Oxygen

Yang hua fan ying
氧化反应 [18C]
Oxidation reaction
  S 化学反应*

Yang hua wu
氧化物 [18C]
Oxide
  F 二氧化硫
      二氧化碳
      一氧化碳
  S 化合物*

Yang cheng
扬程 [19H]
Lift

Yang dong liu su
扬动流速 [07A]
Stirring-up velocity
  S 流速*

Yang qi bao po
扬弃爆破 [14K]
Throw blasting
  Y 抛掷爆破

Yang shui guan gai
扬水灌溉　　　　　[11B]
Lift irrigation
Pumping irrigation
　Y　抽水灌溉

Yang shui zhan
扬水站　　　　　　[11E]
Pumping plant
Lift station
　Y　水泵站*

Yang ya li
扬压力　　　　　　[08A]
Uplift
　S　压力*

Yang ya li guan ce
扬压力观测　　　　[16B]
Uplift pressure observa-
tion
　D　基础扬压力观测
　S　压力观测
　Z　观测*

Yang hu
养护*　　　　　　[14G]
Curing
　D　砼养护
　F　薄膜养护
　　　喷雾养护
　　　热风养护
　　　压蒸
　　　蒸汽养护
　C　成熟度

Yang hu ji
养护剂　　　　　　[15J]
Curing compound
　C　薄膜养护

Yang yu
养鱼*　　　　　　[19B]

Fish culture
　F　分层养鱼
　　　渠道养鱼
　　　水库养鱼
　　　网箱养鱼
　C　鱼

Yang jiao nian
羊脚碾　　　　　　[14I]
Sheepfoot roller
　S　碾压机械
　Z　机械*

Yang li zi
阳离子　　　　　　[18C]
Cation
　D　金属离子
　　　正离子
　S　离子*

Yang tiao han shu
样条函数　　　　　[18A]
Spline function
　S　函数*

Yao bi shi pen tou
摇臂式喷头　　　　[11F]
Rotating head sprinkle
head
　S　喷头*

Yao ce
遥测　　　　　[03A, 19E]
Remote measuring
Telemetering
　S　测量*
　C　航空测量
　　　航天测量
　　　遥感*
　　　遥控

Yao ce ji shu
遥测技术　　　　　[19E]

Telemetering technique
Remote measuring techni-
　que
　　F　水文遥测技术
　　S　技术*

Yao ce yi qi
遥测仪器　　　　　　　　[19I]
Remote sensing instrume-
nt
Remote sensor
　　S　仪器*

Yao gan
遥感*　　　　　　　　　　[19G]
Remote sensing
　　F　航空遥感
　　　　航天遥感
　　　　红外遥感
　　　　环境遥感
　　　　灾害遥感
　　C　遥测
　　　　遥感技术

Yao gan ji shu
遥感技术　　　　　　　　[19G]
Remote sensing technique
　　S　技术*
　　C　遥感*

Yao gan qi
遥感器　　　　　　　　　[19G]
Remote sensor
Remote detector
　　D　遥感仪

Yao gan she bei
遥感设备　　　　　　　　[19G]
Remote sensing equipment
　　S　设备*

Yao gan shi yan
遥感试验　　　　　　　　[19G]

Remote sensing experime-
　nt
　　S　试验*

Yao gan shu ju
遥感数据　　　　　　　　[19G]
Remote sensing data
　　S　数据*

Yao gan tu xiang
遥感图像　　　　　　　　[19G]
Remote image

Yao gan wu tan
遥感物探　　　　　　　　[03H]
Remote sensing geophysi-
cs
　　S　地球物理勘探
　　Z　地质勘探*

Yao gan xi tong
遥感系统　　　　　　　　[19G]
Remote sensing system
　　S　系统*

Yao gan yi
遥感仪　　　　　　　　　[19G]
Remote sensor
　　Y　遥感器

Yao gan yuan li
遥感原理　　　　　　　　[19G]
Remote principle
　　S　原理*

Yao kong
遥控　　　　　　　　　　[19E]
Remote control
Telecontrol
　　S　控制*
　　C　监控
　　　　无人值守运行
　　　　遥测

Ye dong yi biao
液动仪表   [19I]
Hydraulic gauge
  S 仪表*

Ye ti
液体*   [18B]
Liquid
  F 电解液
     溶液

Ye xian
液限   [05C]
Liquid limit
  D 流限
     流性界限
     液性界限
  S 阿太堡界限*
  C 液限试验

Ye xian shi yan
液限试验   [05K]
Liquid limit test
  S 界限含水量试验
  Z 试验*
  C 液限
     液限仪

Ye xian yi
液限仪   [05K]
Liquid limit device
  C 液限试验

Ye xing jie xian
液性界限   [05C]
Liquid limit
  Y **液限**

Ye xing zhi shu
液性指数   [05C]
Liquidity index
  S 阿太堡界限*

Ye ya chuan dong
液压传动   [19H]
Hydraulic drive
  S 传动*

Ye ya hua dong mo ban
液压滑动模板   [14G]
Hydraulic sliding form
  S 滑动模板
  Z 模板*

Ye ya qi bi ji
液压启闭机   [09D]
Hydraulic hoist
  D 油压启闭机
  S 启闭机*

Ye ya tiao su qi
液压调速器   [10G]
Hydraulic governor
  S 调速器*

Ye ya zha men
液压闸门   [09D]
Hydraulic gate
  S 闸门*

Ye ya zhuang zhi
液压装置   [19H]
Hydraulic equipment
  S 装置*

Ye jin gong ye
冶金工业   [19C]
Metallurgical industry
  S 工业*

Ye mian san fa
叶面散发   [02C]
Transpiration
  Y 植物散发

Ye pian

叶片 [19H]
Blade
Vane

Ye pian beng
叶片泵 [11F]
Blade pump
　F　混流泵
　　　离心泵
　　　轴流泵
　S　泵*

Ye wai shi yan
野外试验 [20A]
In situ test
Field test
　S　试验*

Ye yan
页岩 [05L]
Shale
　S　粘土岩
　Z　岩石*

Ye zhu fu ze zhi
业主负责制 [19A]
Responsibility system by
　proprietor

Yi biao
仪表* [19I]
Instrument
Gauge
　F　安全仪表
　　　标准仪表
　　　单元组合仪表
　　　电动仪表
　　　工业仪表
　　　计量仪表
　　　机械仪表
　　　控制仪表
　　　气动仪表
　　　温度测量仪表

　　　显示仪表
　　　压力仪表
　　　液动仪表
　　　一次仪表
　　　自动化仪表

Yi biao tiao jiao
仪表调校 [19I]
Instrument calibration

Yi qi
仪器* [19I]
Apparatus
Instrument
　F　测绘仪器
　　　测井仪
　　　测力计
　　　测沙仪
　　　测深仪
　　　测渗仪
　　　测斜仪
　　　地震仪
　　　电工仪器
　　　电子仪器
　　　分析仪器
　　　观测仪器
　　　光学仪器
　　　声学仪器
　　　试验仪器
　　　水文仪器
　　　物探仪器
　　　遥测仪器

Yi qi wu cha
仪器误差 [19I]
Instrumental error
　S　误差*
　C　系统误差

Yi chang ying yang hua
异常营养化 [17B]
Abnormal nutrination
　C　赤潮

面污染

Yi zhong liu
异重流   [06F]
Density current
　D　密度流
　F　浑水异重流
　　　温差异重流
　　　盐水异重流
　S　水流*

Yi ci she bei
一次设备   [10J]
Primary equipment
　S　电气设备
　Z　设备*

Yi ci xi tong
一次系统   [10J]
Primary system
　S　系统*

Yi ci yi biao
一次仪表   [19I]
Primary instrument
　S　仪表*
　C　传感器

Yi qi gong cheng
一期工程   [19C]
First-stage engineering
　S　工程*

Yi wei gu jie
一维固结   [05E]
One-dimensional consoli-
　　dation
　Y　单向固结

Yi wei liu
一维流   [06A]
One-dimensional flow
　S　水流*

Yi yang hua tan
一氧化碳   [18C]
Carbon monoxide
　S　氧化物
　Z　化合物*

Yi dong shi guan gai
移动式灌溉   [11B]
Movable irrigation
　S　灌溉*

Yi dong shi pen guan ji
移动式喷灌机   [11F]
Portable sprinkler
　D　行喷式喷灌机
　F　端拖式喷灌机
　　　滚移式喷灌机
　　　平移式喷灌机
　S　喷灌机*

Yi min
移民*   [19A]
Migration
　F　开发性移民
　　　农业移民

Yi min an zhi
移民安置   [19A]
Migration arrangement

Yi min qu
移民区   [19A]
Migration area
　S　地区*
　C　水库移民

Yi fa zhi shui
依法治水   [00B]
Water regulation accord-
　　ing laws
　S　治水*

Yi gong dai zhen

以工代赈   [19B]
Relieving by wages

Yi hai
蚁害   [16A]
Ant disaster
   S 动物危害*

Yi hong dao
溢洪道*   [09F]
Spillway
   F 陡槽式溢洪道
      非常溢洪道
      河岸式溢洪道
      河床式溢洪道
      滑雪道式溢洪道
      开敞式溢洪道
      孔口式溢洪道
   C 消能工*
      泄洪隧洞
      泄水建筑物

Yi hong dao she ji
溢洪道设计   [09F]
Design of spillway
   S 设计*

Yi liu
溢流*   [09F]
Overflow
   F 坝顶溢流

Yi liu ba
溢流坝   [09C]
Overflow dam
   S 坝*
   C 坝顶溢流
      溢流堰

Yi liu mian ban
溢流面板   [09F]
Overflow slab
   S 面板*

Yi liu shi chang fang
溢流式厂房   [10C]
Overflow powerhouse
   S 水电站厂房
   Z 厂房*

Yi liu shi tiao ya shi
溢流式调压室   [10E]
Overflow surge chamber
   S 调压室*

Yi liu yan
溢流堰   [09F]
Overflow weir
   S 堰*
   C 溢流坝

Yi jian gong cheng
已建工程   [19C]
Existing project
   S 工程*

Yi liao wei sheng ye
医疗卫生业   [19K]
Medical and health serv-
  ice

Yi qiang
翼墙   [09D]
Wing wall
   S 墙*

Yi wen
译文   [19M]
Translation

Yin bao
引爆   [14K]
Detonation
Priming
   Y 起爆

Yin hang dao

引航道   [12D]
Approach channel
Entrance channel
  S 航道*
  C 进港航道

Yin hong guan gai
引洪灌溉   [11B]
Flood diverting irrigat-
  ion
  S 灌溉*

Yin hong yu tan
引洪淤滩   [12C]
Diverting flood for sil-
  ting beach
  S 治河措施*

Yin huang guan qu
引黄灌区   [11C]
Huang he water diverting
  irrigation district
Yinhuang irrigation dis-
  trict
  S 灌区
  Z 地区*

Yin jin she bei
引进设备   [19H]
Import equipment
  S 设备*

Yin qi ji
引气剂   [15C]
Air entraining agent
  D 加气剂
  S 外加剂*
  C 含气量
    引气砼

Yin qi tong
引气砼   [15F]
Air entrained concrete

  D 加气砼
  S 砼*
  C 引气剂

Yin shui
引水*   [01B]
Water diversion
  D 调水
  F 跨流域引水

Yin shui gong cheng
引水工程   [09A]
Diversion works
Diversion project
  S 工程*
  C 调水工程
    跨流域引水
    取水建筑物
    水利工程*

Yin shui guan dao
引水管道   [11E]
Conveyance conduit
Intake conduit
  S 管道*

Yin shui guan gai
引水灌溉   [11B]
Irrigation by diversion
  water
  S 灌溉*
  C 自流灌溉

Yin shui jian zhu wu
引水建筑物   [09G]
Diversion structure
  S 水工建筑物*
  C 取水建筑物

Yin shui qu
引水渠   [11E]
Diversion canal
  S 渠道*

Yin shui shi shui dian
zhan
引水式水电站   [10B]
Diversion type water po-
  wer station
Diversion type hydroele-
  ctric power plant
  S 水电站*

Yin shui shu niu
引水枢纽   [09A]
Water diversion project
  D 取水枢纽
  C 灌溉枢纽
     渠首

Yin shui sui dong
引水隧洞   [09E]
Diversion tunnel
  S 水工隧洞
  Z 隧洞*
  C 发电隧洞

Yin shui xi tong
引水系统   [09G]
Diversion system
  F 水电站引水系统
     有压引水系统
  S 系统*
  C 输水系统

Yin li zi
阴离子   [18C]
Anion
  D 负离子
  S 离子*

Yin shui zhi du
饮水制度   [11D]
Procedure of feeding wa-
  ter

Yin yong shui

饮用水   [01B]
Drinking water
  S 水*
  C 城市供水系统
     饮用水质

Yin yong shui zhi
饮用水质   [17C, 19C]
Drinking water quality
  S 水质
  Z 质量*
  C 饮用水

Yin su
因素*   [20B]
Factor
  F 影响因素

Yin xiang liu su ji
音响流速计   [02G]
Acoustic current meter
  S 流速仪
  Z 仪器*

Ying bian
应变*   [08B]
Strain
  F 剪应变
     平面应变
  C 变形计算

Ying bian fen xi
应变分析   [05E]
Strain analysis
  S 分析(力学)*
  C 莫尔圆

Ying bian guan ce
应变观测   [16B]
Strain observation
  S 观测*

Ying bian ji

应变计   [16B, 08F]
Strain meter
Strain gauge
  S 测力计
  Z 仪器*

Ying bian kong zhi
应变控制   [05K]
Strain control
  S 控制*

Ying bian ruan hua
应变软化   [05E]
Strain softening

Ying bian su lü
应变速率   [05E]
Strain rate

Ying bian ying hua
应变硬化   [05E]
Strain hardening

Ying li
应力*   [08B]
Stress
  F 坝踵应力
     边缘应力
     初应力
     地基应力
     地应力
     附加应力
     尖端应力
     剪应力
     接触应力
     节点应力
     径向应力
     局部应力
     孔口应力
     拉应力
     临界应力
     平面应力
     切向应力

     容许应力
     三轴应力
     土应力
     弯曲应力
     温度应力
     压应力
     岩体应力
     有效应力
     预应力
     正应力
     轴向应力
     主应力
     总应力
  C 力*

Ying li chang
应力场   [08B]
Stress field
  C 应力分布

Ying li fen bu
应力分布   [08B]
Stress distribution
  S 分布*
  C 应力场

Ying li fen xi
应力分析   [08B]
Stress analysis
  D 应力计算
  S 结构分析
  Z 分析(力学)*
  C 光弹试验
     应力集中

Ying li guan ce
应力观测   [16B]
Stress observation
  S 观测*

Ying li ji
应力计   [16B, 08F]
Stress meter

S 测力计
Z 仪器*

Ying li ji suan
应力计算   [08B]
Stress calculation
Y 应力分析

Ying li ji zhong
应力集中   [08B]
Stress concentration
C 应力分析

Ying li jie chu
应力解除   [08B]
Stress relief

Ying li kong zhi
应力控制   [05K]
Stress control
S 控制*

Ying li lu jing
应力路径   [05E]
Stress path
D 应力路线

Ying li lu xian
应力路线   [05E]
Stress path
Y 应力路径

Ying li qiang du yin zi
应力强度因子   [08B]
Stress intensity factor
C 断裂韧度

Ying li shi yan
应力试验   [08F]
Stress test
S 试验*
C 初始应力测定
强度试验

Ying li song chi
应力松弛   [05E]
Stress relaxation
C 蠕变*

Ying li ying bian guan
xi
应力-应变关系   [05E]
Stress-strain relations-
hip

Ying li ying bian shi
jian guan xi
应力-应变-时间关系   [05E]
Stress-strain-time rela-
tionship

Ying li ying bian tu
应力-应变图   [08B]
Stress-strain diagram
C 变形计算

Ying li zhuang tai
应力状态   [08B]
Stress state
C 极限状态
塑性变形

Ying yong
应用*   [20B]
Application
D 使用
F 计算机应用

Ying yong di zhi
应用地质   [04A]
Applied geology

Ying yong guan li cheng
xu
应用管理程序   [19F]
Application management
program

S 应用软件
Z 计算机软件*

Ying yong ji suan cheng
xu
应用计算程序   [19F]
Application computing p-
  rogram
  S 应用软件
  Z 计算机软件*

Ying yong kong zhi cheng
xu
应用控制程序   [19F]
Application control pro-
  gram
  S 应用软件
  Z 计算机软件*

Ying yong ruan jian
应用软件   [19F]
Application software
  F 应用管理程序
     应用计算程序
     应用控制程序
  S 计算机软件*

Ying yong shui wen xue
应用水文学   [02A]
Applied hydrology
  F 工程水文学
  S 水文学*

Ying yong yan jiu
应用研究   [19D]
Application research
  S 研究*

Ying du
硬度   [17C]
Hardness
  C 矿化度

Ying hua
硬化   [15B]
Hardening

Ying qiao ba
硬壳坝   [09C]
Shell dam
  S 坝*

Ying shui mian
迎水面   [09C]
Upstream face
  D 迎水坡
  C 背水面

Ying shui po
迎水坡   [09C]
Upstream slope
  Y 迎水面

Ying xiang
影响   [20B]
Effect
Impact
Influence

Ying xiang xian
影响线   [08B]
Influence line

Ying xiang yin su
影响因素   [20A]
Influence factor
  S 因素*

Ying zi jia ge
影子价格   [19J]
Shadow price
  S 价格*

Yong jiu bian xing
永久变形   [08B]
Permanent deformation

S 变形*

Yong jiu dong tu
永久冻土 [05B]
Permafrost
Y 多年冻土

Yong jiu feng
永久缝 [08E]
Permanent joint
Y 结构缝

Yong lang
涌浪 [06I]
Surge
S 波浪*
C 滑坡*
击岸波
水击*

Yong shui liang
涌水量 [04D]
Water yeild
Y 出水量

Yong shui
用水* [01B]
Water use
Water utilization
F 城市用水
农业用水

Yong shui guan li
用水管理 [19C]
Water use management
S 管理*
C 灌区水量调配

Yong shui ji hua
用水计划 [01B]
Water use planning
S 计划*

Yong shui liang
用水量 [01D]
Water content
S 水量*

Yong shui yu ce
用水预测 [01B]
Prediction of water demand
S 预测*
C 供水预测

Yong shui qu
壅水区 [06C]
Dammed region
D 回水区

Yong shui qu xian
壅水曲线 [06C]
Backwater curve
D 回水曲线
S 水面曲线
Z 曲线*

You ba qu shui
有坝取水 [09G]
Dammed intaking
S 取水*

You chang fu wu
有偿服务 [19A]
Service with pay

You du wu zhi
有毒物质 [18C]
Poisonous substance
Toxic substance
Toxicant

You hai wu zhi
有害物质 [18C]
Harmful substance

You ji hua he wu
有机化合物 [18C]
Organic compound
　S　化合物*

You ji jian zhu cai liao
有机建筑材料 [15J]
Organic construction material
　S　建筑材料
　Z　材料*
　C　复合材料

You ji suan
有机酸 [18C]
Organic acid
　S　酸*

You ji wu
有机物 [18C]
Organic substance
Organic matter

You ji wu ran
有机污染 [17B]
Organic pollution
　S　污染*
　C　面污染

You se jin shu
有色金属 [15I]
Non-ferrous metal
　S　金属*

You xian yuan fa
有限元法 [18A]
Finite element method
　S　计算方法(数学)
　Z　方法*

You xiao jiang yu liang
有效降雨量 [02I]
Effective rainfall

　D　净雨

You xiao ku rong
有效库容 [01D]
Usable capacity
Available storage capacity
　Y　兴利库容

You xiao ying li
有效应力 [05H]
Effective stress
　D　骨架应力
　　　粒间应力
　S　应力*
　C　次固结

You ya shen liu
有压渗流 [06G]
Seepage under pressure
Confined seepage
　S　渗流*

You ya shui yue
有压水跃 [06C]
Pressure jump
　S　水跃*

You ya sui dong
有压隧洞 [09E]
Pressure tunnel
　D　压力隧洞
　S　水工隧洞
　Z　隧洞*

You ya yin shui xi tong
有压引水系统 [09G]
Pressure diversion system
　S　引水系统
　Z　系统*

You beng

油泵 [19H]
Oil pump
  S 泵*

You cai zi
油菜籽 [19B]
Rapeseed

You feng
油封 [19H]
Oil seal
  S 密封*

You liao zuo wu
油料作物 [19B]
Oil seed crop
  S 作物*

You wu ran
油污染 [17B]
Oil pollution
  S 污染*

You ya qi bi ji
油压启闭机 [09D]
Oil-pressure operated h-
oist
  Y 液压启闭机

You ya xi tong
油压系统 [19H]
Oil pressure system
  S 系统*

You zhan
油毡 [15J]
Asphalt felt
  C 防水材料

You dang xing he duan
游荡型河段 [07B]
Wandering reach
  S 河段*

You fa di zhen
诱发地震 [04B]
Induced earthquake
  S 地震*

You yu she bei
诱鱼设备 [09J]
Fish attracting device
Fish guiding device
  S 设备*

You hua diao du
优化调度 [16A]
Optimizing regulation
  D 最优调度
  S 调度*

You hua she ji
优化设计 [20A]
Optimizing design
  Y 最优设计

You xuan fa
优选法 [18A]
Optimum seeking method
  S 方法*

Yu
鱼 [19B]
Fish
  C 养鱼*

Yu dao
鱼道* [09J]
Fish pass
Fishway
  D 鱼梯
  F 池式鱼道
    加糙槽式鱼道
    梯级鱼道
    斜槽式鱼道
  C 过鱼建筑物

Yu dao qing wu
鱼道清污   [09J]
Trash sluice of fishway

Yu dao she ji
鱼道设计   [09J]
Fish-way design
  S 设计*

Yu ti
鱼梯   [09J]
Fish ladder
  Y **鱼道***

Yu zha
鱼闸*   [09J]
Fish lock
  F 竖井式鱼闸
     斜井式鱼闸
     压力式鱼闸
  C 过鱼建筑物

Yu
雨   [02C]
Rainfall
Rain
  Y **降雨**

Yu ji shi gong
雨季施工   [14B]
Rainy season constructi-
on
  S 施工*

Yu liang
雨量   [02C]
Rainfall amount
  Y **降雨**

Yu liang ji
雨量计*   [02G]
Pluvioscope
Rain gauge

  D 雨量器
  F 自记雨量计

Yu liang qi
雨量器   [02G]
Pluviometer
Rain gauge
  Y **雨量计***

Yu liang zhan
雨量站   [02E]
Rainfall station
Rain-gage station
  S 水文站*

Yu qu
雨区   [02C]
Rainfall area
  Y **降雨面积**

Yu shui li yong
雨水利用   [01B]
Rain water utilization
  S 水资源利用
  Z 利用*

Yu shui zi yuan
雨水资源   [01A]
Rain water resources
  S 水资源*

Yu ban tong
预拌砼   [15F]
Ready mixed concrete
  S 砼*

Yu bao
预报*   [20B]
Forecast
  F 长期预报
     地震预报
     短期预报
     滑坡预报

气象预报
水文预报

Yu bao diao du
预报调度 [16A]
Forecasting regulation
　S 调度*

Yu bao xi tong
预报系统 [02J]
Forecast system
　S 系统*

Yu ce
预测* [19A]
Forecast
Prediction
　F 供水预测
　　来水预测
　　水质预测
　　污染预测
　　用水预测

Yu jia ying li fang fa
预加应力方法 [14G]
Pre-stressing method
　F 后张法
　　先张法
　S 方法*

Yu jian qi
预见期 [02J]
Forecast period

Yu lie bao po
预裂爆破 [14K]
Presplit blasting
　S 控制爆破
　Z 爆破*

Yu ping jia
预评价 [20A]
Pre-evaluation

　S 评价*

Yu suan
预算 [19J]
Budget
　F 工程预算
　　施工预算
　S 计算*

Yu tian gu liao tong
预填骨料砼 [15F]
Preplaced aggregate con-
　crete
Prepacked concrete
　D 预压骨料砼
　S 砼*

Yu xu yu xie diao du
预蓄预泄调度 [16A]
Pre-store and pre-disch-
　arge regulation
　S 调度*

Yu ya gu liao tong
预压骨料砼 [15F]
Prepakt concrete
Prepacked concrete
　Y 预填骨料砼

Yu ya jia gu
预压加固 [05P]
Prepressing consolidati-
　on
　S 加固*

Yu ying li
预应力 [08B]
Prestress
　S 应力*

Yu ying li jie gou
预应力结构 [08C]
Prestressed structure

S 工程结构
Z 结构*

Yu ying li liang
预应力梁 [08D]
Prestressed beam
S 梁*

Yu ying li mao gan
预应力锚杆 [14E]
Prestressing anchor bolt
S 锚杆*

Yu ying li mao suo
预应力锚索 [14E]
Prestressed cable

Yu ying li sun shi
预应力损失 [08B]
Prestress loss
S 损失*

Yu ying li tong
预应力砼 [15F]
Prestressed concrete
S 砼*
C 后张法
先张法
自应力水泥
自应力砼

Yu ying li tong ba
预应力砼坝 [09C]
Prestressed concrete dam
S 砼坝
Z 坝*

Yu ying li tong guan
预应力砼管 [15G]
Prestressed concrete pi-
pe
S 水泥管
Z 管*

Yu ying li tong jie gou
预应力砼结构 [08C]
Prestressed concrete st-
ructure
S 砼结构
Z 结构*

Yu zhi gou jian
预制构件 [08D]
Precast element
D 装配式构件
S 结构构件*

Yu zhi tong mo ban
预制砼模板 [14G]
Precast concrete form
Y 砼模板

Yu bei jia gu
淤背加固 [12C]
Levee consolidation by
back siltation
Y 放淤固堤

Yu di ba
淤地坝 [09C, 11G]
Silt arrester
D 淤填坝
S 土坝
Z 坝*
C 坝地

Yu guan
淤灌 [11B]
Warping
Colmation
Colmatage
S 灌溉*

Yu ji
淤积* [07C]
Sedimentation
Silting

F   港口淤积
    海岸淤积
    航道淤积
    河道淤积
    河口淤积
    湖泊淤积
    回淤
    码头淤积
    渠道淤积
    水库淤积
    闸下淤积

Yu ji ji suan
淤积计算   [07C]
Sedimentation calculati-
on
    S   泥沙计算
    Z   计算*

Yu ji tu
淤积土   [05B]
Sediment soil
Silt
    S   土*

Yu lin jia gu
淤临加固   [12C]
Levee consolidion by ba-
ck siltation
    Y   放淤固堤

Yu ni
淤泥   [05B]
Mud
Silt
    Y   软土

Yu ni zhi hai an
淤泥质海岸   [13A]
Silty coast
    S   海岸*

Yu sha ku rong

淤沙库容   [01D]
Storage capacity for se-
dimentation
    S   库容*
    C   水库淤积

Yu tian ba
淤填坝   [09C]
Siltation dam
    Y   淤地坝

Yu bo
余波   [06I]
Swell
    Y   自由波

Yu gang
渔港   [13B]
Fishery harbour
    S   港口*

Yu ye
渔业   [19B]
Fishery

Yu mi
玉米   [19B]
Maize
Corn

Yuan chuan shui wei ji
远传水位计   [02G]
Remote water level indi-
    cator
    S   水位计*

Yuan jing gui hua
远景规划   [19A]
Prospective planning
    D   长期规划
    S   规划*

Yuan hu po huai

圆弧破坏   [05E]
Circular failure
  S 破坏*
  C 平面破坏

Yuan tong qiao ti
圆筒壳体   [08D]
Cylinder shell
  S 壳体*

Yuan tong shi tiao ya
 shi
圆筒式调压室   [10E]
Cylinder surge chamber
Simple surge chamber
  S 调压室*

Yuan tong zha men
圆筒闸门   [09D]
Cylinder gate
  S 闸门*

Yuan xing jie gou
圆形结构   [08C]
Circular structure
  S 结构*

Yuan xing pen guan ji
圆形喷灌机   [11F]
Circular sprinkler
  Y 时针式喷灌机

Yuan li
原理*   [19D]
Principle
  F 遥感原理
  C 理论*

Yuan sheng huan jing
原生环境   [17A]
Primitive environment
  Y 第一环境

Yuan xing guan ce
原型观测   [16B]
Prototype observation
  S 观测*
  C 大坝观测

Yuan xing guan ce yi qi
原型观测仪器   [16B]
Instruments of prototype
  observation
  S 观测仪器
  Z 仪器*
  C 观测设备

Yuan xing shi yan
原型试验   [08F]
Prototype test
  S 试验*

Yuan yan ying li
原岩应力   [05L]
Stress of primary rock
  Y 地应力

Yuan zhuang tu
原状土   [05B]
Undisturbed soil
  D 未扰动土
  S 土*
  C 扰动土

Yuan zhuang tu qu yang
 qi
原状土取样器   [05K]
Undisturbed soil sampler
  S 取样器*

Yuan lin guan gai
园林灌溉   [11B]
Treegarden irrigation
  S 灌溉*

Yue bian hua

月变化   [20A]
Monthly variation
　　S　变化*

Yue tiao jie shui ku
月调节水库   [09B]
Monthly regulating rese-
　　rvoir
　　S　调节水库
　　Z　水库*

Yue ya lei cha guan
月牙肋岔管   [10D]
Crescent rib bifurcation
　　S　岔管
　　Z　压力水管*

Yue yi
跃移*   [07A]
Saltation
　　F　泥沙跃移

Yun chou xue
运筹学   [18A]
Operation research

Yun dong fang cheng
运动方程   [18B]
Kinematic equation
　　S　方程*

Yun he
运河   [12D]
Canal
　　F　内陆运河
　　　　渠化运河
　　　　通航运河
　　S　河流*

Yun he wang
运河网   [12D]
Nets of canal

Yun shu
运输*   [19C]
Transport
Traffic
Conveyance
　　F　材料运输
　　　　管道运输

Yun shu ji xie
运输机械   [14I, 19H]
Conveying equipment
Transporting machinery
　　S　机械*
　　C　输送机*
　　　　装卸设备

Yun tu
运土   [14C]
Earth moving
　　D　土料运输
　　S　材料运输
　　Z　运输*

Yun xing
运行*   [19A]
Run
Operation
　　D　运转
　　F　安全运行
　　　　电网运行
　　　　孤立运行
　　　　间断运行
　　　　经济运行
　　　　联网运行
　　　　连续运行
　　　　试运行
　　　　水泵运行
　　　　水电站运行
　　　　无人值守运行
　　　　最优运行

Yun xing bao gao
运行报告   [19A]

Operation report
　S　报告*

Yun xing fei
运行费   [19J]
Operation cost
　S　费用*

Yun xing gui cheng
运行规程   [19D]
Operation rule

Yun xing jing yan
运行经验   [19A]
Operating experience

Yun xing ke kao xing
运行可靠性   [19A]
Reliability of operation
　S　可靠性*

Yun xing zi liao

运行资料   [19A]
Operating data
　S　资料*

Yun yong
运用*   [20B]
Utilization
　F　联合运用
　　　水库运用

Yun zhuan
运转   [19A]
Run
　Y　运行*

Yun xu lie feng kuan du
允许裂缝宽度   [08B]
Allowable width of crac-
　king
Allowable crack width

Z

Za zhi beng
杂质泵 [14I]
Solid pump
　F　灌浆泵
　　　泥浆泵
　　　砼泵
　S　泵*

Zai hai
灾害* [19A]
Disaster
Calamity
　F　地震灾害
　　　公害
　　　气象灾害
　　　山地灾害

Zai hai fang zhi
灾害防治 [19A]
Calamity prevention
　Y　防灾

Zai hai yao gan
灾害遥感 [19G]
Disaster remote sensing
　S　遥感*

Zai he
载荷 [08A]
Load
　Y　荷载*

Zai zhong qi che
载重汽车 [19C]
Truck
　D　卡车

Zai jian gong cheng
在建工程 [19C]
Building engineering

Building project
　S　工程*

Zai xian kong zhi
在线控制 [19E]
On-line control
　Y　联机控制

Zai zhi jiao yu
在职教育 [19K]
In-service education

Zai jiu ye
再就业 [19K]
Re-employment

Zai pei ji shu
栽培技术 [19B]
Cultivating technique
　S　技术*

Zao bo ji
造波机 [06J]
Wave maker

Zao jia
造价* [19A]
Cost
　F　工程造价

Zao shan dai
造山带 [04B]
Orogenic zone
　Y　褶皱带

Zao zhi gong ye
造纸工业 [19C]
Pulp and paper industry
　S　工业*

Zao lei fan zhi
藻类繁殖   [17B]
Algae propagation
　C　赤潮

Zao qi qiang du
早期强度   [15K]
Early strength
　S　强度(力学)*

Zao qiang shui ni
早强水泥   [15B]
High-early strength cem-
　ent
　S　硅酸盐水泥
　Z　水泥*

Zao yan ji
凿岩机   [14I]
Rock drill
　S　挖掘机
　Z　机械*

Zeng rong gai zao
增容改造   [10A]
Capacity enlarging reha-
　bilitation

Zeng ya fa
增压阀   [19H]
Pressure rising valve
　S　阀门*

Zha ba
闸坝   [09C]
Gate dam
　S　坝*
　C　水闸*

Zha ba shi shui dian
　zhan
闸坝式水电站   [10B]
Gate-dam type hydro-pow-

er station
　S　水电站*

Zha di ban
闸底板   [09D]
Sluice board

Zha dun
闸墩   [09D]
Pier

Zha dun shi chang fang
闸墩式厂房   [10C]
Pier type power house
　S　水电站厂房
　Z　厂房*

Zha fa
闸阀   [19H]
Gate valve
　S　阀门*

Zha guan li
闸管理   [16A]
Management of water slu-
　ice
　S　管理*

Zha ji
闸基   [05M]
Sluice foundation
　S　地基*

Zha ji fang shen
闸基防渗   [05Q]
Seepage control of gate
　foundation
　S　地基防渗
　Z　防渗*

Zha kong chu liu
闸孔出流   [06D]
Flow under sluice gate

S 水流*

Zha men
闸门*   [09D]
Gate
  F 薄壳闸门
      船闸闸门
      叠梁闸门
      定轮闸门
      翻转闸门
      浮式闸门
      钢筋砼闸门
      钢丝网水泥闸门
      钢闸门
      高压闸门
      工作闸门
      鼓形闸门
      辊式闸门
      横拉闸门
      弧形闸门
      滑动闸门
      检修闸门
      木闸门
      平面闸门
      人字闸门
      三角闸门
      扇形闸门
      舌瓣闸门
      事故闸门
      塑料闸门
      尾水闸门
      液压闸门
      圆筒闸门
      铸铁闸门
      自动闸门
  C 水闸*
      锁定装置

Zha men cao
闸门槽   [09D]
Gate groove

Zha men kai du

闸门开度   [09D]
Gate opening

Zha men qi bi ji
闸门启闭机   [09D]
Gate hoist
      Y 启闭机*

Zha men zhen dong
闸门振动   [09D]
Gate vibration
      S 振动*

Zha men zhi shui
闸门止水   [09L]
Gate seal
      S 止水*

Zha she ji
闸设计   [09D]
Gate design
Sluice design
      S 设计*

Zha shi
闸室   [09D]
Lock chamber

Zha shou
闸首   [09K]
Lock head

Zha xia chong shua
闸下冲刷   [06H]
Sluice scour
      S 冲刷*

Zha xia yu ji
闸下淤积   [07C]
Sluice deposit
      S 淤积*

Zha jiao

炸礁   [12C]
Reef explosion
　S　治河措施*

Zha yao
炸药   [14K]
Blasting powder
Dynamite
Explosive

Zha yao bao
炸药包   [14K]
Blasting charge
Powder bag

Zhai feng shi xiao neng
　　gong
窄缝式消能工   [09I]
Slot dissipator
Narrow gap dissipator
　S　消能工*

Zhai quan
债权   [19J]
Creditor's right

Zhai wu
债务   [19J]
Debt

Zhan jie cai liao
粘接材料   [15A]
Adhesive
Bonding material
　S　材料*

Zhan qiao ma tou
栈桥码头   [13C]
Trestle quay
　Y　离岸码头

Zhan wang gui hua
站网规划   [02E]

Network planning
　Y　站网设计

Zhan wang she ji
站网设计   [02E]
Network design
　D　站网规划
　S　设计*

Zhang liang fen xi
张量分析   [18A]
Tensor analysis
　S　分析(数学)*

Zhang suo tu
胀缩土   [05B]
Expansive soil
　Y　膨胀土

Zhao biao
招标*   [19A]
Invite tender
Invite bid
　F　工程招标
　　　国际招标
　C　投标

Zhao ming xi tong
照明系统   [19C]
Lighting system
　S　系统*

Zhao shui
找水   [04D]
Tracing ground water
　Y　水文地质调查

Zhao ze
沼泽   [18D]
Swamp
Marsh

Zhao ze di qu

沼泽地区 [18D]
Marsh region
Swamp region
　S　地区*

Zhao ze tu gai liang
沼泽土改良 [11G]
Marshland improvemerrt
Reclamation of bog soil
　S　土壤改良*

Zhe chong shui liu
折冲水流 [06A]
Deflected stream
　S　水流*
　C　冲刷*

Zhe zhou(di zhi)
褶皱(地质) [04B]
Fold

Zhe zhou dai
褶皱带 [04B]
Folding belt
　D　地槽带
　　　活动带
　　　造山带
　S　构造带*

Zhen chong fa
振冲法 [05P]
Vibroflotation method
　Y　振动水冲法

Zhen dao
振捣 [14G]
Vibration

Zhen dong
振动* [18B]
Vibration
　F　坝振动
　　　爆破振动

厂房振动
共振
机械振动
水轮机振动
随机振动
闸门振动
自振
　C　振动频率
　　　振幅
　　　振型

Zhen dong chen zhuang
振动沉桩 [14L, 05N]
Piling by vibration
　S　沉桩
　Z　工程*

Zhen dong fen xi fang fa
振动分析方法 [08B]
Vibration analysis meth-
　od
　S　分析方法
　Z　方法*

Zhen dong he zai
振动荷载 [08A]
Dynamic load
　S　动荷载
　Z　荷载*
　C　地震荷载
　　　砂土液化

Zhen dong jia gu
振动加固 [05P]
Stabilization by vibrof-
　lotation
　S　加固*

Zhen dong li lun
振动理论 [18B]
Vibration theory
　S　理论*

Zhen dong liu cao
振动溜槽   [14I]
Vibrating chute

Zhen dong liu guan
振动溜管   [14I]
Vibrating tube

Zhen dong nian
振动碾   [14I]
Vibrating roller
  S　碾压机械
  Z　机械*
  C　碾压砼

Zhen dong pin lü
振动频率   [18B]
Vibration frequency
  S　频率*
  C　振动*

Zhen dong san zhou shi
  yan
振动三轴试验   [05K]
Dynamic triaxial test
  S　三轴试验
  Z　试验*

Zhen dong san zhou yi
振动三轴仪   [05K]
Vibration triaxial appa-
  ratus
  S　三轴仪
  Z　仪器*

Zhen dong shai
振动筛   [14I]
Vibrating screen
  S　筛分机*

Zhen dong shi yan
振动试验   [08F]
Vibration test

  S　力学性能试验
  Z　试验*

Zhen dong shui chong fa
振动水冲法   [05P]
Vibroflotation method
  D　振冲法

Zhen dong sui shi zhuang
振动碎石桩   [05N]
Vibro-replacement stone
  column
  S　碎石桩
  Z　桩*

Zhen dong tai
振动台   [14I]
Vibrating platform
Table vibrator
Shake table
  S　砼振捣器
  Z　机械*

Zhen fu
振幅   [18B]
Amplitude
  C　振动*

Zhen xing
振型   [18B]
Vibration type
  S　类型*
  C　振动*

Zhen duan cheng xu
诊断程序   [19F]
Diagnostic routine
Diagnostic program
  S　系统软件
  Z　计算机软件*

Zhen duan ji shu
诊断技术   [19E]

Diagnostic technique
  S 技术*

Zhen dun
镇墩   [10D]
Anchorage of steel pens-
  tock
Anchor of steel penstock

Zhen kong fa
真空阀   [19H]
Vacuum valve
  S 阀门*

Zhen kong mo ban
真空模板   [14G]
Vacuum shuttering
Vacuum mat
Vacuum form
  S 模板*
  C 真空作业
     真空作业砼

Zhen kong zuo ye
真空作业   [14B]
Vacuum process
  S 施工*
  C 真空模板

Zhen kong zuo ye tong
真空作业砼   [15F]
Vacuum concrete
  S 砼*
  C 真空模板

Zheng cao shi yi hong
  dao
正槽式溢洪道   [09F]
Chute spillway
  S 河岸式溢洪道
  Z 溢洪道*

Zheng chang gao shui wei

正常高水位   [01D]
Normal high water level
  Y 正常蓄水位

Zheng chang gu jie
正常固结   [05E]
Normal consolidation
  D 正常压密
  S 固结*
  C 正常固结土

Zheng chang gu jie tu
正常固结土   [05B]
Normal consolidated soil
  D 正常压密土
  C 正常固结

Zheng chang jing liu
正常径流   [02I]
Normal runoff
  Y 年径流

Zheng chang shui shen
正常水深   [06C]
Normal depth
  S 水深*

Zheng chang xu shui wei
正常蓄水位   [01D]
Normal pool level
Normal high water level
  D 设计水位
     正常高水位
  S 水位*

Zheng chang ya mi
正常压密   [05E]
Normal consolidation
  Y 正常固结

Zheng chang ya mi tu
正常压密土   [05B]
Normal consolidated soil

Y 正常固结土

Zheng duan ceng
正断层 [04B]
Normal fault
  D 重力断层
  S 断层(地质)*

Zheng li zi
正离子 [18C]
Positive ion
  Y 阳离子

Zheng tai fen bu
正态分布 [02H, 18A]
Normal distribution
  S 概率分布
  Z 分布*

Zheng ying li
正应力 [08B]
Normal stress
  D 法向应力
  S 应力*
  C 弯矩

Zheng ce
政策* [19L]
Policy
  F 技术政策
    经济政策
    水利政策

Zheng ji
政纪 [19L]
Government discipline

Zheng fa
蒸发* [18B]
Evaporation
  D 水蒸发
  F 冰面蒸发
    流域总蒸发

    水面蒸发
    土壤蒸发
    雪面蒸发

Zheng fa guan ce
蒸发观测 [02E]
Evaporation observation
  S 水文测验
  Z 观测*

Zheng fa liang
蒸发量 [02C]
Evaporation

Zheng fa min
蒸发皿 [02G]
Evaporation pan
  Y 蒸发器

Zheng fa qi
蒸发器 [02G]
Evaporator
  D 蒸发皿

Zheng fa shi yan
蒸发实验 [02F]
Evaporation experiment
  S 水文实验*

Zheng fa xi shu
蒸发系数 [02C]
Evaporation coefficient
  S 系数*

Zheng fa yan
蒸发岩 [05L]
Evaporite
  S 沉积岩
  Z 岩石*

Zheng fa zhan
蒸发站 [02E]
Evaporation station

S 水文站*

Zheng qi yang hu
蒸汽养护 [14G]
Steam curing
   S 养护*

Zheng san fa
蒸散发 [02C]
Evapotranspiration

Zheng shu gui hua
整数规划 [18A]
Integer programming
   S 数学规划
   Z 规划论*

Zheng ti jie gou mo xing
整体结构模型 [08F]
Whole structure model
Complete-structure model
   S 结构模型
   Z 模型*

Zheng ti mo xing
整体模型 [06J]
Comprehensive model
   S 模型*

Zheng zhi xian
整治线 [12C]
Regulation line

Zhi bei
植被 [19B]
Plant cover
Vegetative cover

Zhi shu zao lin
植树造林 [19B]
Forestation

Zhi wu

植物 [19B]
Plant
Vegetation

Zhi wu cuo shi
植物措施 [11G]
Plant measures
   S 措施*
   C 水土保持措施

Zhi wu jie liu
植物截流 [02C]
River flow blockage by
   plante
River interrupted by pl-
   ante

Zhi wu san fa
植物散发 [02C]
Transpiration
   D 叶面散发
      植物蒸腾

Zhi wu zheng teng
植物蒸腾 [02C]
Transpiration
   Y 植物散发

Zhi biao
指标* [19A]
Index
   F 技术经济指标

Zhi shi
指示 [19M]
Instruction
Order

Zhi shu fen bu
指数分布 [18A]
Exponential distribution
   S 分布*

Zhi cheng
支撑   [08C]
Brace
   D   支承结构
   F   横向支撑
   S   工程结构
   Z   结构*
   C   支座*

Zhi cheng jie gou
支承结构   [08C]
Bearing structure
   Y   支撑

Zhi dong
支洞   [14E]
Lateral tunnel
Adit
   S   隧洞*

Zhi dun ba
支墩坝   [09C]
Buttress dam
   D   肋墩坝
   F   大头坝
        连拱坝
        平板坝
        梯形坝
   S   坝*

Zhi guan
支管   [11E]
Branch pipe
   S   管*

Zhi hu
支护*   [14E]
Support
   F   洞室支护
        锚喷支护
        喷砼支护
        隧洞支护

Zhi liu
支流   [02K]
Branch river
   S   河流*

Zhi qu
支渠   [11E]
Branch canal
   S   渠道*

Zhi zuo
支座*   [08E]
Support
   F   固定支座
        滑动支座
        铰支座
        柔性支座
        三向支座
        弹性支座
        橡胶支座
   C   支撑

Zhi cheng
职称   [19K]
Professional title

Zhi gong
职工   [19K]
Workers and staff membe-
rs

Zhi wu
职务   [19K]
Duty
Post

Zhi ye jiao yu
职业教育   [19K]
Vocational education
   S   教育*
   C   专业培训

Zhi dong qi

制动器   [19H]
Brake

Zhi ge gong ye
制革工业   [19C]
Leather industry
  S 工业*

Zhi leng ji
制冷机   [19H]
Freezer
Refrigerator
Freezing machine
  D 冷冻机

Zhi leng ji
制冷剂   [19H]
Refrigerant
  D 致冷剂

Zhi leng ji shu
制冷技术   [19H]
Refrigerant technique
  S 技术*

Zhi leng ji xie
制冷机械   [19H]
Refrigerating machinery
  S 机械*

Zhi leng xi tong
制冷系统   [19H]
Refrigerating system
  S 系统*

Zhi fa
执法*   [19L]
Enforcement of law
  F 水利执法

Zhi gou
治沟   [11G]
Ditch correction

Gulley correction
  D 沟道治理

Zhi he cuo shi
治河措施*   [12C]
River regulation measure
  D 河道整治措施
  F 裁弯取直
    堤防加固
    河道疏浚
    机械疏浚
    平整岸线
    扫床
    塞支强干
    束狭河槽
    稳定河槽
    引洪淤滩
    炸礁
  C 河势控制
    治河规划

Zhi he gui hua
治河规划   [01C]
River regulation planning
Planning of river regulation
  S 水利规划
  Z 规划*
  C 防洪规划
    河道整治*
    治河措施*

Zhi huai
治淮   [00A]
Regulating Huaihe
  D 淮河治理
  S 治水*

Zhi huang
治黄   [00A]
Regulating Huanghe
  D 黄河治理

S 治水*

Zhi jian
治碱   [11G]
Dealkalization
Solodization
    Y 盐碱土改良

Zhi lao
治涝   [11A]
Water log control
    Y 排涝

Zhi lao gui hua
治涝规划   [01C]
Planning of logging con-
    trol
    D 除涝规划
    S 水利规划
    Z 规划*
    C 蓄涝容积

Zhi lao ji suan
治涝计算   [01D]
Water log control calcu-
    lation
    S 水文水利计算
    Z 计算*

Zhi shui
治水*   [00A]
Water regulation
    F 依法治水
        治淮
        治黄
        治太

Zhi tai
治太   [00A]
Taihu regulation
    D 太湖治理
    S 治水*

Zhi hong
滞洪   [12A]
Flood detention

Zhi hong gong cheng
滞洪工程   [12B]
Flood detention works
    S 防洪工程
    Z 工程*

Zhi hong qu
滞洪区   [12A]
Flood detention district
Detention basin
    S 地区*
    C 洪泛区
        行洪区
        蓄洪区

Zhi hong qu guan li
滞洪区管理   [12B]
Detention basin managem-
    ent
    S 管理*

Zhi hong qu yun yong
滞洪区运用   [12B]
Detention basin utiliza-
    tion

Zhi hong shui ku
滞洪水库   [09B]
Detention reservoir
    S 水库*
    C 防洪水库

Zhi hou xiao ying
滞后效应   [05L]
Hysteresis effect

Zhi huan fan ying
置换反应   [18C]
Replacement reaction

S 化学反应*

Zhi hui fa
止回阀 [19H]
Check valve
D 逆止阀
S 阀门*

Zhi jiang pian
止浆片 [14F]
Grout stop

Zhi shui
止水* [09L]
Seal
F 闸门止水

Zhi shui cai liao
止水材料 [15A]
Water sealant
S 材料*
C 止水带
止水铜片

Zhi shui dai
止水带 [09L]
Waterstop band
C 止水材料

Zhi shui tong pian
止水铜片 [15I]
Copper sheet seal
C 止水材料

Zhi jian shi yan
直剪试验 [05K]
Direct shear test
D 直接剪切试验
S 剪切试验(土力学)
Z 试验*
C 直剪仪

Zhi jian yi

直剪仪 [05K]
Direct shear apparatus
C 直剪试验

Zhi jie fei yong
直接费用 [19J]
Direct cost
S 费用*

Zhi jie jian qie shi yan
直接剪切试验 [05K]
Direct shear test
Y 直剪试验

Zhi jie shui ji
直接水击 [06B]
Direct hammer
S 水击*

Zhi jing
直径* [20B]
Diameter
F 粒径

Zhi li shi fang bo di
直立式防波堤 [13B]
Vertical breakwater
S 防波堤*

Zhi liu dian fa kan tan
直流电法勘探 [03H]
Direct current electric
method prospecting
S 电法勘探
Z 地质勘探*

Zhi leng ji
致冷剂 [19H]
Refrigerant
Y 制冷剂

Zhi liang
质量* [19A]

Quality
  F 工程质量
     骨料质量
     环境质量
     施工质量
     水泥质量
     水质
     砼质量

Zhi liang biao zhun
质量标准   [19D]
Quality specification
Quality standard
  S 标准*

Zhi liang guan li
质量管理   [19D]
Quality management
  S 管理*

Zhi liang jian cha
质量检查   [19D]
Quality inspection
  Y 质量鉴定

Zhi liang jian ding
质量鉴定   [19D]
Quality certification
  D 质量检查
  S 鉴定*
  C 工程验收

Zhi liang kong zhi
质量控制   [19D]
Quality control
  S 控制*

Zhong cao
种草   [11D]
Grass planting

Zhong chang qi shui wen
  yu bao

中长期水文预报   [02J]
Mid and long term hydro-
logical forecasting
  S 水文预报
  Z 预报*

Zhong di chan tian gai
  liang
中低产田改良   [11G]
Medium-low yeild field
  modification
  S 土壤改良*

Zhong kong
中孔   [09F]
Middle level hole
  S 泄水孔*

Zhong re shui ni
中热水泥   [15B]
Modified cement
Moderate heat cement
  Y 大坝水泥

Zhong shui nian
中水年   [02B]
Median flow year
  Y 平水年

Zhong shui tou shui dian
  zhan
中水头水电站   [10B]
（水头30米～200米）
Medium head water power
  station
Medium head hydroelectr-
  ic power plant
  S 水电站*

Zhong shui tou shui lun
  ji
中水头水轮机   [10F]
（水头30米～200米）

Medium head hydraulic t-
urbine
　S　水轮机*

Zhong xin zhi zhou shi
pen guan ji
中心支轴式喷灌机　　　[11F]
Center pivot sprinkler
　Y　时针式喷灌机

Zhong xing beng zhan
中型泵站　　　　　　　[11E]
(75千瓦≤装机容量＜7300
　千瓦,667公顷＜受益面积
　＜2万公顷)
Medium pumping station
　S　水泵站*

Zhong xing ji suan ji
中型计算机　　　　　　[19F]
Medium-size computer
　S　计算机*

Zhong xing ji xie
中型机械　　　　　　　[19H]
Medium machinery
　S　机械*

Zhong xing pen guan ji
中型喷灌机　　　　　　[11F]
(动力机功率15千瓦～22千
　瓦)
Medium sprinkler
　S　喷灌机*

Zhong xing shui dian
zhan
中型水电站　　　　　　[10B]
(装机容量2.5万千瓦～25万
　千瓦)
Medium water power stat-
ion
Medium hydroelectric po-

wer plant
　S　水电站*

Zhong xing shui ku
中型水库　　　　　　　[09B]
(0.1亿立方米≤库容＜1亿
　立方米)
Medium reservoir
　S　水库*
　C　中型水利工程

Zhong xing shui li gong
cheng
中型水利工程　　　　　[09A]
Medium hydraulic project
　S　水利工程*
　C　中型水库

Zhong xing yan
中性岩　　　　　　　　[05L]
Neutral rock
Intermediate rock
　S　火成岩
　Z　岩石*

Zhong ya pen guan ji
中压喷灌机　　　　　　[11F]
(工作压力196千帕～490千
　帕)
Medium pressure sprinkl-
er
　S　喷灌机*

Zhong ya pen tou
中压喷头　　　　　　　[11F]
(工作压力294千帕～490千
　帕)
Mid-pressure sprinkle h-
ead
　S　喷头*

Zhong yang kong zhi shi
中央控制室　　　　　　[10J]

Central control room

Zhong you
中游   [02K]
Middle stream
Middle reach
 Y 中游河段

Zhong you he duan
中游河段   [02K]
Middle stream
Middle reach
 D 中游
 S 河段*

Zhong duan
终端   [19F]
Terminal

Zhong gong ye
重工业   [19C]
Heavy industry
 S 工业*

Zhong jin shu
重金属   [18C]
Heavy metal
 S 金属*

Zhong jin shu wu ran
重金属污染   [17B]
Heavy metal pollution
 S 污染*
 C 泥沙吸附

Zhong li ba
重力坝   [09C]
Gravity dam
 F 拱形重力坝
  空腹重力坝
  宽缝重力坝
  砌石重力坝
  实体重力坝

  砼重力坝
 S 坝*

Zhong li bo
重力波   [06I]
Gravity wave
Gravitational wave
 S 波*

Zhong li duan ceng
重力断层   [04B]
Gravity fault
 Y 正断层

Zhong li gong ba
重力拱坝   [09C]
Gravity arch dam
 S 拱坝
 Z 坝*
 C 拱形重力坝

Zhong li guan gai
重力灌溉   [11B]
Gravity irrigation
 S 灌溉*

Zhong li hua po
重力滑坡   [04C]
Gravity sliding
 S 滑坡*
 C 水库坍岸
  土质滑坡
  岩质滑坡

Zhong li kan tan
重力勘探   [03H]
Gravity prospecting
Gravity method
 S 地球物理勘探
 Z 地质勘探*

Zhong li ma tou
重力码头   [13C]

Gravity wharf
  S 码头*

Zhong li qin shi
重力侵蚀   [11G]
Gravity erosion
  S 侵蚀*

Zhong li shui
重力水   [04D, 05D]
Gravitational water
  S 土壤水
  Z 水*
  C 毛管水

Zhong liang
重量   [18B]
Weight

Zhong tong
重砼   [15F]
Heavy concrete
  S 砼*

Zhou bian bao po
周边爆破   [14K]
Perimeter blasting
  D 轮廓爆破
  S 爆破*

Zhou bian feng
周边缝   [08E]
Perimetric joint
  S 结构缝
  Z 缝*

Zhou qi
周期   [20B]
Period
Cycle

Zhou qi bian hua
周期变化   [20A]

Periodic variation
  S 变化*

Zhou qi he zai
周期荷载   [08A]
Cyclic load
Periodic load
  D 重复荷载
      反复荷载
      脉动荷载
  S 动荷载
  Z 荷载*

Zhou qi xing
周期性   [20A]
Periodicity

Zhou cheng
轴承*   [19H]
Bearing
  F 导轴承
      滚动轴承
      滚子轴承
      滑动轴承
      球轴承
      推力轴承

Zhou li
轴力   [08A]
Axial force
  S 力*

Zhou liu beng
轴流泵   [11F]
Axial flow pump
Axial pump
  S 叶片泵
  Z 泵*

Zhou liu shi shui lun ji
轴流式水轮机   [10F]
Axial flow water turbine
  S 反击式水轮机

Z 水轮机*

S 砼浇筑*

Zhou mi feng
轴密封   [19H]
Axial sealing
  S 密封*

Zhou shen shi shui lun
  ji
轴伸式水轮机   [10F]
Tubular water turbine w-
  ith extended axis
  S 反击式水轮机
  Z 水轮机*

Zhou wa
轴瓦   [19H]
Bearing liner

Zhou xiang ying li
轴向应力   [08B]
Axial stress
  S 应力*

Zhu
柱*   [08D]
Column
  F 牛腿
  C 结构构件*

Zhu ji chu
柱基础   [05N]
Column footing
Column foundation
  D 管柱基础
  S 单独基础
  Z 基础*
  C 桩承台

Zhu zhuang jiao zhu
柱状浇筑   [14H]
Pouring with longitudin-
  al joint

Zhu ba
筑坝*   [14H]
Dam construction
  D 坝施工
  F 砼坝浇筑
     土坝压实
  C 坝设计
     施工*

Zhu ba cai liao
筑坝材料   [15A]
Dam material
  S 材料*
  C 石料
     土料
     土石料

Zhu ba ji shu
筑坝技术   [14H]
Dam construction techni-
  que
  D 坝工技术
  S 技术*
  C 施工技术

Zhu bian ya qi
主变压器   [10J]
High voltage transformer
  S 变压器*

Zhu dong tu ya li
主动土压力   [05J]
Active earth pressure
  S 土压力
  Z 压力*

Zhu gu jie
主固结   [05E]
Primary consolidation
  D 初期固结
     渗透固结

S 固结*
C 单向固结
  孔隙水压力

Zhu jie xian tu
主结线图 [10J]
Connection diagram of p-
  rimary system

Zhu liang
主梁 [08D]
Primary beam
  D 大梁
  S 梁*

Zhu liu bai dong
主流摆动 [07B]
Main stream oscillation
  C 河口流路
    河势控制

Zhu ti ci biao
主题词表 [19M]
Thesaurus
  D 主题词典

Zhu ti ci dian
主题词典 [19M]
Thesaurus
  Y 主题词表

Zhu ying li
主应力 [08B]
Principal stress
  S 应力*

Zhu bo
驻波 [06I]
Standing wave
  Y 立波

Zhu gang
铸钢 [15I]

Cast steel

Zhu shi
铸石 [15H]
Cast stone

Zhu tie
铸铁 [15I]
Cast iron

Zhu tie guan
铸铁管 [15I]
Cast iron tube
  S 管*

Zhu tie zha men
铸铁闸门 [09D]
Cast-iron gate
  S 闸门*

Zhu zao
铸造 [19H]
Casting

Zhu jiang du shui ji shu
注浆堵水技术 [14F]
Grouting and sealing te-
  chnique
  S 技术*

Zhu shui shi yan
注水试验 [04D]
Water injection test
  S 水文地质试验
  Z 试验*
  C 水文地质调查

Zhu long wei yan
竹笼围堰 [14D]
Bamboo gabion cofferdam
  S 笼网围堰
  Z 围堰*

Zhu zuo quan
著作权   [19D]
Writings right

Zhuan bi shi pen guan ji
转臂式喷灌机   [11F]
Rotating arm sprinkler
　　S　旋转式喷灌机
　　Z　喷灌机*

Zhuan jiang shi shui lun
　　ji
转桨式水轮机   [10F]
Kaplan turbine
Adjustable blade propel-
　ler turbine
　　D　卡普兰水轮机
　　S　反击式水轮机
　　Z　水轮机*

Zhuan lun
转轮   [10F]
Runner
　　C　水轮机*

Zhuan su
转速   [19H]
Rotational speed

Zhuan zi
转子   [10H]
Runner

Zhuan jia xi tong
专家系统   [19E]
Expert system

Zhuan li fa
专利法   [19L]
Patent laws
　　S　法律*

Zhuan li wen xian

专利文献   [19M]
Patent document
　　S　文献*

Zhuan ti fu wu
专题服务   [19M]
SDI service
Special subject service

Zhuan ti jian suo
专题检索   [19M]
SDI retrieval
　　S　检索*

Zhuan ye pei xun
专业培训   [19K]
Vocational training
Professional training
　　C　职业教育

Zhuan shi jie gou
砖石结构   [08C]
Masonry structure
　　D　砌石结构
　　F　配筋砌体结构
　　S　工程结构
　　Z　结构*
　　C　木结构

Zhuan wa
砖瓦   [15H]
Bricks and tiles

Zhuang
桩*   [05N]
Pile
　　F　板桩
　　　　端承桩
　　　　粉喷桩
　　　　钢板桩
　　　　钢管桩
　　　　钢筋砼桩
　　　　管柱桩

灌注桩
局部加粗桩
抗滑桩
锚桩
摩擦桩
木桩
群桩
碎石桩
砼桩

Zhuang cheng tai
桩承台 [05N]
Pile platform
　C　柱基础

Zhuang cheng zai li
桩承载力 [05N]
Pile bearing capacity
　S　承载力*

Zhuang gong ji xie
桩工机械 [14I, 19H]
Piling machinery
　F　打桩锤
　　打桩机
　S　机械*

Zhuang ji chu
桩基础 [05N]
Pile foundation
　S　基础*

Zhuang ji jie gou
桩基结构 [05N]
Structure of pile found-
　ation
　S　基础结构
　Z　结构*

Zhuang ji ma tou
桩基码头 [13C]
Pile foundation wharf
　F　板桩码头

高桩码头
　S　码头*

Zhuang jie tou
桩接头 [05N]
Pile splice

Zhuang ju
桩距 [05N]
Pile spacing
　S　距离*

Zhuang mao
桩帽 [05N]
Pile cap

Zhuang mo ca li
桩摩擦力 [05N]
Pile friction
　S　摩擦力
　Z　力*

Zhuang shi fang bo di
桩式防波堤 [13B]
Piled jetty
　S　防波堤*

Zhuang ji rong liang
装机容量 [10B]
Installed capacity
　C　水电站*
　　水轮发电机*

Zhuang pei shi chen qi
装配式衬砌 [14E]
Prefabricated tunnel li-
　ning
　S　衬砌*

Zhuang pei shi du cao
装配式渡槽 [11E]
Fabricated flume
　S　渡槽*

Zhuang pei shi gou jian
装配式构件　　　　　　　[08D]
Prefabricated member
Fabricated member
　Y　预制构件

Zhuang pei shi jian zhu
　wu
装配式建筑物　　　　　　[19C]
Prefabricated structure
　S　建筑物*

Zhuang pei shi shi gong
装配式施工　　　　　　　[14B]
Prefabricated construct-
　ion
　S　施工*

Zhuang pei shi tong ba
装配式砼坝　　　　　　　[09C]
Fabricated concrete dam
　S　砼坝
　Z　坝*

Zhuang pei shi tong jie
　gou
装配式砼结构　　　　　　[08C]
Fabricated concrete str-
　ucture
　S　砼结构
　Z　结构*

Zhuang xie she bei
装卸设备　　　　　　　　[14I]
Handling equipment
Handling machinery
　F　自动装卸设备
　S　设备*
　C　起重机械
　　　运输机械

Zhuang zai ji
装载机　　　　　　　　　[14I]

Loader

Zhuang zhi
装置*　　　　　　　　　[19H]
Installation
Device
　F　保护装置
　　　测流装置
　　　观测装置
　　　计量装置
　　　记录装置
　　　量水装置
　　　配电装置
　　　水工试验装置
　　　锁定装置
　　　液压装置
　　　自记装置
　　　自吸装置

Zhuang kuang
状况　　　　　　　　　　[20B]
Status
Condition

Zhuang tai bian hua
状态变化　　　　　　　　[18B]
State variation
　S　变化*

Zhuang tai
庄台　　　　　　　　　　[12B]
Flood avoiding platform
　Y　避水台

Zhui su jian suo
追溯检索　　　　　　　　[19M]
Retrospective search
　S　检索*

Zhui xing fa
锥形阀　　　　　　　　　[19H]
Needle valve
　S　阀门*

Zhun bei gong cheng
准备工程   [19C]
Construcion preparation
Preliminary works
   S   工程*

Zhun zhi yi
准直仪*   [16B]
Collimator
   D   视准仪
   F   激光准直仪

Zi chan
资产*   [19J]
Property
Assets
   F   固定资产

Zi chan ping gu
资产评估   [19J]
Property evaluation

Zi liao
资料*   [19M]
Data
Reference material
   F   地质资料
       观测资料
       监测资料
       考察资料
       气象资料
       水利志
       水文资料
       统计资料
       运行资料

Zi yuan
资源*   [19A]
Resouces
   F   风力资源
       水产资源
       水沙资源
       水土资源

       土壤资源

Zi dong biao yin
自动标引   [19M]
Automatic indexing
   S   标引*

Zi dong cai yang qi
自动采样器   [02G]
Automatic sampling devi-
  ce
   S   取样器*

Zi dong guan ce
自动观测   [16B, 19E]
Auto-observation
   S   观测*

Zi dong guan ce zhuang
  zhi
自动观测装置   [16B]
Automatic observation d-
  evice
   S   观测装置
   Z   装置*

Zi dong hua
自动化*   [19E]
Automation
Automatization
   F   观测自动化
       灌溉系统自动化
       管理自动化
       水电站自动化
   C   自动控制

Zi dong hua ji shu
自动化技术   [19E]
Automation technique
   S   技术*

Zi dong hua xi tong
自动化系统   [19E]

Automation system
　S　系统*
　C　控制系统

Zi dong hua yi biao
自动化仪表　　　　　　　[19I]
Automation instrument
　S　仪表*

Zi dong kong zhi
自动控制　　　　　　　　[19E]
Automatic control
　S　控制*
　C　自动调节
　　　自动化*

Zi dong pian guang jing
自动偏光镜　　　　　　　[08F]
Automatic polarizing sc-
reen

Zi dong tiao jie
自动调节　　　　　　　　[19E]
Automatic regulation
　S　调节*
　C　自动控制

Zi dong zha men
自动闸门　　　　　　　　[09D]
Automatic gate
　F　水力自控闸门
　S　闸门*

Zi dong zhuang xie she
bei
自动装卸设备　　　　　　[14I]
Automatic handling equi-
pment
　S　装卸设备
　Z　设备*

Zi ji shui wei ji
自记水位计　　　　　　　[02G]

Recording water gauge
　S　水位计*

Zi ji yu liang ji
自记雨量计　　　　　　　[02G]
Self-recording rain gau-
ge
　S　雨量计*

Zi ji zhuang zhi
自记装置　　　　　　　　[19I]
Self-recording system
　S　装置*

Zi jing
自净　　　　　　　　　　[17C]
Self-purification
　S　净化*
　C　径流*

Zi kui ba
自溃坝　　　　　　　　　[09C]
Fuse plug dam
　S　土坝
　Z　坝*
　C　自溃式溢洪道

Zi kui shi yi hong dao
自溃式溢洪道　　　　　　[09F]
Fuse-plug emergency spi-
llway
　S　非常溢洪道
　Z　溢洪道*
　C　自溃坝

Zi lai shui chang
自来水厂　　　　　　　　[19C]
Water supply works
　S　工厂*

Zi lai shui ta
自来水塔　　　　　　　　[19C]
Water tower

S 水塔*

Zi lai shui xi tong
自来水系统 [19C]
Water supply system
　Y　城市供水系统

Zi liu guan gai
自流灌溉 [11B]
Irrigation by gravity
　S　地面灌溉
　Z　灌溉*
　C　引水灌溉

Zi liu guan jiang
自流灌浆 [14F]
Self flowing grout
Gravitational grouting
　S　灌浆*

Zi liu jing
自流井 [04D]
Artesian well
　S　井*
　C　承压水

Zi liu shui
自流水 [04D]
Artesian water
　S　地下水
　Z　水*

Zi ran bao hu qu
自然保护区 [18D]
Protected natural area
　F　水源保护区
　S　地区*

Zi ran di li
自然地理 [18D]
Physical geography

Zi xi zhuang zhi

自吸装置 [11F]
Self-priming apparatus
　F　水泵自吸装置
　S　装置*

Zi ying li shui ni
自应力水泥 [15B]
Self stressing cement
　S　膨胀水泥
　Z　水泥*
　C　预应力砼
　　　自应力砼

Zi ying li tong
自应力砼 [15F]
Self-stressing concrete
　S　砼*
　C　预应力砼
　　　自应力水泥

Zi you bo
自由波 [06I]
Free wave
　D　余波
　S　波*

Zi you she liu
自由射流 [06E]
Free jet
　S　射流(水力学)
　Z　水流*

Zi you shui mian
自由水面 [06C]
Free water surface

Zi you yi liu
自由溢流 [06D]
Free overflow
　S　堰流
　Z　水流*

Zi zhen

自振   [18B]
Free vibration
Inherent vibration
　S　振动*

Zi zhong ying li
自重应力   [05H]
Self-weight stress
　S　土应力
　Z　应力*

Zi zou shi pen guan ji
自走式喷灌机   [11F]
Self-propelled sprinkler
　S　喷灌机*

Zi hai
渍害   [02B]
Water-logging disaster
　S　水灾
　Z　灾害*

Zi tian gai liang
渍田改良   [11G]
Water logged land modif-
　ication
　F　冷渍田改良
　S　土壤改良*

Zi xun fu wu
咨询服务   [19M]
Cosultative service
Advisory service
Reference service

Zong bo
纵波   [18B]
Longitudinal wave
　D　剪切波
　S　波*

Zong duan mian
纵断面   [08B]

Longitudinal section
　F　河床纵断面
　S　断面*

Zong feng
纵缝   [08E]
Longitudinal joint
　S　接缝
　Z　缝*
　C　结构缝
　　　施工缝

Zong xiang wei yan
纵向围堰   [14D]
Longitudinal cofferdam
　S　围堰*

Zong xiang xie mian
　sheng chuan ji
纵向斜面升船机   [09K]
Longitudinal inclined s-
　hiplift
　S　斜面升船机
　Z　升船机*

Zong dan
总氮   [17B]
Total nitrogen

Zong jie
总结*   [19M]
Summary
Conclusion
　F　工程总结
　　　技术总结
　　　施工总结

Zong jie bao gao
总结报告   [19M]
Concluding report
Final report
　S　报告*

Zong ku rong
总库容 [01D]
Total storage
S 库容*

Zong lin
总磷 [17B]
Total phosphorus

Zong ti gui hua
总体规划 [19A]
General planning
S 规划*

Zong ying li
总应力 [05H]
Total stress
S 应力*

Zong he diao cha
综合调查 [19A]
Comprehensive investigation
F 流域综合调查
S 调查*

Zong he fa ce tu
综合法测图 [03C]
Photo-planimetric mapping
S 测图*

Zong he gui hua
综合规划 [19A]
Comprehensive planning
S 规划*

Zong he jing ying
综合经营 [19A]
Comprehensive management
S 经营*
C 水库旅游
水库养鱼

水库综合利用

Zong he kai fa
综合开发 [20A]
Comprehensive development
Comprehensive exploitation
D 多目标开发
F 水利综合开发
S 开发*

Zong he li yong
综合利用 [20A]
Comprehensive utilization
F 水库综合利用
S 利用*

Zong he li yong gong cheng
综合利用工程 [19C]
Multipurpose project
S 工程*

Zong he li yong shui ku
综合利用水库 [09B]
Multiple purpose reservoir
S 水库*

Zong he li yong xiao yi
综合利用效益 [19A]
Comprehensive utilization benefit
S 效益*

Zong he ping pan
综合评判 [20A]
Comprehensive evaluation

Zong he wu tan
综合物探 [03H]

Complex geophysical pro-
specting
　S　地球物理勘探
　Z　地质勘探*

Zong he zhi li
综合治理*　　　　　　　[20A]
Comprehensive harnessing
　F　旱涝碱综合治理
　　　流域综合治理
　C　污染防治
　　　综合治理措施

Zong he zhi li cuo shi
综合治理措施　　　　　[20A]
Comprehensive improveme-
nt measure
　S　措施*
　C　综合治理*

Zong shu
综述　　　　　　　　　[19M]
Summary

Zou xiang hua duan ceng
走向滑断层　　　　　　[04B]
Strike slip fault
　Y　平移断层

Zu cheng
组成　　　　　　　　　[20B]
Composition
　C　成分

Zu he jie gou
组合结构　　　　　　　[08C]
Composite structure
　D　混合结构
　S　工程结构
　Z　结构*

Zu he jie mian gou jian
组合截面构件　　　　　[08D]

Composite member
　S　结构构件*

Zu kang fa kan tan
阻抗法勘探　　　　　　[03H]
Impedance exploration
　S　电法勘探
　Z　地质勘探*

Zu kang shi tiao ya shi
阻抗式调压室　　　　　[10E]
Restricted-orifice surge
chamber
Throttled surge chamber
　S　调压室*

Zu li
阻力　　　　　　　　　[18B]
Resistance
　F　管道阻力
　　　贯入阻力
　　　明槽阻力
　　　泥沙阻力
　　　水流阻力
　S　力*

Zu ni bi
阻尼比　　　　　　　　[05G]
Damping ratio

Zu ni xi shu
阻尼系数　　　　　　　[05G]
Damping coefficient
　S　系数*

Zu xiu ji
阻锈剂　　　　　　　　[15C]
Corrosion inhibitor
　S　外加剂*

Zuan bao fa
钻爆法　　　　　　　　[14E]
Boring and blasting met-

hod
Drilling and blasting m-
ethod
  S 隧洞开挖方法
  Z 方法*

Zuan gan
钻杆 [03G]
Drilling rod
Drill pipe

Zuan ji
钻机* [03G]
Rig
Drilling rig
Drill machine
  F 车钻
    冲击钻

Zuan jin
钻进* [03G]
Drilling
  F 不取芯钻进
    冲击钻进
    大孔径钻进
    定向钻进
    反循环钻进
    复杂地层钻进
    金刚石钻进
    连续钻进
    取芯钻进
    水上钻进
    小孔径钻进
    斜孔钻进
  C 钻孔

Zuan jing
钻井 [04D]
Well boring
  D 打井
  C 地下水开采

Zuan jing gong cheng

钻井工程 [04D]
Well boring engineering
  S 工程*

Zuan jing ji shu
钻井技术 [04D]
Well boring technique
  S 技术*

Zuan jing ni jiang
钻井泥浆 [03G]
Drilling mud
Drilling fluid
  C 洗孔

Zuan jing shi gu
钻井事故 [03G]
Drilling failure
Drilling accident
  Y 孔内事故

Zuan ju
钻具 [03G]
Drilling tool

Zuan kong
钻孔 [03G]
Boring
  C 钻进*

Zuan kong guan zhu zhuang
钻孔灌注桩 [05N]
Cast-in-situ bored pile
  D 钻孔桩
  S 灌注桩
  Z 桩*

Zuan kong zhuang
钻孔桩 [05N]
Bored pile
  Y 钻孔灌注桩

Zuan ta
钻塔   [03G]
Drilling tower
  Y 井架

Zuan tan
钻探   [03G]
Drilling exploration
  S 勘探工程
  Z 工程*

Zuan tou
钻头   [03G]
Bit
Drill bit

Zui da chen jiang liang
最大沉降量   [05I]
Final settlement
  Y 最终沉降量

Zui da gan mi du
最大干密度   [05F]
Maximum dry density
  Y 最大干容重

Zui da gan rong zhong
最大干容重   [05F]
Maximum dry weight
Maximum dry density
  D 最大干么重
     最大干密度
  S 干容重
  Z 容重*

Zui da gan yao zhong
最大干么重   [05F]
Maximum dry density
Maximum dry weight
  Y 最大干容重

Zui da liu liang
最大流量   [02I]

Maximum discharge
  D 极大流量
  S 流量*

Zui jia duan mian
最佳断面   [08B]
Optimum section
  F 水力最佳断面
  S 断面*

Zui jia kong zhi
最佳控制   [20A]
Optimum control
  Y 最优控制

Zui jia she ji
最佳设计   [20A]
Optimum design
  Y 最优设计

Zui xiao er cheng fa
最小二乘法   [18A]
Method of least square
Least square method
  S 计算方法(数学)
  Z 方法*

Zui xiao er cheng fa
  ping cha
最小二乘法平差   [03B]
Least square adjustment
  S 测量平差*

Zui xiao fei yong fa
最小费用法   [19J]
Least cost method

Zui xiao liu liang
最小流量   [02I]
Minimum discharge
  D 极小流量
  S 流量*

Zui you diao du
最优调度 [16A]
Optimum regulation
　Y　优化调度

Zui you fang an
最优方案 [20A]
Optimum alternative
Optimum plan
　S　方案*

Zui you gui hua
最优规划 [19A]
Optimum planning
　S　规划*

Zui you hua fang fa
最优化方法 [18A]
Optimizing method
　S　方法*

Zui you kong zhi
最优控制 [20A]
Optimum control
　D　最佳控制
　S　控制*

Zui you mo xing
最优模型 [20A]
Optimum model
　S　模型*

Zui you she ji
最优设计 [20A]
Optimum design
　D　优化设计
　　　最佳设计
　S　设计*

Zui you yun xing
最优运行 [19A]
Optimum operation
　S　运行*

Zui zhong chen jiang
liang
最终沉降量 [05I]
Final settlement
　D　最大沉降量
　S　沉降量*

Zuo biao bian huan
坐标变换 [18A]
Coordinate transformati-
　on
　S　变换*

Zuo shui zhong
坐水种 [11B]
Cavity irrigation
　Y　穴灌

Zuo huan
座环 [10F]
Support ring
Supporting ring
　C　水轮机*

Zuo wu
作物* [19B]
Crop
　D　农作物
　F　低产作物
　　　高产作物
　　　经济作物
　　　粮食作物
　　　耐寒作物
　　　耐旱作物
　　　热带作物
　　　亚热带作物
　　　油料作物

Zuo wu kui shui liang
作物亏水量 [11C]
Water-deficient of crop
　Y　作物需水量

Zuo wu sheng yu qi
作物生育期   [19B]
Crop growing period
  Y 作物生长期

Zuo wu sheng zhang qi
作物生长期   [19B]
Crop growing period
  D 作物生育期

Zuo wu xu shui liang
作物需水量   [11C]
Water requirement of cr-
  op
  D 作物亏水量
  S 需水量
  Z 水量*
  C 灌溉需水量

范畴索引

范畴目录

00 水政与水利经济

00A 综合概念

电力建设
冬修（水利）
淮河治理
 Y 治淮
黄河治理
 Y 治黄
科教兴水
水电会议
水电建设
水利*
水利产业
水利行业
水利会议
水利建设
水利企业
水利史
水利水电技术
水利系统
水利志
水文化
太湖治理
 Y 治太
五大体系建设
治淮
治黄
治水*
治太

00B 水政

地下水法
防洪法规
防洪政策
流域机构
取水许可
确权定界

水法
水管单位
水利法规
水利管理单位
 Y 水管单位
水利监察
水利纠纷
 Y 水事纠纷
水利行政
 Y 水政
水利政策
水利执法
水权
水事
水事纠纷
水土保持法
水行政
 Y 水政
水政
水资源法规
依法治水

00C 水利经济

堤防维修费
动能经济
发电效益
防洪基金
防洪经济
防洪经济分析
防洪效益
供水成本
供水效益
灌溉经济分析
灌溉水费
灌溉效益
航运效益
河道采砂费

减沙效益
节水效益
库区经济
库区淹没损失
　Y 水库淹没
流域经济
流域开发
流域综合治理
排水经济分析
水电经济
　Y 动能经济
水费

水费计收
水价
水库效益
水利工程效益
水利建设基金
水利建设投资
水利经济
水利综合开发
水土保持费
水土保持效益
水资源费

01　水资源

01A 一般概念

冰*
冰川资源
　Y 融雪水资源
冰雪水资源
　Y 融雪水资源
潮汐能资源
城市水资源
淡水
地表水
地表水资源
地面水
　Y 地表水
地面水资源
　Y 地表水资源
地下水源
地下水资源
海水
河流水资源
河水
湖泊水资源
湖水
库水
流域水资源
农业水资源

区域水资源
热水资源
融雪水资源
水*
水电资源
　Y 水能资源
水利资源
　Y 水资源*
水力资源
　Y 水能资源
水能资源
水沙资源
水土资源
水源*
水资源*
水资源系统
咸水
雨水资源

01B 水资源开发利用

地下水过量开采
调水
　Y 引水*
废水利用
供水*

供水量
供水预测
海水淡化
湖泊管理
集水*
节水*
节水措施
跨流域调水
跨流域引水
来水预测
冷却水
路面集水
取水*
缺水
输水*
水重复利用
水供应
　　Y 供水*
水量损失
水能利用
水源管理
水源开发
　　Y 水资源开发
水源利用
　　Y 水资源利用
水资源分布
水资源供需平衡
水资源管理
水资源开发
水资源利用
水资源联合运用
水资源评价
梯级开发
屋面集水
蓄水*
引水*
饮用水
用水*
用水计划
用水预测
雨水利用

01C 水利规划

除涝规划
　　Y 治涝规划
防洪规划
供水保证率
供水规划
灌溉规划
灌区规划
航运规划
河道查勘
　　Y 河道调查
河网化规划
库区调查
跨流域规划
流域规划
流域综合调查
渠系规划
水电开发规划
　　Y 水电资源开发规划
水电资源开发规划
水库调查
水库淹没
水库移民
水库征地
水利调查
水利规划
水利化区划
　　Y 水利区划
水利勘察
　　Y 水利调查
水利区划
水能规划
　　Y 水电资源开发规划
水土保持规划
水土资源平衡
水资源调查
水资源规划
　　Y 水利规划
治河规划
治涝规划

01D 水利计算

补偿调节

02 水文

积雪
降水*
降水分布
降水量
降雨
降雨径流
降雨历时
降雨量
降雨面积
降雨强度
降雨深
　　Y 降雨
降雨时空分布
　　Y 降水分布
径流*
径流损失
可能最大暴雨
可能最大洪水
可能最大降水
枯季径流
枯水径流
　　Y 枯季径流
枯水流量
　　Y 枯季径流
枯水期
枯水位
溃坝洪水
历史洪水
连续暴雨
流量*
陆面蒸发
　　Y 土壤蒸发
梅雨期
霉雨期
　　Y 梅雨期
年径流
年水量平衡
坡面径流
区间来水
　　Y 区间入流
区间入流
人工降水
融雪

融雪洪水
融雪径流
入渗
　　Y 下渗
三水转化
山洪
　　Y 暴雨洪水
渗透补给
水分循环
　　Y 水循环
水库蒸发
水量变化
水量平衡
水面蒸发
水平衡
　　Y 水量平衡
水体
水文特性
水文效应
水文循环
　　Y 水循环
水文要素
水循环
水蒸发
　　Y 蒸发*
四水转化
特大暴雨
特大洪水
特大降水
土壤蒸发
下渗
雪面蒸发
叶面散发
　　Y 植物散发
雨
　　Y 降雨
雨量
　　Y 降雨
雨区
　　Y 降雨面积
蒸发量
蒸发系数
蒸散发

测车
测船
测桥
测沙仪
测深锤
测深设备
测深仪
测向流速仪
测雪器
超声波流量计
电磁流量计
浮标
含沙量计
河床质采样器
记录器
　　Y 记录装置
记录装置
孔板流量计
雷达测雨系统
　　Y 雷达测雨装置
雷达测雨装置
流量观测仪器
流量计
流速计
　　Y 流速仪
流速仪
泥沙采样器
气象观测仪器
湿度计
水尺
　　Y 水位标尺
水取样器
水位标尺
水位观测仪器
水位计*
水文绞车
水文缆道
水文仪器
水质分析仪器
同位素测沙仪
推移质采样器
悬移质采样器
音响流速计

雨量计*
雨量器
　　Y 雨量计*
远传水位计
蒸发皿
　　Y 蒸发器
蒸发器
自动采样器
自记水位计
自记雨量计

02H 水文统计分析

变差系数
重现期
分布曲线
分配曲线
　　Y 分布曲线
概率模型
概率曲线
　　Y 频率曲线
洪水频率
降雨频率
经验频率
径流资料系列
累积曲线
离差系数
　　Y 变差系数
历时曲线
皮尔逊分布
皮尔逊III型分布
　　Y 皮尔逊分布
偏态系数
频率分析
频率曲线
适线法
水文统计
水文资料系列*
水文资料选样
随机法
统计参数
统计模型
相关法

水文模型
水文曲线
梯级洪水
调洪演算
退水过程线
下渗模拟
下渗强度
下渗指数
有效降雨量
正常径流
　　Y 年径流
最大流量
最小流量

02J 水文预报

冰情预报
超长期水文预报
春汛预报
防洪预报
　　Y 洪水预报
旱情预报
洪水预报
洪水预报模型
降水预报
径流预报
枯季径流预报
　　Y 枯水预报
枯水预报
流量预报
　　Y 径流预报
泥沙预报
区域洪水预报
融雪径流预报
　　Y 春汛预报
实时洪水预报
水位预报
水文预报
退水预报
预报系统
预见期
中长期水文预报

02K 区域水文

大流域
代表性流域
短缺资料地区
分水岭
分水线
　　Y 分水岭
干流
河口*
河流比降
河流分类
河流袭夺
河网
河系
　　Y 水系
河源
基准流域
集水面积
　　Y 流域面积
流域*
流域洪水
流域汇流
流域面积
流域模型
流域平均降雨量
　　Y 面雨量
流域水量变化
流域水量平衡
流域水文
流域水文地理
流域水文特征
流域水循环
流域总蒸发
区域水量平衡
区域水文
区域水循环
上游
　　Y 上游河段
上游河段
示范流域
　　Y 代表性流域
水文地理*

水系
下游
  Y 下游河段
下游河段
先成河
小汇水区
  Y 小流域
小流域
支流
中游
  Y 中游河段
中游河段

02L 海洋水文

潮流
  Y 潮汐水流
潮水位
潮汐*

潮汐观测
潮汐河口
潮汐河流
  Y 感潮河段
潮汐控制
潮汐模型
潮汐弯道
风暴潮
感潮河段
感潮河网
海港水文
  Y 海洋水文
海浪
海流
海洋观测站
海洋水文
海洋学
沿岸流

03　勘测

03A 测量

测高
测绘
测绘规范
测距
测量*
测量方法
测量技术
测量控制点*
测量控制网*
测深
测向
测斜仪
测站
大比尺测量
大地测量
导线测量
地形参数

  Y 地形模数
地形测量
地形模数
定向技术
方向测量
  Y 测向
GPS
  Y 全球定位系统
高程
高程测量
  Y 测高
高速摄影
光电测距
海拔高
  Y 高程
航测
  Y 航空测量
航空测量
航空摄影

低频法勘探　　　　　　　激发极化法
地球化学勘探　　　　　　交流电法勘探
地球化学水系测量　　　　模拟地震
地球化学异常　　　　　　声波勘探
地球物理测井*　　　　　　水文测井
地球物理勘探　　　　　　位势勘探
地震勘探　　　　　　　　物探
电磁法勘探　　　　　　　　Y 地球物理勘探
电法勘探　　　　　　　　物探仪器
电视测井　　　　　　　　遥感物探
电阻率法勘探　　　　　　直流电法勘探
航空物探　　　　　　　　重力勘探
化探　　　　　　　　　　综合物探
　　Y 地球化学勘探　　　阻抗法勘探

04　水文地质工程地质

04A 一般概念

不整合　　　　　　　　　矿床
产状（地质）　　　　　　倾斜岩层
冲积作用　　　　　　　　水化学分带
单斜岩层　　　　　　　　应用地质
　　Y 倾斜岩层
地球化学　　　　　　## 04B 构造地质
地球物理学
地震工程学　　　　　　　拗陷
地质报告　　　　　　　　不透水断层
地质分区　　　　　　　　储水构造
地质力学　　　　　　　　地槽
地质评价　　　　　　　　地槽带
地质剖面　　　　　　　　　Y 褶皱带
地质数据　　　　　　　　地槽区
地质特征　　　　　　　　　Y 地槽
地质条件　　　　　　　　地层
地质图　　　　　　　　　地层对比
地质学*　　　　　　　　　地壳
地质资料　　　　　　　　地壳形变
风化壳　　　　　　　　　地壳运动
风化作用　　　　　　　　地热
河流地质作用　　　　　　地台
克拉克值　　　　　　　　地震*
　　　　　　　　　　　　地震带
　　　　　　　　　　　　地质构造*

Y 水库坍岸
土坡
土质滑坡
土质学
斜坡稳定性
Y 边坡稳定性
岩爆
岩浆岩
Y 火成岩
岩质滑坡
重力滑坡

04D 水文地质

包气带水
薄膜水
不透水层
层间水
承压含水层
承压水
抽水试验
出水量
大口径井
打井
Y 钻井
地表水—地下水关系
地下肥水
地下河
Y 伏流
地下径流
地下水
地下水动力学
地下水动态
地下水过量开采
地下水回灌
地下水径流
Y 地下径流
地下水均衡
地下水开采
地下水流量
地下水排泄
地下水潜能
地下水水文学

Y 水文地质学
地下水位
地下水温
地下水咸化
地下水异常
地下水源
地下水运动
地下水资源
地下咸水
Y 地下盐水
地下盐水
伏流
辐射井
隔水层
Y 不透水层
观测井
观测孔
Y 观测井
含水层*
机井
Y 渗水井
给水度
夹层水
Y 层间水
井*
井点布置
喀斯特
Y 岩溶
喀斯特水
Y 岩溶水
孔隙水
库区地下水
矿水
裂隙水
滤水管
滤网
毛管水
潜水(水文地质)
浅层地下水
区域水文地质
泉
泉水
深层地下水

渗水井
渗水试验
水补给
水井
　Y 渗水井
水文地质*
水文地质单元
水文地质调查
水文地质勘探
水文地质模拟
水文地质评价
水文地质试验
水文地质图
水文地质学
透水层

小口径井
岩溶
岩溶水
涌水量
　Y 出水量
找水
　Y 水文地质调查
重力水
注水试验
自流井
自流水
钻井
钻井工程
钻井技术

05　岩土工程

05A　一般概念

土动力学
土力学
岩石力学
岩体动力学
岩体力学
　Y 岩石力学
岩土工程

05B　土的组成与分类

饱和土
不均匀系数
层状土
超固结土
超压密土
　Y 超固结土
大孔土
　Y 黄土
单粒结构
冻土
多年冻土

非饱和土
非均质土
蜂窝结构(土力学)
覆盖层*
高岭土
红粘土
红土
黄土
季节冻土
架叠结构
　Y 絮状结构(土力学)
均质土
颗粒级配
颗粒组成
　Y 颗粒级配
灵敏粘土
垆姆
　Y 亚粘土
敏感粘土
　Y 灵敏粘土
泥炭土
粘土
粘性土

膨润土
　Y 膨胀土
膨胀土
欠固结土
欠压密土
　Y 欠固结土
曲率系数
壤土
　Y 亚粘土
扰动土
人工冻土
　Y 人造冻土
人造冻土
软土
砂壤土
　Y 亚砂土
砂土
深覆盖层
湿陷性黄土
碎石土
特种土
填土
土*
土层
　Y 覆盖层*
土结构
土体
未扰动土
　Y 原状土
无粘性土
絮状结构(土力学)
压实土
亚粘土
亚砂土
盐渍土
永久冻土
　Y 多年冻土
淤积土
淤泥
　Y 软土
原状土
胀缩土
　Y 膨胀土

正常固结土
正常压密土
　Y 正常固结土

05C 土的一般性质

阿太堡界限*
崩解性
稠度(土力学)
稠度界限
　Y 阿太堡界限*
触变性
冻胀
冻胀力
冻胀量
干容重
干么重
　Y 干容重
界限含水量
　Y 阿太堡界限*
孔隙比*
孔隙度
　Y 孔隙率
灵敏度(土力学)
流限
　Y 液限
流性界限
　Y 液限
粘塑性
粘弹性
膨胀势
膨胀性
融化压缩
湿陷系数
湿陷性
塑限
塑性界限
　Y 塑限
塑性指数
缩限
弹粘塑性
土容重
土物理性质

应变分析
应变软化
应变速率
应变硬化
应力路径
应力路线
  Y 应力路径
应力松弛
应力-应变关系
应力-应变-时间关系
圆弧破坏
正常固结
正常压密
  Y 正常固结
主固结

05F 土的压实

贯入阻抗
  Y 贯入阻力
贯入阻力
击实度
  Y 压实度
击实功
  Y 压实功
击实曲线
土击实
  Y 土压实
土压实
压实度
压实功
最大干密度
  Y 最大干容重
最大干容重
最大干么重
  Y 最大干容重

05G 土动力特性

地震反应
地震反应谱
  Y 反应谱
地震土压力

地震应力
动剪切模量
动弹性模量
反应谱
砂土液化
土动力稳定性
阻尼比
阻尼系数

05H 土应力

等压线
附加应力
骨架应力
  Y 有效应力
孔隙气压力
粒间应力
  Y 有效应力
三轴应力
土应力
有效应力
自重应力
总应力

05I 土的承载力及沉降

不均匀沉降
差异沉降
  Y 不均匀沉降
沉降*
沉降量*
沉降速率
沉陷
  Y 沉降*
承压力
  Y 承载力*
承载力*
冲压剪切破坏
初始沉降
次固结沉降
地面沉降
地面下沉
  Y 地面沉降

十字板剪切试验
十字板剪切仪
塑限试验
缩限试验
土工测试仪器
土工模型试验
土工试验
土压力盒
土压力量测
压密试验
　　Y 固结试验
岩土力学模型
液限试验
液限仪
应变控制
应力控制
原状土取样器
振动三轴试验
振动三轴仪
直剪试验
直剪仪
直接剪切试验
　　Y 直剪试验

05L 岩石

变质岩
不连续岩体
层状岩体
超基性岩
沉积岩
初始应力量测
大理岩
地应力
地质力学模型试验
动力变质岩
动力反应
风化岩
构造岩
　　Y 动力变质岩
化学岩
花岗岩
混合岩

火成岩
火山岩
基性岩
碱性岩
坚硬岩石
交代岩
胶结物
节理岩体
砾岩
连续岩体
裂隙岩体
流纹岩
泥化夹层
　　Y 软弱夹层
泥质岩
　　Y 粘土岩
粘土岩
喷出岩
　　Y 火山岩
片麻岩
普氏系数
　　Y 岩石坚固系数
侵入岩
区域变质岩
热力变质岩
软化系数
软弱夹层
软弱岩石
三轴强度
砂岩
山岩压力
蛇绿岩
蚀变岩石
石灰岩
水压法试验
酸性岩
碎屑岩
围岩*
围岩变形
围岩破坏
　　Y 岩体破坏
围岩稳定性
围岩应力

单独基础
倒拱基础
　　Y 反拱基础
独立基础
　　Y 单独基础
端承桩
墩式基础
筏形基础
反拱基础
粉喷桩
钢板桩
钢管桩
钢筋砼桩
刚性基础
管柱基础
　　Y 柱基础
管柱桩
管桩
　　Y 管柱桩
灌注桩
基础*
基础板
基础沉降
基础结构
基础设计
基脚
　　Y 基础*
挤密砂桩
接桩
井筒基础
　　Y 沉井
局部加粗桩
抗滑桩
联合基础
锚桩
摩擦桩
木桩
浅基础
浅埋基础
　　Y 浅基础
群桩
柔性基础
砂桩

射水沉桩
深基础
深埋基础
　　Y 深基础
水下基础
碎石桩
砼桩
现浇砼桩
　　Y 灌注桩
振动沉桩
振动碎石桩
柱基础
桩*
桩承台
桩承载力
桩基础
桩基结构
桩接头
桩距
桩帽
桩摩擦力
钻孔灌注桩
钻孔桩
　　Y 钻孔灌注桩

05P 地基加固处理

坝基处理
坝基加固
　　Y 坝基处理
爆破加固
地基处理
　　Y 地基加固
地基加固
冻结加固
粉喷法
硅化加固
　　Y 化学加固
夯实加固
化学加固
换土加固
基础处理
　　Y 地基加固

挤密加固
铝化加固
排水加固
砂垫层
压实加固
　Y 夯实加固
预压加固
振冲法
　Y 振动水冲法
振动加固
振动水冲法

05Q 基础防渗

坝基防渗
板桩防渗墙
　Y 板桩截水墙
板桩截水墙
垂直防渗
地基防渗

地下防渗墙
　Y 截水墙*
地下连续墙
防渗措施
防渗铺盖
　Y 铺盖*
防渗帷幕
　Y 帷幕*
截水墙*
沥青砼截水墙
粘土截水墙
粘土铺盖
水泥帷幕
水平防渗
砼截水墙
砼铺盖
帷幕*
悬挂式帷幕
闸基防渗

06　水力学

06A 一般概念

边界层(水力学)
伯努利方程
层流
潮汐水力学
潮汐水流
单相流
低水头
底流层
动水压力
多相流
二维流
二相流
高水头
工程水力学
过渡层(水力学)
过渡流

过水断面
过水能力
　Y 泄水能力
横向流
减阻
剪流
　Y 剪切流
剪切流
静水压力
局部水头损失
均匀水压力
口门水流
连续流
流场*
流量*
流谱
流速*
流速分布

流速水头
流速系数
流态
流网
流网法
流线
螺旋流
漫滩水流
明槽水力学
内水压力
粘滞系数
三维流
渗流水力学
收缩系数
水动力学
水静力学
水力糙率
　Y 糙率*
水力过渡过程
　Y 过渡过程
水力计算
水力坡度*
水力坡降
　Y 水力坡度*
水力设计
水力特性
水力性能
　Y 水力特性
水力学
水力最佳断面
水流*
水流扩散
水流条件
水流阻力
水深*
水头*
水头损失
水压力
突扩水流
湍流
　Y 紊流
外水压力
紊动

紊动扩散
紊动特性
紊流
紊流边界层
紊流计算
涡流
　Y 紊流
无旋流
谢才系数
　Y 薛齐系数
泄洪水力学
泄水能力
薛齐公式
薛齐系数
压力水头
沿程水头损失
一维流
折冲水流

06B 管系水流

管流
　Y 压力流
管系水流
　Y 压力流
渐变管
间接水击
明满过渡流
水锤
　Y 水击*
水击*
压力流
直接水击

06C 明槽水流

摆动水跃
波状水跃
不恒定流
　Y 非恒定流
不均匀流
　Y 非均匀流
不稳定流

Y 非恒定流
糙率*
超临界流
单宽流量
非恒定流
非均匀流
共轭水深
河口环流
河流水面线
恒定流
缓变流
缓流
环流
环流理论
回流
　　Y 环流
回流区
回水区
　　Y 壅水区
回水曲线
　　Y 壅水曲线
混合流
急变流
急流
渐变流
　　Y 缓变流
均匀流
扩散水跃
临界断面
临界流
临界流速
临界水深
临界水跃
落水曲线
面流
明槽水流
明槽阻力
明渠水流
　　Y 明槽水流
水面曲线
水跃*
水跃函数
瞬变流

弯道水流
完全水跃
稳定流
　　Y 恒定流
稳定水跃
斜水跃
淹没水深
淹没水跃
壅水区
壅水曲线
有压水跃
正常水深
自由水面

06D 堰流

薄壁堰
侧堰
低堰
矩形堰
孔口出流
孔流
　　Y 孔口出流
宽顶堰
量水堰
迷宫堰
潜堰
锐缘堰
三角堰
实用堰
水舌
梯形堰
堰*
堰顶
堰顶水深
堰流
堰面曲线
堰上水头
淹没溢流
闸孔出流
自由溢流

06E 高速水流

掺气
掺气初生点
掺气减蚀
掺气能力
掺气浓度
掺气设施
掺气水流
掺气水深
初生空穴数
高速水流
含气浓度
空化
空化数
空化水流
空蚀*
空蚀控制
空穴
脉动
脉动水流
脉动压力
平面射流
气蚀
　　Y 空蚀*
气穴
　　Y 空穴
射流(水力学)
雾化水流
淹没射流
自由射流

06F 异重流

浑水异重流
密度流
　　Y 异重流
温差异重流
盐水异重流
异重流

06G 渗流

不稳定渗流
　　Y 非恒定渗流

出逸坡降
达西定律
等势线
非恒定渗流
非稳定渗流
　　Y 非恒定渗流
恒定渗流
浸润线
绕坝渗流
三维渗流
渗径
渗流*
渗流场
渗流分析
渗流计算
渗流控制
渗流流速
渗漏*
渗透系数
土坝渗流
稳定渗流
　　Y 恒定渗流
无压渗流
岩体渗流
有压渗流

06H 消能

冲刷*
冲刷计算
冲刷坑
冲刷深度
底流消能
防冲*
接触冲刷
井流消能
局部冲刷
联合消能
临界坡降
　　Y 临界水力坡降
临界水力坡降
面流消能
渗流冲刷

水力冲刷
挑流冲刷
挑流消能
消力庣消能
消能*
消能计算
消能率
压力消能
闸下冲刷

06I 波

波长
波峰
波高
波谷
波浪*
波浪反射
波浪能量
波浪爬高
波浪绕射
波浪压强
波浪要素*
波浪折射
波速
不规则波
潮汐波
冲击波
船行波
风成波
风浪
　Y 风成波
港内波浪
规则波
洪水波
击岸波
溃坝波
立波
浅水波
深水波
推进波
涌浪
余波

　Y 自由波
重力波
驻波
　Y 立波
自由波

06J 水工模型试验

毕托管
变态模型
波高仪
波压表
测波仪
测流装置
测压管
冲刷试验
电模拟试验
定床模型
定床模型试验
动床模型
动床模型试验
断面模型
防浪模型
风洞
复合模型
复合箱式模型
港工模型
港工模型试验
管涌试验
河工模型
河工模型试验
河口模型
混合模型
加沙设备
减压模型试验
减压箱
截流模型试验
空穴仪
溃坝模型试验
流速仪
露天试验场
率定
脉动试验

模型比尺 水工试验室
模型材料 水工试验装置
模型技术 水力相似
模型律 水流模拟
模型沙 水流模型试验
模型试验* Y 水工模型试验
粘滞模型试验 水流显形技术
平面模型 水循环系统
气流模型试验 缩尺影响
全沙模型 紊动量测仪
沙模型试验 紊流量测
渗流试验 文丘里管
石膏模型 旋转模型
水槽试验 循环水洞
水工模型 造波机
水工模型试验 整体模型

07 泥沙

07A 一般概念

含沙量
坝前泥沙 含沙水流
不冲流速 河床质
不淤流速 河口泥沙
潮流输沙 河流泥沙
沉降速度 河流输沙
冲泻质 横向输沙
床沙 洪水泥沙
  Y 河床质 静水沉降
床沙质 均匀沙
底沙 临界推移力
  Y 推移质 流域泥沙
动水沉降 泥沙*
非均匀沙 泥沙沉降
风力输沙 泥沙分布
浮泥 泥沙计算
高含沙水流 泥沙颗粒
固体径流 泥沙粒径
管道输沙 泥沙理论
灌区泥沙 泥沙模型
海岸漂沙 泥沙起动
  Y 沿岸漂沙 泥沙输移
                Y 输沙*

顺直型河段
坍岸*
滩地
滩区
滩涂
天然河道
弯道
弯曲型河段
游荡型河段
主流摆动

07C 泥沙淤积与控制

沉沙池
冲沙
　　Y 排沙
冲沙设施
冲淤
冲淤变化
冲淤平衡
冲淤特性
防沙工程
防淤
放淤
　　Y 排沙
港口清淤

港口淤积
航道淤积
河道冲刷
河道冲淤
　　Y 河道清淤
河道清淤
河道淤积
河口淤积
湖泊清淤
湖泊淤积
回淤
减淤措施
揭底冲刷
拦沙
码头淤积
泥沙防治
排沙
清淤*
渠道淤积
水库清淤
水库淤积
拖淤
挖淤
淤积*
淤积计算
闸下淤积

08　工程结构

08A 力和荷载

冰荷载
冰压力
波浪荷载
侧压力
重复荷载
　　Y 周期荷载
冲击荷载
等效荷载
地震荷载
动荷载
法向力

反复荷载
　　Y 周期荷载
分布荷载
风荷载
荷载*
荷载组合
横向荷载
恒载
　　Y 静荷载
活荷载
极限荷载
集中荷载
剪力

剪切变形
剪切模量
剪切破坏
剪切强度
　　Y 抗剪强度
剪应变
剪应力
接触应力
节点位移
节点应力
结构动力分析
结构分析
结构分析方法
　　Y 结构计算方法*
结构计算
结构计算方法*
结构力学
结构设计
结构稳定性
静力计算
经济断面
径向应力
局部应力
矩形断面
抗拔强度
抗滑稳定
抗剪强度
抗拉强度
抗裂计算
抗裂强度
抗切强度
　　Y 抗剪强度
抗倾覆性
抗弯强度
抗压强度
抗张强度
　　Y 抗拉强度
抗震
抗震分析
抗震计算
抗震设计
抗震性能
孔口应力

拉伸
拉应力
力法
力矩*
力矩分配法
　　Y 弯矩分配法
裂缝
临界应力
脉动分析
挠度
内力计算
能量法
扭矩
扭转
扭转变形
配筋
配筋计算
配筋率
疲劳强度
平面应变
平面应力
破坏分析
破坏机理
破坏面
剖面
　　Y 断面*
强度安全系数
强度计算
强度理论
强度特性
切向应力
屈服点
　　Y 屈服极限
屈服极限
屈服强度
全断面
全息光弹性法
韧性断裂
容许承载力
容许应力
柔度法
三维光弹性法
渗流稳定性

试载法
瞬时强度
塑性变形
塑性铰线法
塑性力学
随机振动
弹性变形
弹性力学
弹性模量
体型设计
梯形断面
砼裂缝
砼温度应力
U形断面
弯矩
弯矩分配法
弯曲
弯曲破坏
弯曲应力
位移*
位移法
温度裂缝
温度应力
稳定安全系数
稳定分析
稳定计算
斜截面强度
斜弯曲
徐变
压应力
应变*
应力*
应力场
应力分布
应力分析
应力计算
　　Y 应力分析
应力集中
应力解除
应力强度因子
应力-应变图
应力状态
影响线

永久变形
预应力
预应力损失
允许裂缝宽度
振动分析方法
正应力
轴向应力
主应力
纵断面
最佳断面

08C 结构类型

薄壁结构
薄膜结构
薄壳
　　Y 薄壳结构
薄壳结构
超静定结构
大板结构
大跨度结构
单层框架
倒拱
地下结构
对称结构
多层结构
房屋结构
非对称结构
非杆件结构
杆件结构
杆系结构
　　Y 杆件结构
钢管结构
　　Y 钢结构
钢结构
钢筋砼结构
钢丝网水泥结构
刚架
刚性结构
高层结构
拱*
拱形结构
工程结构

横向支撑
桁架
   Y 桁架结构
桁架结构
混合结构
   Y 组合结构
结构*
结构型式
金属结构
静定结构
抗震结构
空间结构
框架
   Y 框架结构
框架结构
两铰拱
木结构
排架
   Y 排架结构
排架结构
抛物线拱
配筋砌体结构
平面
平面结构
砌石结构
   Y 砖石结构
桥梁结构
壳体*
轻型结构
柔性结构
三铰拱
上部结构
少筋砼结构
双曲拱
水下结构
素砼结构
   Y 砼结构
砼结构
无铰拱
下部结构
箱形结构
斜拉结构
预应力结构

预应力砼结构
圆形结构
支撑
支承结构
   Y 支撑
砖石结构
装配式砼结构
组合结构

08D 结构构件

板*
保温层
变截面构件
薄板
承重墙
次梁
大梁
   Y 主梁
带肋板
单向板
挡土墙
垫层
吊车梁
防护层
腹板
钢筋砼构件
钢丝网水泥构件
工字形构件
构件
   Y 结构构件*
固端梁
过渡层
环形板
基础梁
加劲环
简支板
简支梁
剪力墙
结构构件*
矩形截面构件
肋板
   Y 带肋板

橡胶支座
永久缝
   Y 结构缝
支座*
周边缝
纵缝

08F 结构试验

材料试验
测力计
冲击试验
初始应力测定
动力试验
断裂试验
非破坏试验
   Y 无损试验
风洞试验
钢筋测力计
光弹模型
光弹试验
荷载试验
剪切仪
结构模型
结构模型试验
静力学模型试验
抗剪强度试验
抗磨试验

抗压强度试验
空蚀仪
拉力测定仪
拉伸试验
力学性能试验
摩擦试验
偏光弹性试验
   Y 光弹试验
破坏试验
气蚀仪
   Y 空蚀仪
强度试验
全息光弹试验
三维光弹模型
三维光弹试验
试件
试验机
收缩试验
砼强度测定
弯曲试验
徐变试验
应变计
应力计
应力试验
原型试验
振动试验
整体结构模型
自动偏光镜

09　水工建筑物

09A 一般概念

安全超高
草皮护坡
大型水利工程
调水工程
供水工程
护坡*
乱石护坡
   Y 抛石护坡
抛石护坡

砌石护坡
取水枢纽
   Y 引水枢纽
枢纽布置
水工建筑物*
水工建筑物设计
   Y 水工设计
水工结构
   Y 水工建筑物*
水工设计
水毁工程

水利工程*
水利工程评价
水利工程设计
　　Y 水工设计
水利枢纽
砼块护坡
小型水利工程
蓄水工程
引水工程
引水枢纽
中型水利工程

09B 水库

变动回水区
并联水库
病险水库
串联水库
　　Y 梯级水库
大型水库
地热水库
地下水库
多年调节水库
反调节水库
防洪水库
回水影响
季调节水库
库岸
库区
龙头水库
年调节水库
平原水库
日调节水库
上池
上水库
　　Y 上池
水库*
水库设计
梯级水库
调节水库
下池
下水库
　　Y 下池

小型水库
月调节水库
滞洪水库
中型水库
综合利用水库

09C 坝

坝*
坝顶
坝顶宽度
坝段*
坝高
坝护坡
坝基
坝加高
坝肩
坝肩推力
坝肩稳定
坝抗震技术
坝抗震设计
坝挠度
坝坡
坝坡稳定
坝上游
坝设计
坝体
坝体分缝分块
坝细部结构
坝下游
坝型
坝型选择
坝趾
坝踵
坝轴线
背水面
背水坡
　　Y 背水面
边铰拱坝
病险坝
薄拱坝
厂房坝段
齿墙

充水塑料坝
　Y 尼龙坝
大坝
大头坝
单曲拱坝
单种土质坝
　Y 均质土坝
挡水坝
　Y 坝*
挡水建筑物
当地材料坝
　Y 土石坝
低坝
地下坝
丁坝
定向爆破坝
冻土坝
堆石坝
多种土质坝
　Y 分区土坝
反滤层
防浪墙
分区土坝
盖重层
钢筋砼坝
高坝
拱坝
拱形重力坝
观测廊道
灌浆廊道
过水堆石坝
过水土坝
灰坝
活动坝
加筋土坝
检查廊道
交通廊道
均质土坝
空腹拱坝
空腹重力坝
空心拱坝
　Y 空腹拱坝
宽缝重力坝

拦河坝
　Y 坝*
廊道*
肋墩坝
　Y 支墩坝
沥青砼面板
沥青砼面板坝
沥青砼心墙
沥青砼心墙坝
连拱坝
面板坝
尼龙坝
粘土斜墙
粘土心墙
碾压坝
碾压砼坝
碾压砼面板
碾压砼面板坝
碾压土坝
排沙廊道
　Y 输沙廊道
排水廊道
平板坝
砌石坝
砌石拱坝
砌石重力坝
潜坝
软材料坝
实体重力坝
输沙廊道
双铰拱坝
双曲拱坝
水坝
　Y 坝*
水力冲填坝
水中填土坝
水坠坝
　Y 水力冲填坝
顺坝
锁坝
台阶坝
梯形坝
填筑坝

Y 土石坝
砼坝
砼面板
砼面板堆石坝
砼斜墙
砼心墙
砼重力坝
土坝
土石坝
土石坝护坡
土石混合坝
Y 土石坝
推力墩
尾矿坝
圬工坝
Y 砌石坝
橡胶坝
小坝
斜墙*
斜墙坝
斜墙土坝
泄流坝段
心墙*
心墙坝
心墙土坝
溢流坝
硬壳坝
迎水面
迎水坡
Y 迎水面
预应力砼坝
淤地坝
淤填坝
Y 淤地坝
闸坝
支墩坝
重力坝
重力拱坝
装配式砼坝
自溃坝

09D 水闸、闸门、阀门

薄壳闸门
冲沙闸
船闸闸门
挡潮闸
叠梁闸门
定轮闸门
翻转闸门
防潮闸
Y 挡潮闸
分洪闸
分水闸
Y 分洪闸
浮式闸门
浮体闸门
Y 浮式闸门
钢筋砼闸门
钢丝网水泥闸门
钢闸门
高水头闸门
Y 高压闸门
高压闸门
工作桥
工作闸门
鼓形闸门
滚轮闸门
Y 辊式闸门
辊式闸门
横拉闸门
蝴蝶阀
弧形钢闸门
弧形闸门
滑动闸门
滑阀
检修闸门
节制闸
进水闸
卷扬式启闭机
拦河闸
Y 节制闸
链式启闭机
螺杆式启闭机
门吊
Y 门式启闭机

门机
　Y 门式启闭机
门式启闭机
木闸门
排沙闸
　Y 冲沙闸
平板闸门
　Y 平面闸门
平面闸门
启闭机*
启闭机桥
　Y 工作桥
启闭力
启门力
　Y 启闭力
渠首闸
　Y 进水闸
人字闸门
三角闸门
扇形闸门
舌瓣闸门
深水闸门
　Y 高压闸门
事故闸门
水力自控闸门
水闸*
塑料闸门
锁闭装置
　Y 锁定装置
锁定装置
泄洪闸
　Y 分洪闸
泄水闸
胸墙
液压启闭机
液压闸门
翼墙
油压启闭机
　Y 液压启闭机
圆筒闸门
闸底板
闸墩
闸门*

闸门槽
闸门开度
闸门启闭机
　Y 启闭机*
闸门振动
闸设计
闸室
铸铁闸门
自动闸门

09E 隧洞

不衬砌隧洞
　Y 无衬砌隧洞
导流隧洞
发电隧洞
排沙洞
水工隧洞
水工隧洞设计
　Y 隧洞设计
水下隧洞
隧道
　Y 隧洞*
隧洞*
隧洞断面
隧洞分岔段
隧洞渐变段
隧洞裂缝
隧洞设计
尾水隧洞
无衬砌隧洞
无压隧洞
泄洪隧洞
泄水隧洞
　Y 泄洪隧洞
压力隧洞
　Y 有压隧洞
引水隧洞
有压隧洞

09F 泄水建筑物

岸边式溢洪道

09H 输水建筑物

倒虹吸
   Y **倒虹吸管**
倒虹吸管
虹吸管
输水道
输水涵洞
输水建筑物
输水隧洞

09I 消能建筑物

鼻坎
   Y **挑流鼻坎**
辅助消能工
静水池
   Y **消力池**
孔板消能工
宽尾墩
扩散式消能工
联合消能工
裙板消能工
收缩式消能工
挑流鼻坎
消力池
消力墩
消力戽
消力井
消力槛
消能工*
消能建筑物
   Y **消能工***
消能结构
   Y **消能工***
消能设施
   Y **消能工***
窄缝式消能工

09J 过鱼过木建筑物

池式鱼道
池式鱼梯

   Y **池式鱼道**
丹尼尔式鱼道
   Y **加糙槽式鱼道**
筏道
隔板式鱼道
过木机
过木建筑物
过鱼建筑物
过鱼设施
集鱼船
加糙槽式鱼道
漂木道
升鱼机
竖缝式鱼道
竖井式鱼闸
索道
梯级鱼道
斜槽式鱼道
斜井式鱼闸
泻木槽
   Y **漂木道**
压力式鱼闸
堰式鱼道
淹没孔口式鱼道
诱鱼设备
鱼道*
鱼道清污
鱼道设计
鱼梯
   Y **鱼道***
鱼闸*

09K 通航建筑物

承船厢
船闸*
船闸输水系统
垂直升船机
单级船闸
单线船闸
多级船闸
浮筒垂直升船机
横向斜面升船机

10　水力发电

10I 尾水系统

尾水渠
尾水隧洞
尾水系统
尾水闸门

10J 水电站电气

变压器*
厂用电
电抗器
电力电缆
电气布置
电气设备
断路器
二次设备
二次系统
防雷
高压变电所
过电流保护
过电压保护
互感器
继电保护
继电器
开关站
漏电保护
灭磁系统
配电装置
水电站自动化
水轮发电机组保护

一次设备
一次系统
中央控制室
主变压器
主结线图

10K 水电站运行

抽水工况
低水位运行
动水关闭
发电工况
防飞逸保护
孤立运行
联网
联网运行
甩负荷运行
水泵工况
　Y 抽水工况
水电站运行
水轮发电机组运行
水轮机事故
调峰
调相

10L 农村电气化

初级电气化
农村电气化
小水电

11　农田水利与水土保持

11A 一般概念

除涝
　Y 排涝
防涝
　Y 排涝
抗旱

农田水利
农田水情
农业水利化
农业用水
排涝
平整土地
治涝

Y 排涝

11B 排灌技术

波涌灌溉
　Y 间歇灌溉
薄膜灌溉
抽水灌溉
除涝标准
　Y 排涝标准
春灌
磁化水
地面灌溉
地下灌溉
　Y 渗灌
滴灌
滴灌技术
滴灌试验
电力灌溉
电力排灌
冬灌
风力提水
沟灌
固定式灌溉
管道灌溉
　Y 管道输水灌溉
管道输水灌溉
灌溉*
灌溉保证率
灌溉方法
灌溉技术
灌溉均匀性
灌溉取水
灌溉设计
灌溉时间
灌溉试验
灌溉水
灌溉水位
灌溉水温
灌溉水源
灌溉系统自动化
灌溉周期
灌区排水

机电排灌*
机械灌溉
机械排灌
间歇灌溉
节水灌溉
井灌
轮灌
漫灌
膜上灌
　Y 薄膜灌溉
农田灌溉
农田排水
排涝标准
喷灌
喷灌技术
喷灌强度
喷灌试验
畦灌
渗灌
湿润灌溉
施肥灌溉
水库取水
提水
提水灌溉
　Y 抽水灌溉
提水设备
田间试验
微灌
雾灌
污水灌溉
咸水灌溉
穴灌
淹灌
扬水灌溉
　Y 抽水灌溉
移动式灌溉
引洪灌溉
引水灌溉
淤灌
园林灌溉
重力灌溉
自流灌溉
坐水种

Y 穴灌

11C 灌区管理

灌溉程序
　Y 灌溉制度
灌溉定额
灌溉管理
灌溉回归水
灌溉流量
灌溉面积
灌溉水利用率
　Y 灌溉水利用系数
灌溉水利用系数
灌溉水质
灌溉效率
　Y 灌溉水利用系数
灌溉需水量
灌溉制度
灌区
灌区量水
灌区水量调配
灌水定额
灌水计划
　Y 灌溉制度
灌水率
井灌区
井渠联合运用
量水槽
量水设备
量水装置
渠灌区
水分生产函数
田间持水量
田间耗水量
田间需水量
　Y 灌溉需水量
引黄灌区
作物亏水量
　Y 作物需水量
作物需水量

11D 牧区水利

草场*
草地
草库伦
　Y 人工草场
草原
灌溉牧场
牧草
牧草需水量
牧场*
牧场供水
牧场灌溉
牧场排水
牧区
牧区供水
牧区水利
牧区水质
人畜饮水
人工草场
人工牧场
牲畜需水量
天然草场
天然牧场
饮水制度
种草

11E 排灌工程

暗渠
泵车
泵船
泵房
泵站
　Y 水泵站*
泵站管理
泵站技术改造
泵站技术经济指标
泵站设计
潮汐泵站
抽水蓄能泵站
　Y 蓄能泵站
抽水站
　Y 水泵站*
大型泵站

11F 排灌机械与设备

长轴井泵
抽水机
 Y 水泵
大型喷灌机
低压喷灌机
低压喷头
滴灌设备
滴灌系统
滴头
端拖式喷灌机
风力水泵
高压喷灌机
高压喷头
固定式喷灌机
固定式喷头
灌溉机械
灌溉设备
滚移式喷灌机
混流泵
井用泵
离心式喷头
脉冲式喷头
农用水泵
 Y 水泵
排灌机具
排灌机械
排灌设备
喷灌管道
喷灌机*
喷灌系统
喷头*
平移式喷灌机
潜水泵
潜水电泵
 Y 潜水泵
浅井泵
轻型喷灌机
射流泵
射流式喷头
深井泵
深水泵

时针式喷灌机
手动式喷头
水泵
水泵安装
水泵比速
水泵比转速
 Y 水泵比速
水泵工况点
 Y 水泵工作点
水泵工作点
水泵机组
水泵性能
水泵运行
水泵自吸装置
水轮泵
塑料喷头
太阳能水泵
微型喷灌机
微型喷头
涡轮式喷头
小型喷灌机
行喷式喷灌机
 Y 移动式喷灌机
旋转式喷灌机
旋转式喷头
摇臂式喷头
叶片泵
移动式喷灌机
圆形喷灌机
 Y 时针式喷灌机
中心支轴式喷灌机
 Y 时针式喷灌机
中型喷灌机
中压喷灌机
中压喷头
轴流泵
转臂式喷灌机
自吸装置
自走式喷灌机

11G 水土保持及土壤改良

冲沟侵蚀

沼泽土改良 　　　　　Y 盐碱土改良
植物措施 　　　　　中低产田改良
治沟 　　　　　重力侵蚀
治碱 　　　　　渍田改良

12　防洪与河道整治

内陆运河　　　　　　　通航水位
渠化航道　　　　　　　通航条件
渠化运河　　　　　　　通航运河
入海航道　　　　　　　引航道
深水航道　　　　　　　运河
通航水深　　　　　　　运河网

13　港口与海岸工程

13A　海岸工程

海岸*
海岸冲刷
海岸调查
海岸防护
海岸防护林
海岸工程
海岸线
海岸演变
海岸淤积
海岸整治
海塘
海涂围垦
　　Y　围海造陆
海湾
河口海岸
护岸工程
沙质海岸
滩岸侵蚀
滩涂
围海造陆
岩质海岸
淤泥质海岸

港池*
港口*
港口工程
港址选择
海堤*
海港
海港工程
河港
河口港
混合式防波堤
内堤
内河港
潜式防波堤
深水港
水库港
突堤
推出式港池
挖入式港池
外堤
消浪措施
斜坡式防波堤
渔港
直立式防波堤
桩式防波堤

13B　港口

挡潮堤
岛堤
导航堤
防波堤*
防浪措施
浮式防波堤

13C　码头

板桩码头
船坞
岛式码头
　　Y　离岸码头
浮码头
高桩码头

离岸码头
码头*
码头护坡
深水码头
实体码头
顺岸码头

突堤码头
栈桥码头
　Y 离岸码头
重力码头
桩基码头

14　水利水电工程施工

14A　一般概念

材料运输
钢筋加工厂
工程施工
　Y 施工*
骨料加工厂
竣工设计
生活设施
施工*
施工报告
施工承包
施工附属企业
　Y 施工辅助企业
施工辅助企业
施工概算
施工规程
　Y 施工规范
施工规范
施工合同
施工监理
施工期
施工企业
施工预算
施工总结
水电站施工
水利工程施工
碎石厂
　Y 骨料加工厂

14B　施工技术与管理

材料管理
　Y 物资管理
顶管法施工
　Y 顶进法施工
顶进法施工
冬季施工
　Y 严寒气候施工
冻结法施工
防冻技术
分期施工
风力运输
　Y 管道气力运输
高空作业
管道气力运输
管道水力运输
管道运输
关键线路法
机械化施工
价值工程
抗冻措施
快速施工
料场选择
明挖法施工
泥浆固壁法施工
施工安全
施工场地布置
施工程序
施工调度
施工定额
施工方案
施工防尘
施工方法

施工防护
施工防火
施工放样
施工管理
施工计划
施工技术
施工机械化
 Y 机械化施工
施工交通
施工进度
 Y 施工计划
施工期防汛
施工期通航
施工网络进度
施工用地
施工质量
施工准备
施工总布置图
施工总平面图
 Y 施工总布置图
施工组织
施工组织设计
水上施工
水上作业
 Y 水上施工
网络进度
 Y 施工网络进度
物资管理
夏季施工
 Y 炎热气候施工
严寒气候施工
炎热气候施工
雨季施工
真空作业
装配式施工

14C 土石方工程施工

边坡开挖
采石场
冲洗
 Y 清洗
地基开挖

 Y 基坑开挖
地基排水
地基疏干
 Y 地基排水
电渗排水
冻土开挖
堆石
分级
 Y 筛分*
干砌块石
回填
基坑
基坑开挖
基坑排水
激光破碎
井点排水
开挖*
破碎*
砌石*
清基
清洗
渠道开挖
人工制砂
砂井排水
砂石料加工系统
砂石料开采
筛分*
石方工程
竖井排水
水力冲填
水力分级
水力开挖
水力劈裂
水力输送
填筑*
土方工程
土方计算
土方开挖
土方平衡
土料场
土料运输
 Y 运土
挖掘

Y 开挖*
挖填平衡
　Y 土方平衡
岩石开挖
运土

14D 施工导流与截流

板桩围堰
草土围堰
厂房导流
导流*
导流底孔
导流渠
底孔导流
定向爆破截流
堵口
分期导流
分期围堰法
　Y 分期导流
封堵
钢围堰
过水围堰
涵洞导流
合龙
混合法截流
截流*
立堵法截流
龙口
笼网围堰
明渠导流
木笼围堰
平堵法截流
上游围堰
深水围堰
施工导流
　Y 导流*
梳齿导流
隧洞导流
砼围堰
土石围堰
围堰*
围堰拆除

围堰防冲
围堰防渗
下游围堰
竹笼围堰
纵向围堰

14E 地下工程施工

衬砌*
大型洞室
地下洞室
地下工程
洞室*
洞室围岩
洞室支护
盾构法
分断面衬砌
封拱
钢衬砌
灌浆锚杆
　Y 锚杆*
锚杆*
锚固
锚喷支护
锚栓
　Y 锚杆*
喷砼支护
全断面衬砌
全断面开挖
竖井
竖井开挖
隧洞衬砌
隧洞防渗
隧洞工程
隧洞掘进
　Y 隧洞开挖
隧洞开挖
隧洞开挖方法
隧洞施工
隧洞支撑
　Y 隧洞支护
隧洞支护
塌方处理

砼塞
斜洞
新奥法
岩栓加固
预应力锚杆
预应力锚索
支洞
支护*
装配式衬砌
钻爆法

14F 灌浆

丙凝
　　Y 丙烯酰胺
丙烯酰胺
补强灌浆
堵漏
铬木素
固结灌浆
灌浆*
灌浆材料
灌浆工艺
灌浆孔
灌浆设备
灌浆深度
灌浆试验
灌浆效果
灌浆压力
硅酸钠
耗灰量
耗浆量
化学灌浆
化学灌浆材料
环氧树脂灌浆
回填灌浆
基础灌浆
甲凝
　　Y 聚甲基丙烯酸甲酯
检查孔
浆液
浆液配比
接触灌浆

接缝灌浆
聚氨酯
聚甲基丙烯酸甲酯
裂缝灌浆
泥浆灌浆
粘土灌浆
粘土水泥灌浆
氰凝
　　Y 聚氨酯
水玻璃
　　Y 硅酸钠
水泥灌浆
套管护壁法
帷幕灌浆
压力灌浆
压水试验
岩基灌浆
止浆片
注浆堵水技术
自流灌浆

14G 砼工程施工

保温模板
标准模板
薄膜养护
大体积砼施工
大型模板
导管浇筑砼
定型模板
　　Y 标准模板
顶升模板
防裂措施
钢筋架立
钢模板
后张法
滑动模板
活动模板
立模工艺
模板*
模板侧压力
模板周转率
木模板

Y 挖掘机
吊车
　Y 起重机*
分断面掘进机
风沙枪
钢筋加工设备
钢轮碾
钢模台车
灌浆泵
灌浆机
灌浆塞
灌浆设备
轨道式起重机
行车
　Y 桥式起重机
夯实机
　Y 打夯机
给料机
架空索道
绞车
　Y 卷扬机
卷扬机
掘进机
开沟机
　Y 挖沟机
空气压缩机
缆索起重机
肋形碾
门式起重机
泥浆泵
碾压机械
平板振捣器
平碾
　Y 钢轮碾
破碎机
起重滑车
起重机*
起重机械
汽车起重机
汽车式搅拌机
气胎碾
千斤顶
桥式起重机

全断面掘进机
散装水泥运输装置
砂驳
砂石料加工设备
筛分船
筛分机*
升降机
施工机械
输送机*
水力分级机
水力输送机械
水枪
松土器
隧洞掘进机
　Y 掘进机
碎石机
　Y 破碎机
塔式起重机
砼拌和楼
砼拌制设备
砼泵
砼打毛机
砼吊罐
砼机械
砼搅拌机
砼喷射机
砼振捣器
推土机
挖沟机
挖掘机
挖掘机械
挖土机
　Y 挖掘机
喂料机
　Y 给料机
洗砂分级设备
斜坡铺面机
压实机械
羊脚碾
运输机械
杂质泵
凿岩机
振动溜槽

潜水作业　　　　　　　水下立模
　Y 水下施工　　　　　水下施工
射水沉桩　　　　　　　水下砼浇筑
水下爆破　　　　　　　水下作业
水下焊接　　　　　　　　Y 水下施工
水下开挖　　　　　　　振动沉桩

15　工程材料

15A　一般概念

保温材料
薄壁管
材料*
材料力学
材料力学性质
大口径管
当地材料
反滤料
防水材料
非金属材料
风化料
复合材料
复合材料力学
隔热材料
　Y 保温材料
工程材料
管*
河工材料
混合材料
建筑材料
胶凝材料
节料措施
结构材料
颗粒材料
密封材料
耐磨材料
粘接剂
排水材料
柔性材料
填缝材料
天然建筑材料
新型建筑材料
粘接材料
止水材料
筑坝材料

15B　水泥和混合材料

波特兰水泥
　Y 硅酸盐水泥
超细水泥
大坝水泥
低碱水泥
低热水泥
　Y 大坝水泥
矾土水泥
粉煤灰
粉煤灰硅酸盐水泥
　Y 粉煤灰水泥
粉煤灰水泥
高强水泥
硅粉
硅酸盐水泥
含碱量
混合水泥
火山灰
火山灰硅酸盐水泥
　Y 火山灰水泥
火山灰水泥
抗硫酸盐硅酸盐水泥
　Y 抗硫酸盐水泥
抗硫酸盐水泥
矿渣
矿渣大坝水泥

矿渣硅酸盐水泥
　　Y　**矿渣水泥**
矿渣水泥
硫酸盐水泥
凝结
凝结时间
膨胀水泥
普通硅酸盐水泥
　　Y　**普通水泥**
普通水泥
收缩补偿水泥
水化
水泥*
水泥标准
水泥浆
水泥品种
水泥熟料
水泥质量
微膨胀水泥
无熟料水泥
纤维水泥
硬化
早强水泥
中热水泥
　　Y　**大坝水泥**
自应力水泥

15C　外加剂

超塑化剂
　　Y　**高效减水剂**
促凝剂
　　Y　**速凝剂**
防冻剂
防水剂
复合外加剂
高效减水剂
缓凝剂
加气剂
　　Y　**引气剂**
减水剂
胶乳
铝粉

膨胀剂
速凝剂
塑化剂
　　Y　**减水剂**
外加剂*
消泡剂
引气剂
阻锈剂

15D　骨料

粗骨料
粗砂
非活性骨料
粉砂
骨料*
骨料超逊径
骨料级配
骨料粒径
骨料质量
硅酸盐骨料
活性骨料
集料
　　Y　**骨料***
碱骨料反应
间断级配
块石
砾石
　　Y　**卵石**
连续级配
卵石
蛮石
轻骨料
人工砂
砂*
砂砾石
水泥骨料反应
　　Y　**碱骨料反应**
酸性骨料
碎石
碳酸盐骨料
陶粒
细度模数

细骨料
细砂

15E 砂浆

高强砂浆
环氧砂浆
胶乳水泥砂浆
聚合物砂浆
聚合物水泥砂浆
喷浆
砌筑砂浆
　Y 砂浆*
砂浆*
水泥砂浆
　Y 砂浆*

15F 砼

拌和时间
泵送砼
成熟度
大坝砼
大体积砼
防渗砼
粉煤灰砼
富砼
干硬性砼
钢筋砼
钢纤维砼
　Y 纤维砼
高强度砼
骨灰比
硅粉砼
含砂率
环氧树脂砼
　Y 树脂砼
混凝土
　Y 砼*
加筋砼
加气砼
　Y 引气砼
浸渍砼

聚合物浸渍砼
　Y 浸渍砼
聚合物水泥砼
块石砼
冷砼
龄期
流动砼
硫磺砼
蛮石砼
模袋砼
碾压砼
喷射砼
　Y 喷砼
喷砼
膨胀砼
贫砼
轻砼
全级配砼
溶滤
少筋砼
收缩补偿砼
树脂砼
双掺砼
水工砼
水灰比
水泥裹砂砼
水泥砼
　Y 砼*
水泥用量
水下砼
塑性砼
素砼
碳化
特种砼
砼*
砼拌和物
砼配合比
微膨胀砼
无筋砼
　Y 素砼
无砂砼
无坍落度砼
　Y 干硬性砼

弹塑性
砼标号
砼极限拉伸
砼孔结构
砼强度
砼强度龄期关系
砼性能
砼质量
砼自身体积变化
温升*
细度
早期强度

15L 材料试验

差热分析
超声试验

冻融试验
钢筋位置测定
骨料试验
金相分析
快速试验
沥青试验
沥青砼试验
渗透性试验
声学试验
试件
水化热试验
水泥试验
砼试验
无损试验
显微检验
芯样
岩相分析

16　水利管理

16A 水利管理

坝安全
坝变形
坝顶溢流
坝管理
坝加固
坝老化
坝裂缝
坝缺陷
坝修补
坝震害
坝振动
初次蓄水
除险加固
大坝失事
堤防管理
堤防维修
调度*
调度方式
调度图
动物危害*

防洪调度
分期调度
供水管理
灌区管理
河川管理
　　Y 河道管理
河道管理
机电设备管理
建筑物老化
库区管理
　　Y 水库管理
库区绿化
库区水土保持
库区土地利用
库水位
库水位骤降
枯水期调度
溃坝
联合调度
裂缝处理
裂缝检查
流域管理

实时调度
失事分析
鼠害
水工建筑物管理
水库冲沙
水库调度
水库放空
水库供水
水库管理
水库控制运用
　　Y 水库运用
水库旅游
水库清淤
水库群联合调度
水库渗漏
水库水质
水库坍岸
水库汛期调度
水库养鱼
水库运用
水库综合调度
水库综合利用
水利工程管理
水利管理
水沙调度
兴利调度
蓄清排浑
汛期调度
蚁害
优化调度
预报调度
预蓄预泄调度
闸管理
最优调度
　　Y 优化调度

16B 原型观测及仪器

安全监测
变形观测
测缝计
测渗仪
测斜仪

测压管
沉降观测
沉降仪
沉陷观测
　　Y 沉陷观测
沉陷仪
　　Y 沉降仪
垂直位移观测
大坝观测
地震观测
地震仪
电阻温度计
多点变位计
　　Y 岩体变位计
固结观测
管涌仪
观测*
观测成果
观测方法
观测井
观测设备
观测设计
观测仪器布置
观测装置
观测自动化
观测资料
观测资料整编
滑坡监测
基础扬压力观测
　　Y 扬压力观测
激光准直仪
监测*
监测资料
浸润线观测
孔隙水压力观测
空蚀观测
溃坝观测
裂缝观测
流速观测
流态观测
流向观测
绕坝渗流观测
渗流观测

渗透观测
　　Y 渗流观测
渗压计
　　Y 测渗仪
施工期观测
视准仪
　　Y 准直仪*
水流观测
水平位移观测
水位观测
砼坝观测
土坝观测
　　Y 土石坝观测
土石坝观测
土压力盒

位移观测
温度观测
压力观测
岩体变位计
扬压力观测
应变观测
应变计
应力观测
应力计
原型观测
原型观测仪器
准直仪*
自动观测
自动观测装置

17　环境水利

17A　一般概念

超标率
城市环境
城市环境水利
次生环境
　　Y 第二环境
第二环境
第一环境
耗氧系数
环境*
环境工程
环境教育
环境科学
环境模式
环境容量
环境水利
环境水力学
环境水文学
环境影响*
环境影响评价
环境质量
环境质量模式

　　Y 环境模式
库区环境
生态环境
生态平衡
生态系统
水环境
水利工程环境影响
水质本底值
水质动态
原生环境
　　Y 第一环境

17B　水污染及污染源

BOD
　　Y 生物耗氧量
COD
　　Y 化学耗氧量
城市污染
城市污水
赤潮
淡水咸化
点污染

点污染源
毒物污染
放射性污染
肥料污染
废弃物
　　Y 废物
废水
废物
废渣
　　Y 废物
富营养化
工业废水
公害
海水入侵
海洋污染
含氟水
河流污染
湖泊污染
化学耗氧量
环境污染
降水污染
垃圾污染
弥散
面污染
面污染源
排污
热污染
渗流污染
生活污水
生物耗氧量
生物污染
水库污染
水体污染
　　Y 水污染
水污染
水质污染
　　Y 水污染
酸雨
土壤污染
污泥
污染*
污染带
污染机制

污染物
污染物迁移
污染源*
污水
污水排放量
盐水入侵
　　Y 海水入侵
异常营养化
有机污染
油污染
藻类繁殖
重金属污染
总氮
总磷

17C 水资源保护及水污染防治

复氧
灌溉水质
河流水质
湖泊水质
环境保护*
环境监测
浑浊度
净化*
矿化度
牧区水质
纳污能力
排放标准
排污费
曝气
溶解氧
容许排放量
色度
生物净化
示踪试验
水处理
水分析
　　Y 水质分析
水化学
水化学性质
水净化
水库水质

水温
水文化学
　Y 水化学
水污染防治
水污染防治法
水物理性质
水样
水源保护
水源保护区
水质
水质标准
水质调查
水质分析
水质管理
水质监测
水质鉴定

　Y 水质评价
水质模型
水质评价
水质预测
水资源保护
透明度
污染调查
　Y 污染研究
污染防治
污染控制
污染研究
污染预测
污水处理
饮用水质
硬度
自净

18　相关学科

18A　数学

比例
比值
变分法
变换*
变量*
边界元法
边值问题
伯努利方程
泊松方程
泊松分布
布尔代数
参数*
策略(数学)
层次分析法
差分法
插值法
常数
迭代法
动态规划
对策论
对数分布

多目标模型
反分析
反馈分析
　Y 反分析
反演分析
　Y 反分析
方差分析
方程*
非线性规划
分析(数学)*
傅立叶变换
傅立叶级数
概率
概率分布
概率论
公式*
估算
规划论*
函数*
灰色理论
回归分析
回归模型
或然率

18B 物理学与力学

热稳定性
热学性质
溶质迁移
容重*
色谱分析
声波
示踪法
水声学
同位素法
温度*
温度变化
温度场
误差*
误差校正
物理模型
物理性质*
物理学*
吸附*
性能变化
循环*
压力*
压力变化
压缩波
     Y 横波
液体*
运动方程
振动*
振动理论
振动频率
振幅
振型
蒸发*
重量
状态变化
自振
纵波
阻力

18C 化学

氨
醇
氮

氮化物
电解液
定量分析
定性分析
二氧化硫
二氧化碳
放射性同位素
芳烃
分解反应
分析(化学)*
负离子
     Y 阴离子
铬
镉
汞
合成纤维
合成橡胶
化肥
化合反应
化合物*
化学*
化学处理
化学反应*
化学试验
化学性质*
还原反应
碱
碱度
碱性
     Y 碱度
胶体
胶体化学
金属离子
     Y 阳离子
离子*
硫化物
硫酸
氯
氯化物
农药
浓度*
pH值
铅

氢
氰化物
醛
染料
溶剂
溶液
溶质
示踪剂
水化学
酸*
酸度
酸性
　　Y 酸度
微量分析
无机化合物
无机酸
无机盐
硝酸
盐酸
颜料
氧
氧化反应
氧化物
阳离子
一氧化碳
阴离子
有毒物质
有害物质
有机化合物
有机酸
有机物
正离子
　　Y 阳离子
置换反应
重金属

18D 地理学

半干旱地区
辫状河
冰川
冰川湖
草地

草原
常流河
冲积平原
冲积扇
淡水湖
岛屿
低洼地区
地貌*
地区*
地上悬河
地形
非常流河
　　Y 季节性河流
分水岭
干旱地区
高原
高原地区
古河道
国际河流
海涂围垦
　　Y 围海造陆
海湾
海洋
寒冷地区
河床
河段*
河谷
河口三角洲
河流*
河流地貌
河漫滩
河网
河网地区
洪积平原
洪积扇
湖泊*
湖区
荒地
荒山
黄土地区
季节性河流
季节性湖泊
间歇河

阶地 　　　　　　　　　山沟*
界河 　　　　　　　　　山脉
喀斯特地形 　　　　　　山区
　Y 岩溶地貌 　　　　　山区河流
开放城市 　　　　　　　深水区
涝区 　　　　　　　　　水域
林地 　　　　　　　　　洼地
林区 　　　　　　　　　峡谷
内陆河 　　　　　　　　咸水湖
内陆湖 　　　　　　　　　Y 盐湖
盆地 　　　　　　　　　沿海城市
平原* 　　　　　　　　沿海地区
平原地区 　　　　　　　岩溶地貌
平原河流 　　　　　　　岩溶地区
坡地 　　　　　　　　　盐湖
浅水区 　　　　　　　　沼泽
丘陵 　　　　　　　　　沼泽地区
丘陵区 　　　　　　　　自然保护区
缺水地区 　　　　　　　自然地理
沙漠

19　相关领域

19A　综合经济

安全运行 　　　　　　　风力资源
产量 　　　　　　　　　风险分析
产品 　　　　　　　　　风资源
产业* 　　　　　　　　　Y 风力资源
长期规划 　　　　　　　扶贫
　Y 远景规划 　　　　　改革*
承包* 　　　　　　　　　股份制
第三产业 　　　　　　　管理机构
定编 　　　　　　　　　管理经验
定额管理 　　　　　　　管理体制
动态投资 　　　　　　　管理系统
发展纲要 　　　　　　　管理现代化
防灾 　　　　　　　　　规划*
费用效益分析 　　　　　规划报告
分配* 　　　　　　　　国际合作
分配制度 　　　　　　　国际交流
　　　　　　　　　　　国际招标
　　　　　　　　　　　国民经济

运转
　Y 运行*
灾害*
灾害防治
　Y 防灾
造价*
招标*
指标*
质量*
资源*
总体规划
综合调查
综合规划
综合经营
综合利用效益
最优规划
最优运行

19B 农业、林业与水产

坝地
草
春小麦
大豆
稻田
低产作物
冬小麦
防风林
防护林*
防浪林
分层养鱼
复垦
甘蔗
高产作物
高粱
固沙林
灌溉农田
过量采伐
果树
旱地
　Y 旱田
旱田
旱作物

护岸林
花生
基本农田
节水农业
经济沟
经济林
经济作物
冷浸田
　Y 冷渍田
冷渍田
粮食作物
林业
棉花
耐寒作物
耐旱作物
农场
农村
农村经济
农田*
农田防护林
农田基本建设
农业*
农业贷款
农业节水
农业经济
农业区划
农业移民
农作物
　Y 作物*
坡改梯
渠道养鱼
热带作物
森林
沙棘
示范区
蔬菜
水产养殖
水产资源
水稻
水库防护林
水库养鱼
水平沟
水生生物

19C 工业、交通与城乡建设

工程报告
工程布置
工程等级
工程费用
工程概算
工程管理
工程规划
工程规划设计
工程集资
工程监理
工程老化
工程设计
工程事故
工程实例
工程特性
工程投标
工程投资
工程维修
工程详图
工程效益
工程验收
工程预算
工程造价
工程招标
工程质量
工程资金筹措
　　Y 工程集资
工程总结
工况*
工业*
工业厂房
　　Y 厂房*
工业供水
工业建筑物
工业节水
工业需水量
工艺*
供电系统
供水管道
供水设计
供水系统
公路
构筑物

　　Y 建筑物*
骨干工程
管道输水
管网布置
管网设计
涵洞
航运
核电站
核工业
化学工业
火电厂
机械工业
集水池
　　Y 蓄水池
给水设计
　　Y 供水设计
给水系统
　　Y 供水系统
技术设计
加固*
加固设计
建材工业
建筑工程
建筑设计
建筑物*
建筑物扶正
建筑物维修
检修
　　Y 维修*
交通*
交通运输业
节能措施
居民需水量
卡车
　　Y 载重汽车
开关站
空气调节系统
矿区
扩建工程
冷却*
冷却水池
冷却水塔
冷却系统

凉水塔
　　Y 冷却水塔
临时工程
路基
路面
煤炭工业
民用建筑物
明渠排水
能源*
能源工业
拟建工程
排水*
排水工程
排水沟
排水管道
排水技术
排水流量
排水设计
排水系统
配套工程
企业*
企业管理
桥
桥梁
　　Y 桥
轻工业
热力系统
人防措施
设计报告
生产成本
生产管理
石油工业
输配电系统
输水系统
水池*
水窖
水冷却
水塔*
太阳能
铁路
通风
通风系统
土木工程学

维护
　　Y 维修*
维修*
污水处理场
下水道系统
　　Y 城市排水系统
乡镇供水
乡镇建设
新能源
蓄水池
循环水场
循环系统
烟囱
冶金工业
一期工程
已建工程
饮用水质
用水管理
运输*
载重汽车
在建工程
造纸工业
照明系统
制革工业
重工业
装配式建筑物
准备工程
自来水厂
自来水塔
自来水系统
　　Y 城市供水系统
综合利用工程

19D 科技、标准与计量

安全技术
标准*
标准设计
部颁标准
　　Y 行业标准
操作技术
产品标准
初步设计

定型设计
定义
高度*
公司标准
　Y 企业标准
规程*
规范*
国际标准
国家标准
行业标准
厚度*
机理*
机制
计量技术
技术标准
技术改造*
技术革新
技术管理
技术监督
技术交流
技术进步
技术推广
技术协作
技术引进
技术政策
技术总结
鉴定*
科技成果
科学研究
　Y 科研
科研
科研管理
科研机构
宽度*
理论*
理论研究
论证
面积*
模拟技术
企业标准
设计标准
设计程序
设计方案

设计规范
试验*
试验报告
试验方法
试验规程
试验技术
试验研究
体积
效率试验
新技术
学术交流
研制
　Y 研究*
验证
应用研究
原理*
运行规程
质量标准
质量管理
质量检查
　Y 质量鉴定
质量鉴定
质量控制
著作权

19E 自动化与远动技术

半自动化
报警系统
补偿调节
程序控制
仿真分析
功率调节
管理自动化
过程控制
计算机控制
集中控制
监测系统
监督控制
　Y 监控
监控
决策支持系统
控制方法

计算机*
计算机辅助设计
计算机绘图
计算机技术
计算机计算
计算机检索
计算机控制
计算机模拟
计算机软件*
计算机网络
计算机系统
计算机应用
接口(计算机)
局域网
巨型计算机
库存程序
模拟计算机
情报管理
　Y 信息管理
情报网络
　Y 信息网络
人工神经网络
实用程序
数据处理
数据库*
数据库管理
数据通信
数字计算机
通信*
通信技术
通信网络
通信系统
通讯
　Y 通信*
图像处理
外部设备(计算机)
网络管理
网络技术
微型计算机
微型机应用
文字处理
无线通信
系统软件

小型计算机
信息处理
信息传输
信息管理
信息网络
信息系统
应用管理程序
应用计算程序
应用控制程序
应用软件
诊断程序
中型计算机
终端

19G 遥感技术

地球资源卫星
航空遥感
航天遥感
红外遥感
环境遥感
技术卫星
陆地卫星
气象卫星
人造卫星
　Y 卫星*
通讯卫星
图像判读
卫片
　Y 卫星像片
卫星*
卫星图片
　Y 卫星像片
卫星像片
卫星遥感
　Y 航天遥感
遥感*
遥感技术
遥感器
遥感设备
遥感试验
遥感数据
遥感图像

19I 仪器、仪表与测试技术

津贴
就业
劳保
劳动保护
　Y 劳保
劳动工资
劳动力
离休
历史*
聘任
普及教育
人才交流
人才开发
人事调配
任免
退休
医疗卫生业
在职教育
再就业
职称
职工
职务
职业教育
专业培训

19L 政法与党政工团

党的建设
　Y 党建
党纪
党建
党组织
法规*
法令
法律*
妇联
共产党
共青团
工会
国际法
海洋法
精神文明建设
民间组织

民主党派
协会
学会
政策*
政纪
执法*
专利法

19M 信息服务与文秘工作

办法
报告*
保密工作
编目
表*
标引*
标准文献
产品样本
出国考察报告
出国考察资料
档案
档案工作
调研报告
分类表
概论
公文
馆藏管理
馆际互借
国际会议
函
汇编
会议*
会议纪要
记录
检索*
检索策略
鉴定书
简介
讲话
阶段报告
决定
考察报告
考察资料

科技报告
科技情报工作
流通工作
论文
目录文献
目录组织
年度报告
年鉴*
批复
批示
期刊
情报调研
   Y 信息调研
情报服务
   Y 信息服务
情报加工
   Y 信息加工
情报检索
   Y 信息检索
请示
区域性会议
全国会议
视听文献
手册*
手工标引
手工检索
收集
数据*
述评
说明书
缩微文献
索引文献
谈话
讨论会

条例
通知
图*
图集*
图书
文件
文秘工作
文献*
文献采购
文献工作
文摘文献
信息
信息产业
信息调研
信息服务
信息加工
信息检索
信息源
学术会议
译文
指示
主题词表
主题词典
   Y 主题词表
专利文献
专题服务
专题检索
追溯检索
资料*
自动标引
咨询服务
总结*
总结报告
综述

20　通用词

20A 复合通用词

安全措施
安全分析
安全管理

安全检查
安全评价
安全系数
边界条件
不确定性

采样
长期预报
成因分析
重复利用
垂直分布
典型实例
短期预报
多目标开发
　　Y 综合开发
发展趋势
方案选择
防护措施
防火*
分布规律
分区*
分析方法
改良措施
故障诊断
管距
过渡过程
行距
后评价
季节变化
减压措施
均匀性
可靠度
可靠性*
可行性
可用性
孔距
空间分布
粒径
联合运用
年变化
排距
　　Y 行距
评价方法
人工补给
人工控制
事故处理
事故调查
试行
时间分布

室内试验
适用性
使用期
手工操作
手控
　　Y 人工控制
特性*
特征*
天然补给
通用性
外部检查
稳定性*
现场检查
现状
新方法
新型式
沿程变化
研究方法
野外试验
影响因素
优化设计
　　Y 最优设计
预评价
月变化
周期变化
周期性
综合开发
综合利用
综合评判
综合治理*
综合治理措施
最佳控制
　　Y 最优控制
最佳设计
　　Y 最优设计
最优方案
最优控制
最优模型
最优设计

20B 一般通用词

安全*

词 族 索 引

族首词目录

Jia gong	加工	Kong xi bi	孔隙比
Jia gu	加固	Kong zhi	控制
Jian ce	监测	Ku rong	库容
Jian cha	检查	Kuan du	宽度
Jian suo	检索	Kuo san	扩散
Jian yan	检验	Lang dao	廊道
Jian ding	鉴定	Lao hua	老化
Jian zhu wu	建筑物	Lei xing	类型
Jiang shui	降水	Leng que	冷却
Jiao tong	交通	Li	力
Jiao yu	教育	Li ju	力矩
Jie gou	结构	Li xue	力学
Jie gou gou jian	结构构件	Li xue xing zhi	力学性质
Jie gou ji suan fang fa	结构计算方法	Li lun	理论
Jie liu	截流	Li qing	沥青
Jie shui qiang	截水墙	Li shi	历史
Jie shui	节水	Li yong	利用
Jin shu	金属	Li zi	离子
Jin shui kou	进水口	Lian jie	连接
Jing	井	Liang	梁
Jing hua	净化	Liu chang	流场
Jing ji	经济	Liu liang	流量
Jing ying	经营	Liu su	流速
Jing liu	径流	Liu ti	流体
Ju li	距离	Liu yu	流域
Kai fa	开发	Ma tou	码头
Kai wa	开挖	Mao gan	锚杆
Kan ce	勘测	Mi du	密度
Kan cha	勘察	Mi feng	密封
Ke kao xing	可靠性	Mian ban	面板
Kong shi	空蚀	Mian ji	面积

...心墙土坝
.小坝
.溢流坝
.硬壳坝
.闸坝
.支墩坝
..大头坝
..连拱坝
..平板坝
..梯形坝
..重力坝
..拱形重力坝
..空腹重力坝
..宽缝重力坝
..砌石重力坝
..实体重力坝
..砼重力坝

Ba duan
坝段*
.厂房坝段
.泄流坝段

Ban
板*
.薄板
.带肋板
.单向板
.腹板
.环形板
.简支板
.双向板
.无梁平板
.屋面板
.悬臂板

Bao gao
报告*
.地质报告
.调研报告
.工程报告
.规划报告
.阶段报告

.勘测报告
.考察报告
..出国考察报告
.科技报告
.年度报告
.设计报告
.施工报告
.试验报告
.运行报告
.总结报告

Bao hu
保护*
.防飞逸保护
.过电流保护
.过电压保护
.继电保护
.漏电保护

Bao xian
保险*
.洪水保险
.社会保险

Bao po
爆破*
.表面爆破
.大爆破
.地下爆破
.定向爆破
.洞室爆破
.冻土爆破
.近人爆破
.控制爆破
..光面爆破
..毫秒爆破
..预裂爆破
.抛掷爆破
.水下爆破
.松动爆破
.岩塞爆破
.岩石爆破
.周边爆破

Bian po
边坡*
.岸坡
.高边坡

Biao
表*
.分类表
.水文测验成果表

Biao yin
标引*
.手工标引
.自动标引

Biao zhun
标准*
.产品标准
.防洪标准
..水库防洪标准
.国际标准
.国家标准
.行业标准
.技术标准
.排放标准
.排涝标准
.企业标准
.设计标准
.水泥标准
.水质标准
.质量标准

Bing
冰*
.浮冰
.流冰

Bo
波*
.不规则波
.超声波
.潮汐波
.冲击波

.船行波
.地震波
.风成波
.规则波
.横波
.洪水波
.击岸波
.溃坝波
.立波
.浅水波
.深水波
.声波
.推进波
.重力波
.自由波
.纵波

Bo lang
波浪*
.港内波浪
.海浪
.涌浪

Bo lang yao su
波浪要素*
.波长
.波高
.波速

Bu ji
补给*
.人工补给
.渗透补给
.水补给
.天然补给

Bu zhi
布置*
.电气布置
.工程布置
.观测仪器布置
.管网布置
.井点布置

.泥沙沉降
.湿陷沉降

Chen jiang liang
沉降量*
　.瞬时沉降量
　.最终沉降量

Chen qi
衬砌*
　.分断面衬砌
　.钢衬砌
　.渠道衬砌
　.全断面衬砌
　.隧洞衬砌
　.砼衬砌
　.装配式衬砌

Cheng bao
承包*
　.施工承包

Cheng zai li
承载力*
　.地基承载力
　.极限承载力
　.容许承载力
　.桩承载力

Cheng ben
成本*
　.供水成本

Cheng guo
成果*
　.观测成果
　.科技成果

Cheng shi
城市*
　.开放城市
　.沿海城市

Cheng xu
程序*
　.安装程序
　.设计程序
　.施工程序

Cheng xu yu yan
程序语言*
　.高级语言
　.汇编语言
　.机器语言

Chong shua
冲刷*
　.河岸冲刷
　.河床冲刷
　.河道冲刷
　.接触冲刷
　.揭底冲刷
　.局部冲刷
　.渗流冲刷
　.水力冲刷
　.溯源冲刷
　.挑流冲刷
　.闸下冲刷

Chu li
出力*
　.保证出力
　.季节性出力

Chu li
处理*
　.坝基处理
　.化学处理
　.裂缝处理
　.热处理
　.事故处理
　.数据处理
　.水处理
　..污水处理
　.塌方处理
　.图像处理

.文字处理
.信息处理

Chu tan
触探*
.动力触探
.静力触探

Chuan
船*
.挖泥船
..绞吸式挖泥船
..链斗式挖泥船
..吸扬式挖泥船

Chuan zha
船闸*
.单级船闸
.单线船闸
.多级船闸
.双线船闸

Chuan dong
传动*
.齿轮传动
.电力传动
.皮带传动
.气力传动
.液压传动

Cuo shi
措施*
.安全措施
.防洪措施
..非工程防洪措施
..工程防洪措施
.防护措施
.防浪措施
.防裂措施
.防渗措施
.改良措施
.耕作措施
.减蚀措施

.减压措施
.减淤措施
.节料措施
.节能措施
.节水措施
.抗冻措施
.人防措施
.水土保持措施
..固沙措施
.消浪措施
.植物措施
.综合治理措施

Dai kuan
贷款*
.农业贷款

Dao liu
导流*
.厂房导流
.底孔导流
.分期导流
.涵洞导流
.明渠导流
.梳齿导流
.隧洞导流

Di ji
地基*
.坝基
.不透水地基
.多层地基
.非均质地基
.非岩石地基
.复杂地基
.刚性地基
.均质地基
.人工地基
.软弱地基
.软弱夹层地基
.砂卵石地基
.深层地基
.弹性地基

.天然地基
.透水地基
.土地基
..砂土地基
.岩石地基
.闸基

Di mao
地貌*
.河流地貌
.岩溶地貌

Di qiu wu li ce jing
地球物理测井*
.电视测井
.水文测井

Di qu
地区*
.半干旱地区
.低洼地区
.分洪区
.干旱地区
.高原地区
.灌区
..井灌区
..渠灌区
..引黄灌区
.寒冷地区
.河网地区
.洪泛区
.湖区
.黄土地区
.经济特区
.库区
.涝区
.林区
.牧区
.平原地区
.丘陵区
.缺水地区
.山区
.水土流失区

.滩区
.土壤改良区
.行洪区
.行政特区
.沿海地区
.岩溶地区
.移民区
.沼泽地区
.滞洪区
.自然保护区
..水源保护区

Di zhen
地震*
.模拟地震
.浅震
.强烈地震
.深源地震
.水库地震
.诱发地震

Di zhi gou zao
地质构造*
.储水构造

Di zhi kan tan
地质勘探*
.地球化学勘探
..地球化学水系测量
.地球物理勘探
..磁法勘探
..地震勘探
..电磁法勘探
..电法勘探
...低频法勘探
...电阻率法勘探
...激发极化法
...交流电法勘探
...位势勘探
...直流电法勘探
...阻抗法勘探
..航空物探
..声波勘探

..遥感物探
..重力勘探
..综合物探
.红外线勘探
.水文地质勘探

Di zhi xue
地质学*
.地球化学
.地质力学
.工程地质学
..动力工程地质学
.水文地质学

Di kong
底孔*
.导流底孔
.排沙底孔
.泄洪底孔

Dian lan
电缆*
.电力电缆

Dian wang
电网*
.地方电网

Diao cha
调查*
.冻害调查
.海岸调查
.旱情调查
.河道调查
.河系调查
.洪灾调查
.库区调查
.事故调查
.水库调查
.水利调查
.水上保持调查
.水文地质调查
.水文调查

..暴雨调查
..冰川水文调查
..洪水调查
...历史洪水调查
..湖泊水文调查
..枯水调查
..流域水文调查
.水源调查
.水质调查
.水资源调查
.天然建筑材料调查
.土壤调查
.现场调查
.综合调查
..流域综合调查

Diao du
调度*
.电力调度
.防洪调度
.分期调度
.经济调度
.枯水期调度
.联合调度
..水库群联合调度
.施工调度
.实时调度
.水库调度
..水库汛期调度
..水库综合调度
..蓄清排浑
.水沙调度
.兴利调度
.汛期调度
.优化调度
.预报调度
.预蓄预泄调度

Ding huo
订货*
.设备订货

Dong shi

.工程费用
.间接费用
.排污费
.运行费
.直接费用

Fen bu
分布*
　.垂直分布
　.对数分布
　.概率分布
　..泊松分布
　..皮尔逊分布
　..正态分布
　.荷载分布
　.极值分布
　.降水分布
　.空间分布
　.流速分布
　.泥沙分布
　.时间分布
　.水资源分布
　.应力分布
　.指数分布

Fen lei
分类*
　.河流分类
　.土壤分类
　.岩石分类

Fen pei
分配*
　.水量分配
　..河流分水
　..水库水量分配

Fen qu
分区*
　.地质分区
　　.

Fen tan
分摊*

.费用分摊
.投资分摊
.效益分摊

Fen xi
分析*
　.安全分析
　.波谱分析
　.财务分析
　.差热分析
　.成因分析
　.风险分析
　.光谱分析
　.技术经济分析
　.价值分析
　.金相分析
　.经济分析
　..防洪经济分析
　..灌溉经济分析
　..排水经济分析
　..投入产出分析
　.颗粒分析
　.频谱分析
　.气象分析
　.侵蚀分析
　.色谱分析
　.失事分析
　.水文分析
　..水文比拟
　.岩相分析

Fen xi(hua xue)
分析(化学)*
　.定量分析
　.微量分析
　.定性分析
　.水质分析

Fen xi(li xue)
分析(力学)*
　.结构分析
　..非线性结构分析
　..结构动力分析

..抗震分析
..应力分析
.脉动分析
.破坏分析
.渗流分析
.稳定分析
..河床稳定分析
.应变分析

Fen xi(shu xue)
分析(数学)*
　.费用效益分析
　.矩阵法分析
　.量纲分析
　.频率分析
　.统计分析
　..方差分析
　..回归分析
　..时间序列分析
　..相关分析
　.误差分析
　.系统分析
　.向量分析
　.张量分析

Feng
缝*
　.接缝
　..焊缝
　..横缝
　..结构缝
　...沉降缝
　...伸缩缝
　...周边缝
　..施工缝
　...垂直缝
　...水平缝
　..砼接缝
　..纵缝
　.裂缝
　..坝裂缝
　..隧洞裂缝
　..砼裂缝

..温度裂缝

Fu gai ceng
覆盖层*
　.深覆盖层

Gai ge
改革*
　.体制改革

Gang
钢*
　.不锈钢
　.高强度钢
　.合金钢
　..低合金钢
　.结构钢
　.耐蚀钢
　.碳素钢

Gang jin
钢筋*
　.高强钢筋
　.螺纹钢筋

Gang si
钢丝*
　.高强钢丝

Gang chi
港池*
　.推出式港池
　.挖入式港池

Gang kou
港口*
　.海港
　.河港
　..河口港
　..内河港
　.深水港
　.水库港
　.渔港

Gao du
高度*
　.坝高
　.波高
　.吸出高度

Gong
拱*
　.倒拱
　.两铰拱
　.抛物线拱
　.三铰拱
　.双曲拱
　.无铰拱

Gong chang
工厂*
　.钢筋加工厂
　.骨料加工厂
　.自来水厂

Gong cheng
工程*
　.打桩工程
　..拔桩
　..沉桩
　...射水沉桩
　...振动沉桩
　..打桩
　...锤击沉桩
　..接桩
　.单元工程
　.道路工程
　.地下工程
　.电气工程
　.调水工程
　.二期工程
　.防洪工程
　..分洪工程
　..蓄洪工程
　..滞洪工程
　.防沙工程
　.复建工程

　.改建工程
　.港口工程
　..海港工程
　.供水工程
　.骨干工程
　.灌溉工程
　.海岸工程
　.河道工程
　..护滩工程
　..控导工程
　..险工
　.河口工程
　.护岸工程
　.环境工程
　.建筑工程
　.勘探工程
　..槽探
　..洞探
　..坑探
　..钻探
　.扩建工程
　.临时工程
　.拟建工程
　.排水工程
　.配套工程
　.迁安工程
　.渠化工程
　.渠系工程
　.石方工程
　.水道工程
　.水毁工程
　.水力发电工程
　.隧洞工程
　.田间工程
　.砼工程
　.土方工程
　.蓄水工程
　.岩土工程
　.已建工程
　.一期工程
　.引水工程
　.在建工程
　.准备工程

..薄壁铝管
.波纹管
.大口径管
.钢管
..薄壁钢管
..镀锌钢管
..无缝钢管
..压力钢管
.铝管
..薄壁铝管
.滤水管
.毛管
.软管
.水泥管
..钢筋砼管
..预应力砼管
.水泥土管
.塑料管
.砼管
.瓦管
.尾水管
.吸水管
.支管
.铸铁管

Guan dao
管道*
.并联管道
.串联管道
.地下管道
.供水管道
.灌溉管道
..配水管道
..喷灌管道
.排水管道
.泄水管道
.引水管道

Guan li
管理*
.安全管理
.坝管理
.泵站管理

.财务管理
.堤防管理
.定额管理
.防洪管理
.分洪区管理
.工程管理
..水利工程管理
.供水管理
.馆藏管理
.灌溉管理
.灌区管理
.航道管理
.河道管理
.合同管理
.洪泛区管理
.湖泊管理
.计划管理
.技术管理
.教育管理
.经济管理
.经营管理
.科研管理
.流域管理
.目标管理
.企业管理
.设备管理
..机电设备管理
.生产管理
.施工管理
.数据库管理
.水工建筑物管理
.水库管理
.水利管理
..水利工程管理
.水文管理
.水源管理
.水质管理
.水资源管理
.投资管理
.网络管理
.物资管理
.信息管理
.用水管理

.引洪灌溉
.引水灌溉
.淤灌
.园林灌溉
.重力灌溉

Guan jiang
灌浆*
  .补强灌浆
  .固结灌浆
  .化学灌浆
  ..环氧树脂灌浆
  .回填灌浆
  .基础灌浆
  ..岩基灌浆
  .接触灌浆
  .接缝灌浆
  .裂缝灌浆
  .泥浆灌浆
  .粘土灌浆
  .粘土水泥灌浆
  .水泥灌浆
  .帷幕灌浆
  .压力灌浆
  .自流灌浆

Gui cheng
规程*
  .试验规程

Gui fan
规范*
  .测绘规范
  .设计规范
  .施工规范

Gui hua
规划*
  .城市规划
  .工程规划
  .渠系规划
  .区域规划
  ..农业区划

..水利区划
..水利规划
.防洪规划
..供水规划
..灌溉规划
..灌区规划
..航运规划
..河网化规划
..跨流域规划
..流域规划
..水电资源开发规划
..水土保持规划
..治河规划
..治涝规划
.远景规划
.综合规划
.总体规划
.最优规划

Gui hua lun
规划论*
  .动态规划
  .数学规划
  ..非线性规划
  ..目的规划
  ..随机规划
  ..线性规划
  ..整数规划

Guo cheng
过程*
  .过渡过程
  ..水轮机过渡过程
  .马尔可夫过程
  .随机过程

Hai an
海岸*
  .河口海岸
  .沙质海岸
  .岩质海岸
  .淤泥质海岸

He zai
荷载*
.冰荷载
.等效荷载
.地震荷载
.动荷载
..爆破荷载
..波浪荷载
..冲击荷载
..风荷载
..振动荷载
..周期荷载
.分布荷载
.横向荷载
.活荷载
.极限荷载
.集中荷载
.剪切荷载
.校核荷载
.静荷载
.临界荷载
.疲劳荷载
.设计荷载
.竖向荷载
.水荷载
.瞬时荷载
.随机荷载
.温度荷载
.雪荷载

Hong shui
洪水*
.暴雨洪水
.超标洪水
.古洪水
.溃坝洪水
.历史洪水
.流域洪水
.融雪洪水
.设计洪水
..可能最大洪水
..梯级洪水
.特大洪水

Hou du
厚度*
.冰厚

Hu po
湖泊*
.冰川湖
.淡水湖
.季节性湖泊
.内陆湖
.盐湖

Hu po
护坡*
.坝护坡
..土石坝护坡
.草皮护坡
.码头护坡
.抛石护坡
.砌石护坡
.渠道护坡
.砼块护坡

Hua he wu
化合物*
.氮化物
.硫化物
.氯化物
.氰化物
.无机化合物
.氧化物
..二氧化硫
..二氧化碳
..一氧化碳
.有机化合物

Hua xue
化学*
.地球化学
.胶体化学
.水化学
.土壤化学

Hua xue fan ying
化学反应*
　.分解反应
　.化合反应
　.还原反应
　.氧化反应
　.置换反应

Hua xue xing zhi
化学性质*
　.水化学性质

Hua po
滑坡*
　.冻融滑坡
　.土质滑坡
　.岩质滑坡
　.重力滑坡

Huan jing
环境*
　.城市环境
　.第二环境
　.第一环境
　.库区环境
　.生态环境
　.水环境

Huan jing bao hu
环境保护*
　.水源保护
　.水资源保护

Huan jing ying xiang
环境影响*
　.水利工程环境影响

Hui tu
绘图*
　.计算机绘图

Hui yi
会议*
　.国际会议
　.区域性会议
　.全国会议
　.水电会议
　.水利会议
　.讨论会
　.学术会议

Ji chu
基础*
　.沉井
　.单独基础
　..墩式基础
　..柱基础
　.筏形基础
　.反拱基础
　.刚性基础
　.联合基础
　.浅基础
　.柔性基础
　.深基础
　.水下基础
　.桩基础

Ji jin
基金*
　.防洪基金
　.水利建设基金

Ji dian pai guan
机电排灌*
　.电力排灌
　.机械排灌

Ji li
机理*
　.破坏机理
　.污染机制

Ji xie
机械*
　.铲运机
　.大型机械

.风力机械
.灌浆机
.木工机械
.碾压机械
..钢轮碾
..肋形碾
..气胎碾
..羊脚碾
..振动碾
.排灌机械
..灌溉机械
..排水机械
.破碎机
.起重机械
.施工机械
.疏浚机械
.水力机械
.砼机械
..砼打毛机
..砼搅拌机
...汽车式搅拌机
..砼喷射机
..砼振捣器
...插入式振捣器
...平板振捣器
...振动台
.推土机
.挖掘机械
..掘进机
...分断面掘进机
...全断面掘进机
..挖沟机
..挖掘机
...凿岩机
.小型机械
.压实机械
.运输机械
.制冷机械
.中型机械
.桩工机械
..打桩锤
..打桩机

Ji hua
计划*
.施工计划
.施工网络进度
.用水计划

Ji suan
计算*
.电能计算
.概算
..工程概算
..施工概算
.固结计算
.估算
.计算机计算
.简化计算
.结构计算
..变形计算
..动力计算
..静力计算
..抗裂计算
..抗震计算
..内力计算
.近似计算
.决算
.配筋计算
.平差计算
.强度计算
.渗流计算
.数值计算
.水库计算
.水利计算
..防洪计算
...调洪演算
..水能计算
...水力发电计算
..调节计算
..兴利计算
...灌溉计算
...航运计算
.水力计算
..冲刷计算
..消能计算

.水文计算
..洪水计算
..降水计算
..径流计算
...产流计算
...汇流计算
...年径流计算
.水文水利计算
..泥沙计算
...输沙计算
...淤积计算
..治涝计算
.调节保证计算
.土方计算
.稳定计算
.紊流计算
.预算
..工程预算
..施工预算

Ji suan ji
计算机*
.大型计算机
.单板计算机
.单片处理机
.个人计算机
.巨型计算机
.模拟计算机
.数字计算机
.微型计算机
..超级微型机
.小型计算机
.中型计算机

Ji suan ji ruan jian
计算机软件*
.系统软件
..编译程序
..操作系统
..库存程序
..实用程序
..诊断程序
.应用软件

..应用管理程序
..应用计算程序
..应用控制程序

Ji shu
技术*
.安全技术
.坝抗震技术
.爆破技术
.并行计算技术
.操作技术
.测量技术
.测试技术
.吹填技术
.定向技术
.多媒体技术
.防冻技术
.灌溉技术
..滴灌技术
..喷灌技术
.焊接技术
.计量技术
.计算机技术
.勘探技术
.控制技术
.模拟技术
..水文模拟技术
.模型技术
.排水技术
.取样技术
.射流技术
.摄影技术
.施工技术
..砼施工技术
.试验技术
.疏浚技术
.数字技术
.水流显形技术
.通信技术
.网络计划技术
.网络技术
.新技术
.遥测技术

..水文遥测技术
.遥感技术
.栽培技术
.诊断技术
.制冷技术
.筑坝技术
.注浆堵水技术
.自动化技术
.钻井技术

Ji shu gai zao
技术改造*
.泵站技术改造

Ji shui
集水*
.路面集水
.屋面集水

Ji zi
集资*
.工程集资

Jia ge
价格*
.电价
.水价
.影子价格

Jia gong
加工*
.金属加工
.信息加工

Jia gu
加固*
.坝加固
.除险加固
.堤防加固
..放淤固堤
.地基加固
.冻结加固
.化学加固

.换土加固
.挤密加固
..爆破加固
..夯实加固
.铝化加固
.锚固
.排水加固
.岩栓加固
.岩体加固
.预压加固
.振动加固

Jian ce
监测*
.安全监测
.滑坡监测
.环境监测
..水质监测

Jian cha
检查*
.安全检查
.裂缝检查
.外部检查
.现场检查

Jian suo
检索*
.计算机检索
.手工检索
.信息检索
.专题检索
.追溯检索

Jian yan
检验*
.无损检验

Jian ding
鉴定*
.质量鉴定

Jian zhu wu

.地质勘察
..工程地质勘察
..库区地质调查

Ke kao xing
可靠性*
.运行可靠性

Kong shi
空蚀*
.水轮机空蚀

Kong xi bi
孔隙比*
.临界孔隙比

Kong zhi
控制*
.潮汐控制
.程序控制
.过程控制
.含水量控制
.河势控制
.计算机控制
.集中控制
.监控
.空蚀控制
.联机控制
.流量控制
.模拟控制
.人工控制
.渗流控制
.实时控制
.数字控制
.水位控制
.顺序控制
.脱机控制
.温度控制
..砼温度控制
.污染控制
.压力控制
.遥控
.应变控制

.应力控制
.质量控制
.自动控制
.最优控制

Ku rong
库容*
.重复利用库容
.动库容
.防洪库容
.死库容
.调洪库容
.兴利库容
.淤沙库容
.总库容

Kuan du
宽度*
.坝顶宽度

Kuo san
扩散*
.水流扩散
.紊动扩散

Lang dao
廊道*
.观测廊道
.灌浆廊道
.检查廊道
.交通廊道
.排水廊道
.输沙廊道

Lao hua
老化*
.坝老化
.材料老化
.工程老化
.建筑物老化

Lei xing
类型*

.误差理论
.相似理论
.振动理论

Li qing
沥青*
　.乳化沥青

Li shi
历史*
　.地震史
　.发展史
　.水利史
　.水文史

Li yong
利用*
　.重复利用
　..水重复利用
　.风能利用
　.水资源利用
　..废水利用
　..水能利用
　..水资源联合运用
　..雨水利用
　.土地利用
　..库区土地利用
　.综合利用
　..水库综合利用

Li zi
离子*
　.阳离子
　.阴离子

Lian jie
连接*
　.层面结合
　.厂坝连接
　.搭接
　.对接
　.刚接
　.焊接

　..水轮机焊接
　..水下焊接
　.铰接
　.螺栓连接
　.铆接
　.砼与岩石连接
　.土和砼建筑物连接

Liang
梁*
　.次梁
　.吊车梁
　.固端梁
　.基础梁
　.简支梁
　.连续梁
　.曲梁
　.深梁
　.T形梁
　.箱形梁
　.悬臂梁
　.预应力梁
　.主梁

Liu chang
流场*
　.渗流场

Liu liang
流量*
　.单宽流量
　.地下水流量
　.灌溉流量
　.洪峰流量
　.排水流量
　.最大流量
　.最小流量

Liu su
流速*
　.不冲流速
　.不淤流速
　.临界流速

.起动流速
.渗流流速
.扬动流速

Liu ti
流体*
.不可压缩流体
.非牛顿流体
.可压缩流体
.理想流体
.牛顿流体

Liu yu
流域*
.大流域
.代表性流域
.基准流域
.实验流域
.小流域

Ma tou
码头*
.浮码头
.离岸码头
.深水码头
.实体码头
.顺岸码头
.突堤码头
.重力码头
.桩基码头
..板桩码头
..高桩码头

Mao gan
锚杆*
.预应力锚杆

Mi du
密度*
.相对密度

Mi feng
密封*

.机械密封
.迷宫密封
.油封
.轴密封

Mian ban
面板*
.防渗面板
.砼面板
..沥青砼面板
..碾压砼面板
.溢流面板

Mian ji
面积*
.灌溉面积
.降雨面积
.流域面积

Mo ban
模板*
.保温模板
.标准模板
.大型模板
.钢模板
.活动模板
.顶升模板
.滑动模板
...液压滑动模板
.爬升模板
.木模板
.砼模板
.吸水模板
.悬臂模板
.真空模板

Mo liang
模量*
.变形模量
.剪切模量
..动剪切模量
.弹性模量
..动弹性模量

.压缩模量

Mo ni
模拟*
　.计算机模拟
　.水流模拟
　.水文地质模拟
　.水文数学模拟
　.下渗模拟

Mo shu
模数*
　.地形模数
　.洪峰流量模数
　.径流模数
　.侵蚀模数
　.细度模数

Mo xing
模型*
　.潮汐模型
　.断面模型
　.多目标模型
　.复合模型
　..复合箱式模型
　.港工模型
　.河工模型
　.混合模型
　.结构模型
　..光弹模型
　..平面模型
　..三维光弹模型
　..整体结构模型
　.力学模型
　..岩土力学模型
　.流域模型
　.侵蚀模型
　.石膏模型
　.数学模型
　..概率模型
　..回归模型
　..随机模型
　...统计模型

.水工模型
..变态模型
..定床模型
..动床模型
..防浪模型
..河口模型
..泥沙模型
...全沙模型
.水文模型
..产流模型
..洪水模型
...洪水预报模型
..降水模型
...暴雨模型
..径流模型
.水质模型
.土壤模型
.物理模型
.旋转模型
.整体模型
.最优模型

Mo xing shi yan
模型试验*
　.冲刷试验
　.地质力学模型试验
　.电模拟试验
　.定床模型试验
　.动床模型试验
　.减压模型试验
　.结构模型试验
　.静力学模型试验
　.粘滞模型试验
　.气流模型试验
　.沙模型试验
　.水工模型试验
　.港工模型试验
　.河工模型试验
　.截流模型试验
　.溃坝模型试验
　.土工模型试验
　..离心模型试验

.水电站排水
.水平排水
.砼坝排水
.土石坝排水

Pen guan ji
喷灌机*
.大型喷灌机
.低压喷灌机
.高压喷灌机
.固定式喷灌机
.轻型喷灌机
.微型喷灌机
.小型喷灌机
.旋转式喷灌机
..时针式喷灌机
..转臂式喷灌机
.移动式喷灌机
..端拖式喷灌机
..滚移式喷灌机
..平移式喷灌机
.中型喷灌机
.中压喷灌机
.自走式喷灌机

Pen tou
喷头*
.低压喷头
.高压喷头
.固定式喷头
.离心式喷头
.脉冲式喷头
.射流式喷头
.手动式喷头
.塑料喷头
.微型喷头
.涡轮式喷头
.旋转式喷头
.摇臂式喷头
.中压喷头

Pin lü
频率*

.洪水频率
.经验频率
.振动频率

Ping heng
平衡*
.冲淤平衡
.电力电量平衡
.热量平衡
.生态平衡
.水量平衡
..大气水分平衡
..流域水量平衡
..年水量平衡
..区域水量平衡
.水土资源平衡
.弹性平衡
.土方平衡
.土壤水平衡

Ping yuan
平原*
.冲积平原
.洪积平原

Ping jia
评价*
.安全评价
.财务评价
.地质评价
..工程地质评价
..水文地质评价
.国民经济评价
.后评价
.环境影响评价
.水利工程评价
.水质评价
.水资源评价
.预评价

Po huai
破坏*
.冻胀破坏

..斜截面强度
.抗压强度
.粘着强度
.疲劳强度
.屈服强度
.蠕变强度
.三轴强度
.瞬时强度
.砼强度
.岩石强度
.早期强度

Qiao ti
壳体*
.圆筒壳体

Qin shi
侵蚀*
.冲沟侵蚀
.风力侵蚀
.灌溉侵蚀
.溅蚀
.水力侵蚀
.滩岸侵蚀
.土壤侵蚀
.重力侵蚀

Qing yu
清淤*
.冲淤
.港口清淤
.河道清淤
.湖泊清淤
.渠道清淤
.水库清淤
.挖淤

Qu dao
渠道*
.暗渠
.导流渠
.地下渠道
.斗渠

.干渠
.坎儿井
.毛渠
.明渠
.农渠
.配水渠
.尾水渠
.引水渠
.支渠

Qu shui
取水*
.表层取水
.抽水
.分层取水
.灌溉取水
.深层取水
.水库取水
.提水
..风力提水
.无坝取水
.有坝取水

Qu yang qi
取样器*
.泥沙采样器
..河床质采样器
..推移质采样器
..悬移质采样器
.水取样器
.原状土取样器
.自动采样器

Qu xian
曲线*
.击实曲线
.库容曲线
.频率曲线
..分布曲线
..累积曲线
...蓄水累积曲线
..历时曲线
.水面曲线

.提水设备
.砼拌制设备
.外部设备(计算机)
.洗砂分级设备
.遥感设备
.引进设备
.诱鱼设备
.装卸设备
..自动装卸设备

She ji
设计*
.坝设计
.泵站设计
.标准设计
.程序设计
.初步设计
.电气设计
.定型设计
.渡槽设计
.防渗设计
.工程设计
..工程规划设计
..水工设计
.供水设计
.观测设计
.灌溉设计
.管网设计
.基础设计
.机电设计
.技术设计
.计算机辅助设计
.加固设计
.建筑设计
.结构设计
.竣工设计
.抗震设计
..坝抗震设计
.排水设计
.渠道设计
.施工组织设计
.水电站设计
.水库设计

.水力设计
.水轮机设计
.隧洞设计
.体型设计
.系统设计
.选型设计
.溢洪道设计
.鱼道设计
.闸设计
.站网设计
.最优设计

She ying
摄影*
.高速摄影
.航空摄影
.航天摄影
.全息摄影

Shen liu
渗流*
.非恒定渗流
.恒定渗流
.绕坝渗流
.三维渗流
.土坝渗流
.无压渗流
.岩体渗流
.有压渗流

Shen lou
渗漏*
.坝基渗漏
.地基渗漏
.水库渗漏

Sheng chuan ji
升船机*
.垂直升船机
..浮筒垂直升船机
..平衡重式垂直升船机
..水压式垂直升船机
.水坡式升船机

..液限试验
.快速试验
.沥青试验
.力学性能试验
.抗磨试验
.破坏试验
.强度试验
...冲击试验
...断裂试验
...抗剪强度试验
...抗压强度试验
...拉伸试验
...弯曲试验
.徐变试验
.振动试验
.脉动试验
.摩擦试验
.碾压试验
.容重试验
.三轴试验
..振动三轴试验
.渗流试验
.管涌试验
.渗透性试验
.室内试验
.示踪试验
.收缩试验
.水槽试验
.水化热试验
.水泥试验
.水土保持试验
.水文地质试验
..抽水试验
..渗水试验
..注水试验
.水压法试验
.水压试验
.田间试验
.砼试验
..沥青砼试验
.土工试验
.无损试验
..超声试验

..声学试验
.效率试验
.压水试验
.岩石试验
.遥感试验
.野外试验
.应力试验
.原型试验

Shou ce
手册*
.水文手册

Shou fei
收费*
.堤防维修费
.河道采砂费
.水费
..灌溉水费
.水土保持费
.水资源费

Shu ju
数据*
.地质数据
.遥感数据

Shu ju ku
数据库*
.水文数据库

Shu zhi
数值*
.比值
.极值
.克拉克值
.pH值
.特征值
..水文特征值

Shu sha
输沙*
.潮流输沙

.风力输沙
.管道输沙
.河流输沙
.横向输沙
.水力输沙
.沿岸漂沙

Shu shui
输水*
.管道输水

Shu song ji
输送机*
.带式输送机
.架空索道

Shui
水*
.磁化水
.淡水
.地表水
..河水
..湖水
.地下水
..层间水
..承压水
..地下肥水
..地下盐水
..孔隙水
..库区地下水
..矿水
..裂隙水
..浅层地下水
..潜水(水文地质)
..深层地下水
..岩溶水
..自流水
.废水
..工业废水
.灌溉水
.海水
.含氟水
.库水

.冷却水
.泉水
.土壤水
..包气带水
..薄膜水
..毛管水
..重力水
.污水
..城市污水
..生活污水
.咸水
.饮用水

Shui beng zhan
水泵站*
.泵车
.泵船
.潮汐泵站
.大型泵站
.多级泵站
.灌溉泵站
.排水泵站
.水锤泵站
.水轮泵站
.梯级泵站
.小型泵站
.蓄能泵站
.中型泵站

Shui chi
水池*
.冷却水池
.水窖
.蓄水池

Shui dian zhan
水电站*
.波力发电站
.潮汐发电站
.抽水蓄能电站
.大型水电站
.堤坝式水电站
.低水头水电站

.高水头水电站
.河床式水电站
.混合式水电站
.径流式水电站
.渠道电站
.梯级水电站
.小型水电站
.引水式水电站
.闸坝式水电站
.中水头水电站
.中型水电站

Shui gong jian zhu wu
水工建筑物*
.挡水建筑物
.过木建筑物
.过鱼建筑物
.量水建筑物
..量水槽
..量水堰
.取水建筑物
.渠系建筑物
.输水建筑物
.通航建筑物
.泄水建筑物
.引水建筑物

Shui ji
水击*
.间接水击
.直接水击

Shui ku
水库*
.并联水库
.病险水库
.大型水库
.地热水库
.地下水库
.防洪水库
.龙头水库
.平原水库
.上池

.梯级水库
.调节水库
..多年调节水库
..反调节水库
..季调节水库
..年调节水库
..日调节水库
..月调节水库
.下池
.小型水库
.滞洪水库
.中型水库
.综合利用水库

Shui li
水利*
.城市水利
..城市环境水利
.环境水利
..城市环境水利
.牧区水利
.农田水利
.乡镇水利

Shui li gong cheng
水利工程*
.大型水利工程
.小型水利工程
.中型水利工程

Shui li po du
水力坡度*
.出逸坡降
.临界水力坡降

Shui liang
水量*
.出水量
.供水量
.含水量
..土壤含水量
.降水量
.需水量

..城市需水量
..工业需水量
..灌溉需水量
..居民需水量
..牧草需水量
..牲畜需水量
..作物需水量
.蓄水量
.用水量

Shui liu
水流*
.层流
.超临界流
.潮汐水流
.单相流
.多相流
..二相流
.二维流
.非恒定流
.非均匀流
.高速水流
..掺气水流
..空化水流
..脉动水流
..雾化水流
.过渡流
..明满过渡流
.海流
..沿岸流
.含沙水流
..高含沙水流
.恒定流
.横向流
.缓变流
.环流
..河口环流
.缓流
.混合流
.急变流
.急流
.剪切流
.均匀流

.孔口出流
.口门水流
.连续流
.临界流
.漫滩水流
.面流
.明槽水流
.三维流
.射流(水力学)
..平面射流
..淹没射流
..自由射流
.突扩水流
.弯道水流
.紊流
.无旋流
.压力流
..螺旋流
.堰流
..淹没溢流
..自由溢流
.一维流
.异重流
..浑水异重流
..温差异重流
..盐水异重流
.闸孔出流
.折冲水流

Shui lun fa dian ji
水轮发电机*
.灯泡式水轮发电机
.伞式水轮发电机
.水内冷水轮发电机
.悬吊式水轮发电机

Shui lun ji
水轮机*
.冲击式水轮机
.大型水轮机
.低水头水轮机
.反击式水轮机
..灯泡式水轮机

..定桨式水轮机
..贯流式水轮机
..混流式水轮机
..斜流式水轮机
..轴流式水轮机
..轴伸式水轮机
..转桨式水轮机
.高水头水轮机
.可逆式水轮机
.模型水轮机
.微型水轮机
.小型水轮机
.中水头水轮机

Shui ni
水泥*
.超细水泥
.矾土水泥
.硅酸盐水泥
..大坝水泥
...矿渣大坝水泥
..低碱水泥
..粉煤灰水泥
..高强水泥
..混合水泥
..火山灰水泥
..抗硫酸盐水泥
..矿渣水泥
..普通水泥
..早强水泥
.硫酸盐水泥
.膨胀水泥
..微膨胀水泥
..自应力水泥
.收缩补偿水泥
.无熟料水泥
.纤维水泥

Shui ni zhi pin
水泥制品*
.钢丝网水泥制品
.钢纤维水泥制品
.石棉水泥制品

.砼制品

Shui shen
水深*
.掺气水深
.共轭水深
.临界水深
.通航水深
.淹没水深
.正常水深

Shui ta
水塔*
.冷却水塔
.自来水塔

Shui tou
水头*
.低水头
.高水头
.流速水头
.压力水头
.堰上水头

Shui tu bao chi
水土保持*
.库区水土保持

Shui wei
水位*
.潮水位
.地下水位
.防洪限制水位
.灌溉水位
.洪水位
..校核洪水位
..设计洪水位
.枯水位
.库水位
.历史最低水位
.历史最高水位
.死水位
.通航水位

．正常蓄水位

Shui wei ji
水位计*
．远传水位计
．自记水位计

Shui wen
水文*
．都市水文
．海洋水文
．环境水文
．流域水文
．陆地水文
．区域水文

Shui wen di li
水文地理*
．流域水文地理

Shui wen di zhi
水文地质*
．区域水文地质

Shui wen shi yan
水文实验*
．河流泥沙实验
．降水实验
．径流实验
．下渗实验
．蒸发实验

Shui wen shi yan zhan
水文实验站*
．河床实验站
．径流实验站

Shui wen xue
水文学*
．都市水文学
．海洋水文学
．环境水文学
．陆地水文学

．区域水文学
．随机水文学
．应用水文学
．．工程水文学

Shui wen zhan
水文站*
．地下水观测站
．水位站
．无人测站
．雨量站
．蒸发站

Shui wen zi liao xi lie
水文资料系列*
．径流资料系列

Shui yuan
水源*
．地下水源
．灌溉水源

Shui yue
水跃*
．摆动水跃
．波状水跃
．扩散水跃
．临界水跃
．完全水跃
．稳定水跃
．斜水跃
．淹没水跃
．有压水跃

Shui zha
水闸*
．冲沙闸
．挡潮闸
．分洪闸
．节制闸
．进水闸
．泄水闸

Shui zi yuan
水资源*
.城市水资源
.地表水资源
..河流水资源
..湖泊水资源
..融雪水资源
.地下水资源
.流域水资源
.农业水资源
.区域水资源
.热水资源
.水能资源
..潮汐能资源
.雨水资源

Su liao
塑料*
.玻璃纤维增强塑料
.泡沫塑料

Suan
酸*
.无机酸
.硫酸
.硝酸
.盐酸
.有机酸

Sui dong
隧洞*
.排沙洞
.竖井
.水工隧洞
..导流隧洞
..发电隧洞
..输水隧洞
..水下隧洞
..尾水隧洞
..无衬砌隧洞
..无压隧洞
..泄洪隧洞
..引水隧洞

..有压隧洞
.斜洞
.支洞

Sun shi
损失*
.径流损失
.能量损失
.水量损失
.水头损失
..局部水头损失
..沿程水头损失
.预应力损失

Tan an
坍岸*
.水库坍岸

Tan shang
探伤*
.金属探伤
.无损探伤
..超声波探伤
..射线探伤

Te xing
特性*
.冲淤特性
.动力特性
.工程特性
.洪水特性
.泥沙特性
.强度特性
.水力特性
.水文特性
.紊动特性

Te zheng
特征*
.地质特征
.流域水文特征

Ti zhi

体制*
 .经济体制
 ..计划经济体制
 ..市场经济体制

Tian zhu
填筑*
 .堆石
 .回填

Tiao jian
条件*
 .边界条件
 .地质条件
 .水流条件
 .水沙条件
 .通航条件

Tiao jie
调节*
 .补偿调节
 .多年调节
 .反调节
 .功率调节
 .径流调节
 .流量调节
 .年调节
 .水轮机调节
 .水位调节
 .调频
 .调速
 .压力调节
 .自动调节

Tiao su qi
调速器*
 .电液调速器
 .微机调速器
 .液压调速器

Tiao ya shi
调压室*
 .差动式调压室

 .气垫式调压室
 .双室式调压室
 .调压井
 .调压塔
 .溢流式调压室
 .圆筒式调压室
 .阻抗式调压室

Tong
砼*
 .泵送砼
 .大坝砼
 .大体积砼
 .防渗砼
 .粉煤灰砼
 .富砼
 .干硬性砼
 .高强度砼
 .加筋砼
 ..钢筋砼
 ..少筋砼
 ..纤维砼
 .块石砼
 .冷砼
 .沥青砼
 .流动砼
 .蛮石砼
 .模袋砼
 .碾压砼
 .喷砼
 .膨胀砼
 ..微膨胀砼
 .贫砼
 .轻砼
 .全级配砼
 .收缩补偿砼
 .双掺砼
 .水工砼
 .水下砼
 .素砼
 .塑性砼
 .特种砼
 ..硅粉砼

..软土
..填土
..盐渍土
.无粘性土
..砂土
..碎石土
.压实土
.淤积土
.原状土

Tu rang
土壤*
.碱性土壤
.农业土壤
.沙质土壤
.酸性土壤

Tu rang gai liang
土壤改良*
.红壤改良
.化学土壤改良
.盐碱土改良
.沼泽土改良
.中低产田改良
.渍田改良
..冷渍田改良

Wai jia ji
外加剂*
.防冻剂
.防水剂
.复合外加剂
.缓凝剂
.减水剂
..高效减水剂
.膨胀剂
.速凝剂
.消泡剂
.引气剂
.阻锈剂

Wang luo
网络*

.分布式网络
.广域网
.国际互联网络
.计算机网络
.局域网
.通信网络
.信息网络

Wei mu
帷幕*
.水泥帷幕
.悬挂式帷幕

Wei xing
卫星*
.地球资源卫星
.技术卫星
.陆地卫星
.气象卫星
.通讯卫星

Wei xiu
维修*
.坝修补
.堤防维修
.工程维修
.建筑物维修
.设备维修
.砼修补

Wei yan
围岩*
.洞室围岩

Wei yan
围堰*
.板桩围堰
.草土围堰
.钢围堰
.过水围堰
.笼网围堰
..木笼围堰
..竹笼围堰

.上游围堰
.深水围堰
.砼围堰
.土石围堰
.下游围堰
.纵向围堰

Wei yi
位移*
.节点位移

Wen ding xing
稳定性*
.边坡稳定性
.地基稳定性
.动力稳定性
..土动力稳定性
.结构稳定性
.渠床稳定性
.热稳定性
.渗流稳定性
.围岩稳定性

Wen du
温度*
.冰点
.低温
.沸点
.高温
.临界温度
.流动温度
.凝固点
.气温
.入仓温度
.水温
..地下水温
..灌溉水温
..河流水温
.土壤温度

Wen sheng
温升*
.绝热温升

Wen xian
文献*
.标准文献
.论文
.目录文献
.视听文献
.缩微文献
.索引文献
.文摘文献
.专利文献

Wo qiao
蜗壳*
.钢蜗壳
.砼蜗壳

Wu cha
误差*
.测量误差
..尺度误差
.系统误差
.仪器误差

Wu li xing zhi
物理性质*
.热学性质
.水物理性质
.土物理性质

Wu li xue
物理学*
.地球物理学
.水文物理学
..水声学

Wu ran
污染*
.点污染
.毒物污染
.放射性污染
.肥料污染
.环境污染
..城市污染

.全球定位系统
.热力系统
.砂石料加工系统
.生态系统
.输水系统
..船闸输水系统
.水利系统
.水文系统
.水资源系统
.调节系统
..空气调节系统
..水轮机调节系统
.砼拌和系统
.通风系统
.通信系统
.尾水系统
.信息系统
..地理信息系统
..防汛信息系统
.循环系统
..水循环系统
.压缩空气系统
.遥感系统
.一次系统
.引水系统
..水电站引水系统
..有压引水系统
.油压系统
.预报系统
.照明系统
.制冷系统
.自动化系统

Xiao lu
效率*
.水轮机效率

Xiao yi
效益*
.发电效益
.防洪效益
.工程效益
..水利工程效益

...水库效益
.供水效益
.灌溉效益
.航运效益
.环境效益
.减沙效益
.节水效益
.经济效益
.净效益
.社会效益
.水土保持效益
.投资效益
.综合利用效益

Xiao neng
消能*
.底流消能
.井流消能
.联合消能
.面流消能
.挑流消能
.消力戽消能
.压力消能

Xiao neng gong
消能工*
.辅助消能工
.孔板消能工
.扩散式消能工
.联合消能工
.裙板消能工
.收缩式消能工
.消力池
.消力墩
.消力戽
.消力井
.消力槛
.窄缝式消能工

Xie qiang
斜墙*
.粘土斜墙
.砼斜墙

..膨胀土压力
..主动土压力
.扬压力

Ya li shui guan
压力水管*
.坝后背管
.坝内埋管
.岔管
..球形岔管
..月牙肋岔管
.钢衬钢筋砼管
.露天压力水管
.埋藏式压力水管
.压力钢管
.压力弯管

Ya suo ji
压缩机*
.空气压缩机

Yan
堰*
.薄壁堰
.侧堰
.低堰
.矩形堰
.宽顶堰
.量水堰
.迷宫堰
.潜堰
.锐缘堰
.三角堰
.实用堰
.梯形堰
.溢流堰

Yan jiu
研究*
.可行性研究
.科研
.理论研究
.泥沙研究

.试验研究
.污染研究
.应用研究

Yan shi
岩石*
.变质岩
..动力变质岩
..混合岩
..交代岩
..区域变质岩
...片麻岩
..热力变质岩
...大理岩
.蚀变岩石
.沉积岩
.化学岩
..石灰岩
..粘土岩
..页岩
.碎屑岩
..砾岩
...砂岩
.蒸发岩
.风化岩
.火成岩
..超基性岩
..火山岩
..基性岩
...玄武岩
..碱性岩
.侵入岩
.蛇绿岩
.酸性岩
...花岗岩
...流纹岩
..中性岩
.坚硬岩石
.软弱岩石

Yan ti
岩体*
.不连续岩体

雨量计*
　.自记雨量计

Yuan li
原理*
　.遥感原理

Yue yi
跃移*
　.泥沙跃移

Yun shu
运输*
　.材料运输
　..运土
　.管道运输
　..管道气力运输
　..管道水力运输

Yun xing
运行*
　.安全运行
　.电网运行
　.孤立运行
　.间断运行
　.经济运行
　.联网运行
　.连续运行
　.试运行
　.水泵运行
　.水电站运行
　..低水位运行
　..甩负荷运行
　..水轮发电机组运行
　.无人值守运行
　.最优运行

Yun yong
运用*
　.联合运用
　..井渠联合运用
　..水资源联合运用
　.水库运用

Zai hai
灾害*
　.地震灾害
　..坝震害
　.公害
　.气象灾害
　..冰害
　..冻害
　..旱灾
　..冷害
　..水灾
　...渍害
　.山地灾害

Zao jia
造价*
　.工程造价

Zha men
闸门*
　.薄壳闸门
　.船闸闸门
　.叠梁闸门
　.定轮闸门
　.翻转闸门
　.浮式闸门
　.钢筋砼闸门
　.钢丝网水泥闸门
　.钢闸门
　..弧形钢闸门
　.高压闸门
　.工作闸门
　.鼓形闸门
　.辊式闸门
　.横拉闸门
　.弧形闸门
　..弧形钢闸门
　.滑动闸门
　.检修闸门
　.木闸门
　.平面闸门
　.人字闸门
　.三角闸门

.扇形闸门
.舌瓣闸门
.事故闸门
.塑料闸门
.尾水闸门
.液压闸门
.圆筒闸门
.铸铁闸门
.自动闸门
..水力自控闸门

Zhao biao
招标*
.工程招标
.国际招标

Zhen dong
振动*
.坝振动
.爆破振动
.厂房振动
.共振
.机械振动
.水轮机振动
.随机振动
.闸门振动
.自振

Zheng ce
政策*
.技术政策
.经济政策
.水利政策
..防洪政策

Zheng fa
蒸发*
.冰面蒸发
.流域总蒸发
.水面蒸发
..水库蒸发
.土壤蒸发
.雪面蒸发

Zhi biao
指标*
.技术经济指标
..泵站技术经济指标

Zhi fa
执法*
.水利执法

Zhi he cuo shi
治河措施*
.裁弯取直
.堤防加固
..放淤固堤
.河道疏浚
.机械疏浚
.平整岸线
.扫床
.塞支强干
.束狭河槽
.稳定河槽
.引洪淤滩
.炸礁

Zhi shui
治水*
.依法治水
.治淮
.治黄
.治太

Zhi hu
支护*
.洞室支护
.锚喷支护
.喷砼支护
.隧洞支护

Zhi zuo
支座*
.固定支座
.滑动支座
.铰支座

..固定铰支座
..活动铰支座
.柔性支座
.三向支座
.弹性支座
.橡胶支座

Zhi jing
直径*
　.粒径
　..泥沙粒径

Zhi liang
质量*
　.工程质量
　.骨料质量
　.环境质量
　.施工质量
　.水泥质量
　.水质
　..灌溉水质
　..河流水质
　..湖泊水质
　.牧区水质
　.水库水质
　..饮用水质
　.砼质量

Zhi shui
止水*
　.闸门止水

Zhou cheng
轴承*
　.导轴承
　.滚动轴承
　.滚子轴承
　.滑动轴承
　.球轴承
　.推力轴承

*

.牛腿

Zhu ba
筑坝*
　.砼坝浇筑
　.土坝压实

Zhuang
桩*
　.板桩
　.端承桩
　.粉喷桩
　.钢板桩
　.钢管桩
　.钢筋砼桩
　.管柱桩
　.灌注桩
　..爆扩桩
　..钻孔灌注桩
　..局部加粗桩
　.抗滑桩
　.锚桩
　.摩擦桩
　.木桩
　.群桩
　.碎石桩
　..挤密砂桩
　..砂桩
　..振冲碎石桩

Zhuang zhi
装置*
　.保护装置
　.测流装置
　.观测装置
　..自动观测装置
　.计量装置
　.记录装置
　.量水装置
　.配电装置
　.水工试验装置
　.锁定装置

附　表

附表一　　水系

A ke su he
阿克苏河
Aksu He
Aksu River
　F　库玛拉河
　　　托什干河
　S　塔里木河
　Z　塔里木河内流区水系*

A ken se he
阿肯色河
Arkansas River

A lun he
阿伦河
Alun he
Alun River
　S　嫩江
　Z　黑龙江水系*

A mo jiang
阿墨江
Amo Jiang
Amo River
　S　李仙江
　Z　元江－红河水系*

A mu he
阿姆河
Amudarja

Ai ba ge guo le
艾巴格郭勒
Aibageguole River
　S　内蒙古内流区水系*

Ai bu luo he
埃布罗河

Ebro River

An da lüe hu
安大略湖
Lake Ontario

An jia la he
安加拉河
Angara River

An ning he
安宁河
Anning He
Anning River
　S　雅砻江
　Z　长江水系*

Ang qu
昂曲
Angqu River
　S　澜沧江
　Z　澜沧江－湄公河水系*

Ao de he
奥得河
Oder River

Ao lan zhi he
奥兰治河
Orange River

Ao li nuo ke he
奥里诺科河
Orinoco River

Ba la gui he
巴拉圭河
Paraguay River

Ba la na he
巴拉那河
Parana River

Ba la na yi ba he
巴拉那伊巴河
Paranaiba River
　　D　帕腊奈巴河

Ba na ma yun he
巴拿马运河
Panama Canal

Ba yin he
巴音河
Bayin He
Bayin River
　　S　柴达木内流区水系*

Bai cheng nei liu qu shui xi
白城内流区水系*
The Continental River System
　　of Baicheng
　　F　霍林河
　　　　洮儿河

Bai he
白河
Bai He
Baihe River
　　S　唐白河
　　Z　长江水系*

Bai he
白河
Bai He
Baihe River
　　S　黄河
　　Z　黄河水系*

Bai he
白河
Bai He

Baihe River
　　S　潮白河
　　Z　滦河水系*

Bai long jiang
白龙江
Bailong Jiang
Bailong River
　　S　嘉陵江
　　Z　长江水系*

Bai yang dian
白洋淀
Baiyang Dian
Lake Baiyang Dian
　　S　大清河
　　Z　海河水系*

Bao luo li he
鲍罗里河
Baoluoli He
Baoluoli River
　　S　藏西南国际河流及吉隆内流
　　　　区水系*

Bei da he
北大河
Beida He
Beida River
　　S　河西走廊—阿拉善内流区水
　　　　系*

Bei fei he
北淝河
Beifei He
Beifei River
　　S　淮河
　　Z　淮河水系*

Bei gan liu
北干流
Bei Ganliu
Northern Main River

S 黄河中游
Z 黄河水系*

Bei jiang
北江
Bei Jiang
Beijiang River
  F 连江
     绥江
     武水
  S 珠江
  Z 珠江水系*

Bei liu jiang
北流江
Beiliu Jiang
Beiliu River
  S 西江
  Z 珠江水系*

Bei pan jiang
北盘江
Beipan Jiang
Beipan River
  S 西江
  Z 珠江水系*

Bei shang chuan
北上川
Kitakamigawa

Bei yun he
北运河
Bei Yunhe
North Canal
  S 海河
  Z 海河水系*

Bei jia er hu
贝加尔湖
Lake Baikal

Bo chao la he

伯朝拉河
Pechora River

Bo er ta la he
博尔塔拉河
Boertala He
Boertala River
  S 准噶尔内流区水系*

Bo si teng hu
博斯腾湖
Bosten Hu
Lake Bosten
  S 塔里木河内流区水系*

Bo he
波河
Po River

Bu er ha tong he
布尔哈通河
Buerhatong He
Buerhatong River
  S 图门江
  Z 图门江水系*

Bu ha he
布哈河
Buha He
Buha River
  S 青海湖水系*

Bu la ma pu te la he
布拉马普特拉河
Brahmaputra River

Cha yu he
察隅河
Chayu He
Chayu River
  S 藏西南国际河流及吉隆内流
     区水系*

Chai da mu nei liu qu shui xi
柴达木内流区水系*
The Continental River System
  of Qaidam
  F 巴音河
      大哈勒腾河
      格尔木河
      哈拉湖
      红水河
      那棱格勒河
      铁木里克河
      香日德河

Chang hua jiang
昌化江
Changhua Jiang
Changhua River
    S 海南岛水系*

Chang jiang
长江
Chang Jiang
Yangtze River
  F 长江上游
      长江下游
      长江中游
      巢湖
      赤水河
      滁河
      东荆河
      高邮湖
      汉江(中国)
      洪湖
      黄浦江
      嘉陵江
      京杭运河
      澧水
      骆马湖
      岷江
      南四湖
      内荆河
      綦江
      秦淮河

青弋江
水阳江
太湖
沱江
皖河
乌江
  S 长江水系*

Chang jiang shang you
长江上游
(石鼓—宜昌)
Changjiang Shangyou
Upper Course of Yangtze River
  S 长江
  Z 长江水系*

Chang jiang shui xi
长江水系*
The Water System of Changjiang
  River
The Water System of Yangtze R-
  iver
  F 长江
      洞庭湖水系
      金沙江水系
      鄱阳湖水系

Chang jiang xia you
长江下游
(湖口以下)
Changjiang Xiayou
Lower Course of Yangtze River
  S 长江
  Z 长江水系*

Chang jiang zhong you
长江中游
(宜昌—湖口)
Changjiang Zhongyou
Middle Course of Yangtze River
  S 长江
  Z 长江水系*

Chao bai he
潮白河
Chaobai He
Chaobai River
   F 白河
      潮河
   S 滦河水系*

Chao he
潮河
Chao He
Chaohe River
   S 潮白河
   Z 滦河水系*

Chao hu
巢湖
Chao Hu
Lake Chaohu
   S 长江
   Z 长江水系*

Che er chen he
车尔臣河
Qarqan He
Qarqan River
   S 塔里木河内流区水系*

Chi shui he
赤水河
Chishui He
Chishui River
   S 长江
   Z 长江水系*

Chu he
滁河
Chu He
Chuhe River
   S 长江
   Z 长江水系*

Chu ma er he

楚玛尔河
Chuma'er He
Chuma'er River
   S 通天河
   Z 长江水系*

Cuo le zang bu
措勒藏布
Cuole Zangbu River
   S 藏西南国际河流及吉隆内流
      区水系*

Da du he
大渡河
Dadu He
Dadu River
   F 杜柯河
      青衣江
   S 岷江
   Z 长江水系*

Da ha le teng he
大哈勒腾河
Dahaleteng He
Dahaleteng River
   S 柴达木内流区水系*

Da hei he
大黑河
Dahei He
Dahei River
   S 黄河
   Z 黄河水系*

Da jia xi
大甲溪
Dajia Xi
Dajia Stream
   S 台湾岛诸水系*

Da ling he
大凌河
Daling He

Daling River
　　S　辽西沿海水系*

Da qing he
大清河
Daqing He
Daqing River
　　F　白洋淀
　　　　拒马河
　　　　唐河
　　S　海河
　　Z　海河水系*

Da tong he
大通河
Datong He
Datong River
　　S　湟水
　　Z　黄河水系*

Da yang he
大洋河
Dayang He
Dayang River
　　S　辽东半岛水系*

Da zhang xi
大樟溪
Dazhang Xi
Dazhang Stream
　　S　闽江
　　Z　闽江水系*

Dai hai
岱海
Dai Hai
Lake Daihai
　　S　内蒙古内流区水系*

Dan ba qu
丹巴曲
Danbaqu River
　　S　藏西南国际河流及吉隆内流

区水系*

Dan jiang
丹江
Dan Jiang
Danjiang River
　　F　滔河
　　S　汉江(中国)
　　Z　长江水系*

Dan shui he
淡水河
Danshui He
Danshui River
　　S　台湾岛诸水系*

Dang he
党河
Dang He
Danghe River
　　S　河西走廊—阿拉善内流区水
　　　　系*

Di er song hua jiang
第二松花江
Di'er Songhua Jiang
Di'er Songhua River
　　S　松花江
　　Z　黑龙江水系*

Di nie bo he
第聂伯河
Dnepr River

Di ge li si he
底格里斯河
Tigris River

Dian chi
滇池
Dian Chi
Lake Dianchi
　　S　金沙江水系

Z 长江水系*

Dian chuan
淀川
Yodogawa

Ding jiang
汀江
Ding Jiang
Dingjiang River
S 两广沿海水系*

Dong jiang
东江
Dong Jiang
Dongjiang River
F 新丰江
S 珠江
Z 珠江水系*

Dong jing he
东荆河
Dongjing He
Dongjing River
S 长江
Z 长江水系*

Dong liao he
东辽河
Dongliao He
Dongliao River
S 辽河水系*

Dong ting hu
洞庭湖
Dongting Hu
Lake Dongting
S 洞庭湖水系
Z 长江水系*

Dong ting hu shui xi
洞庭湖水系
The Water System of Lake Dong-
ting
F 洞庭湖
荆江
沮漳河
澧水
汨罗江
清水江
湘江
沅江
资水
S 长江水系*

Du he
堵河
Du He
Duhe River
S 汉江（中国）
Z 长江水系*

Du ke he
杜柯河
Duke He
Duke River
S 大渡河
Z 长江水系*

Du luo he
杜罗河
Douro River

Du liu jiang
都柳江
Duliu Jiang
Duliu River
S 西江
Z 珠江水系*

Du shan hu
独山湖
Dushan Hu
Lake Dushan
S 南四湖
Z 长江水系*

Dun he
顿河
Don River

Duo nao he
多瑙河
Duna River
Danube

Duo xiong zang bu
多雄藏布
Duoxiong Zangbu River
   S 雅鲁藏布江*

E bi he
鄂毕河
Obi River

E er gu na he
额尔古纳河
E'erguna He
E'erguna River
   F 根河
      激流河
   S 黑龙江
   Z 黑龙江水系*

E er qi si he(zhong guo)
额尔齐斯河(中国)
Ertix He(China)
Irtysh River(China)

E min he(zhong guo)
额敏河(中国)
E'min He(China)
E'min River(China)
   S 准噶尔内流区水系*

E mu er he
额木尔河
Emu'er He
Emu'er River
   S 黑龙江

   Z 黑龙江水系*

E hai e he
俄亥俄河
Ohio River

Er dao song hua jiang
二道松花江
Erdao Songhua Jiang
Erdao Songhua River
   S 松花江
   Z 黑龙江水系*

Er hai
洱海
Er Hai
Lake Erhai
   S 澜沧江—湄公河水系*

Fen he
汾河
Fen He
Fenhe River
   S 黄河
   Z 黄河水系*

Fu chun jiang
富春江
Fuchun Jiang
Fuchun River
   F 新安江
   S 钱塘江水
   Z 浙江沿海水系*

Fu shui
富水
Fu Shui
Fushui River
   S 鄱阳湖水系
   Z 长江水系*

Fu tun xi
富屯溪

Futun Xi
Futun Stream
   S 闽江
   Z 闽江水系*

Fu er jia he
伏尔加河
Volga River

Fu he
抚河
Fu He
Fuhe River
   S 鄱阳湖水系
   Z 长江水系*

Fu xian hu
抚仙湖
Fuxian Hu
Lake Fuxian
   S 西江
   Z 珠江水系*

Fu jian sheng yan hai shui xi
福建省沿海水系*
Coastal Water System of Fujian
   F 交溪
      晋江
      九龙江

Fu jiang
涪江
Fu Jiang
Fujiang River
   S 嘉陵江
   Z 长江水系*

Fu rong jiang
芙蓉江
Furong Jiang
Furong River
   S 乌江
   Z 长江水系*

Fu yang he
滏阳河
Fuyang He
Fuyang River
   S 子牙河
   Z 海河水系*

Ga ya he
嘎呀河
Gaya He
Gaya River
   S 图门江
   Z 图门江水系*

Gai qu
盖曲
Gaiqu River
   S 澜沧江
   Z 澜沧江－湄公河水系*

Gai zi he
盖孜河
Gaizi He
Gaizi River
   S 塔里木河内流区水系*

Gan he
甘河
Gan He
Ganhe River
   S 嫩江
   Z 黑龙江水系*

Gan jiang
赣江
Gan Jiang
Ganjiang River
   F 贡水
      禾水
      袁水
      章水
   S 鄱阳湖水系
   Z 长江水系*

Gang guo he
刚果河
Congo River

Gao you hu
高邮湖
Gaoyou Hu
Lake Gaoyou
 S 长江
 Z 长江水系*

Ge da wa li he
哥达瓦里河
Godavari River

Ge lun bi ya he
哥伦比亚河
Colombia River

Ge er mu he
格尔木河
Ge'ermu He
Ge'ermu River
 S 柴达木内流区水系*

Ge lan de he(ba xi)
格兰德河(巴西)
Grande River(Brazil)

Ge lan de he(mei guo, mo xi ge)
格兰德河(美国, 墨西哥)
Grande River(USA, Mexico)

Gen he
根河
Gen He
Genhe River
 S 额尔古纳河
 Z 黑龙江水系*

Gong shui
贡水
Gong Shui

Gongshui River
 S 赣江
 Z 长江水系*

Gu zi le he
古孜勒河
Guzile He
Guzile River
 S 塔里木河内流区水系*

Guan he
灌河
Guan He
Guanhe River
 S 淮河水系*

Gui jiang
桂江
Gui Jiang
Guijiang River
 S 西江
 Z 珠江水系*

Guo he
涡河
Guo He
Guohe River
 F 惠济河
 S 淮河
 Z 淮河水系*

Ha la hu
哈拉湖
Har Hu
Lake Har
 S 柴达木内流区水系*

Hai he
海河
Hai He
Haihe River
 F 北运河
   大清河

卫河
永定河
子牙河
S　海河水系*

Hai he shui xi
海河水系*
The Water System of Haihe Riv-
er
　F　海河

Hai la er he
海拉尔河
Haila'er He
Haila'er River
　F　伊敏河
　S　黑龙江
　Z　黑龙江水系*

Hai nan dao shui xi
海南岛水系*
The Water System of Hainan Is-
land
　F　昌化江
　　　南渡江

Han bei he
汉北河
Hanbei He
Hanbei River
　S　汉江(中国)
　Z　长江水系*

Han jiang(han guo)
汉江(韩国)
Han-Gang(Korea)

Han jiang(zhong guo)
汉江(中国)
Han Jiang(China)
Hanjiang River(China)
　F　丹江
　　　堵河

汉北河
金钱河
南河
唐白河
旬河
S　长江
Z　长江水系*

Han jiang
韩江
Han Jiang
Hanjiang River
　F　梅江
　S　两广沿海水系*

He de xun he
赫德逊河
Hudson River

He jiang
贺江
He Jiang
Hejiang River
　S　西江
　Z　珠江水系*

He shui
禾水
He Shui
Heshui River
　S　赣江
　Z　长江水系*

He tian he
和田河
Hotan He
Hotan River
　F　喀拉喀什河
　　　玉龙喀什河
　S　塔里木河
　Z　塔里木河内流区水系*

He xi zou lang a la shan nei

liu qu shui xi
河西走廊—阿拉善内流区水系*
The Continental River System
  of Hexizoulang-A'lashan
F 北大河
   党河
   黑河
   石洋河
   疏勒河

Hei he
黑河
Hei He
Heihe River
S 河西走廊—阿拉善内流区水
   系*

Hei long jiang
黑龙江
Heilong Jiang
Heilong River
F 额尔古纳河
   额木尔河
   海拉尔河
   呼伦池
   呼玛河
   库尔滨河
   嫩江
   松花江
   乌苏里江
   逊河
S 黑龙江水系*

Hei long jiang shui xi
黑龙江水系*
The Water System of Heilongji
  ang River
F 黑龙江
   兴凯湖

Heng he
恒河
Ganges River

Heng jiang
横江
Heng Jiang
Hengjiang River
S 金沙江
Z 长江水系*

Hong he
洪河
Hong He
Honghe River
F 汝河
S 淮河
Z 淮河水系*

Hong hu
洪湖
Hong Hu
Lake Honghu
S 长江
Z 长江水系*

Hong ze hu
洪泽湖
Hongze Hu
Lake Hongze
S 淮河水系*

Hong he
红河
Hong He
Red River
S 元江—红河水系*

Hong shui he
红水河
Hongshui He
Hongshui River
S 柴达木内流区水系*

Hong shui he
红水河
Hongshui He

Hongshui River
  S 西江
  Z 珠江水系*

Hu lan he
呼兰河
Hulan He
Hulan River
  S 松花江
  Z 黑龙江水系*

Hu lun chi
呼伦池
Hunlun Nur
Lake Hulun
  S 黑龙江
  Z 黑龙江水系*

Hu ma he
呼玛河
Huma He
Huma River
  F 塔河
  S 黑龙江
  Z 黑龙江水系*

Hu lu he
葫芦河
Hulu He
Hulu River
  S 渭河
  Z 黄河水系*

Hu tuo he
滹沱河
Hutuo He
Hutuo River
  S 子牙河
  Z 海河水系*

Huai he
淮河
Huai He

Huaihe River
  F 北淝河
     涡河
     洪河
     浉河
     西淝河
     颍河
  S 淮河水系*

Huai he shui xi
淮河水系*
The Water System of Huaihe River
  F 灌河
     洪泽湖
     淮河
     射阳河
     新汴河
     新沭河

Huang he
黄河
Huang He
Huanghe River
Yellow River
  F 白河
     大黑河
     汾河
     黄河上游
     黄河下游
     黄河中游
     湟水
     窟野河
     苦水河
     洛河(河南)
     洛河(陕西)
     沁河
     清水河
     涑水河
     洮河
     渭河
     无定河
     延河

祖厉河
S　黄河水系*

Huang he shang you
黄河上游
（内蒙古托克托以上）
Huanghe Shangyou
Upper Course of Yellow River
　S　黄河
　Z　黄河水系*

Huang he shui xi
黄河水系*
The Water System of Huanghe R-
iver
The Water System of Yellow Ri-
ver
　F　黄河

Huang he xia you
黄河下游
（河南桃花峪以下）
Huanghe Xiayou
Lower Course of Yellow River
　S　黄河
　Z　黄河水系*

Huang he zhong you
黄河中游
（内蒙古托克托—河南桃花峪）
Huanghe Zhongyou
Middle Course of Yellow River
　F　北干流
　　　小北干流
　S　黄河
　Z　黄河水系*

Huang ni he
黄泥河
Huangni He
Huangni River
　S　西江
　Z　珠江水系*

Huang pu jiang
黄浦江
Huangpu Jiang
Huangpu River
　F　吴淞江
　S　长江
　Z　长江水系*

Huang shui
湟水
Huang Shui
Huangshui River
　F　大通河
　S　黄河
　Z　黄河水系*

Hui fa he
辉发河
Huifa He
Huifa River
　S　松花江
　Z　黑龙江水系*

Hui ji he
惠济河
Huiji He
Huiji River
　S　涡河
　Z　淮河水系*

Hun he
浑河
Hun He
Hunhe River
　F　太子河
　S　辽东半岛水系*

Hun jiang
浑江
Hun Jiang
Hunjiang River
　S　鸭绿江
　Z　鸭绿江水系*

Huo lin he
霍林河
Huolin He
Huolin River
　　S　白城内流区水系*

Ji lin he
吉林河
Jilin He
Jilin River
　　S　内蒙古内流区水系*

Ji ye chuan
吉野川
Yoshnogawa

Ji liu he
激流河
Jiliu He
Jiliu River
　　S　额尔古纳河
　　Z　黑龙江水系*

Jia ling jiang
嘉陵江
Jialing Jiang
Jialing River
　　F　白龙江
　　　　涪江
　　　　渠江
　　S　长江
　　Z　长江水系*

Jia lu he
贾鲁河
Jialu He
Jialuhe River
　　S　颍河
　　Z　淮河水系*

Jian jiang
鉴江
Jian Jiang

Jianjiang River
　　S　两广沿海水系*

Jian xi
建溪
Jian Xi
Jianxi Stream
　　S　闽江
　　Z　闽江水系*

Jiao lai he
教来河
Jiaolai He
Jiaolai River
　　S　西辽河
　　Z　辽河水系*

Jiao xi
交溪
Jiao Xi
Jiaoxi Stream
　　S　福建省沿海水系*

Jie qu
姐曲
Jiequ River
　　S　怒江
　　Z　怒江－萨尔温江水系*

Jin jiang
晋江
Jin Jiang
Jinjiang River
　　S　福建省沿海水系*

Jin qian he
金钱河
Jinqian He
Jinqian River
　　S　汉江(中国)
　　Z　长江水系*

Jin qu

金曲
Jinqu River
  S 澜沧江
  Z 澜沧江－湄公河水系*

Jin sha jiang
金沙江
Jinsha Jiang
Jinsha River
  F 横江
       龙川江
       牛栏江
       普渡河
       松麦河
       雅砻江
  S 金沙江水系
  Z 长江水系*

Jin sha jiang shui xi
金沙江水系
The Water System of Jinsha River
  F 滇池
       金沙江
       通天河
  S 长江水系*

Jing hang yun he
京杭运河
Jinghang Yunhe
Jinghang Canal
  S 长江
  Z 长江水系*

Jing he
泾河
Jing He
Jinghe River
  F 马莲河
  S 渭河
  Z 黄河水系*

Jing jiang

荆江
Jing Jiang
Jingjiang River
  S 洞庭湖水系
  Z 长江水系*

Jing po hu
镜泊湖
Jingpo Hu
Lake Jingpo
  S 牡丹江
  Z 黑龙江水系*

Jiu long jiang
九龙江
Jiulong Jiang
Jiulong River
  S 福建省沿海水系*

Ju ma he
拒马河
Juma He
Juma River
  S 大清河
  Z 海河水系*

Ju zhang he
沮漳河
Juzhang He
Juzhang River
  S 洞庭湖水系
  Z 长江水系*

Ka la ka shi he
喀拉喀什河
Kelakeshi He
Kelakeshi River
  S 和田河
  Z 塔里木河内流区水系*

Ka ma he
卡马河
Kama River

Ka qu
卡曲
Kaqu He
Kaqu River
　　S　怒江
　　Z　怒江—萨尔温江水系*

Kai du he
开都河
Kaidu He
Kaidu River
　　S　塔里木河内流区水系*

Ke li xi na he
克里希纳河
Krishan River

Ke li ya he
克里雅河
Keliya He
Keliya River
　　S　塔里木河内流区水系*

Ke ze er he
克泽尔河
Kizil River
　　D　克孜勒河
　　S　渭干河
　　Z　塔里木河内流区水系*

Ke zi le he
克孜勒河
Kizil River
　　Y　克泽尔河

Ke luo la duo he
科罗拉多河
Colorado River

Ke luo he
科洛河
Keluo He
Keluo River

S　嫩江
Z　黑龙江水系*

Ku er bin he
库尔滨河
Ku'erbin He
Ku'erbin River
　　S　黑龙江
　　Z　黑龙江水系*

Ku ma la he
库玛拉河
Kumala He
Kumala River
　　S　阿克苏河
　　Z　塔里木河内流区水系*

Ku shui he
苦水河
Kushui He
Kushui River
　　S　黄河
　　Z　黄河水系*

Ku ye he
窟野河
Kuye He
Kuye River
　　S　黄河
　　Z　黄河水系*

La ge lang de he
拉格朗德河
La Grande River

La lin he
拉林河
Lalin He
Lalin River
　　S　松花江
　　Z　黑龙江水系*

La pu la ta he

拉普拉塔河
La Plata River

La sa he
拉萨河
Lhasa He
Lhasa River
　　S　雅鲁藏布江*

Lai yin he
莱茵河
Rhine River

Lai yin mei yin duo nao yun he
莱茵－美茵－多瑙运河
Rhine-Maine-Danube Canal

Lan cang jiang
澜沧江
Lancang Jiang
Lancang River
　　F　昂曲
　　　　盖曲
　　　　金曲
　　　　麦曲
　　　　南斑河
　　　　南腊河
　　　　威远江
　　　　小黑江
　　　　漾濞江
　　　　子曲
　　S　澜沧江－湄公河水系*

Lan cang jiang mei gong he
　　shui xi
澜沧江－湄公河水系*
The Water System of Lancang R-
　　iver-Meigong River
　　F　洱海
　　　　澜沧江
　　　　湄公河

Lao ha he

老哈河
Laoha He
Laoha River
　　S　西辽河
　　Z　辽河水系*

Le an he
乐安河
Le'an He
Le'an River
　　S　鄱阳湖水系
　　Z　长江水系*

Le na he
勒拿河
Le'na River

Li gen chuan
利根川
Tonegawa

Li hai
里海
Caspian Sea

Li qiu he
力丘河
Liqiu He
Liqiu River
　　S　雅砻江
　　Z　长江水系*

Li shui
澧水
Li Shui
Lishui River
　　S　洞庭湖水系
　　Z　长江水系*

Li tang he
理塘河
Litang He
Litang River

S 雅砻江
Z 长江水系*

Li xian jiang
李仙江
Lixian Jiang
Lixian River
　F 阿墨江
　S 元江－红河水系*

Lian jiang
连江
Lian Jiang
Lianjiang River
　S 北江
　Z 珠江水系*

Liang guang yan hai shui xi
两广沿海水系*
Coastal Water System of Gongd-
　ong and Gongxi
　F 汀江
　　韩江
　　鉴江
　　漠阳江
　　南流江
　　榕江
　　潭江

Liao dong ban dao shui xi
辽东半岛水系*
The Water System of Eastern L-
　iaoning Peninsula
　F 大洋河
　　浑河

Liao he
辽河
Liao He
Liaohe River
　F 柳河
　　绕阳河
　S 辽河水系*

Liao he shui xi
辽河水系*
The Water System of Liaohe Ri-
　ver
　F 东辽河
　　辽河
　　西辽河

Liao xi yan hai shui xi
辽西沿海水系*
Coastal Water System of Weste-
　rn Liaoning
　F 大凌河
　　小凌河

Liu chong he
六冲河
Liuchong He
Liuchong River
　S 乌江
　Z 长江水系*

Liu he
柳河
Liu He
Liuhe River
　S 辽河
　Z 辽河水系*

Liu jiang
柳江
Liujiang
Liujiang River
　S 西江
　Z 珠江水系*

Long chuan jiang
龙川江
Longchuan Jiang
Longchuan River
　S 金沙江
　Z 长江水系*

Long jiang
龙江
Long Jiang
Longjiang River
   S　西江
   Z　珠江水系*

Lu er he
鲁尔河
Ruhr River

Lu shui
陆水
Lu Shui
Lushui River
   S　长江
   Z　长江水系*

Lu wa er he
卢瓦尔河
Loire River

Luan he
滦河
Luan He
Luanhe River
   F　青龙河
      伊逊河
   S　滦河水系*

Luan he shui xi
滦河水系*
The Water System of Luanhe River
   F　潮白河
      滦河

Luo bu po
罗布泊
Lop Nur
Lake Lopnur
   S　塔里木河内流区水系*

Luo na he
罗讷河
Rhone River

Luo he(he nan)
洛河(河南)
Luo He(He'nan)
Luohe River(He'nan)
   F　伊河
   S　黄河
   Z　黄河水系*

Luo he(shan xi)
洛河(陕西)
Luo He(Shanxi)
Luohe River(Shanxi)
   S　黄河
   Z　黄河水系*

Luo qing jiang
洛清江
Luoqing Jiang
Luoqing River
   S　西江
   Z　珠江水系*

Luo ma hu
骆马湖
Luoma Hu
Lake Luoma
   S　长江
   Z　长江水系*

Lü le he
律勒河
Lule River

Lü zhi jiang
绿汁江
Luzhi Jiang
Luzhi River
   S　元江
   Z　元江－红河水系*

Ma dai la he
马代腊河
Madeira River

Ma geng xie he
马更些河
Mackenzie River

Ma ha wei li he
马哈韦利河
Mahaweli River

Ma jia he
马颊河
Majia He
Majia River
　　S　山东半岛水系*

Ma lian he
马莲河
Malian He
Malian River
　　S　泾河
　　Z　黄河水系*

Ma ni kua gen he
马尼夸根河
Manicouagaen River

Ma quan he
马泉河
Maquan He
Maquan River

Ma na si he
玛纳斯河
Manasi He
Manasi River
　　S　准噶尔内流区水系*

Ma yi he
蚂蚁河
Mayi He

Mayi River
　　S　松花江
　　Z　黑龙江水系*

Mai qu
麦曲
Maiqu River
　　S　澜沧江
　　Z　澜沧江－湄公河水系*

Mei gong he
湄公河
Mekong River
　　S　澜沧江－湄公河水系*

Mei jiang
梅江
Mei Jiang
Meijiang River
　　S　韩江
　　Z　两广沿海水系*

Meng bo luo he
猛波罗河
Mengboluo He
Mengboluo River
　　S　怒江
　　Z　怒江－萨尔温江水系*

Mi luo jiang
汨罗江
Miluo Jiang
Miluo River
　　S　洞庭湖水系
　　Z　长江水系*

Mi su li he
密苏里河
Missouri River

Mi xi xi bi he
密西西比河
Mississippi River

Mi xie gen hu
密歇根湖
Lake Michigan
　Y　密执安湖

Mi zhi an hu
密执安湖
Lake Michigan
　D　密歇根湖

Min jiang
闽江
Min Jiang
Minjiang River
　F　大樟溪
　　　富屯溪
　　　建溪
　　　沙溪
　　　尤溪
　S　闽江水系*

Min jiang shui xi
闽江水系*
The Water System of Minjiang
　River
　F　闽江

Min jiang
岷江
Min Jiang
Minjiang River
　F　大渡河
　S　长江
　Z　长江水系*

Mo lei he
墨累河
Murray River

Mo yang jiang
漠阳江
Moyang Jiang
Moyang River

　S　两广沿海水系*

Mu dan jiang
牡丹江
Mudan Jiang
Mudan River
　F　镜泊湖
　S　松花江
　Z　黑龙江水系*

Mu ling he
穆棱河
Muling He
Muling River
　S　乌苏里江
　Z　黑龙江水系*

Mu zeng chuan
木曾川
Kisogawa

Na ba da he
纳巴达河
Narbada River
　　D　纳尔默达河

Na er mo da he
纳尔默达河
Narmada River
　Y　纳巴达河

Na er xun he
纳尔逊河
Nelson River

Na ling ge le he
那棱格勒河
Nalinggele He
Nalinggele River
　S　柴达木内流区水系*

Nan ban he
南斑河

Nanban He
Nanban River
  S 澜沧江
  Z 澜沧江－湄公河水系*

Nan ding he
南定河
Nanding He
Nanding River
  S 怒江
  Z 怒江－萨尔温江水系*

Nan du jiang
南渡江
Nandu Jiang
Nandu River
  S 海南岛水系*

Nan he
南河
Nan He
Nanhe River
  S 汉江(中国)
  Z 长江水系*

Nan la he
南腊河
Nanla He
Nanla River
  S 澜沧江
  Z 澜沧江－湄公河水系*

Nan liu jiang
南流江
Nanliu Jiang
Nanliu River
  S 两广沿海水系*

Nan pan jiang
南盘江
Nanpan Jiang
Nanpan River
  S 西江

  Z 珠江水系*

Nan si hu
南四湖
Nansi Hu
Lake Nansi
  F 独山湖
    南阳湖
    微山湖
    昭阳湖
  S 长江
  Z 长江水系*

Nan yang hu
南阳湖
Nanyang Hu
Lake Nangyang
  S 南四湖
  Z 长江水系*

Nan yun he
南运河
Nan Yunhe
South Canal
  S 卫河
  Z 海河水系*

Nao li he
挠力河
Naoli He
Naoli River
  S 乌苏里江
  Z 黑龙江水系*

Nei jing he
内荆河
Neijing He
Neijing River
  S 长江
  Z 长江水系*

Nei meng guo nei liu qu shui
  xi

内蒙古内流区水系*
The Continental River System
  of Neimenggu
The Continental River System
  of Nei Mongolia
  F　艾巴格郭勒
　　岱海
　　吉林河
　　塔布河
　　乌拉盖尔河
　　乌力吉沐仁河
　　锡林河

Nen jiang
嫩江
Nen Jiang
Nenjiang River
  F　阿伦河
　　甘河
　　科洛河
　　诺敏河
　　雅鲁河
  S　黑龙江
  Z　黑龙江水系*

Ni luo he
尼罗河
Nile River

Ni ri er he
尼日尔河
Niger River

Ni yang qu
尼洋曲
Niyangqu River
  S　雅鲁藏布江*

Nian chu he
年楚河
Nianchu He
Nianchu River
  S　雅鲁藏布江*

Niu lan jiang
牛栏江
Niulan Jiang
Niulan River
  S　金沙江
  Z　长江水系*

Nu jiang
怒江
Nu Jiang
Nujiang River
  F　姐曲
　　卡曲
　　猛波罗河
　　南定河
　　索曲
　　伟曲
  S　怒江－萨尔温江水系*

Nu jiang sa er wen jiang shui
  xi
怒江－萨尔温江水系*
The Water System of Nujiang R-
  iver-Salween River
  F　怒江
　　萨尔温江

Nuo min he
诺敏河
Nuomin He
Nuomin River
  S　嫩江
  Z　黑龙江水系*

Ou jiang
瓯江
Ou Jiang
Oujiang River
  S　浙江省沿海水系*

Pa la nai ba he
帕腊奈巴河
Paranaiba River

Y　巴拉那伊巴河

Pa long zang bu
帕隆藏布
Palong Zangbu River
　　S　雅鲁藏布江*

Peng qu
朋曲
Pengqu River
　　S　藏西南国际河流及吉隆内流
　　　　区水系*

Pi he
淠河
Pi He
Pihe River
　　S　淮河
　　Z　淮河水系*

Pi si he
皮斯河
Peace River

Po yang hu
鄱阳湖
Poyang Hu
Lake Poyang
　　S　鄱阳湖水系
　　Z　长江水系*

Po yang hu shui xi
鄱阳湖水系
The Water System of Lake Poya-
ng
　　F　抚河
　　　　富水
　　　　赣江
　　　　乐安河
　　　　鄱阳湖
　　　　信江
　　　　修水
　　S　长江水系*

Pu du he
普渡河
Pudu He
Pudu River
　　S　金沙江
　　Z　长江水系*

Pu lu si he
普鲁斯河
Purus River

Pu yang jiang
浦阳江
Puyang Jiang
Puyang River
　　S　钱塘江水系
　　Z　浙江省沿海水系*

Qi jiang
綦江
Qi Jiang
Qijiang River
　　S　长江
　　Z　长江水系*

Qian jiang
黔江
Qian Jiang
Qianjiang River
　　S　西江
　　Z　珠江水系*

Qian tang jiang
钱塘江
Qiantang Jiang
Qiantang River
　　S　钱塘江水系
　　Z　浙江省沿海水系*

Qian tang jiang shui xi
钱塘江水系
The Water System of Qiantang
　River

F　富春江
　　浦阳江
　　钱塘江
S　浙江省沿海水系*

Qin he
沁河
Qin He
Qinhe River
　S　黄河
　Z　黄河水系*

Qin huai he
秦淮河
Qinhuai He
Qinhuai River
　S　长江
　Z　长江水系*

Qing hai hu
青海湖
Qinghai Hu
Lake Qinghai
　S　青海湖水系*

Qing hai hu shui xi
青海湖水系*
The Water System of Lake Qing-
　hai
　F　布哈河
　　　青海湖

Qing long he
青龙河
Qinglong He
Qinglong River
　S　滦河
　Z　滦河水系*

Qing yi jiang
青衣江
Qingyi Jiang
Qingyi River

S　大渡河
Z　长江水系*

Qing yi jiang
青弋江
Qingyi Jiang
Qingyi River
　S　长江
　Z　长江水系*

Qing shui he
清水河
Qingshui He
Qingshui River
　S　黄河
　Z　黄河水系*

Qing shui jiang
清水江
Qingshui Jiang
Qingshui River
　S　洞庭湖水系
　Z　长江水系*

Qing shui jiang
清水江
Qingshui Jiang
Qingshui River
　S　乌江
　Z　长江水系*

Qing shui jiang
清水江
Qingshui Jiang
Qingshui River
　S　西江
　Z　珠江水系*

Qing zhang he
清漳河
Qingzhang He
Qingzhang River
　S　漳河

Z　海河水系*

Qiong ge lai qu
琼格莱渠
Jonglei Canal

Qiu ji er he
丘吉尔河
Churchill River

Qu jiang
渠江
Qu Jiang
Qujiang River
　S　嘉陵江
　Z　长江水系*

Rao yaŋ he
绕阳河
Raoyang He
Raoyang River
　S　辽河
　Z　辽河水系*

Ri nei wa hu
日内瓦湖
Lake Geneva

Ri yue tan
日月潭
Riyue Tan
Lake Riyue
　S　台湾岛诸水系*

Rong jiang
融江
Rong Jiang
Rongjiang River
　S　西江
　Z　珠江水系*

Rong jiang
榕江

Rong Jiang
Rongjiang River
　S　两广沿海水系*

Ru he
汝河
Ru He
Ruhe River
　S　洪河
　Z　淮河水系*

Ru he
汝河
Ru He
Ruhe River
　S　颍河
　Z　淮河水系*

Sa er wen jiang
萨尔温江
Salween River
　S　怒江－萨尔温江水系*

Sa ke la men tuo he
萨克拉门托河
Sacramento River

Sa si ka che wen he
萨斯喀彻温河
Saskatchewan River

Sai na he
塞纳河
Seine River

Sang gan he
桑干河
Sanggan He
Sanggang River
　S　永定河
　Z　海河水系*

Sha he

沙河
Sha He
Shahe River
　S　颍河
　Z　淮河水系*

Sha xi
沙溪
Sha Xi
Shaxi Stream
　S　闽江
　Z　闽江水系*

Shan dong ban dao shui xi
山东半岛水系*
The Water System of Shandong
　Peninsula
　F　马颊河
　　　沭河
　　　徒骇河
　　　潍河
　　　小清河
　　　沂河
　　　漳卫新河

She yang he
射阳河
Sheyang He
Sheyang River
　S　淮河水系*

Sheng fu lan xi si ke he
圣弗兰西斯科河
San Francisco River

Sheng lao lun si he
圣劳伦斯河
Saint Lawrence River

Shi shou chuan
石狩川
Ishikarigawa

Shi yang he
石洋河
Shiyang He
Shiyang River
　S　河西走廊－阿拉善内流区水
　　　系*

Shu he
沭河
Shu He
Shuhe River
　S　山东半岛水系*

Shu le he
疏勒河
Shule He
Shule River
　S　河西走廊－阿拉善内流区水
　　　系*

Shui yang jiang
水阳江
Shuiyang Jiang
Shuiyang River
　S　长江
　Z　长江水系*

Si nei ke he
斯内克河
Snake River

Song hua jiang
松花江
Songhua Jiang
Songhua River
　F　第二松花江
　　　二道松花江
　　　呼兰河
　　　辉发河
　　　拉林河
　　　蚂蚁河
　　　牡丹江
　　　汤旺河

　　　　头道松花江
　　　　倭肯河
　　　　饮马河
　　S　黑龙江
　　Z　黑龙江水系*

Song mai he
松麦河
Songmai He
Songmai River
　　S　金沙江
　　Z　长江水系*

Su bi li er hu
苏必利尔湖
Lake Superior

Su yi shi yun he
苏伊士运河
Suez Canal

Su shui he
涑水河
Sushui He
Sushui River
　　S　黄河
　　Z　黄河水系*

Sui fen he
绥芬河
Suifen He
Suifen River

Sui jiang
绥江
Sui Jiang
Suijiang River
　　S　北江
　　Z　珠江水系*

Suo qu
索曲
Suoqu River

　　S　怒江
　　Z　怒江－萨尔温江水系*

Ta bu he
塔布河
Tabu He
Tabu River
　　S　内蒙古内流区水系*

Ta gu si he
塔古斯河
Tagus River
　　D　塔霍河
　　　　特茹河

Ta he
塔河
Ta He
Tahe River
　　S　呼玛河
　　Z　黑龙江水系*

Ta huo he
塔霍河
Tagus River
　　Y　塔古斯河

Ta li mu he
塔里木河
Tarim He
Tarim River
　　F　阿克苏河
　　　　和田河
　　　　渭干河
　　　　叶尔羌河
　　S　塔里木河内流区水系*

Ta li mu he nei liu qu shui xi
塔里木河内流区水系*
The Continental River System
　　of Tarim
　　F　博斯腾湖
　　　　车尔臣河

盖孜河
古孜勒河
开都河
克里雅河
罗布泊
塔里木河

Ta shi ku er gan he
塔什库尔干河
Tashikuergan He
Tashikuergan River
　S　叶尔羌河
　Z　塔里木河内流区水系*

Tai hu
太湖
Tai Hu
Lake Taihu
　S　长江
　Z　长江水系*

Tai zi he
太子河
Taizi He
Taizi River
　S　浑河
　Z　辽东半岛水系*

Tai wan dao zhu shui xi
台湾岛诸水系*
The Water Systems of Taiwan Island
　F　大甲溪
　　　淡水河
　　　日月潭

Tai wu shi he
泰晤士河
Thames River

Tan jiang
潭江
Tan Jiang

Tanjiang River
　S　两广沿海水系*

Tan jiang
潭江
Tan Jiang
Tanjiang River
　S　西江
　Z　珠江水系*

Tang bai he
唐白河
Tangbai He
Tangbai River
　F　白河
　　　唐河
　S　汉江(中国)
　Z　长江水系*

Tang he
唐河
Tang He
Tanghe River
　S　唐白河
　Z　长江水系*

Tang he
唐河
Tang He
Tanghe River
　S　大清河
　Z　海河水系*

Tang wang he
汤旺河
Tangwang He
Tangwang River
　S　松花江
　Z　黑龙江水系*

Tao er he
洮儿河
Tao'er He

Tao' er River
　S　白城内流区水系*

Tao he
洮河
Tao He
Taohe River
　S　黄河
　Z　黄河水系*

Tao he
洮河
Tao He
Taohe River
　S　丹江
　Z　长江水系*

Te ru he
特茹河
Tejo River
　Y　塔古斯河

Ti zi na fu he
提孜那甫河
Tizinafu He
Tizinafu River
　S　叶尔羌河
　Z　塔里木河内流区水系*

Tian na xi he
田纳西河
Tennessee River

Tie mu li ke he
铁木里克河
Tiemulike He
Tiemulike River
　S　柴达木内流区水系*

Tong tian he
通天河
Tongtian He
Tongtian River

F　楚玛尔河
　S　金沙江水系
　Z　长江水系*

Tou dao song hua jiang
头道松花江
Toudao Songhua Jiang
Toudao Songhua River
　S　松花江
　Z　黑龙江水系*

Tu hai he
徒骇河
Tuhai He
Tuhai River
　S　山东半岛水系*

Tu men jiang
图门江
Tumen Jiang
Tumen River
　F　布尔哈通河
　　　嘎呀河
　S　图门江水系*

Tu men jiang shui xi
图门江水系*
The Water System of Tumen River
　F　图门江

Tuo jiang
沱江
Tuo Jiang
Tuojiang River
　S　长江
　Z　长江水系*

Tuo kan ting si he
托坎廷斯河
Tocantins River

Tuo shi gan he

托什干河
Tuoshigan He
Tuoshigan River
　　S　阿克苏河
　　Z　塔里木河内流区水系*

Tuo niang jiang
驮娘江
Tuoniang Jiang
Tuoniang River
　　S　西江
　　Z　珠江水系*

Wa bu hu
瓦埠湖
Wabu Hu
Lake Wabu

Wa he shi he
瓦赫什河
Vakhsh River

Wan he
皖河
Wan He
Wanhe River
　　S　长江
　　Z　长江水系*

Wei duo li ya hu
维多利亚湖
Lake Victoria

Wei si wa he
维斯瓦河
Wisla River

Wei gan he
渭干河
Weigan He
Weigan River
　　F　克泽尔河
　　S　塔里木河

　　Z　塔里木河内流区水系*

Wei he
渭河
Wei He
Weihe River
　　F　葫芦河
　　　　泾河
　　S　黄河
　　Z　黄河水系*

Wei he
潍河
Wei He
Weihe River
　　S　山东半岛水系*

Wei he
卫河
Wei He
Weihe River
　　D　漳卫南运河
　　F　南运河
　　　　卫运河
　　　　漳河
　　　　漳卫运河
　　S　海河
　　Z　海河水系*

Wei yun he
卫运河
Weiyun He
Weiyun River
　　S　卫河
　　Z　海河水系*

Wei qu
伟曲
Weiqu River
　　S　怒江
　　Z　怒江一萨尔温江水系*

Wei shan hu

微山湖
Weishan Hu
Lake Weishan
   S 南四湖
   Z 长江水系*

Wei xi he
威悉河
Weser River

Wei yuan jiang
威远江
Weiyuan Jiang
Weiyuan River
   S 澜沧江
   Z 澜沧江－湄公河水系*

Wo ken he
倭肯河
Woken He
Woken River
   S 松花江
   Z 黑龙江水系*

Wu ban ji he
乌班吉河
Ubangi River
Oubangui River

Wu jiang
乌江
Wu Jiang
Wujiang River
   F 芙蓉江
      六冲河
      清水江
      湘江
      濯河
   S 长江
   Z 长江水系*

Wu la er he
乌拉尔河

Ural River

Wu la gai er he
乌拉盖尔河
Wulagaier He
Wulagaier River
   S 内蒙古内流区水系*

Wu la gui he
乌拉圭河
Uruguay River

Wu li ji mu ren he
乌力吉沐仁河
Wulijimuren He
Wulijimuren River
   S 内蒙古内流区水系*

Wu lun gu he
乌伦古河
Wulungu He
Wulungu River
   S 准噶尔内流区水系*

Wu su li jiang
乌苏里江
Wusuli Jiang
Wusuli River
   F 穆棱河
      挠力河
   S 黑龙江
   Z 黑龙江水系*

Wu ta er de he
乌塔尔德河
Outardes River

Wu ding he
无定河
Wuding He
Wuding River
   S 黄河
   Z 黄河水系*

Wu shui
武水
Wu Shui
Wushui River
   S　北江
   Z　珠江水系*

Wu song jiang
吴淞江
Wusong Jiang
Wusong River
   S　黄浦江
   Z　长江水系*

Xi ba xia qu
西巴霞曲
Xibaxiaqu River
   S　藏西南国际河流及吉隆内流
      区水系*

Xi fei he
西淝河
Xifei He
Xifei River
   S　淮河
   Z　淮河水系*

Xi jiang
西江
Xi Jiang
Xijiang River
   F　北流江
      北盘江
      都柳江
      抚仙湖
      桂江
      贺江
      红水河
      黄泥河
      柳江
      龙江
      洛清江
      南盘江

      黔江
      清水江
      融江
      潭江
      驮娘江
      浔江
      邕江
      右江
      郁江
      左江
   S　珠江
   Z　珠江水系*

Xi la mu lun he
西拉木伦河
Xilamulun He
Xilamulun River
   S　西辽河
   Z　辽河水系*

Xi liao he
西辽河
Xiliao He
Xiliao River
   F　教来河
      老哈河
      西拉木伦河
      新开河
   S　辽河水系*

Xi er he
锡尔河
Syrdarja
Syrdarya

Xi lin he
锡林河
Xilin He
Xilin River
   S　内蒙古内流区水系*

Xian shui he
鲜水河

Xianshui He
Xianshui River
  S 雅砻江
  Z 长江水系*

Xiang jiang
湘江
Xiang Jiagn
Xiangjiang River
  F 潇水
  S 洞庭湖水系
  Z 长江水系*

Xiang jiang
湘江
Xiang Jiang
Xiangjiang River
  S 乌江
  Z 长江水系*

Xiang ri de he
香日德河
Xiangride He
Xiangride River
  S 柴达木内流区水系*

Xiao bei gan liu
小北干流
Xiaobei Ganliu
Small Northern Main River
  S 黄河中游
  Z 黄河水系*

Xiao hei jiang
小黑江
Xiaohei Jiang
Xiaohe River
  S 澜沧江
  Z 澜沧江—湄公河水系*

Xiao ling he
小凌河
Xiaoling He

Xiaoling River
  S 辽西沿海水系*

Xiao qing he
小清河
Xiaoqing He
Xiaoqing River
  S 山东半岛水系*

Xiao shui
潇水
Xiao Shui
Xiaoshui River
  S 湘江
  Z 长江水系*

Xin an jiang
新安江
Xin'an Jiang
Xin'an River
  S 富春江
  Z 浙江省沿海水系*

Xin bian he
新汴河
Xinbian He
Xinbian River
  S 淮河水系*

Xin feng jiang
新丰江
Xinfeng Jiang
Xinfeng River
  S 东江
  Z 珠江水系*

Xin kai he
新开河
Xinkai He
Xinkai River
  S 西辽河
  Z 辽河水系*

Xin shu he
新沭河
Xinshu He
Xinshu River
　　S　淮河水系*

Xin jiang
信江
Xin Jiang
Xinjiang River
　　S　鄱阳湖水系
　　Z　长江水系*

Xin nong chuan
信浓川
Shinanogawa

Xing kai hu
兴凯湖
Xingkai Hu
Lake Xingkai
　　S　黑龙江水系*

Xiu lun hu
休伦湖
Lake Huron

Xiu shui
修水
Xiu Shui
Xiushui River
　　S　鄱阳湖水系
　　Z　长江水系*

Xun he
旬河
Xun He
Xunhe River
　　S　汉江(中国)
　　Z　长江水系*

Xun he
逊河

Xun He
Xunhe River
　　S　黑龙江
　　Z　黑龙江水系*

Xun jiang
浔江
Xun Jiang
Xunjiang River
　　S　西江
　　Z　珠江水系*

Ya long jiang
雅砻江
Yalong Jiang
Yalong River
　　F　安宁河
　　　　理塘河
　　　　力丘河
　　　　鲜水河
　　S　金沙江
　　Z　长江水系*

Ya lu he
雅鲁河
Yalu He
Yalu River
　　S　嫩江
　　Z　黑龙江水系*

Ya lu zang bu jiang
雅鲁藏布江*
Yarlung Zangbo Jiang
Yarlung Zangbo River
　　F　多雄藏布
　　　　拉萨河
　　　　尼洋曲
　　　　年楚河
　　　　帕隆藏布

Ya lu jiang
鸭绿江
Yalu Jiang

Yalu River
  F 浑江
  S 鸭绿江水系*

Ya lu jiang shui xi
鸭绿江水系*
The Water System of Yalu River
  F 鸭绿江

Ya ma sun he
亚马孙河
Amazon
Amazonas River

Ya su hai
亚速海
Sea Azov

Yan he
延河
Yan He
Yanhe River
  S 黄河
  Z 黄河水系*

Yang bi jiang
漾濞江
Yangbi Jiang
Yangbi River
  S 澜沧江
  Z 澜沧江－湄公河水系*

Yang he
洋河
Yang He
Yanghe River
  S 永定河
  Z 海河水系*

Yang zhuo yong hu
羊卓雍湖
Yamzho Yumco
Lake Yamzho Yumco

Ye er qiang he
叶尔羌河
Yarkant He
Yarkant River
  F 塔什库尔干河
     提孜那甫河
  S 塔里木河
  Z 塔里木河内流区水系*

Ye ni sai he
叶尼塞河
Yenisei River

Yi bei he
易北河
Eble River

Yi gua su he
伊瓜苏河
Iguacu River

Yi he
伊河
Yi He
Yihe River
  S 洛河(河南)
  Z 黄河水系*

Yi li he(zhong guo)
伊犁河(中国)
Ili River(China)

Yi luo wa di jiang
伊洛瓦底江
Irrawaddy River

Yi min he
伊敏河
Yimin He
Yimin River
  S 海拉尔河
  Z 黑龙江水系*

Yi xun he
伊逊河
Yixun He
Yixun River
　S　滦河
　Z　滦河水系*

Yi he
沂河
Yi He
Yihe River
　S　山东半岛水系*

Yin du he
印度河
Indus River

Yin ma he
饮马河
Yinma He
Yinma River
　S　松花江
　Z　黑龙江水系*

Ying he
颍河
Ying He
Yinghe River
　F　贾鲁河
　　　汝河
　　　沙河
　S　淮河
　Z　淮河水系*

Yong ding he
永定河
Yongding He
Yongding River
　F　桑干河
　　　洋河
　S　海河
　Z　海河水系*

Yong jiang
邕江
Yong Jiang
Yongjiang River
　S　西江
　Z　珠江水系*

Yong jiang
甬江
Yong Jiang
Yongjiang River
　S　浙江省沿海水系*

You fa la di he
幼发拉底河
Euphrates River

You jiang
右江
You Jiang
Youjiang River
　S　西江
　Z　珠江水系*

You shui
酉水
You Shui
Youshui River
　S　沅江
　Z　长江水系*

You xi
尤溪
You Xi
Youxi Stream
　S　闽江
　Z　闽江水系*

Yu jiang
郁江
Yu Jiang
Yujiang River
　S　西江

Z　珠江水系*

Yu kong he
育空河
Yukong River

Yu long ka shi he
玉龙喀什河
Yulongkeshi River
　　S　和田河
　　Z　塔里木河内流区水系*

Yuan jiang
元江
Yuan Jiang
Yuanjiang River
　　F　绿汁江
　　S　元江－红河水系*

Yuan jiang hong he shui xi
元江－红河水系*
The Water System of Yuanjiang
　　River-Red River
　　F　红河
　　　　李仙江
　　　　元江

Yuan jiang
沅江
Yuan Jiang
Yuanjiang River
　　F　酉水
　　S　洞庭湖水系
　　Z　长江水系*

Yuan shui
袁水
Yuan Shui
Yuanshui River
　　S　赣江
　　Z　长江水系*

Zan bi xi he

赞比西河
Zambezi River

Zang xi nan guo ji he liu ji
　　ji long nei liu qu shui xi
**藏西南国际河流及吉隆内流区水
　　系***
The Water System of South-Eas-
　　tern Xizang International R-
　　ivers and Jilong Endorheic
　　Region
　　F　鲍罗里河
　　　　察隅河
　　　　措勒藏布
　　　　丹巴曲
　　　　朋曲
　　　　西巴霞曲
　　　　扎加藏布

Zha jia zang bu
扎加藏布
Zhajiazangbu River
　　S　藏西南国际河流及吉隆内流
　　　　区水系*

Zhang he
漳河
Zhang He
Zhanghe River
　　F　清漳河
　　　　浊漳河
　　S　卫河
　　Z　海河水系*

Zhang wei nan yun he
漳卫南运河
Zhangweinan Yunhe
Zhangweinan Canal
　　Y　卫河

Zhang wei xin he
漳卫新河
Zhangwei Xinhe

Zhangwei New River
  S 山东半岛水系*

Zhang wei yun he
漳卫运河
Zhangwei Yunhe
Zhangwei Canal
  S 卫河
  Z 海河水系*

Zhang shui
章水
Zhang Shui
Zhangshui River
  S 赣江
  Z 长江水系*

Zhao yang hu
昭阳湖
Zhaoyang Hu
Lake Zhaoyang
  S 南四湖
  Z 长江水系*

Zhe jiang sheng yan hai shui
  xi
浙江省沿海水系*
Coastal Water System of Zheji-
  ang
  F 瓯江
      钱塘江水系
      甬江

Zhu jiang
珠江
Zhu Jiang
Pearl River
  F 北江
      东江
      西江
  S 珠江水系*

Zhu jiang shui xi

珠江水系*
The Water System of Pearl Riv-
  er
  F 珠江

Zhun ge er nei liu qu shui xi
准噶尔内流区水系*
The Continental River System
  of Junggar
  F 博尔塔拉河
      额敏河(中国)
      玛纳斯河
      乌伦古河

Zhuo he
濯河
Zhuo He
Zhuohe River
  S 乌江
  Z 长江水系*

Zhuo zhang he
浊漳河
Zhuozhang He
Zhuozhang River
  S 漳河
  Z 海河水系*

Zi qu
子曲
Ziqu River
  S 澜沧江
  Z 澜沧江－湄公河水系*

Zi ya he
子牙河
Ziya He
Ziya River
  F 滏阳河
      滹沱河
  S 海河
  Z 海河水系*

Zi shui
资水
Zi Shui
Zishui River
  S 洞庭湖水系
  Z 长江水系*

Zu li he
祖厉河
Zuli He
Zuli River

S 黄河
Z 黄河水系*

Zuo jiang
左江
Zuo Jiang
Zuojiang River
  S 西江
  Z 珠江水系*

附表二　　水利水电工程

A er bei re la ba
阿尔卑惹拉坝
Alpe Gera Dam

A er de a da wei la chou shui
  xu neng dian zhan
阿尔德阿达维拉抽水蓄能电站
Aldeadavila Pumped Storage Po-
wer Station

A er men de la ba
阿尔门德拉坝
Almendra Dam

A er teng ka ya ba
阿尔滕卡亚坝
Altinkaya Dam

A er tuo ge suo chou shui xu
  neng dian zhan
阿尔托格索抽水蓄能电站
Alto Gesso Pumped Storage Pow-
er Station

A er wei da shui ku
阿尔韦达水库
Al Wehda Reservoir

A gua fan mei la shui dian
  zhan
阿瓜凡梅拉水电站
Agua Vermelha Hydropower Stat-
ion

A gua mi er pa ba
阿瓜米尔帕坝
Aguamilpa Dam

A ke song bo shui ku
阿科松博水库
Akosombo Reservoir

A ke pu lu ba
阿克普鲁坝
Akkopru Dam

A ke su lao da he guan qu
阿克苏老大河灌区
Aksu Laodahe Irrigation Area

A ke su ta li mu guan qu
阿克苏塔里木灌区
Aksu Tarim Irrigation Area

A li ku la shui dian zhan
阿利库拉水电站
Alicura Hydropower Station

A ma lu zha shui dian zhan
阿马路扎水电站
Amaluza Hydropower Station

A mi er ka bi er ba
阿米尔卡必尔坝
Amir Kabir Dam

A si wang shui dian zhan
阿斯旺水电站
Aswan Hydropower Station

A ta te ke shui dian zhan
阿塔特克水电站
Ataturk Hydropower Station

A ta tu ke shui dian zhan
阿塔图克水电站

Ataturk Hydropower Station

Ai ben si tuo ke shui ku
艾本斯托克水库
Eibenstock Reservoir

Ai de fu te shui dian zhan
艾德福特水电站
Eidfjord Hydropower Station

Ai wa xi ke ba
艾瓦西克坝
Ayvacik Dam

Ai duo luo chou shui xu neng
dian zhan
埃多洛抽水蓄能电站
Edolo Pumped Storage Power St-
ation

Ai er ka hong ba
埃尔卡洪坝
El Cajon Dam

Ai er xiao kong shui dian zhan
埃尔晓孔水电站
El Chocon Hydropower Station

Ai mo song ba
埃莫松坝
Emosson Dam

Ai si te lei tuo shui dian
zhan
埃斯特雷托水电站
Estreito Hydropower Station

An di shui ku
岸堤水库
Andi Reservoir

An ge si tu la shui ku
安格斯图拉水库

La Angostura Reservoir

An kang shui dian zhan
安康水电站
Ankang Hydropower Station

An sha shui dian zhan
安砂水电站
Ansha Hydropower Station

Ao ben ba
奥本坝
Auburn Dam

Ao de he shui ku
奥德河水库
Ord River Reservoir

Ao duo duo liang mu chou shui
xu neng dian zhan
奥多多良木抽水蓄能电站
Okutataragi Pumped Storage Po-
wer Station

Ao ji ye chou shui xu neng
dian zhan
奥吉野抽水蓄能电站
Okuyoshino Pumped Storage Pow-
er Station

Ao qing jin chou shui xu neng
dian zhan
奥清津抽水蓄能电站
Okukiyotsu Pumped Storage Pow-
er Station

Ao shi zuo chou shui xu neng
dian zhan
奥矢作抽水蓄能电站
Okuyahagi Pumped Storage Power
Station

Ao xi shui ku

奥希水库
Oahe Reservoir

Ao yi ma pi na ba
奥依马皮纳坝
Oymapinar Dam

Ao zhi jian ba
奥只见坝
Okutadami Dam

Ba chu xiao hai zi guan qu
巴楚小海子灌区
Bachu Xiaohaizi Irrigation Ar-
ea

Ba jia zui shui ku
巴家咀水库
Bajiazui Reservoir

Ba ke la shui dian zhan
巴克拉水电站
Bhakra Hydropower Station

Ba kun shui dian zhan
巴昆水电站
Bakun Hydropower Station

Ba lie wei ba
巴列维坝
Pahlavi Dam

Ba meng huang he guan qu
巴盟黄河灌区
Bameng Huanghe Irrigation Area

Ba si kang di chou shui xu
neng dian zhan
巴斯康蒂抽水蓄能电站
Bath County Pumped Storage Po-
wer Station

Ba tuo ka shui dian zhan

巴托卡水电站
Batoka Hydropower Station

Ba pan xia shui dian zhan
八盘峡水电站
Bapanxia Hydropower Station

Ba shan shui ku
跋山水库
Bashan Reservoir

Bai gui shan shui ku
白龟山水库
Baiguishan Reservoir

Bai lian he shui dian zhan
白莲河水电站
Bailianhe Hydropower Station

Bai pen zhu shui ku
白盆珠水库
Baipenzhu Reservoir

Bai shan shui dian zhan
白山水电站
Baishan Hydropower Station

Bai yun shui dian zhan
白云水电站
Baiyun Hydropower Station

Bang wei er shui dian zhan
邦维尔水电站
Bonneville Hydropower Station

Bao er de ba
鲍尔德坝
Boulder Dam
　Y　胡佛坝

Bao ge chang shui dian zhan
鲍戈昌水电站
Bogutchan Hydropower Station

Bao ji xia yin wei guan qu
宝鸡峡引渭灌区
Baojixia Yinwei Irrigation Ar-
ea

Bao zhu si shui dian zhan
宝珠寺水电站
Baozhusi Hydropower Station

Bei da gang shui ku
北大港水库
Beidagang Reservoir

Bei di shan chou shui xu neng
　　dian zhan
北地山抽水蓄能电站
Northfield Mountain Pumped St-
orage Power Station

Bei shui nan diao gong cheng
北水南调工程
North-to-South Water Transfer
　Project

Bei ke ma ba
贝克马坝
Bekhma Dam

Bei nei te shui dian zhan
贝内特水电站
Bennett Hydropower Station
　　D　波太基山水电站

Bi kou shui dian zhan
碧口水电站
Bikou Hydropower Station

Bo er shui ku
珀尔水库
Pohl Reservoir

Bo ha nu a shui dian zhan
博哈努阿水电站

Beauharnois Hydropower Station

Bo ya ba te shui ku
博亚巴特水库
Boyabat Reservoir

Bo ji li guan qu
簸箕李灌区
Bojili Irrigation Area

Bo ke ba
伯克坝
Berke Dam

Bo shan shui ku
薄山水库
Boshan Reservoir

Bo tai ji shan shui dian zhan
波太基山水电站
Portage Mountain Hydropower S-
tation
　　Y　贝内特水电站

Bu he ta er ming shui ku
布赫塔尔明水库
Bukhtarmin Reservoir

Bu la ci ke shui dian zhan
布拉茨克水电站
Bratsk Hydropower Station

Bu lai luo he shui ku
布莱洛赫水库
Bleiloch Reservoir

Bu lie yi shui dian zhan
布列依水电站
Burey Hydropower Station

Bu mi bo er ba
布米波尔坝
Bhumiphol Dam

Cha er sen shui ku
察尔森水库
Qarsan Reservoir

Chai he shui ku
柴河水库
Chaihe Reservoir

Chang li shui ku
昌里水库
Changli Reservoir

Chang tan shui dian zhan(guang dong)
长潭水电站(广东)
Changtan Hydropower Station (Guangdong)

Chang tan shui ku(zhe jiang)
长潭水库(浙江)
Changtan Reservoir (Zhejiang)

Chang yun shan shui dian zhan
长云杉水电站
Long Spruce Hydropower Station

Chen cun guan qu
陈村灌区
Chencun Irrigation Area

Chen cun shui dian zhan
陈村水电站
Chencun Hydropower Station

Cheng bi he shui ku
澄碧河水库
Chengbihe Reservoir

Cheng ping yi ji shui dian zhan
成屏一级水电站
Chengping I Hydropower Station

Chi tan shui ku
池潭水库
Chitan Reservoir

Da chao shan shui dian zhan
大朝山水电站
Dachaoshan Hydropower Station

Da di ke sang si ba
大狄克桑斯坝
Grand Dixence Dam

Da gu li shui dian zhan
大古力水电站
Grand Coulee Hydropower Station

Da guang ba shui ku
大广坝水库
Daguangba Reservoir

Da hua shui dian zhan
大化水电站
Dahua Hydropower Station

Da huo fang shui ku
大伙房水库
Dahuofang Reservoir

Da jiao ba
大角坝
Big Horn Dam

Da liu shu shui dian zhan
大柳树水电站
Daliushu Hydropower Station

Da nei shui dian zhan
大内水电站
Ohuchi Hydropower Station

Da qiao shui ku
大桥水库

Daqiao Reservoir

Da shan kou shui dian zhan
大山口水电站
Dashankou Hydropower Station

Da teng xia shui dian zhan
大藤峡水电站
Datengxia Hydropower Station

Da wa guan qu
大洼灌区
Dawa Irrigation Area

Da wang tan shui ku
大王滩水库
Dawangtan Reservoir

Da wu chou shui xu neng dian
zhan
大屋抽水蓄能电站
Grand Maison Pumped Storage P-
ower Station

Da xi shui ku
大溪水库
Tachie Reservoir

Da xia shui dian zhan
大峡水电站
Daxia Hydropower Station

Da yue se fu shui dian zhan
大约瑟夫水电站
Chief Joseph Hydropower Stati-
on

Da le si shui dian zhan
达勒斯水电站
Dalles Hydropower Station

Da te mo si ba
达特摩斯坝

Dartmouth Dam

Da yu zhang guan qu
打渔张灌区
Dayuzhang Irrigation Area

Dan jiang kou shui ku guan qu
丹江口水库灌区
Danjiangkou Reservoir Irrigat-
ion Area

Dan jiang kou shui li shu niu
丹江口水利枢纽
Danjiangkou Multipurpose Proj-
ect

De ha er shui dian zhan
德哈尔水电站
Dehar Hydropower Station

De la gen si bao chou shui xu
neng dian zhan
德腊根斯堡抽水蓄能电站
Drakensberg Pumped Storage Po-
wer Station

De wo xie ke shui dian zhan
德沃歇克水电站
Dworshak Hydropower Station

Deng kou yang shui guan qu
镫口扬水灌区
Dengkou Pump Irrigation Area

Di nie ba
迪聂坝
Tignes Dam

Di nuo wei ke chou shui xu
neng dian zhan
迪偌维克抽水蓄能电站
Dinorwic Pumped Storage Power
Station

Di zi ba
迪兹坝
Dez Dam

Di nie bo lie ning shui dian
 zhan
第聂伯列宁水电站
Dnieprolenin Hydropower Stati-
on

Dong feng qu guan qu
东风渠灌区
Dongfengqu Irrigation Area

Dong feng shui dian zhan
东风水电站
Dongfeng Hydropower Station

Dong jiang shui dian zhan
东江水电站
Dongjiang Hydropower Station

Dong jin shui dian zhan
东津水电站
Dongjin Hydropower Station

Dong ping hu shui ku
东平湖水库
Dongpinghu Reservoir

Dong shen gong shui gong cheng
东深供水工程
Dong-Shen Water Supply Project

Dong zhuang shui ku
东庄水库
Dongzhuang Reservoir

Dou he shui ku
陡河水库
Douhe Reservoir

Du jiang yan guan qu

都江堰灌区
Dujiangyan Irrigation Area

E er qi si yin shui gong cheng
额尔齐斯引水工程
Irtysh Water Transfer Project

E ma ba
饿马坝
Hungry Horse Dam

En bo er ka sa shui dian zhan
恩博尔卡萨水电站
Emborcacao Hydropower Station

Er long shan shui ku
二龙山水库
Erlongshan Reservoir

Er tan shui dian zhan
二滩水电站
Ertan Hydropower Station

Fei er ze ba
菲尔泽坝
Fierze Dam

Fen he guan qu
汾河灌区
Fenhe Irrigation Area

Fen he shui ku
汾河水库
Fenhe Reservoir

Fen si te ta er ba
芬斯特塔尔坝
Finstertal Dam

Feng jia shan guan qu
冯家山灌区
Fengjiashan Irrigation Area

Feng man shui dian zhan
丰满水电站
Fengman Hydropower Station

Feng shu ba shui dian zhan
枫树坝水电站
Fengshuba Hydropower Station

Feng tan shui dian zhan
风滩水电站
Fengtan Hydropower Station

Feng ting he shui ku
凤亭河水库
Fengtinghe Reservoir

Fo lai min xia ba
佛莱敏峡坝
Flaming Gorge Dam

Fo zi ling shui ku
佛子岭水库
Foziling Reservoir

Fu chun jiang shui dian zhan
富春江水电站
Fuchunjiang Hydropower Station

Fu shui shui dian zhan
富水水电站
Fushui Hydropower Station

Fu er na si shui dian zhan
福尔纳斯水电站
Furnas Hydropower Station

Fu tuo pei ke shui ku
福脱佩克水库
Fort Peck Reservoir

Fu zi duo a la a ba
福兹多阿腊阿坝
Foz Do Areia Dam

Fu qiao he shui ku
浮桥河水库
Fuqiaohe Reservoir

Gan fu ping yuan guan qu
赣抚平原灌区
Ganfu Pingyuan Irrigation Area

Gang nan shui ku
岗南水库
Gangnan Reservoir

Gao ba zhou shui dian zhan
高坝洲水电站
Gaobazhou Hydropower Station

Gao dao ba
高岛坝
Gaodao Dam
High Island Dam

Gao lai ba
高濑坝
Takase Dam

Gao zhou shui ku
高洲水库
Gaozhou Reservoir

Gao zhou shui ku guan qu
高洲水库灌区
Gaozhou Reservoir Irrigation
　Area

Ge he yan shui dian zhan
隔河岩水电站
Geheyan Hydropower Station

Ge ke xi ka ya ba
戈克西卡亚坝
Gokcekaya Dam

Ge lan su la na ba

格兰苏拉纳坝
Gran Surana Dam

Ge lan xia ba
格兰峡坝
Glen Canyon Dam

Ge xing neng a er bei ba
葛兴能阿尔卑坝
Goschenenalp Dam

Ge zhou ba shui li shu niu
葛洲坝水利枢纽
Gezhouba Multipurpose Project

Gong bo xia shui dian zhan
公伯峡水电站
Gongboxia Hydropower Station

Gong lai ba
宫濑坝
Miyagase Dam

Gong zui shui dian zhan
龚咀水电站
Gongzui Hydropower Station

Gou pi tan shui dian zhan
构皮滩水电站
Goupitan Hydropower Station

Gu bi xue fu shui dian zhan
古比雪夫水电站
Kuybyshev Hydropower Station

Gu la a pei tuo ba
古拉阿佩托坝
Gura Apetor Dam

Gu li shui dian zhan
古里水电站
Guri Hydropower Station

Gu tian xi shui dian zhan
古田溪水电站
Gutianxi Hydropower Station

Gu xian shui ku
故县水库
Guxian Reservoir

Gua wei ao ba
瓜维奥坝
Guavio Dam

Guan ting shui ku
官厅水库
Guanting Reservoir

Guan yin ge shui ku
观音阁水库
Guanyinge Reservoir

Guang zhou chou shui xu neng
    dian zhan
广州抽水蓄能电站
Guangzhou Pumped Storage Power
    Station

Gui shi shui ku
龟石水库
Guishi Reservoir

Ha sang wu ge lu ba
哈桑乌格鲁坝
Hasan Ugurlu Dam

Han nan guan qu
汉南灌区
Hannan Irrigation Area

Han tai shui ku
汗泰水库
Khantai Reservoir

Hang bu he guan qu

杭埠河灌区
Hangbuhe Irrigation Area
S 淠史杭灌区*

He di shui ku
鹤地水库
Hedi Reservoir

He di shui ku guan qu
鹤地水库灌区
Hedi Reservoir Irrigation Area

He er mu si chou shui xu neng dian zhan
赫尔姆斯抽水蓄能电站
Helms Pumped Storage Power Station

He pu shui ku
合浦水库
Hepu Reservoir

He tao guan qu
河套灌区
Hetao Irrigation Area

Hei bu di si ba
黑部第四坝
Kurobe Dam IV

Hong chao jiang shui ku
洪潮江水库
Hongchaojiang Reservoir

Hong jia du shui dian zhan
洪家渡水电站
Hongjiadu Hydropower Station

Hong men shui ku
洪门水库
Hongmen Reservoir

Hong ze hu shui ku
洪泽湖水库
Hongzehu Reservoir

Hong feng shui dian zhan
红枫水电站
Hongfeng Hydropower Station

Hong shan shui ku
红山水库
Hongshan Reservoir

Hong shi shui dian zhan
红石水电站
Hongshi Hydropower Station

Hu duo ni ba
胡多尼坝
Khudoni Dam

Hu fo ba
胡佛坝
Hoover Dam
D 鲍尔德坝

Hu nan zhen shui dian zhan
湖南镇水电站
Hu'nanzhen Hydropower Station

Hu tan shui dian zhan
壶滩水电站
Kettle Rapids Hydropower Station

Hua liang ting guan qu
花凉亭灌区
Hualiangting Irrigation Area

Hua liang ting shui ku
花凉亭水库
Hualiangting Reservoir

Huan ren shui dian zhan
桓仁水电站

Huanren Hydropower Station

Huang bi zhuang shui ku
黄壁庄水库
Huangbizhuang Reservoir

Huang long tan shui dian zhan
黄龙滩水电站
Huanglongtan Hydropower Station

Huang shi shui ku
黄石水库
Huangshi Reservoir

Huang wei ba
黄尾坝
Yellowtail Dam

Hui yan shui dian zhan
灰岩水电站
Limestone Hydropower Station

Huo en bei ge chou shui xu
neng dian zhan
霍恩贝格抽水蓄能电站
Hornberg Pumped Storage Power
Station

Huo en wa te shui ku
霍恩瓦特水库
Hohenwarte Reservoir

Ji er ben shui dian zhan
基尔本水电站
Kilburn Hydropower Station

Ji er bo chou shui xu neng
dian zhan
吉尔博抽水蓄能电站
Blenheim Gilboa Pumped Storage
Power Station

Ji lin tai shui ku
吉林台水库
Jilintai Reservoir

Ji luo fu te shui ku
吉罗夫特水库
Jiroft Reservoir

Ji sa pa ni shui ku
吉萨帕尼水库
Chisapani Reservoir

Jia li sun shui ku
加里孙水库
Garrison Reservoir

Jia zhou yin shui gong cheng
加州引水工程
California Water Project

Jiang du chou shui zhan
江都抽水站
Jiangdu Pump Station

Jiang kou shui dian zhan
江口水电站
Jiangkou Hydropower Station

Jiang ya shui li shu niu
江垭水利枢纽
Jiangya Multipurpose Project

Jiao kou chou wei guan qu
交口抽渭灌区
Jiaokou Chouwei Irrigation Area

Jie bo qi ba
界伯奇坝
Gepatsch Dam

Jie ya shui dian zhan
结雅水电站

711 水利水电工程

Zeya Hydropower Station

Jin ping shui dian zhan
锦屏水电站
Jinping Hydropower Station

Jin shi chou shui xu neng dian
zhan
今市抽水蓄能电站
Imaichi Pumped Storage Power
Station

Jin shui tan shui dian zhan
紧水滩水电站
Jinshuitan Hydropower Station

Jing bo hu shui dian zhan
镜泊湖水电站
Jingbohu Hydropower Station

Jing gang chong shui ku
井岗冲水库
Jinggangchong Reservoir

Jing hui qu guan qu
泾惠渠灌区
Jinghuiqu Irrigation Area

Ka bi er shui dian zhan
卡比尔水电站
Kabir Hydropower Station

Ka bo la ba sa shui dian zhan
卡博拉巴萨水电站
Cabora Bassa Hydropower Station

Ka ci ba
卡茨坝
Katse Dam

Ka huo fu ka shui ku
卡霍夫卡水库

Kakhovka Reservoir

Ka la ka ya shui dian zhan
卡拉卡亚水电站
Karakaya Hydropower Station

Ka la li di ke si ba
卡拉里蒂科斯坝
Kalaritikos Dam

Ka li ba shui dian zhan
卡里巴水电站
Kariba Hydropower Station

Ka lun yi ji shui dian zhan
卡伦一级水电站
Karun I Hydropower Station

Ka ma ba lan ting si ke ba
卡姆巴兰廷斯克坝
Kam Barantinsk Dam

Ka nei lie si ba
卡内列斯坝
Canelles Dam

Ka ni ya pi si ke he shui ku
卡尼亚皮斯科河水库
Caniapiscau Reservoir

Ka nie fu shui ku
卡涅夫水库
Kanev Reservoir

Ka pu qia jia yi shui ku
卡普恰加伊水库
Kapuchagai Reservoir

Ka si tai ke chou shui xu neng
dian zhan
卡斯泰克抽水蓄能电站
Castaic Pumped Storage Power
Station

Ka yin qi shui ku
卡因齐水库
Kainji Reservoir

Kai ban shui dian zhan
凯班水电站
Keban Hydropower Station

Kai la ke bo shui ku
凯拉克珀水库
Kayraktepe Reservoir

Kai la ke tai pei shui ku
凯拉克泰佩水库
Kayraktepe Reservoir

Kai ma nuo shui dian zhan
凯马诺水电站
Kemano Hydropower Station

Kai xia duo er chou shui xu
　　neng dian zhan
凯夏多尔抽水蓄能电站
Keishchiador Pumped Storage P-
　　ower Station

Kang tuo la ba
康脱拉坝
Contra Dam

Ke er bu lai en ba
科尔布赖恩坝
Kolnbrein Dam

Ke li ma shui ku
科里马水库
Kolyma Reservoir

Ke la si nuo ya er si ke shui
　　dian zhan
克拉斯诺雅尔斯克水电站
Krasnoyarsk Hydropower Station

Ke lan ke si xi ba
克兰克斯溪坝
Cranks Creek Dam

Ke rui ma si ta ba
克瑞玛斯塔坝
Kremasta Dam

Ke wei duo shui dian zhan
克维多水电站
Kvilldol Hydropower Station

Ke zi er shui ku
克孜尔水库
Kezier Reservoir

Ken ni shui ku
肯尼水库
Kenney Reservoir

Ken ni yi er ba
肯尼伊尔坝
Kenyir Dam

Ku er nei la ba
库尔内拉坝
Curnera Dam

Ku ge ba
库格坝
Cougar Dam

Kui tun he liu yu guan qu
奎屯河流域灌区
Kuytun He Irrigation Area

La bu bo de shui ku
拉布博德水库
Rappbode Reservoir

La ge lang de er ji shui dian
　　zhan
拉格朗德二级水电站

La Grande II Hydropower Station

La ge lang de san ji shui dian zhan
拉格朗德三级水电站
La Grande III Hydropower Station

La ge lang de si ji shui dian zhan
拉格朗德四级水电站
La Grande IV Hydropower Station

La ge lang de yi ji shui dian zhan
拉格朗德一级水电站
La Grande I Hydropower Station

La sa er hu ba
拉萨尔湖坝
La Salle Lake Dam

La wei er tuo suo shui ku
拉维尔托索水库
La Vueltoso Reservoir

La xi wa shui dian zhan
拉西瓦水电站
Laxiwa Hydropower Station

La kong shan chou shui xu neng dian zhan
腊孔山抽水蓄能电站
Raccoon Mountain Pumped Storage Power Station

Lao hu shao shui dian zhan
老虎哨水电站
Laohushao Hydropower Station

Lei bin si ke shui ku
雷宾斯克水库
Rybinsk Reservoir

Lei wei er si tuo ke shui dian zhan
雷维尔斯托克水电站
Revelstoke Hydropower Station

Li jia an guan qu
李家岸灌区
Lijia'an Irrigation Area

Li jia xia shui dian zhan
李家峡水电站
Lijiaxia Hydropower Station

Lian hua shui dian zhan
莲花水电站
Lianhua Hydropower Station

Liu jia xia shui dian zhan
刘家峡水电站
Liujiaxia Hydropower Station

Liu xi he shui dian zhan
流溪河水电站
Liuxihe Hydropower Station

Long he kou shui ku
龙河口水库
Longhekou Reservoir

Long men shui ku
龙门水库
Longmen Reservoir

Long tan shui dian zhan
龙滩水电站
Longtan Hydropower Station

Long yang xia shui dian zhan
龙羊峡水电站

Longyangxia Hydropower Station

Lu bu ge shui dian zhan
鲁布革水电站
Lubuge Hydropower Station

Lu ding dun chou shui xu neng
  dian zhan
路丁顿抽水蓄能电站
Ludington Pumped Storage Power
  Station

Lu hun guan qu
陆浑灌区
Luhun Irrigation Area

Lu hun shui ku
陆浑水库
Luhun Reservoir

Lu shui shui dian zhan
陆水水电站
Lushui Hydropower Station

Lu zuo na ba
卢佐纳坝
Luzzone Dam

Luan he xia you guan qu
滦河下游灌区
Luanhexiayou Irrigation Area

Luo gong shui dian zhan
罗贡水电站
Rogun Hydropower Station

Luo si ba
罗斯坝
Ross Dam

Luo ze lang ba
罗泽朗坝
Roseland Dam

Luo ma hu guan qu
骆马湖灌区
Luomahu Irrigation Area

Luo ma hu shui ku
骆马湖水库
Luomahu Reservoir

Luo si lai ang nei si ba
洛斯莱昂内斯坝
Los Leones Dam

Ma er pa suo shui dian zhan
马尔帕索水电站
Malpaso Hydropower Station

Ma li ji na ba
马里基纳坝
Marikina Dam

Ma li mu bang duo shui dian
  zhan
马里姆邦多水电站
Marimbondo Hydropower station

Ma ni ke er ji shui dian zhan
马尼克二级水电站
Manic II Hydropower Station

Ma ni ke san ji shui dian zhan
马尼克三级水电站
Manic III Hydropower Station

Ma ni ke wu ji shui dian zhan
马尼克五级水电站
Manic V Hydropower Station

Ma sha yi shui ku
马沙伊水库
Mashai Reservoir

Ma na si he guan qu
玛纳斯河灌区

Manashe Irrigation Area

Ma shi shui dian zhan
麻石水电站
Mashi Hydropower Station

Mai jia shui dian zhan
买加水电站
Mica Hydropower Station

Mai ke na li shui dian zhan
麦克纳里水电站
Mc Nary Hydropower Station

Man ge la shui dian zhan
曼格拉水电站
Mangla Hydropower Station

Man ta luo shui dian zhan
曼塔罗水电站
Mantaro Hydropower Station

Man wan shui dian zhan
漫湾水电站
Manwan Hydropower Station

Mao jia cun shui dian zhan
毛家村水电站
Maojiacun Hydropower Station

Mei shan guan qu
梅山灌区
Meishan Irrigation Area

Mei shan shui ku
梅山水库
Meishan Reservoir

Mei suo qiao la ba
梅索乔拉坝
Messochora Dam

Men ce lai te ba

门策莱特坝
Menzelet Dam

Meng tai na er ba
蒙台纳尔坝
Monteynard Dam

Mi yun shui ku
密云水库
Miyun Reservoir

Mian hua tan shui dian zhan
棉花滩水电站
Mianhuatan Hydropower Station

Min you guan qu
民有灌区
Minyou Irrigation Area

Ming ge cha wu er shui ku
明格查乌尔水库
Mingechaur Reservoir

Ming hu chou shui xu neng dian
zhan
明湖抽水蓄能电站
Minghu Pumped Storage Power S-
tation

Ming tan chou shui xu neng
dian zhan
明潭抽水蓄能电站
Mingtan Pumped Storage Power
Station

Mo fang gou shui dian zhan
磨房沟水电站
Mofanggou Hydropower Station

Mo wa sang ba
莫瓦桑坝
Mauvoisin Dam

Mo xi luo ke ba
摩西罗克坝
Mossyrock Dam

Mu la ding qi ba
姆拉丁其坝
Mratinje Dam

Na ban shui ku
那板水库
Naban Reservoir

Na jia qiong na sa ge shui ku
纳加琼纳萨格水库
Nagarjunasagar Reservoir

Nai chuan du ba
奈川渡坝
Nagawado Dam

Nai liang yu ba
奈良俣坝
Naramata Dam

Nan shui bei diao dong xian
gong cheng
南水北调东线工程
Eastern-Line South-to-North W-
ater Transfer Project

Nan shui bei diao gong cheng
南水北调工程
South-to-North Water Transfer
Project
Yangtze River Water Transfer
Project

Nan shui bei diao xi xian gong
cheng
南水北调西线工程
Western-Line South-to-North W-
ater Transfer Project

Nan shui bei diao zhong xian
gong cheng
南水北调中线工程
Median-Line South-to-North Wa-
ter Transfer Project

Nan shui shui dian zhan
南水水电站
Nanshui Hydropower Station

Nan wan guan qu
南湾灌区
Nanwan Irrigation Area

Nan wan shui ku
南湾水库
Nanwan Reservoir

Nei sa wa er ke yue te shui
dian zhan
内萨瓦尔柯约特水电站
Netzahualcoyotl Hydropower St-
ation

Ni ya jia la shui dian zhan
尼亚加拉水电站
Niagara Hydropower Station

Nian yu shan guan qu
鲇鱼山灌区
Nianyushan Irrigation Area

Nian yu shan shui ku
鲇鱼山水库
Nianyushan Reservoir

Niu lu ling shui ku
牛路岭水库
Niululing Reservoir

Nu ku yi shui ku
努库依水库
Nukui Reservoir

Nu lie ke shui dian zhan
努列克水电站
Nurek Hydropower Station

Nuo zha du shui dian zhan
糯扎渡水电站
Nuozhadu Hydropower Station

Ou wen pu bu shui ku
欧文瀑布水库
Owen Falls Reservoir

Ou yang hai shui dian zhan
欧阳海水电站
Ouyanghai Hydropower Station

Pan jia kou shui li shu niu
潘家口水利枢纽
Panjiakou Multipurpose Project

Pan kou shui dian zhan
潘口水电站
Pankou Hydropower Station

Pan zhuang guan qu
潘庄灌区
Panzhuang Irrigation Area

Pao lu a feng su shui dian
    zhan
泡卢阿丰苏水电站
Paulo Afonso Hydropower Stati-
    on

Pei di a ba
佩迪阿坝
Patia Dam

Peng shui shui dian zhan
彭水水电站
Pengshui Hydropower Station

Pi de la de a ji la ba

彼德拉德阿吉拉坝
Piedra De Aguilla Dam

Pi he guan qu
淠河灌区
Pihe Irrigation Area
    S　淠史杭灌区*

Pi shi hang guan qu
淠史杭灌区*
Pi-Shi-Hang Irrigation Area
    F　杭埠河灌区
        淠河灌区
        史河灌区

Pu bu gou shui dian zhan
瀑布沟水电站
Pubugou Hydropower Station

Pu ding shui li shu niu
普定水利枢纽
Puding Multipurpose Project

Pu la si mu lan ba
普拉斯木兰坝
Place Moulin Dam

Pu li si te tan shui dian zhan
普里斯特滩水电站
Priest Rapids Hydropower Stat-
    ion

Qi er ke shui dian zhan
契尔克水电站
Chirkey Hydropower Station

Qi fu shui dian zhan
契伏水电站
Chivor Hydropower Station

Qi ke di si ba
奇科第四坝
Chco IV Dam

Qi ke sen shui dian zhan
奇科森水电站
Chicoasen Hydropower Station

Qi kou shui ku
碛口水库
Qikou Reservoir

Qi lai er ge lu de er ba
齐莱尔格鲁德尔坝
Zillergrundl Dam

Qi mu liang shui ku
齐姆梁水库
Tsimlyan Reservoir

Qia er wa ke ba
恰尔瓦克坝
Charvak Dam

Qie bo ke sa lei shui dian
　　zhan
切博克萨雷水电站
Cheboksary Hydropower Station

Qing he shui ku
清河水库
Qinghe Reservoir

Qing shi tan shui dian zhan
青狮潭水电站
Qingshitan Hydropower Station

Qing tong xia guan qu
青铜峡灌区
Qingtongxia Irrigation Area

Qing tong xia shui li shu niu
青铜峡水利枢纽
Qingtongxia Multipurpose Proj-
　　ect

Qiu ji er pu bu shui dian zhan

丘吉尔瀑布水电站
Churchill Falls Hydropower St-
　　ation

Qiu qi la ke ba
丘奇拉克坝
Chuilac Dam

Quan shui shui dian zhan
泉水水电站
Quanshui Hydropower Station

Qun ying shui ku
群英水库
Qunying Reservoir

Ru bi a shui dian zhan
茹比阿水电站
Jupia Hydropower Station

Sa er tuo ao suo li ao shui
　　dian zhan
萨尔托奥索里奥水电站
Salto Osorio Hydropower Stati-
　　on

Sa er tuo ge lan de shui dian
　　zhan
萨尔托格兰德水电站
Salto Grande Hydropower Stati-
　　on

Sa er tuo sheng di ya ge shui
　　dian zhan
萨尔托圣地亚哥水电站
Salto Santiago Hydropower Sta-
　　tion

Sa er wa ji na ba
萨尔瓦吉纳坝
Salvajina Dam

Sa la tuo fu shui dian zhan

萨拉托夫水电站
Saratov Hydropower Station

Sa ma na shui dian zhan
萨马纳水电站
Samana Hydropower Station

Sa yang shu shen si ke shui
    dian zhan
萨扬舒申斯克水电站
Sayansushensk Hydropower Stat-
    ion

Sai ge lei du shui dian zhan
塞格雷杜水电站
Segredo Hydropower Station

Sai wen ou ke si shui ku
塞文欧克斯水库
Seven Oaks Reservoir

San ban xi shui li shu niu
三板溪水利枢纽
Sanbanxi Multipurpose Project

San men xia shui li shu niu
三门峡水利枢纽
Sanmenxia Multipurpose Project

San xia shui li shu niu
三峡水利枢纽
Sanxia Multipurpose Project

Sha he guan qu
沙河灌区
Shahe Irrigation Area

Sha xi kou shui dian zhan
沙溪口水电站
Shaxikou Hydropower Station

Shan mei shui ku
山美水库

Shanmei Reservoir

Shan xi shui dian zhan
珊溪水电站
Shanxi Hydropower Station

Shang si wei er shui ku
上斯维尔水库
Upper Svir Reservoir

Shang you jiang shui dian zhan
上犹江水电站
Shangyoujiang Hydropower Stat-
    ion

Shao shan guan qu
韶山灌区
Shaoshan Irrigation Area

Shen wo shui ku
参窝水库
Shenwo Reservoir

Sheng ji si di na ba
圣纪斯迪那坝
San Giustina Dam

Sheng ka luo si shui dian zhan
圣卡洛斯水电站
San Carlos Hydropower Station

Sheng lao lun si shui dian
    zhan
圣劳伦斯水电站
St Laurence Hydropower Station

Sheng luo ke shui ku
圣罗克水库
San Rogue Reservoir

Sheng xi mao shui dian zhan
圣西毛水电站
Sao Simao Hydropower Station

Sheng zhong shui ku
升钟水库
Shengzhong Reservoir

Sheng zhong shui ku guan qu
升钟水库灌区
Shengzhong Reservoir Irrigati-
　　on Area

Shi he duan shui dian zhan
石河段水电站
Rocky Reach Hydropower Station

Shi jin guan qu
石津灌区
Shijin Irrigation Area

Shi liang he shui ku
石梁河水库
Shilianghe Reservoir

Shi men shui ku
石门水库
Shimen Reservoir

Shi mo ling shui dian zhan
石磨岭水电站
Shimoling Hydropower Station

Shi quan shui dian zhan
石泉水电站
Shiquan Hydropower Station

Shi tou he shui ku
石头河水库
Shitouhe Reservoir

Shi tou kou men shui ku
石头口门水库
Shitoukoumen Reservoir

Shi he guan qu
史河灌区

Shihe Irrigation Area
　S　洄史杭灌区*

Shi san ling chou shui xu neng
　　dian zhan
十三陵抽水蓄能电站
Shisanling Pumped Storage Pow-
　　er Station

Shi zi tan shui dian zhan
狮子滩水电站
Shizitan Hydropower Station

Shou qu chuan ba
手取川坝
Tedorigawa Dam

Shu er bin si ke shui dian
　　zhan
舒尔宾斯克水电站
Shulbinsk Hydropwer Station

Shuang pai shui ku
双牌水库
Shuangpai Reservoir

Shui bu ya shui li shu niu
水布垭水利枢纽
Shuibuya Multipurpose Project

Shui feng shui dian zhan
水丰水电站
Shuifeng Hydropower Station

Shui fu miao shui ku
水府庙水库
Shuifumiao Reservoir

Shui kou shui dian zhan
水口水电站
Shuikou Hydropower Station

Si bei she li ba

斯贝舍里坝
Speccheri Dam

Si da lin ge le shui dian zhan
斯大林格勒水电站
Stalingrad Hydropower Station

Si tai nong ba
斯泰农坝
Stenon Dam

Si wei fu te ba
斯威夫特坝
Swift Dam

Si ma shan yin jiang guan qu
驷马山引江灌区
Simashan Yinjiang Irrigation
　Area

Song tao shui ku
松涛水库
Songtao Reservoir

Song tao shui ku guan qu
松涛水库灌区
Songtao Reservoir Irrigation
　Area

Su ya hu shui ku
宿鸭湖水库
Suyahu Reservoir

Suo bu la ding ao shui dian
　zhan
索布拉丁奥水电站
Sobradinho Hydropower Station

Ta bei la shui dian zhan
塔贝拉水电站
Tarbela Hydropower Station

Ta le bin ge ba

塔勒宾哥坝
Talbingo Dam

Tai ping shao shui dian zhan
太平哨水电站
Taipingshao Hydropower Station

Tai ping wan shui dian zhan
太平湾水电站
Taipingwan Hydropower Station

Tai wu shi he dang chao zha
泰晤士河挡潮闸
Thames Barrier

Tan keng shui dian zhan
滩坑水电站
Tankeng Hydropower Station

Tang he shui ku
汤河水库
Tanghe Reservoir

Tao cheng pu guan qu
陶城铺灌区
Taochengpu Irrigation Area

Tao lin kou shui ku
桃林口水库
Taolinkou Reservoir

Te ke wei er ba
特克韦尔坝
Turkwel Dam

Te lei si ma li ya si shui ku
特雷斯马里亚斯水库
Tres Marias Reservoir

Te li ao ma qiao er chou shui
　xu neng dian zhan
特里奥－马乔尔抽水蓄能电站
Delio-Maggiore Pumped Storage

Power Station

Te li ni di ba
特里尼蒂坝
Trinity Dam

Tian huang ping chou shui xu
neng dian zhan
天荒坪抽水蓄能电站
Tianhuangping Pumped Storage
Power Station

Tian nan chang qu guan qu
天南长渠灌区
Tiannan Changqu Irrigation Ar-
ea

Tian sheng qiao er ji shui
dian zhan
天生桥二级水电站
Tianshengqiao II Hydropower S-
tation

Tian sheng qiao yi ji shui
dian zhan
天生桥一级水电站
Tianshengqiao I Hydropower S-
tation

Tie men shui dian zhan
铁门水电站
Iron Gate Hydropower Station

Tie shan shui ku
铁山水库
Tieshan Reservoir

Tong jie zi shui dian zhan
铜街子水电站
Tongjiezi Hydropower Station

Tu ku lu yi shui dian zhan
图库鲁伊水电站

Tucurui Hydropower Station

Tu mu te di san chou shui xu
neng dian zhan
图穆特第三抽水蓄能电站
Tumut III Pumped Storage Power
Station

Tuo ke tuo gu er shui dian
zhan
托克托古尔水电站
Toktogul Hydropower Station

Wa na pu mu shui dian zhan
瓦纳普姆水电站
Wanapum Hydropower Station

Wa yi ang ba
瓦依昂坝
Vajont Dam

Wan an shui dian zhan
万安水电站
Wan'an Hydropower Station

Wan jia zhai shui li shu niu
万家寨水利枢纽
Wanjiazhai Multipurpose Proje-
ct

Wang kuai shui ku
王快水库
Wangkuai Reservoir

Wang ying shui ku
王英水库
Wangying Reservoir

Wei ang deng chou shui xu neng
dian zhan
维昂登抽水蓄能电站
Vianden Pumped Storage Power
Station

Wei de la lu ba
维德拉鲁坝
Vidraru Dam

Wei liu yi shui ku
维柳伊水库
Vilyui Reservoir

Wei te si ba
维特斯坝
Huites Dam

Wei gan he guan qu
渭干河灌区
Weiganhe Irrigation Area

Wei shan guan qu
位山灌区
Weishan Irrigation Area

Wen huang ping yuan guan qu
温黄平原灌区
Wenhuang Pingyuan Irrigation
  Area

Wen ni bo hu shui ku
温尼伯湖水库
Winnipeg Lake Reservoir

Wen xia kou shui ku
温峡口水库
Wenxiakou Reservoir

Wo luo wei er ba
渥洛维尔坝
Oroville Dam

Wo te jin shui dian zhan
沃特金水电站
Votkin Hydropower Station

Wu jiang du shui dian zhan
乌江渡水电站

Wujiangdu Hydropower Station

Wu si te yi li mu shui dian
  zhan
乌斯特伊里姆水电站
Ust Ilim Hydropower Station

Wu ta er de si ji shui ku
乌塔尔德四级水库
Outardes IV Reservoir

Wu qiang xi shui dian zhan
五强溪水电站
Wuqiangxi Hydropower Station

Xi bei kou shui ku
西北口水库
Xibeikou Reservoir

Xi da yang shui ku
西大洋水库
Xidayang Reservoir

Xi er he shui dian zhan
西洱河水电站
Xi'erhe Hydropower Station

Xi jin shui dian zhan
西津水电站
Xijin Hydropower Station

Xi er sai de mu chang ba
希耳赛德牧场坝
Hillside Ranch Dam

Xi ge shui dian zhan
欣戈水电站
Xingo Hydropower Station

Xi luo du shui dian zhan
溪落渡水电站
Xiluodu Hydropower Station

Xi ma pan ba
锡马潘坝
Zimapan Dam

Xi ma shui dian zhan
锡马水电站
Sima Hydropower Station

Xi sa fu luo si ba
锡萨夫罗斯坝
Thissavros Dam

Xia ka ma shui dian zhan
下卡马水电站
Lower Kama Hydropower Station

Xia xiang chou shui xu neng
　　dian zhan
下乡抽水蓄能电站
Shimogo Pumped Storage Power
　　Station

Xia shan shui ku
峡山水库
Xiashan Reservoir

Xia shan shui ku guan qu
峡山水库灌区
Xiashan Reservoir Irrigation
　　Area

Xia si ta ba
夏斯塔坝
Shasta Dam

Xiang Hong dian shui ku
响洪甸水库
Xianghongdian Reservoir

Xiang jia ba shui dian zhan
向家坝水电站
Xiangjiaba Hydropower Station

Xiao hai zi shui ku
小海子水库
Xiaohaizi Reservoir

Xiao lang di shui li shu niu
小浪底水利枢纽
Xiaolangdi Multipurpose Proje-
　　ct

Xiao wan shui dian zhan
小湾水电站
Xiaowan Hydropower Station

Xin ai ke si qie ke ba
新埃克斯切克坝
New Exchequer Dam

Xin an jiang shui dian zhan
新安江水电站
Xin'anjiang Hydropower Station

Xin bu la ba ba
新布拉巴坝
New Bullards Bar Dam

Xin dun bi de le ba
新顿彼德勒坝
New Don Pedro Dam

Xin feng gen chou shui xu neng
　　dian zhan
新丰根抽水蓄能电站
Shintoyone Pumped Storage Pow-
　　er Station

Xin feng jiang shui dian zhan
新丰江水电站
Xinfengjiang Hydropower Stati-
　　on

Xin gao lai chuan chou shui xu
　　neng dian zhan
新高濑川抽水蓄能电站

Shintakasegawa Pumped Storage
Power Station

Xin li cheng shui ku
新立城水库
Xinlicheng Reservoir

Xin mei nong ba
新美浓坝
New Melone Dam

Xu er he pan ai shi shui ku
叙尔河畔埃施水库
Esch-Sur-Sure Reservoir

Xu jia he shui ku
徐家河水库
Xujiahe Reservoir

Xue shan gong cheng
雪山工程
Snow Mountain Project

Xun yang shui dian zhan
旬阳水电站
Xunyang Hydropower Station

Ya dang bei ke di er shui dian
zhan
亚当贝克第二水电站
Adam Beck II Hydropower Stati-
on

Ya he kou guan qu
鸭河口灌区
Yahekou Irrigation Area

Ya he kou shui ku
鸭河口水库
Yahekou Reservoir

Ya xi lai ta shui dian zhan
雅西来塔水电站

Yacileta Hydropower Station

Yan guo xia shui dian zhan
盐锅峡水电站
Yanguoxia Hydropower Station

Yan tan shui dian zhan
岩滩水电站
Yantan Hydropower Station

Yang zhuo yong hu chou shui xu
neng dian zhan
羊卓雍湖抽水蓄能电站
Yamzho Yumco Pumped Storage P-
ower Station

Ye er qiang he xi an da qu
guan qu
叶尔羌河西岸大渠灌区
Yarkanthe West Canal Irrigati-
on Area

Yi er ku ci ke shui ku
伊尔库茨克水库
Irkutsk Reservoir

Yi la suo er tai la shui dian
zhan
伊拉索耳台拉水电站
Ilha Solteira Hydropower Stat-
ion

Yi li ka shi he xia you guan
qu
伊犁喀什河下游灌区
Ili Kax He Xiayou Irrigation
Area

Yi meng nan an guan qu
伊盟南岸灌区
Yimeng Nan'an Irrigation Area

Yi ta pa li ka shui dian zhan

伊塔帕里卡水电站
Itaparica Hydropower Station

Yi tai pu shui dian zhan
伊泰普水电站
Itaipu Hydropower Station

Yi tu bi ya la shui dian zhan
伊吐比亚腊水电站
Itumbiara Hydropower Station

Yi li he shui ku
以礼河水库
Yilihe Reservoir

i di ji ba
依迪基坝
Idiki Dam

Yi luo kao yi si shui ku
依罗考依斯水库
Iroquois Reservoir

Yin bi ru lian gong shui gong
　　cheng
引碧入连供水工程
Water Supply Project of Trans-
　　ferring Water from Biliuhe -
　　to D

Yin da ru qin gong cheng
引大入秦工程
Water Diversion Project of Tr-
　　ansferring Water from the D-
　　aton

Yin dan guan qu(he nan)
引丹灌区(河南)
Yindan Irrigation Area
　　(He'nan)

Yin dan guan qu(hu bei)
引丹灌区(湖北)

Yindan Irrigation Area (Hubei)

Yin huang gong cheng
引黄工程
Huanghe Water Transfer Project

Yin huang ru jin gong cheng
引黄入晋工程
Water Diversion Project of Tr-
　　ansferring Water from Huang-
　　he t

Yin luan gong cheng
引滦工程
Luanhe Water Transfer Project

Yin luan ru jin gong cheng
引滦入津工程
Water Diversion Project of Tr-
　　ansferring Water from Luanhe
　　to

Yin song gong cheng
引松工程
Songhuajiang Water Transfer P-
　　roject

Yin du he diao shui gong cheng
印度河调水工程
Indus River Water Transfer Pr-
　　oject

Yin jia pi te shui ku
因加皮特水库
Ingapata Reservoir

Ying fei er ni luo shui ku
英菲尔尼罗水库
Infiernillo Reservoir

Ying gu li shui dian zhan
英古里水电站
Inguri Hydropower Station

Ying jia shui dian zhan
英加水电站
Inga Hydropower Station

Yu qiao shui ku
于桥水库
Yuqiao Reservoir

Yu ye chuan chou shui xu neng
    dian zhan
侯野川抽水蓄能电站
Madanogawa Pumped Storage Pow-
    er Station

Yu yuan chou shui xu neng dian
    zhan
玉原抽水蓄能电站
Tamahara Pumped Storage Power
    Station

Yu zi xi shui dian zhan
渔子溪水电站
Yuzixi Hydropower Station

Yue cheng shui ku
岳城水库
Yuecheng Reservoir

Yue han dai shui dian zhan
约翰代水电站
John Day Hydropower Station

Yue liang pao shui ku
月亮泡水库
Yueliangpao Reservoir

Yun feng shui dian zhan
云峰水电站
Yunfeng Hydropower Station

Zai er fu lei la ba
宰尔夫雷拉坝
Zervreila Dam

Ze ji ai ba
泽济埃坝
Zeuzier Dam

Ze kou zha guan qu
泽口闸灌区
Zekouzha Irrigation Area

Zeng wen shui ku
曾文水库
Tsengwen Reservoir

Zha ge er chou shui xu neng
    dian zhan
扎戈尔抽水蓄能电站
Dzagor Pumped Storage Power S-
    tation

Zhang he shui ku
漳河水库
Zhanghe Reservoir

Zhang he shui ku guan qu
漳河水库灌区
Zhanghe Reservoir Irrigation
    Area

Zhang nan guan qu
漳南灌区
Zhangnan Irrigation Area

Zhao ping tai guan qu
昭平台灌区
Zhaopingtai Irrigation Area

Zhao ping tai shui ku
昭平台水库
Zhaopingtai Reservoir

Zhe lin shui dian zhan
柘林水电站
Zhelin Hydropower Station

Zhe xi shui dian zhan
柘溪水电站
Zhexi Hydropower Station

Zhong yang he gu gong cheng
中央河谷工程
Central Valley Project

Zhu zhuang shui ku
朱庄水库
Zhuzhuang Reservoir

Zi ping pu shui ku
紫坪铺水库
Zipingpu Reservoir

Zun cun guan qu
尊村灌区
Zuncun Irrigation Area

Zuo jiu jian ba
佐久间坝
Sakuma Dam

附表三   行政区划

A er ba ni ya
阿尔巴尼亚
Albania

A er ji li ya
阿尔及利亚
Algeria

A fu han
阿富汗
Afghanistan

A gen ting
阿根廷
Argentina

A ken se
阿肯色
Arkansas
　　S　美国*

A la bo lian he qiu zhang guo
阿拉伯联合酋长国
United Arab Emirates

A la bo ye men gong he guo
阿拉伯也门共和国
Yemen Arab Republic

A la si jia
阿拉斯加
Alaska
　　S　美国*

A man
阿曼
Oman

A sa mu
阿萨姆
Assam
　　S　印度*

A sai bai jiang
阿塞拜疆
Azerbaijan

Ai bo ta
艾伯塔
Alberta
　　S　加拿大*

Ai da he
爱达荷
Idaho
　　S　美国*

Ai er lan
爱尔兰
Ireland

Ai sha ni ya
爱沙尼亚
Estonia

Ai ji
埃及
Egypt

Ai sai e bi ya
埃塞俄比亚
Ethiopia

An da lüe
安大略
Ontario

S 加拿大*

An de la
安得拉
Andhra
　S 印度*

An ge la
安哥拉
Angola

An hui
安徽
Anhui
　D 皖
　F 合肥
　S 华东地区
　Z 中国*

Ao da li ya
澳大利亚*
Australia
　F 昆士兰
　　南澳大利亚
　　塔斯马尼亚
　　维多利亚
　　西澳大利亚
　　新南威尔士

Ao men
澳门
Aomen
Macao
　S 中南地区
　Z 中国*

Ao di li
奥地利
Austria

Ba ji si tan
巴基斯坦
Pakistan

Ba la gui
巴拉圭
Paraguay

Ba na ma
巴拿马
Panama

Ba xi
巴西
Brazil

Bai e luo si
白俄罗斯
Byelorussia

Bao jia li ya
保加利亚
Bulgaria

Bei ai er lan
北爱尔兰
Northern Ireland
　S 英国*

Bei da ke ta
北达科他
North Dakota
　S 美国*

Bei fang bang
北方邦
Uttar Pradesh
　S 印度*

Bei fei
北非
Northern Africa
　S 非洲*

Bei jing
北京
Beijing

D 京
S 华北地区
Z 中国*

Bei ka luo lai na
北卡罗来纳
North Carolina
　S 美国*

Bei mei zhou
北美洲
North America
　S 美洲*

Bei ou
北欧
Northern Europe
　S 欧洲*

Bi ha er
比哈尔
Bihar
　S 印度*

Bi li shi
比利时
Belgium

Bi lu
秘鲁
Peru

Bin xi fa ni ya
宾夕法尼亚
Pennsylvania
　S 美国*

Bing dao
冰岛
Iceland

Bo lan
波兰

Poland

Bu lie dian ge lun bi ya
不列颠哥伦比亚
British Columbia
　S 加拿大*

Chang chun
长春
Changchun
　S 吉林
　Z 中国*

Chang sha
长沙
Changsha
　S 湖南
　Z 中国*

Chao xian
朝鲜
D. P. R. K.
Democratic People's Republic
　of Korea

Cheng du
成都
Chengdu
　S 四川
　Z 中国*

Chong qing
重庆
Chongqing
　S 西南地区
　Z 中国*

Chuan
川
Sichuan
　Y 四川

Da lian

大连
Dalian
　S　辽宁
　Z　中国*

Da yang zhou
大洋洲
Oceania

Dan mai
丹麦
Denmark

De guo
德国
F.R.G.
Federal Republic of Germany

De ke sa si
得克萨斯
Texas
　S　美国*

Di san shi jie guo jia
第三世界国家
The Third World Countries
　Y　发展中国家

Dian
滇
Yunnan
　Y　云南

Dong bei di qu
东北地区
Northeast China
　F　黑龙江(省)
　　　吉林
　　　辽宁
　S　中国*

Dong nan ya
东南亚

Southeast Asia
　S　亚洲*

Dong nan ya di qu
东南亚地区
Southeast Asia Area

Dong ou
东欧
Eastern Europe
　S　欧洲*

Dong ya
东亚
East Asia
　S　亚洲*

E
鄂
Hubei
　Y　湖北

E hai e
俄亥俄
Ohio
　S　美国*

E ke la he ma
俄克拉何马
Oklahoma
　S　美国*

E le gang
俄勒冈
Oregon
　S　美国*

E luo si
俄罗斯
Russia

Fa da guo jia
发达国家

Developed Countries

Fa zhan zhong guo jia
发展中国家
Developing Countries
　　D　第三世界国家

Fa guo
法国
France

Fei lü bin
菲律宾
Philippines

Fei zhou
非洲*
Africa
　　F　北非

Fen lan
芬兰
Finland

Fo luo li da
佛罗里达
Florida
　　S　美国*

Fo meng te
佛蒙特
Vermont
　　S　美国*

Fu ji ni ya
弗吉尼亚
Virginia
　　S　美国*

Fu jian
福建
Fujian
　　D　闽

F　福州
　　厦门
S　华东地区
Z　中国*

Fu zhou
福州
Fuzhou
　　S　福建
　　Z　中国*

Gan
甘
Gansu
　　Y　甘肃

Gan su
甘肃
Gansu
　　D　甘
　　S　西北地区
　　Z　中国*

Gan
赣
Jiangxi
　　Y　江西

Ge lu ji ya
格鲁吉亚
Georgia

Ge lun bi ya
哥伦比亚
Colombia

Gu ba
古巴
Cuba

Gu ji la te
古吉拉特
Gujarat

S 印度*

Guang dong
广东
Guangdong
  D 粤
  F 广州
     汕头
     深圳
     珠海
  S 中南地区
  Z 中国*

Guang xi
广西
Guangxi
  D 广西壮族自治区
  F 南宁
  S 中南地区
  Z 中国*

Guang xi zhuang zu zi zhi qu
广西壮族自治区
Guangxi Zhuang zu Zizhiqu
  Y **广西**

Guang zhou
广州
Guangzhou
  S 广东
  Z 中国*

Gui yang
贵阳
Guiyang
  S 贵州
  Z 中国*

Gui zhou
贵州
Guizhou
  D 黔
  F 贵阳

S 西南地区
Z 中国*

Ha er bin
哈尔滨
Ha'erbin
  S 黑龙江(省)
  Z 中国*

Ha li ya na
哈里亚纳
Haryana
  S 印度*

Ha sa ke
哈萨克
Kazakhstan

Hai kou
海口
Haikou
  S 海南
  Z 中国*

Hai nan
海南
Hainan
  F 海口
  S 中南地区
  Z 中国*

Han guo
韩国
Korea

Hang jia hu di qu
杭嘉湖地区
Hang-Jia-Hu Area
  S 华东地区
  Z 中国*

Hang zhou
杭州

Hangzhou
    S　浙江
    Z　中国*

He bei
河北
Hebei
    D　冀
    F　石家庄
    S　华北地区
    Z　中国*

He nan
河南
He'nan
    D　豫
    F　郑州
    S　中南地区
    Z　中国*

He fei
合肥
Hefei
    S　安徽
    Z　中国*

He lan
荷兰
Netherlands

Hei
黑
Heilongjiang
    Y　黑龙江(省)

Hei long jiang(sheng)
黑龙江(省)
Heilongjiang(Province)
    D　黑
    F　哈尔滨
    S　东北地区
    Z　中国*

Hong du la si
洪都拉斯
Honduras

Hu
沪
Shanghai
    Y　上海

Hu bei
湖北
Hubei
    D　鄂
    F　武汉
    S　中南地区
    Z　中国*

Hu nan
湖南
Hu'nan
    D　湘
    F　长沙
    S　中南地区
    Z　中国*

Hu he hao te
呼和浩特
Huhehaote
    S　内蒙古
    Z　中国*

Hua bei di qu
华北地区
North China
    F　北京
        河北
        内蒙古
        山西
        天津
    S　中国*

Hua dong di qu
华东地区

East China
 F　安徽
  福建
  杭嘉湖地区
  江苏
  江西
  山东
  上海
  台湾
  浙江
 S　中国*

Hua sheng dun
华盛顿
Washington
 S　美国*

Hua sheng dun te qu
华盛顿特区
Washington D.C.
 S　美国*

Huai e ming
怀俄明
Wyoming
 S　美国*

Ji
吉
Jilin
 Y　**吉林**

Ji er ji si
吉尔吉斯
Kirgizskaja
Kirghizia

Ji lin
吉林
Jilin
 D　吉
 F　长春
 S　东北地区

Z　中国*

Ji
冀
Hebei
 Y　**河北**

Ji nan
济南
Ji'nan
 S　山东
 Z　中国*

Ji nei ya
几内亚
Guinea

Jia li fu ni ya
加利福尼亚
California
 S　美国*

Jia na da
加拿大*
Canada
 F　艾伯塔
  安大略
  不列颠哥伦比亚
  魁北克
  马尼托巴
  纽芬兰
  萨斯喀彻温
  新不伦瑞克
  新斯科舍

Jia na
加纳
Ghana

Jian pu zhai
柬埔寨
Cambodia
Kampuchea

Jiang su
江苏
Jiangsu
  D 苏
  F 南京
  S 华东地区
  Z 中国*

Jiang xi
江西
Jiangxi
  D 赣
  F 南昌
  S 华东地区
  Z 中国*

Jie ke
捷克
Czecho

Jin
津
Tianjin
  Y 天津

Jin ba bu wei
津巴布韦
Zimbabwe
  D 罗得西亚

Jin
晋
Shanxi
  Y 山西

Jing
京
Beijing
  Y 北京

Ka la la
喀拉拉
Kerala
  S 印度*

Ka na ta ke
卡纳塔克
Karnataka
  S 印度*

Kan sa si
堪萨斯
Kansas
  S 美国*

Kang nie di ge
康涅狄格
Connecticut
  S 美国*

Ke luo la duo
科罗拉多
Colorado
  S 美国*

Ke wei te
科威特
Kuwait

Ken ni ya
肯尼亚
Kenya

Ken ta ji
肯塔基
Kentucky
  S 美国*

Kui bei ke
魁北克
Quebec
  S 加拿大*

Kun ming
昆明
Kunming

S　云南
Z　中国*

Kun shi lan
昆士兰
Queensland
　S　澳大利亚*

La ding mei zhou
拉丁美洲
Latin America
　F　南美洲
　　　中美洲
　S　美洲*

La jia si tan
拉贾斯坦
Rajasthan
　S　印度*

La sa
拉萨
Lasa
　S　西藏
　Z　中国*

La tuo wei ya
拉脱维亚
Latvia

Lao wo
老挝
Laos

Li tao wan
立陶宛
Lithuania

Liao
辽
Liaoning
　Y　辽宁

Liao ning
辽宁
Liaoning
　D　辽
　F　大连
　　　沈阳
　S　东北地区
　Z　中国*

Lu
鲁
Shandong
　Y　山东

lu yi si an na
路易斯安那
Louisiana
　S　美国*

Luo de dao
罗得岛
Rhode Island
　S　美国*

Luo de xi ya
罗得西亚
Rhodesia
　Y　津巴布韦

Luo ma ni ya
罗马尼亚
Romania

Ma he la shi te la
马哈拉施特拉
Maharashtra
　S　印度*

Ma lai xi ya
马来西亚
Malaysia

Ma li

马里
Mali

Ma li lan
马里兰
Maryland
　　S　美国*

Ma ni tuo ba
马尼托巴
Manitoba
　　S　加拿大*

Ma sa zhu sai
马萨诸塞
Massachusetts
　　S　美国*

Mei guo
美国*
U.S.A.
United States of America
　　F　阿肯色
　　　　阿拉斯加
　　　　爱达荷
　　　　北达科他
　　　　北卡罗来纳
　　　　宾夕法尼亚
　　　　得克萨斯
　　　　俄亥俄
　　　　俄克拉何马
　　　　俄勒冈
　　　　佛罗里达
　　　　佛蒙特
　　　　弗吉尼亚
　　　　华盛顿
　　　　华盛顿特区
　　　　怀俄明
　　　　加利福尼亚
　　　　堪萨斯
　　　　康涅狄格
　　　　科罗拉多
　　　　肯塔基

　　　　罗得岛
　　　　马里兰
　　　　马萨诸塞
　　　　蒙大拿
　　　　密苏里
　　　　密西西比
　　　　密执安
　　　　缅因
　　　　明尼苏达
　　　　南达科他
　　　　南卡罗来纳
　　　　内布拉斯加
　　　　内华达
　　　　纽约
　　　　特拉华
　　　　田纳西
　　　　威斯康星
　　　　西佛吉尼亚
　　　　夏威夷
　　　　新罕布什尔
　　　　新墨西哥
　　　　新泽西
　　　　亚拉巴马
　　　　亚利桑那
　　　　依阿华
　　　　伊利诺斯
　　　　印第安纳
　　　　犹他
　　　　佐治亚
　　　　路易斯安那

Mei zhou
美洲*
America
　　F　北美洲
　　　　拉丁美洲

Meng da na
蒙大拿
Montana
　　S　美国*

Meng gu

蒙古
Mongolia

Meng jia la guo
孟加拉国
Bangladesh

Mi su li
密苏里
Missouri
　S　美国*

Mi xi xi bi
密西西比
Mississippi
　S　美国*

Mi zhi an
密执安
Michigan
　S　美国*

Mian dian
缅甸
Burma

Mian yin
缅因
Maine
　S　美国*

Min
闽
Fujian
　Y　福建

Ming ni su da
明尼苏达
Minnesota
　S　美国*

Mo er duo wa
摩尔多瓦

Moldavia

Mo luo ge
摩洛哥
Morocco

Mo sang bi ke
莫桑比克
Mozambique

Mo xi ge
墨西哥
Mexico

Nan ao da li ya
南澳大利亚
South Australia
　S　澳大利亚*

Nan chang
南昌
Nanchang
　S　江西
　Z　中国*

Nan da ke ta
南达科他
South Dakota
　S　美国*

Nan fei
南非
South Africa

Nan jing
南京
Nanjing
　S　江苏
　Z　中国*

Nan ka luo lai na
南卡罗来纳
South Carolina

S 美国*

Nan mei zhou
南美洲
South America
  S 拉丁美洲
  Z 美洲*

Nan ning
南宁
Nanning
  S 广西
  Z 中国*

Nan ou
南欧
Southern Europe
  S 欧洲*

Nan si la fu
南斯拉夫
Yugoslavia

Nan ya
南亚
South Asia
  S 亚洲*

Nei bu la si jia
内布拉斯加
Nebraska
  S 美国*

Nei hua da
内华达
Nevada
  S 美国*

Nei meng gu
内蒙古
Neimenggu Zizhiqu
Nei Mongolia Autonomous Region
  D 内蒙古自治区

  F 呼和浩特
  S 华北地区
  Z 中国*

Nei meng gu zi zhi qu
内蒙古自治区
Neimenggu Zizhiqu
Inter Mongolia Autonomous Reg-
ion
  Y 内蒙古

Ni Po er
尼泊尔
Nepal

Ni ri li ya
尼日利亚
Nigeria

Ning bo
宁波
Ningbo
  S 浙江
  Z 中国*

Ning xia
宁夏
Ningxia
  D 宁夏回族自治区
  F 银川
  S 西北地区
  Z 中国*

Ning xia hui zu zi zhi qu
宁夏回族自治区
Ningxia Huizu Zizhiqu
  Y 宁夏

Niu fen lan
纽芬兰
Newfoundland
  S 加拿大*

Niu yue
纽约
New York
　S　美国*

Nuo wa si ke xia
诺瓦斯科夏
Nova Scotia
　Y　新斯科舍

Nuo wei
挪威
Norway

Ou zhou
欧洲*
Europe
　F　北欧
　　　东欧
　　　南欧
　　　西欧
　　　中欧

Pang zhe pu
旁遮普
Punjab
　S　印度*

Pu tao ya
葡萄牙
Portugal

Qian
黔
Guizhou
　Y　贵州

Qing
青
Qinghai
　Y　青海

Qing dao

青岛
Qingdao
　S　山东
　Z　中国*

Qing hai
青海
Qinghai
　D　青
　F　西宁
　S　西北地区
　Z　中国*

Ri ben
日本
Japan

Rui dian
瑞典
Sweden

Rui shi
瑞士
Switzerland

Sa si ka che wen
萨斯喀彻温
Saskatchewan
　S　加拿大*

Sha te a la bo
沙特阿拉伯
Saudi Arabia

Shan
陕
Shanxi
　Y　陕西

Shan xi
陕西
Shanxi
　D　陕

F 西安
S 西北地区
Z 中国*

Shan dong
山东
Shandong
　D 鲁
　F 济南
　　　青岛
　S 华东地区
　Z 中国*

Shan xi
山西
Shanxi
　D 晋
　F 太原
　S 华北地区
　Z 中国*

Shan tou
汕头
Shantou
　S 广东
　Z 中国*

Shang hai
上海
Shanghai
　D 沪
　S 华东地区
　Z 中国*

Shen yang
沈阳
Shenyang
　S 辽宁
　Z 中国*

Shen zhen
深圳
Shenzhen

S 广东
Z 中国*

Shi jia zhuang
石家庄
Shijiazhuang
　S 河北
　Z 中国*

Si chuan
四川
Sichuan
　D 川
　F 成都
　S 西南地区
　Z 中国*

Si li lan ka
斯里兰卡
Sri Lanka
　D 锡兰

Si luo fa ke
斯洛伐克
Slovakia

Su
苏
Jiangsu
　Y 江苏

Su dan
苏丹
Sudan

Su ge lan
苏格兰
Scotland
　S 英国*

Suo ma li
索马里
Somalia

Ta ji ke
塔吉克
Tajikistan
Tadzhikistan

Ta si ma ni ya
塔斯马尼亚
Tasmania
　S　澳大利亚*

Tai
台
Taiwan
　Y　台湾

Tai wan
台湾
Taiwan
　D　台
　S　华东地区
　Z　中国*

Tai guo
泰国
Thailand

Tai mi er na de
泰米尔纳德
Tamil Nadu
　S　印度*

Tai yuan
太原
Taiyuan
　S　山西
　Z　中国*

Tan sang ni ya
坦桑尼亚
Tanzania

Te la hua
特拉华

Delaware
　S　美国*

Tian jin
天津
Tianjin
　D　津
　S　华北地区
　Z　中国*

Tian na xi
田纳西
Tennessee
　S　美国*

Tu er qi
土耳其
Turkey

Tu ku man
土库曼
Turkmenistan
Turkmenia
Turkmenskaja

Wan
皖
Anhui
　Y　安徽

Wei duo li ya
维多利亚
Victoria
　S　澳大利亚*

Wei er shi
威尔士
Wales
　S　英国*

Wei si kang xing
威斯康星
Wisconsin

S　美国*

Wei nei rui la
委内瑞拉
Venezuela

Wu han
武汉
Wuhan
　　S　湖北
　　Z　中国*

Wu ke lan
乌克兰
Ukraine
Ukrainskaja

Wu la gui
乌拉圭
Uruguay

Wu lu mu qi
乌鲁木齐
Wulumuqi
　　S　新疆
　　Z　中国*

Wu zi bie ke
乌兹别克
Uzbekstan
Uzbekskaja

Xi an
西安
Xi'an
　　S　陕西
　　Z　中国*

Xi ao da li ya
西澳大利亚
Western Australia
　　S　澳大利亚*

Xi ban ya
西班牙
Spain

Xi bei di qu
西北地区
Northwest China
　　F　甘肃
　　　　宁夏
　　　　青海
　　　　陕西
　　　　新疆
　　S　中国*

Xi fu ji ni ya
西佛吉尼亚
West Virginia
　　S　美国*

Xi nan di qu
西南地区
Southwest China
　　F　重庆
　　　　贵州
　　　　四川
　　　　西藏
　　　　云南
　　S　中国*

Xi nan ya
西南亚
Southwest Asia
　　Y　西亚

Xi ning
西宁
Xining
　　S　青海
　　Z　中国*

Xi ou
西欧
Western Europe

S　欧洲*

Xi ya
西亚
West Asia
　D　西南亚
　S　亚洲*

Xi zang
西藏
Xizang Zizhiqu
Tibet Autonomous Region
　D　西藏自治区
　F　拉萨
　S　西南地区
　Z　中国*

Xi zang zi zhi qu
西藏自治区
Xizang Zizhiqu
Tibet Autonomous Region
　Y　西藏

Xi la
希腊
Greece

Xi lan
锡兰
Ceylon
　Y　斯里兰卡

Xia men
厦门
Xiamen
　S　福建
　Z　中国*

Xia wei yi
夏威夷
Hawaii
　S　美国*

Xiang
湘
Hu'nan
　Y　湖南

Xiang gang
香港
Hongkong
　S　中南地区
　Z　中国*

Xin bu lun rui ke
新不伦瑞克
New Brunswick
　S　加拿大*

Xin han bu shi er
新罕布什尔
New Hampshire
　S　美国*

Xin jia po
新加坡
Singapore

Xin jiang
新疆
Xinjiang Uygur Zizhiqu
　D　新疆维吾尔自治区
　F　乌鲁木齐
　S　西北地区
　Z　中国*

Xin jiang wei wu er zi zhi qu
新疆维吾尔自治区
Xinjiang Uygur Zizhiqu
　Y　新疆

Xin mo xi ge
新墨西哥
New Mexico
　S　美国*

Xin nan wei er shi
新南威尔士
New South Wales
    S   澳大利亚*

Xin si ke she
新斯科舍
Nova Scotia
    D   诺瓦斯科夏
    S   加拿大*

Xin xi lan
新西兰
New Zealand

Xin ze xi
新泽西
New Jersey
    S   美国*

Xiong ya li
匈牙利
Hungary

Xu li ya
叙利亚
Syria

Ya la ba ma
亚拉巴马
Alabama
    S   美国*

Ya li sang na
亚利桑那
Arizona
    S   美国*

Ya mei ni ya
亚美尼亚
Arm'anskaja
Armenia

Ya tai di qu
亚太地区
Asian and Pacific Region
    D   亚洲及太平洋地区

Ya zhou
亚洲*
Asia
    F   东南亚
         东亚
         南亚
         西亚
         远东
         中东
    C   中国*

Ya zhou ji tai ping yang di qu
亚洲及太平洋地区
Asian and Pacific Region
    Y   亚太地区

Ye men min zhu ren min gong he
    guo
也门民主人民共和国
Democratic Yemen
People's Democratic Republic
    of Yemen

Yi a hua
依阿华
Iowa
    S   美国*

Yi da li
意大利
Italy

Yi la ke
伊拉克
Iraq
Irak

Yi lang

伊朗
Iran

Yi li nuo si
伊利诺斯
Illinois
　S　美国*

Yi se lie
以色列
Israel

Yin di an na
印第安纳
Indiana
　S　美国*

Yin du
印度*
India
　F　阿萨姆
　　　安得拉
　　　北方邦
　　　比哈尔
　　　古吉拉特
　　　哈里亚纳
　　　喀拉拉
　　　卡纳塔克
　　　拉贾斯坦
　　　马哈拉施特拉
　　　旁遮普
　　　泰米尔纳德
　　　中央邦

Ying chuan
银川
Yingchuan
　S　宁夏
　Z　中国*

Ying ge lan
英格兰
England

S　英国*

Ying guo
英国*
Britain
　F　北爱尔兰
　　　苏格兰
　　　威尔士
　　　英格兰

You ta
犹他
Utah
　S　美国*

Yu
豫
He'nan
　Y　河南

Yuan dong
远东
Far East
　S　亚洲*

Yue
粤
Guangdong
　Y　广东

Yue nan
越南
Viet Nam

Yun nan
云南
Yunnan
　D　滇
　F　昆明
　S　西南地区
　Z　中国*

Zan bi ya

赞比亚
Zambia

Zha de
乍得
Chad

Zhe
浙
Zhejiang
   Y 浙江

Zhe jiang
浙江
Zhejiang
   D 浙
   F 杭州
       宁波
   S 华东地区
   Z 中国*

Zheng zhou
郑州
Zhengzhou
   S 河南
   Z 中国*

Zhi li
智利
Chile

Zhong dong
中东
Middle East
   S 亚洲*

Zhong guo
中国*
China
   F 东北地区
       华北地区
       华东地区
       西北地区

       西南地区
       中南地区
   C 亚洲*

Zhong mei zhou
中美洲
Central America
   S 拉丁美洲
   Z 美洲*

Zhong nan di qu
中南地区
Mid-South China
   F 澳门
       广东
       广西
       海南
       河南
       湖北
       湖南
       香港
   S 中国*

Zhong ou
中欧
Central Europe
   S 欧洲*

Zhong yang bang
中央邦
Medhya Pradesh
   S 印度*

Zhu hai
珠海
Zhuhai
   S 广东
   Z 中国*

Zuo zhi ya
佐治亚
Georgia
   S 美国*

附表四　　自然地理区划

A ba la qi ya shan mai
阿巴拉契亚山脉
Appalachian Mountains

A er bei si shan
阿尔卑斯山
Alps Mountains

A er jin shan
阿尔金山
Altun Mountains
Altun Shan

A er tai shan
阿尔泰山
Altay Mountains
Altay shan

Ba yan ka la shan
巴颜喀拉山
Bayan Har Mountains
Bayan Har Shan

Bo hai
渤海
Bo Hai

Bo hai wan
渤海湾
Bohai Gulf
Bohai wan

Chai da mu pen di
柴达木盆地
Qaidam Basin
Qaidam Pendi

Chang bai shan

长白山
Changbai Mountains
Changbai Shan

Chang jiang liu yu
长江流域
Changjiang Basin
Yangtze River Basin

Chang jiang san jiao zhou
长江三角洲
Yangtze River Delta
Changjiang Sanjiaozhou

Chang jiang zhong xia you ping
　　yuan
长江中下游平原
Yangtze Plain
Changjiang Zhongxiayou Pingyu-
an

Chang shan lie dao
长山列岛
Changshan Islands
Changshan Liedao

Cheng du ping yuan
成都平原
Chengdu Plain
Chengdu Pingyuan

Da hu qu (bei mei zhou)
大湖区(北美洲)
Great Lakes(North America)

Da xing an ling
大兴安岭
Da Hinggan Mountains

Daxing' an Ling

Diao yu dao
钓鱼岛
Diaoyu Island
Diaoyu Dao

Dong bei ping yuan
东北平原
Northeast Plain
Plain of Northeast
Dongbei Pingyuan
　D　松辽平原

Dong hai
东海
Dong Hai
Eestern Sea

Guan zhong ping yuan
关中平原
Guanzhong Plain
Guanzhong Pingyuan

Hai he liu yu
海河流域
Haihe Basin
Haihe River Basin

Hai nan dao
海南岛
Hainan Dao
Hainan Island

Hang zhou wan
杭州湾
Hangzhou Gulf
Hangzhou Wan

Heng duan shan mai
横断山脉
Hengduan Mountains
Hengduan Shan

Heng he san jiao zhou
恒河三角洲
Ganges Delta

Hua bei ping yuan
华北平原
North China Plain
Huabei Pingyuan

Huai he liu yu
淮河流域
Huaihe Basin
Huaihe River Basin

Huang hai
黄海
Huang Hai
Yellow Sea

Huang he liu yu
黄河流域
Huanghe Basin
Yellow River Basin

Huang huai hai ping yuan
黄淮海平原
Huang-Huai-Hai Plain
Huang-Huai-Hai Pingyuan

Huang tu gao yuan
黄土高原
Loess Plateau
Huangtu Gaoyuan

Jia li fu ni ya wan
加利福尼亚湾
Gulf of California

Jiang han ping yuan
江汉平原
Jianghan Plain
Jianghan Pingyuan

Jiao zhou wan
胶州湾
Jiaozhou Gulf
Jiaozhou Wan

Jin men dao
金门岛
Jinmen Islands
Jinmen Dao

Ka la kun lun shan
喀喇昆仑山
Karakorum Mountains
Karakorum Shan

Lei zhou ban dao
雷州半岛
Leizhou Peninsula
Leizhou Bandao

Liao dong ban dao
辽东半岛
Liaodong Peninsula
Liaodong Bandao

Liao dong wan
辽东湾
Liaodong Gulf
Liaodong Wan

Liao he liu yu
辽河流域
Liaohe Basin
Liaohe River Basin

Luan he liu yu
滦河流域
Luanhe Basin
Luanhe River Basin

Luo ji shan mai
洛基山脉
Rocky Mountains

Mei suo bu da mi ya ping yuan
美索不达米亚平原
Mesopotamia Plain

Nan hai
南海
Nan Hai
Southern Sea

Nan hai zhu dao
南海诸岛
South China Sea Islands
Nanhai Zhudao

Nan ling
南岭
Nanling Mountains
Nan Ling

Nan sha qun dao
南沙群岛
Nansha Islands
Nansha Qundao

Nei meng gu cao yuan
内蒙古草原
Neimenggu Caoyuan
Nei Monggol Prairie
Inter Mongolia Prairie

Nei meng gu gao yuan
内蒙古高原
Neimenggu Gaoyuan
Nei Monggol Plateau
Inter Mongolia Plateau

Pa mi er gao yuan
帕米尔高原
Pamir Plateau

Peng hu lie dao
澎湖列岛
Penghu Islands

Penghu Liedao

Qi lian shan
祁连山
Qilian Mountains
Qilian Shan

Qin ling
秦岭
Qinling Mountains
Qin Ling

Qing zang gao yuan
青藏高原
Qingzang Gaoyuan
Qinghai-Xizang Plateau

San jiang ping yuan
三江平原
Sanjiang Plain
Sanjiang Pingyuan

San men xia
三门峡
Sanmen Gorge
Sanmen Xia

San xia
三峡
Yangtze Gorges
Three Gorges
San Xia

Shan dong ban dao
山东半岛
Shandong Bandao
Shandong Peninsula

Si chuan pen di
四川盆地
Sichuan Basin
Sichuan Pendi

Song hua jiang liu yu
松花江流域
Songhuajiang Basin
Songhua River Basin

Song liao ping yuan
松辽平原
Song-Liao Plain
Song-Liao Pingyuan
　Y　东北平原

Ta li mu pen di
塔里木盆地
Tarim Basin
Tarim Pendi

Tai hu liu yu
太湖流域
Taihu Basin

Tai wan dao
台湾岛
Taiwan Island
Taiwan Dao

Tang gu la shan
唐古拉山
Tangla Mountains
Tangula Shan

Tian shan
天山
Tianshan Mountains
Tian Shan

Tu lu fan pen di
吐鲁番盆地
Turpan Basin
Turpan Pendi

Wei he ping yuan
渭河平原
Weihe Plain

Weihe Pingyuan

Xi bo li ya ping yuan
西伯利亚平原
Siberia Plain

Xi sha qun dao
西沙群岛
Xisha Islands
Xisha Qundao

Xi ma la ya shan mai
喜马拉雅山脉
Himalaya Mountains
Himalaya Shan

Xiao xing an ling
小兴安岭
Xiao Hinggan Mountains
Xiaoxin'an Ling

Yun gui gao yuan
云贵高原
Yunnan-Guizhou Plateau
Yungui Gaoyuan

Zhou shan qun dao
舟山群岛
Zhoushan Islands
Zhoushan Qundao

Zhu jiang liu yu
珠江流域
Zhujiang Basin
Pearl River Basin

Zhu jiang san jiao zhou
珠江三角洲
Pearl River Delta
Zhujiang Sanjiaozhou

Zhun ga er pen di
准噶尔盆地
Junggar Pendi

附表五　　组织机构

An hui sheng shui li ke xue
yan jiu suo
安徽省水利科学研究所
Anhui Hydraulic Research Inst-
itute

An hui sheng shui li shui dian
kan ce she ji yan jiu yuan
安徽省水利水电勘测设计研究院
Anhui Investigation and Design
Institute of Water Conserva-
ncy and Hydropower

An hui sheng shui li ting
安徽省水利厅
Anhui Water Conservancy Depar-
tment

Bei jing kan ce she ji yan jiu
yuan
北京勘测设计研究院
Beijing Investigation and Des-
ign Institute

Bei jing shi shui li gui hua
she ji yan jiu yuan
北京市水利规划设计研究院
Beijing Municipal Institute of
Hydraulic Engineering Plann-
ing Design and Research

Bei jing shi shui li ju
北京市水利局
Beijing Water Conservancy Dep-
artment

Bei jing shi shui li ke xue
yan jiu suo

北京市水利科学研究所
Beijing Hydraulic Research In-
stitute

Bei jing shi shui li zi dong
hua yan jiu suo
北京市水利自动化研究所
Beijing Water Conservancy Aut-
omation Research Institute

Bei jing shui li shui dian
guan li gan bu xue yuan
北京水利水电管理干部学院
Beijing Administration Instit-
ute of Water Resources and
Hydropower

Chang jiang ke xue yuan
长江科学院
Yangtze River Scientific Rese-
arch Institute

Chang jiang shui li wei yuan
hui
长江水利委员会
Yangtze River Water Resources
Commission
D　**长委**

Chang jiang shui zi yuan bao
hu ke xue yan jiu suo
长江水资源保护科学研究所
Scientific Research Institute
of Water Resources Protecti-
on for the Yangtze

Chang wei
长委

Yangtze River Water Resources
Commission
Y　长江水利委员会

Cheng du kan ce she ji yan jiu
yuan
成都勘测设计研究院
Chengdu Investigation and Des-
ign Institute

Cheng du shan di zai hai yu
huan jing yan jiu suo
成都山地灾害与环境研究所
Chengdu Institute of Mountain
and Environment

Da lian li gong da xue
大连理工大学
Dalian University of Technolo-
gy

Dian li bu da ba an quan jian
cha zhong xin
电力部大坝安全监察中心
Large Dam Safety Supervision
Center of Ministry of Elect-
ric Power

Dian li gong ye bu
电力工业部
Ministry of Electric Power

Dong bei kan ce she ji yan jiu
yuan
东北勘测设计研究院
Northeast China Investigation
and Design Institute

Fu jian sheng shui li shui
dian kan ce she ji yan jiu
yuan
福建省水利水电勘测设计研究院
Fujian Investigation and Desi-

gn Institute of Water Conse-
rvancy and Hydropower

Fu jian sheng shui li shui
dian ke xue yan jiu suo
福建省水利水电科学研究所
Fujian Research Institute of
Water Conservancy and Hydro-
power

Fu jian sheng shui li shui
dian ting
福建省水利水电厅
Fujian Water Conservancy and
Hydropower Department

Gan su sheng shui dian she ji
yan jiu yuan
甘肃省水电设计研究院
Gansu Design Institute of Wat-
er Conservancy and Hydropow-
er

Gan su sheng shui li ke xue
yan jiu suo
甘肃省水利科学研究所
Gansu Hydraulic Research Inst-
itute

Gan su sheng shui li ting
甘肃省水利厅
Gansu Water Conservancy Depar-
tment

Guang dong sheng shui li dian
li kan ce she ji yan jiu
yuan
广东省水利电力勘测设计研究院
Guangdong Investigation and D-
esign Institute of Water Co-
nservancy and Electric Power

Guang dong sheng shui li shui

dian ke xue yan jiu suo
广东省水利水电科学研究所
Guangdong Research Institute
of Water Conservancy and H-
ydropower

Guang dong sheng shui li ting
广东省水利厅
Guangdong Water Conservancy D-
epartment

Guang xi da xue
广西大学
Guangxi University

Guang xi shui li dian li she
ji yan jiu yuan
广西水利电力设计研究院
Guangxi Design Institute of W-
ater Conservancy and Electr-
ic Power

Guang xi shui li dian li ting
广西水利电力厅
Guangxi Water Conservancy and
Electric Power Department

Guang xi shui li ke xue yan
jiu suo
广西水利科学研究所
Guangxi Hydraulic Research In-
stitute

Gui yang kan ce she ji yan jiu
yuan
贵阳勘测设计研究院
Guiyang Investigation and Des-
ign Institute

Gui zhou sheng shui li dian li
ting
贵州省水利电力厅
Guizhou Water Conservancy and

Electric Power Department

Gui zhou sheng shui li ke xue
yan jiu suo
贵州省水利科学研究所
Guizhou Hydraulic Research In-
stitute

Gui zhou sheng shui li shui
dian kan ce she ji yan jiu
yuan
贵州省水利水电勘测设计研究院
Guizhou Investigation and Des-
ign Institute of Water Cons-
ervancy and Hydropower

Guo ji biao zhun hua zu zhi
国际标准化组织
ISO
International Standardization
Organization

Guo ji ce liang lian he hui
国际测量联合会
International Federation of S-
urveyors

Guo ji da ba wei yuan hui
国际大坝委员会
ICOLD
International Commission on L-
arge Dams

Guo ji gong cheng di zhi xie
hui
国际工程地质协会
IAEG
International Association of
Engineering Geology

Guo ji gong shui xie hui
国际供水协会
IWSA

International Water Supply As-
sociation

Guo ji gu wen gong cheng shi
xie hui
国际顾问工程师协会
FIDIC
International Federation of C-
onsulting Engineers

Guo ji guan gai guan li yan
jiu suo
国际灌溉管理研究所
IIMI
International Irrigation Mana-
gement Institute

Guo ji guan gai pai shui wei
yuan hui
国际灌溉排水委员会
ICID
International Commission on I-
rrigation and Drainag

Guo ji ke xue lian meng li shi
hui
国际科学联盟理事会
ICSU
International Council of Scie-
ntific Unions

Guo ji ni sha yan jiu pei xun
zhong xin
国际泥沙研究培训中心
IRTCES
International Research and Tr-
aining Center on Erosion and
Sedimentation

Guo ji shui li gong cheng he
huan jing gong cheng yan jiu
suo
国际水利工程和环境工程研究所

International Institute for H-
ydraulic and Environmental
Engineering

Guo ji shui li xue yan jiu xie
hui
国际水力学研究协会
IAHR
International Association for
Hydraulic Research

Guo ji shui wen di zhi xue jia
xie hui
国际水文地质学家协会
IAH
International Association of
Hydrogeologists

Guo ji shui wen ji hua zu zhi
国际水文计划组织
IHP
International Hydrological Pr-
ogramme

Guo ji shui wen ke xue xie hui
国际水文科学协会
IAHS
International Association of
Hydrological Sciences

Guo ji shui wen xue xie hui
国际水文学协会
IAH
International Association of
Hydrology

Guo ji shui wu ran fang zhi
xue hui
国际水污染防止学会
ISPWP
International society for the
Prevention of Water Polluti-
on

Guo ji shui wu ran yan jiu yu
　kong zhi xie hui
国际水污染研究与控制协会
IAWPRC
International Association on
　Water Pollution Research and
　Control

Guo ji shui zi yuan xie hui
国际水资源协会
IWRA
International Water Resources
　Association

Guo ji sui dao xue hui
国际隧道学会
ITA
International Tunnelling Asso-
　ciation

Guo ji tu di kai ken he gai
　shan yan jiu suo
国际土地开垦和改善研究所
International Institute for
　Land Improvement

Guo ji wen xian lian he hui
国际文献联合会
IFD
International Federation for
　Documentation

Guo ji yan shi li xue xue hui
国际岩石力学学会
ISRM
International Society for Rock
　Mechanics

Guo jia dian li zong gong si
国家电力总公司
China Electric Power General
　Corporation

Guo jia fang xun kang han zong
　zhi hui bu ban gong shi
国家防汛抗旱总指挥部办公室
Office of the State Flood Con-
　trol and Drought Prevention
　Headquarters

Hai he shui li wei yuan hui
海河水利委员会
Haihe Water Conservancy Commi-
　ssion
　D　海委

Hai nan sheng shui dian kan ce
　she ji yan jiu yuan
海南省水电勘测设计研究院
Hainan Investigation and Desi-
　gn Institute of Hydropower

Hai nan sheng shui li ju
海南省水利局
Hainan Water Conservancy Depa-
　rtment

Hai wei
海委
Haihe Water Conservancy Commi-
　ssion
　Y　海河水利委员会

Hai wei shui zi yuan bao hu ke
　xue yan jiu suo
海委水资源保护科学研究所
Water Resources Protection Re-
　search Institute of Haihe W-
　ater Conservancy Commission

He bei nong ye da xue
河北农业大学
Hebei Agricultural University

He bei sheng guan gai zhong
　xin shi yan zhan

河北省灌溉中心试验站
Hebei Irrigation Experimental Station

He bei sheng shui li ke xue yan jiu suo
河北省水利科学研究所
Hebei Hydraulic Research Institute

He bei sheng shui li shui dian di er kan ce she ji yan jiu yuan
河北省水利水电第二勘测设计研究院
Hebei II Investigation and Design Institute of Water Conservancy and Hydropower

He bei sheng shui li shui dian kan ce she ji yan jiu yuan
河北省水利水电勘测设计研究院
Hebei Investigation and Design Institute of Water Conservancy and Hydropower

He bei sheng shui li ting
河北省水利厅
Hebei Water Conservancy Department

He bei sheng shui wen shui zi yuan kan ce ju
河北省水文水资源勘测局
Hebei Investigation Bureau of Hydrology and Water Resources

He hai da xue
河海大学
Hohai University

He nan sheng shui li kan ce she ji yan jiu yuan
河南省水利勘测设计研究院
He'nan Investigation and Design Institute of Water Conservancy

He nan sheng shui li ke xue yan jiu suo
河南省水利科学研究所
He'nan Hydraulic Research Institute

He nan sheng shui li ting
河南省水利厅
He'nan Water Conservancy Department

Hei long jiang sheng shui li ke xue yan jiu suo
黑龙江省水利科学研究所
Heilongjiang Hydraulic Research Institute

Hei long jiang sheng shui li shui dian kan ce she ji yan jiu yuan
黑龙江省水利水电勘测设计研究院
Heilongjiang Investigation and Design Institute of Water Conservancy and Hydropower

Hei long jiang sheng shui li ting
黑龙江省水利厅
Heilongjiang Water Conservancy Department

Hei long jiang sheng shui tu bao chi ke xue yan jiu suo
黑龙江省水土保持科学研究所
Heilongjiang Soil and Water Conservation Research Instit-

ute

Hu bei sheng shui li shui dian
kan ce she ji yan jiu yuan
湖北省水利水电勘测设计研究院
Hubei Investigation and Design
Institute of Water Conserva-
ncy and Hydropower

Hu bei sheng shui li shui dian
ke xue yan jiu suo
湖北省水利水电科学研究所
Hubei Institute of Water Cons-
ervancy and Hydropower

Hu bei sheng shui li ting
湖北省水利厅
Hubei Water Conservancy Depar-
tment

Hu nan sheng shui li shui dian
kan ce she ji yan jiu yuan
湖南省水利水电勘测设计研究院
Hu'nan Investigation and Desi-
gn Institute of Water Conse-
rvancy and Hydropower

Hu nan sheng shui li shui dian
ke xue yan jiu suo
湖南省水利水电科学研究所
Hu'nan Institute of Water Con-
servancy and Hydropower

Hu nan sheng shui li shui dian
ting
湖南省水利水电厅
Hu'nan Water Conservancy and
Hydropower Department

Hua bei shui li shui dian xue
yuan
华北水利水电学院
North China Institute of Water

Conservancy and Hydropower

Hua dong kan ce she ji yan jiu
yuan
华东勘测设计研究院
East China Investigation and
Design Institute

Huai he shui li wei yuan hui
淮河水利委员会
Huaihe Water Resources Commis-
sion
 D 淮委

Huai wei
淮委
Huaihe Water Resources Commis-
sion
  Y 淮河水利委员会

Huang he shui li ke xue yan
jiu yuan
黄河水利科学研究院
Yellow River Hydraulic Resear-
ch Institute

Huang he shui li wei yuan hui
黄河水利委员会
Yellow River Water Conservancy
Commission
 D 黄委

Huang he shui wen shui zi yuan
ke xue yan jiu suo
黄河水文水资源科学研究所
Yellow River Hydrology and Wa-
ter Resources Institute

Huang he shui zi yuan bao hu
ke xue yan jiu suo
黄河水资源保护科学研究所
Huanghe Water Resources Prote-
ction Research Institute

Huang wei
黄委
Yellow River Water Conservancy
  Commission
  Y   黄河水利委员会

Ji lin sheng shui li kan ce
  she ji yan jiu yuan
吉林省水利勘测设计研究院
Jilin Investigation and Design
  Institute of Water Conserva-
  ncy

Ji lin sheng shui li ke xue
  yan jiu suo
吉林省水利科学研究所
Jilin Hydraulic Research Inst-
  itute

Ji lin sheng shui li ting
吉林省水利厅
Jilin Water Conservancy Depar-
  tment

Jian she sheng tu mu yan jiu
  suo(ri ben)
建设省土木研究所(日本)
Public Works Research Institu-
  te (Japan)

Jiang he ku qu jing ji kai fa
  gong si
江河库区经济开发公司
Reservoir Economic Development
  Jianghe Corporation

Jiang su sheng shui li kan ce
  she ji yan jiu yuan
江苏省水利勘测设计研究院
Jiangsu Investigation and Des-
  ign Institute of Water Cons-
  ervancy

Jiang su sheng shui li ke xue
  yan jiu suo
江苏省水利科学研究所
Jiangsu Hydraulic Research In-
  stitute

Jiang su sheng shui li ting
江苏省水利厅
Jiangsu Water Conservancy Dep-
  artment

Jiang xi sheng shui li gui hua
  she ji yan jiu yuan
江西省水利规划设计研究院
Jiangxi Hydraulic Engineering
  Planning Design Institute

Jiang xi sheng shui li ke xue
  yan jiu suo
江西省水利科学研究所
Jiangxi Hydraulic Research In-
  stitute

Jiang xi sheng shui li ting
江西省水利厅
Jiangxi Water Conservancy Dep-
  artment

Jing du da xue fang zai yan
  jiu suo
京都大学防灾研究所
Disaster Prevention Research
  Institute of Kyoto Universi-
  ty

Kun Ming kan ce she ji yan jiu
  yuan
昆明勘测设计研究院
Kunming Investigation and Des-
  ign Institute

Lian he guo jiao ke wen zu zhi
联合国教科文组织

UNESCO
United Nations Educational Sc-
ientific and Cultural Organ-
ization

Liang shi he nong ye zu
zhi(lian he guo)
粮食和农业组织(联合国)
FAO
Food and Agricultural Organiz-
ation (UN)

Liao ning sheng shui dian she
ji yan jiu yuan
辽宁省水电设计研究院
Liaoning Design Institute of
Hydropower

Liao ning sheng shui li shui
dian ke xue yan jiu suo
辽宁省水利水电科学研究所
Liaoning Research Institute of
Water Conservancy and Hydro-
power

Liao ning sheng shui li ting
辽宁省水利厅
Liaoning Water Conservancy De-
partment

Liu ti li xue yan jiu xue
hui(ying guo)
流体力学研究学会(英国)
British Hydromechanics Resear-
ch Association (UK)

Mei guo di zhi diao cha ju
美国地质调查局
USGS
United States Geological Surv-
ey

Mei guo hun ning tu xue hui

美国混凝土学会
ACI
American Concrete Institute

Mei guo ken wu ju
美国垦务局
USBR
United States Bureau of Recla-
mation

Mei guo lu jun gong cheng shi
tuan
美国陆军工程师团
U.S. Army Corps of Engineers

Mei guo neng yuan bu
美国能源部
DOE(USA)
United States Department of
Energy

Mei guo neng yuan yan jiu yu
fa zhan shu
美国能源研究与发展署
U.S. Energy Research and Devel-
opment Administration

Mei guo nong ye bu
美国农业部
USDA
United States Department of A-
griculture

Mei guo nong ye gong cheng shi
xue hui
美国农业工程师学会
ASAE
American Society of Agricultu-
ral Engineers

Mei guo shi yan yu cai liao
xie hui
美国试验与材料协会

ASTM
American Society for Testing
and Materials

Mei guo shui tu bao chi ju
美国水土保持局
U. S. Department of Agriculture
/Soil Conservation Service

Mei guo tu mu gong cheng shi
xue hui
美国土木工程师学会
ASCE
American Society of Civil Eng-
ineers

Mu qu shui li ke xue yan jiu
suo
牧区水利科学研究所
Pastoral Area Hydrotechnical
Research Institute

Nan chang shui li shui dian
gao deng zhuan ke xue xiao
南昌水利水电高等专科学校
Nanchang College of Water Con-
servancy and Hydroelectr
Power

Nan jing shui li ke xue yan
jiu yuan
南京水利科学研究院
Nanjing Hydraulic Research In-
stitute

Nan jing shui li shui wen zi
dong hua yan jiu suo
南京水利水文自动化研究所
Nanjing Automation Institute
of Water Conservancy and Hy-
drology

Nan jing shui wen shui zi yuan

yan jiu suo
南京水文水资源研究所
Nanjing Institute of Hydrology
and Water Resources

Nei meng gu shui li ke xue yan
jiu yuan
内蒙古水利科学研究院
Nei Mongol Hydraulic Research
Institute

Nei meng gu shui li shui dian
kan ce she ji yan jiu yuan
内蒙古水利水电勘测设计研究院
Nei Mongol Investigation and
Design Institute of Water C-
onservancy and Hydropower

Nei meng gu shui li ting
内蒙古水利厅
Nei Mongol Water Conservancy
Department

Ning xia shui li ke xue yan
jiu suo
宁夏水利科学研究所
Ningxia Hydraulic Research In-
stitute

Ning xia shui li shui dian kan
ce she ji yan jiu yuan
宁夏水利水电勘测设计研究院
Ningxia Investigation and Des-
ign Institute of Water Cons-
ervancy and Hydropower

Ning xia shui li ting
宁夏水利厅
Ningxia Water Conservancy Dep-
artment

Nong tian guan gai yan jiu suo
农田灌溉研究所

Farm Irrigation Research Institute

Nong ye tu mu yan jiu suo(ri ben)
农业土木研究所(日本)
Institute of Irrigation Drainage and Reclamation Engineering (Japan)

Qing hai sheng shui dian kan ce she ji yan jiu yuan
青海省水电勘测设计研究院
Qinghai Investigation and Design Institute of Hydropower

Qing hai sheng shui li shui dian ke xue yan jiu suo
青海省水利水电科学研究所
Qinghai Research Institute of Water Conservancy and Hydropower

Qing hai sheng shui li ting
青海省水利厅
Qinghai Water Conservancy Department

Qing hua da xue
清华大学
Qinghua University
Tsinghua University

Ri ben tu mu xue hui
日本土木学会
JSCE
Japan Society of Civil Engineering

Shan dong gong ye da xue
山东工业大学
Shandong University of Technology

Shan dong sheng shui li ke xue yan jiu yuan
山东省水利科学研究院
Shandong Hydraulic Research Institute

Shan dong sheng shui li shui dian kan ce she ji yan jiu yuan
山东省水利水电勘测设计研究院
Shandong Investigation and Design Institute of Water Conservancy and Hydropower

Shan dong sheng shui li ting
山东省水利厅
Shandong Water Conservancy Department

Shan xi sheng shui li kan ce she ji yan jiu yuan
山西省水利勘测设计研究院
Shanxi Investigation and Design Institute of Water Conservancy

Shan xi sheng shui li ke xue yan jiu suo
山西省水利科学研究所
Shanxi Hydraulic Research Institute

Shan xi sheng shui li ting
山西省水利厅
Shanxi Water Conservancy Department

Shan xi sheng shui tu bao chi ke xue yan jiu suo
山西省水土保持科学研究所
Shanxi Soil and Water Conservation Research Institute

Shan xi sheng shui dian she ji
yan jiu yuan
陕西省水电设计研究院
Shanxi Design Institute of Hy-
dropower

Shan xi sheng shui li ke xue
yan jiu suo
陕西省水利科学研究所
Shanxi Hydraulic Research Ins-
titute

Shan xi sheng shui li ting
陕西省水利厅
Shanxi Water Conservancy Depa-
rtment

Shang hai kan ce she ji yan
jiu yuan
上海勘测设计研究院
Shanghai Investigation and De-
sign Institute

Shang hai shi shui li gong
cheng she ji yan jiu yuan
上海市水利工程设计研究院
Shanghai Hydraulic Engineering
Design Institute

Shang hai shi shui li ju
上海市水利局
Shanghai Water Conservancy De-
partment

Shi jie dong li hui yi
世界动力会议
WPC
World Power Conference

Shi jie shui hui yi
世界水会议
World Water Conference

Shui dao shi yan zhan(mei guo
lu jun gong cheng shi tuan)
水道试验站(美国陆军工程师团)
U. S. Army corps of Engineers W-
aterways Experiment Station

Shui ku yu ye yan jiu suo
水库渔业研究所
Institute of Reservoir Fisher-
ies

Shui li bu
水利部
Ministry of Water Resources

Shui li bu chan pin zhi lang
biao zhun yan jiu suo
水利部产品质量标准研究所
Standard and Quality Control
Research Institute of Minis-
try of Water Resources

Shui li bu chang chun ji xie
yan jiu suo
水利部长春机械研究所
Changchun Machinery Research
Institute of Ministry of Wa-
ter Resources

Shui li bu chang jiang kan ce
ji shu yan jiu suo
水利部长江勘测技术研究所
Yangtze Geotechnique and Surv-
ey Research Institute of Mi-
nistry of Water Resources

Shui li bu hang zhou ji xie
she ji yan jiu suo
水利部杭州机械设计研究所
Hangzhou Machinery Design and
Research Institute of Minis-
try of Water Resources

Shui li bu ji dian yan jiu suo
水利部机电研究所
Institute of Electromechanics
of Ministry of Water Resour-
ces

Shui li bu ji xie ju
水利部机械局
Machinery Bureau of Ministry
of Water Resources

Shui li bu jin shu jie guo an
quan jian ce zhong xin
水利部金属结构安全监测中心
Hydraulic Matel Structure Mon-
itoring Center of Ministry
of Water Resources

Shui li bu jing ji guan li ju
水利部经济管理局
Economy Administration of Min-
istry of Water Resources

Shui li bu ke ji tui guang
zhong xin
水利部科技推广中心
Extension Center for Science
and Technology Achievements
of Ministry of Water Resou-
rces

Shui li bu nan shui bei diao
gui hua ban gong shi
水利部南水北调规划办公室
South-to-North Water Transfers
Planning Office of Ministry
of Water Resources

Shui li bu nong cun dian qi
hua yan jiu suo
水利部农村电气化研究所
National Rural Electrification
Institute of Ministry of Wa-

ter Resources
D　亚太地区小水电研究培训中
心

Shui li bu shui li xin xi
zhong xin
水利部水利信息中心
Information Center of Ministry
of Water Resources

Shui li bu shui zhi shi yan
yan jiu zhong xin
水利部水质试验研究中心
Water Quality Research Center
of Ministry of Water Resour-
ces

Shui li bu xin xi yan jiu suo
水利部信息研究所
Information Research Institute
of Ministry of Water Resour-
ces

Shui li bu yao gan ji shu ying
yong zhong xin
水利部遥感技术应用中心
Remote Sensing Technology App-
lication Center of Ministry
of Water Resources

Shui li bu yi min ban gong shi
水利部移民办公室
Resettlement Office of Minist-
ry of Water Resources

Shui li bu zheng ce yan jiu
zhong xin
水利部政策研究中心
Policy Research Center of Min-
istry of Water Resources

Shui li shui dian gui hua she
ji guan li ju

水利水电规划设计管理局
Water Resources and Hydropower
Planning Administration

Shui li shui dian gui hua she
ji zong yuan
水利水电规划设计总院
Water Resources and Hydropower
Planning General Design Ins-
titute

Shui li xue yan jiu you xian
gong si(ying guo)
水力学研究有限公司(英国)
Hydraulics Research Limited
(UK)

Shui tu bao chi ke xue shi yan
zhan(sui de)
水土保持科学试验站(绥德)
Soil and Water Conservation E-
xperimental Station (Suide)

Shui tu bao chi ke xue shi yan
zhan(xi feng)
水土保持科学试验站(西峰)
Soil and Water Conservation E-
xperimental Station (Xifeng)

Shui tu bao chi yan jiu
suo(yang ling)
水土保持研究所(杨陵)
Institute of Soil and Water C-
onservation (Yangling)

Shui yan jiu zhong xin(ying
guo)
水研究中心(英国)
Water Research Center (UK)

Shui zi yuan ke xue qing bao
zhong xin(mei guo)
水资源科学情报中心(美国)

WRSIC
Water Resources Scientific In-
formation Center (USA)

Shui zi yuan li shi hui(mei
guo)
水资源理事会(美国)
WRC
Water Resources Council (USA)

Shui zi yuan shi yan shi(mei
guo)
水资源实验室(美国)
Water Resources Laboratory
(USA)

Si chuan sheng shui li dian li
ting
四川省水利电力厅
Sichuan Water Conservancy and
Electric Power Department

Si chuan sheng shui li dian li
yan jiu suo
四川省水利电力研究所
Sichuan Institute of Water Co-
nservancy and Electric Power

Si chuan sheng shui li she ji
yan jiu yuan
四川省水利设计研究院
Sichuan Design Institute of W-
ater Conservancy

Song liao shui li wei yuan hui
松辽水利委员会
Songhuajiang-Liaohe Water Con-
servancy Commission

Song liao wei shui li ke xue
yan jiu suo
松辽委水利科学研究所
Hydraulics Research Institute

of Song-Liao Water Conserva-
ncy Commission

Tai hu liu yu guan li ju
太湖流域管理局
Taihu Valley Authority

Tian jin da xue
天津大学
Tianjin University

Tian jin kan ce she ji yan jiu
yuan
天津勘测设计研究院
Tianjin Investigation and Des-
ign Institute

Tian jin shi shui li kan ce
she ji yan jiu yuan
天津市水利勘测设计研究院
Tianjin Investigation and Des-
ign Institute of Water Cons-
ervancy

Tian jin shi shui li ke xue
yan jiu suo
天津市水利科学研究所
Tianjin Hydraulic Research In-
stitute

Tian jing shi shui li ju
天津市水利局
Tianjing Water Conservancy De-
partment

Tian na xi liu yu guan li
ju(mei guo)
田纳西流域管理局(美国)
TVA
Tennessee Valley Authority (U-
SA)

Tu mu gong cheng shi xue

hui(ying guo)
土木工程师学会(英国)
ICE
Institution of Civil Engineers
(UK)

Wu han shui li dian li da xue
武汉水利电力大学
Wuhan University of Hydraulic
and Electric Engineering

Xi bei kan ce she ji yan jiu
yuan
西北勘测设计研究院
Northwest China Investigation
and Design Institute

Xi bei nong ye da xue
西北农业大学
Northwestern Agricultural Uni-
versity

Xi bei shui li ke xue yan jiu
suo
西北水利科学研究所
Northwest Hydraulic Research
Institute

Xi zang shui li ju
西藏水利局
Xizang Water Conservancy Depa-
rtment

Xin jiang da xue
新疆大学
Xinjiang University

Xin jiang shui li shui dian
kan ce she ji yan jiu yuan
新疆水利水电勘测设计研究院
Xinjiang Investigation and De-
sign Institute of Water Con-
servancy and Hydropower

Xin jiang shui li shui dian ke
　xue yan jiu suo
新疆水利水电科学研究所
Xinjiang Research Institute of
　Water Conservancy and Hydro-
　power

Xin jiang shui li ting
新疆水利厅
Xinjiang Water Conservancy De-
　partment

Ya tai di qu xiao shui dian
　yan jiu pei xun zhong xin
亚太地区小水电研究培训中心
Hangzhou Regional Center for
　Small Hydropower
　Y　水利部农村电气化研究所

Ya tai jing she hui
亚太经社会
· ESCAP
　Y　亚洲及太平洋经济和社会委
　　　员会（联合国）

Ya zhou ji tai ping yang jing
　ji he she hui wei yuan hui
　(lian he guo)
亚洲及太平洋经济和社会委员会
（联合国）
ESCAP
Economic and Social Commission
　for Asia and the Pacific(UN)
　D　亚太经社会
　　　亚洲及远东经济委员会

Ya zhou ji yuan dong jing ji
　wei yuan hui
亚洲及远东经济委员会
ECAFE
Economic Commission for Asia
　and the Far East
　Y　亚洲及太平洋经济和社会委

员会（联合国）

Yu zhi chuan shui li shi yan
　suo(ri ben)
宇治川水力实验所（日本）
Ujigawa Hydraulics Laboratory
　(Japan)

Yun nan nong ye da xue
云南农业大学
Yunnan Agricultural University

Yun nan sheng shui li shui
　dian kan ce she ji yan jiu
　yuan
云南省水利水电勘测设计研究院
Yunnan Investigation and Desi-
　gn Institute of Water Conse-
　rvancy and Hydropower

Yun nan sheng shui li shui
　dian ke xue yan jiu suo
云南省水利水电科学研究所
Yunnan Research Institute of
　Water Conservancy and Hydro-
　power

Yun nan sheng shui li shui
　dian ting
云南省水利水电厅
Yunnan Water Conservancy and
　Hydropower Department

Yun shu sheng gang wan ji shu
　yan jiu suo(ri ben)
运输省港湾技术研究所（日本）
Port and Harbor Research Inst-
　itute (Japan)

Zhe jiang da xue
浙江大学
Zhejiang University

Zhe jiang sheng he kou hai an
yan jiu suo
浙江省河口海岸研究所
Zhejiang Estuary and Coast Re-
search Institute

Zhe jiang sheng shui li shui
dian ke xue yan jiu yuan
浙江省水利水电科学研究院
Zhejiang Research Institute of
Water Conservancy and Hydro-
power

Zhe jiang sheng shui li shui
dian she ji yan jiu yuan
浙江省水利水电设计研究院
Zhejiang Design Institute of
Water Conservancy and Hydro-
power

Zhe jiang sheng shui li ting
浙江省水利厅
Zhejiang Water Conservancy De-
partment

Zhong guo dian li xin xi zhong
xin
中国电力信息中心
Electric Power Information Ce-
nter of China

Zhong guo guan pai ji shu kai
fa gong si
中国灌排技术开发公司
China Irrigation and Drainage
Corporation

Zhong guo hua shui shui dian
kai fa zong gong si
中国华水水电开发总公司
China Huashui Hydropower Deve-
lopment Corporation

Zhong guo nong ye da xue
中国农业大学
China Agricultural University

Zhong guo shui li bao she
中国水利报社
China Water Resources News

Zhong guo shui li dian li dui
wai gong si
中国水利电力对外公司
China International Water and
Electric Corporation

Zhong guo shui li fa dian gong
cheng xue hui
中国水力发电工程学会
CSHEE
Chinese Society of Hydro Elec-
tric Engineering

Zhong guo shui li jing ji yan
jiu hui
中国水利经济研究会
Chinese Society of Water Econ-
omics

Zhong guo shui li shui dian
chu ban she
中国水利水电出版社
Water Resources and Hydropower
Press of China

Zhong guo shui li shui dian ke
xue yan jiu yuan
中国水利水电科学研究院
China Institute of Water Reso-
urces and Hydropower Resear-
ch

Zhong guo shui li xue hui
中国水利学会
CHES

Chinese Hydraulic Engineering
Society

Zhong nan kan ce she ji yan
jiu yuan
中南勘测设计研究院
South and Central China Inves-
tigation and Design Institu-
te

Zhu jiang shui li wei yuan hui
珠江水利委员会
Pearl River Water Resources
Commission
　D　珠委

Zhu wei
珠委
Pearl River Water Resources
Commission
　Y　珠江水利委员会

Zhu wei ke ji xin xi yan jiu
suo
珠委科技信息研究所
Scientific and Technical Info-
rmation Research Institute
of Pearl River Water Resour-
ces Commission

Zhu wei ke xue yan jiu suo
珠委科学研究所
Scientific Research Institute
of Pearl River Water Resour-
ces Commission

Zhu wei shui zi yuan bao hu ke
xue yan jiu suo
珠委水资源保护科学研究所
Water Resources Protection Re-
search Institute of Pearl R-
iver Water Resources Commis-
sion

参 考 文 献

[1] 水利水电科学技术主题词典, 科学普及出版社, 1987 年
[2] 汉语主题词表, 科学技术文献出版社, 1991 年
[3] 石油主题词表, 石油工业出版社, 1994 年
[4] 中国水系大辞典, 青岛出版社, 1993 年
[5] "中国水库大坝多媒体信息工程", 水利部信息研究所, 1996 年 12 月
[6] 中国水利百科全书, 水利电力出版社, 1991 年
[7] 中国农业百科全书, 农业出版社, 1987 年
[8] 英汉水利水电工程词典, 水利出版社, 1981 年
[9] 英汉技术词典, 国防工业出版社, 1985 年
[10] 汉英科技大词典, 黑龙江省人民出版社, 1985 年
[11] 汉英词典, 商务印书馆, 1985 年
[12] 现代汉语词典, 商务印书馆, 1988 年
[13] 水利统计年鉴(1990), 水利部计划司, 1991 年
[14] 水利统计年鉴(1995), 水利部规划计划司, 1996 年
[15] 中国水利年鉴(1990), 水利电力出版社, 1991 年
[16] 中国水利年鉴(1991), 水利电力出版社, 1992 年
[17] 中国水利年鉴(1992), 水利电力出版社, 1993 年
[18] 中国水利年鉴(1993), 水利电力出版社, 1994 年
[19] 中国水利年鉴(1995), 中国水利水电出版社, 1996 年
[20] 中国水力发电年鉴(1989～1991), 水利电力出版社, 1992 年
[21] 中国水力发电年鉴(1992～1994), 中国电力出版社, 1995 年
[22] 一九九五年全国水利系统电力工业统计资料汇编, 水利部水电及农村电气化司, 1996 年
[23] 世界地名录, 中国大百科全书出版社, 1984 年
[24] 英汉经济词汇, 中国社会科学出版社, 1981 年
[25] 水利部公文主题词表, 水利部办公厅, 1994 年
[26] 公文主题词表, 中共中央办公厅秘书局, 中国经济出版社, 1993 年

责任编辑:荆东亮
封面设计:朱　鹏

ISBN 7-80621-176-4

9 787806 211762 >

水利水电科技主题词表

责任印制:徐海珍

出版发行:黄河水利出版社

　　　　　地址:河南省郑州市顺河路黄委会综合大楼 12 层

　　　　　邮编:450003

印　　刷:黄河水利委员会印刷厂

开　　本:850mm×1168mm　1/32

版　　别:1998 年 1 月第 1 版

印　　次:1998 年 1 月郑州第 1 次印刷

印　　张:25.125

印　　数:1—2000

字　　数:820 千字

ISBN 7-80621-176-4/TV·74

定　价:102.00 元